Pour Claude !

L'enfer n'existe pas mais soyons quand même gentils !"

Bonne lecture !

Michel

M

Nous reconnaissons l'aide financière du gouvernement du Québec par l'entremise de la Société de développement des entreprises culturelles (SODEC) pour nos activités d'édition. Gouvernement du Québec – Programme de crédit d'impôt pour l'édition de livres – Gestion SODEC.

PERRO ÉDITEUR
395, avenue de la Station, C.P. 8
Shawinigan (Québec) G9N 6T8
www.perroediteur.com

Couverture : Lydie De Backer d'après une idée originale de Louis Martin
Mise en page et révision : Lydie De Backer

Dépôts légaux : 2015
Bibliothèque et Archives nationales du Québec
Bibliothèque nationale du Canada
ISBN : 978-2-923995-91-5

MICHEL MORIN

NE DITES PAS À MA MÈRE QUE JE SUIS ATHÉE

(ELLE ME CROIT ASSIS SUR LES GENOUX DU CURÉ)

À Rémus, qui m'a appris le doute...

SOMMAIRE

INTRODUCTION

Le christianisme, si c'est faux, n'a aucune importance. Si c'est vrai, ça a une importance infinie. Ça ne peut tout simplement pas être modérément important.
C.S. Lewis

Différentes règles de preuve sont mises en application dans notre système de droit. Sans ces exigences minimales, on ne pourrait gérer les dossiers et les procès sombreraient dans le chaos.

Un fil conducteur en la matière est le principe de la meilleure preuve. Pour prendre un exemple concret, la partie qui entend introduire en preuve un document officiel doit produire l'original. Selon les cas, une copie authentifiée peut être admise.

Dans les litiges en matière civile, on gagnera sa cause par « prépondérance de preuve ».

Par ailleurs, en raison de l'importance accrue des enjeux pour l'accusé, on élève le standard de preuve dans les procès criminels. Comme un verdict peut entraîner une sanction aussi grave qu'une privation de liberté, l'admissibilité des preuves est encadrée par tout un cortège de règles et de jurisprudences. Ainsi, le ouï-dire est en général proscrit et nos tribunaux exigent, autant que faire se peut, des témoignages directs. L'idée, c'est qu'un témoin direct a sur les événements une crédibilité bien plus grande et, surtout, il peut être contre-interrogé.

Dans nos procès au criminel, la présomption d'innocence fait reposer le fardeau de la preuve sur la Couronne. Ses représentants ont ainsi la lourde tâche de prouver la culpabilité de l'accusé, et ce, hors de doute raisonnable. Des milliers de pages de jugements furent consacrées à élaborer la notion de « doute raisonnable ». Au bout du compte, on en revient pas mal à la notion de sens commun.

Cette entrée en matière quelque peu technique au sujet des notions de preuve en droit a pour but de soulever la question suivante : si le poids de preuve requis pour de simples broutilles humaines est si haut, ne serait-il pas normal d'exiger un standard encore plus élevé quand il s'agit d'établir la véracité des événements relatés dans la Bible ? Comme disait le brillant astronome Carl Sagan : « Une affirmation extraordinaire commande des preuves extraordinaires. »

Or, la Bible est précisément cela : une succession ininterrompue d'affirmations extraordinaires. Et l'impact de ce livre dépasse tout ce qu'on peut imaginer. Le christianisme (tout comme le judaïsme et l'islam) est, rappelons-le, une « religion du livre ». Pour l'ensemble des quelques deux milliards de chrétiens sur la planète, la Bible demeure LA preuve des preuves de l'existence de Dieu.

Pour revenir au parallèle avec la justice, que devrait être le niveau de preuve exigé quand il s'agit de démontrer qu'il y a déjà eu un grand Déluge ? Ou que Moïse a existé ? À partir de quel standard de preuve juge-t-on établie la conception virginale de Jésus ? Ou ses miracles, sa résurrection ? Une preuve de quelle ampleur suffirait à démontrer l'existence du Dieu de la Bible ou d'un dieu tout court ?

La réalité, c'est qu'en cette matière on doit se contenter d'un standard de preuve ridiculement bas. L'expert biblique David Noel Freedman s'est ainsi prononcé sur l'interprétation à donner aux écrits de la Bible :

> On doit se résigner à accepter des standards assez bas. Dans l'univers légal, pour faire condamner un accusé, il faut une preuve hors de tout doute raisonnable. Au civil, la preuve par prépondérance suffit. Quand on fait affaire avec la Bible, on doit relâcher un peu nos standards ; autrement dit, on ne peut rien affirmer avec certitude.[1]

L'ensemble des spécialistes le confirme : côté standard, on est en dessous d'une prépondérance de preuve. Finalement, le mieux qu'on puisse espérer c'est d'arriver avec une espèce de début de preuve qu'il y a des chances que peut-être que tel ou tel passage de la Bible soit vrai et que possiblement on peut envisager l'hypothèse de l'existence d'une quelconque entité qu'on appelle Dieu.

Se pensant subtils, des croyants vont souvent balancer ce défi à des sceptiques : « Et vous, pauvres athées, pouvez-vous prouver que Dieu n'existe pas ? »

La requête est irrecevable.

---

1. Freedman David Noel, *How the Hebrew bible and the Christian Old Testament differ : an interview with David Noel Freedman.* (Bible Review magazine, décembre 1993, p. 34)

Et ce, en raison de ce principe de base en logique: c'est sur la personne faisant une affirmation positive que repose le fardeau de la preuve. Ainsi, c'est aux croyants que revient la charge de la preuve de l'existence de Dieu et de la divinité de Jésus.

Dans *Pour en finir avec Dieu*[2], Richard Dawkins a cet argument implacable: « On ne peut jamais prouver de façon absolue la non-existence d'une chose. Essayez de prouver que le père Noël ou les fées n'existent pas... ! »

Il y a aussi cet autre argument des croyants voulant que si on ne peut établir avec certitude ni l'existence de Dieu ni son inexistence, cela confère le même poids aux deux hypothèses: Dieu aurait donc autant de chances d'exister que de ne pas exister.

Contrant cette affirmation à première vue séduisante, mais trompeuse et inexacte, Dawkins signale avec justesse que l'hypothèse de l'existence de Dieu versus son inexistence n'occupe vraiment pas la même place dans l'échelle des probabilités. Même principe que le père Noël! Impossible de vous prouver avec certitude son inexistence, mais on peut tailler en pièces sans appel tout argument à l'appui de son existence, rendant celle-ci hautement hypothétique.

Précisément le travail auquel on s'appliquera dans cet ouvrage.

Il est à noter que de nombreux livres cités n'ont pas été traduits en français, je prends la liberté d'offrir ma propre traduction en m'appliquant à être le plus fidèle possible à l'esprit et au sens originaux des auteurs.

---

2. Dawkins Richard, *Pour en finir avec Dieu*, traduit de l'anglais par Marie-France Desjeux-Lefort. Robert Laffont, Paris, 2008

PARTIE I

MON NOM EST YHVH
(L'ANCIEN TESTAMENT)

La grande majorité des chrétiens n'a jamais lu la Bible ou même un seul livre de la Bible. Les églises sont remplies par des croyants illettrés en matière biblique. Le moins instruit des athées en sait la plupart du temps plus que les croyants sur la Bible.
Dan Barker, *Godless*

Dans le vaste champ de la recherche scientifique, il existe une chose que l'on nomme l'archéologie biblique. Y évoluent d'indémontables chercheurs qui, animés d'une foi vibrante, soulèvent depuis des siècles toutes les pierres de tous les lieux dont on pense qu'ils auraient été le théâtre de grands événements bibliques. Des milliers et des milliers d'excavations ne sont jamais parvenues à apporter le début d'une preuve de l'existence d'un dieu. Pas un artefact ne peut être produit, pas un document ne peut être soumis à une expertise quelconque qui prouverait qu'une des histoires de l'Ancien Testament se soit jamais produite. Israël Finkelstein et Neil Asher Silberman, deux grands archéologues, ont publié un livre-choc en 2001, *The Bible Unearthed*, et arrivent à des conclusions irréfutables : on n'a aucune preuve de l'existence d'Abraham, de Moïse, de l'Exode, des conquêtes de Josué, des règnes des rois David et Salomon. Rien.

Pour justifier leur foi, les chrétiens ne disposent donc que de ce gros recueil de soixante-treize livres disparates qui furent arbitrairement réunis et divisés en deux grandes parties : la Bible. On ignore l'identité de la presque totalité de ses auteurs. On sait que, pour plusieurs des livres de l'Ancien Testament, le travail s'est fait à quatre ou six mains. Ou plus.

Les chrétiens les plus enthousiastes, les groupies les plus ardents de Dieu et Jésus ne lisent pourtant pas la Bible. Trop ennuyeux, trop endormant, trop compliqué... Les athées à l'esprit curieux l'ont ouverte, eux, et surtout l'ont lue avec plus de circonspection que tous ces pratiquants de la religion qui se la laissent servir en morceaux choisis aux offices religieux ou dans des émissions de télé populaires comme *The Bible* au History Channel (cotes d'écoute phénoménales de plus de dix millions de téléspectateurs !).

Un sondage national mené en 2013 par l'American Bible Society, une organisation certainement pas proathée, donne une idée de l'inculture biblique du peuple comptant parmi les plus croyants sur la planète.

On y apprend que 88 % des Américains croyants possèdent une Bible. De fait, ils en possèdent même une moyenne de 4,4 exemplaires par personne. 61 % de ces fervents suiveurs du Christ, visiblement peu motivés, reconnaissent « qu'ils souhaiteraient lire la Bible plus souvent ». Une faible minorité de 13 % affirme la lire sur une base quotidienne. Autre chiffre étonnant : plus de 57 % des croyants aux États-Unis se bornent à jeter un œil à la Bible plus ou moins quatre fois par an. Quatre personnes sur dix évoquent qu'ils n'ont tout simplement pas le temps de la lire. En même temps, plus du tiers des croyants sondés sont convaincus que le défaut de lire la Bible régulièrement est la raison principale du déclin des valeurs morales américaines.

On se trouve donc devant des millions de croyants endurcis dont la foi s'appuie sur un livre prétendument sacré dont le contenu, selon eux, constitue l'assise de nos valeurs morales, mais que, dans une vaste majorité, ils ne lisent même pas.

Est-ce qu'ils ont peur de ce qu'ils pourraient y trouver ? Si tel est le cas, ils ont raison…

LES DIEUX SONT TOMBÉS SUR LA TERRE
(LA CRÉATION)

Quand on prend le temps de la lire, la Bible est l'argument le plus convaincant qu'on puisse imaginer pour devenir athée.
Isaac Asimov

Depuis 2007, dans l'État du Kentucky, pas très loin de Cincinnati, le public peut visiter le formidable Creation Museum, un musée éminemment divertissant dont la vocation est de diffuser le message des créationnistes, ces fondamentalistes chrétiens qui croient littéralement à tous les textes bibliques. Incluant la création du monde par Dieu survenue, selon eux, il y a plus ou moins six mille ans.

Darwin ? Un imposteur. Les paléoanthropologues, les archéologues, les historiens ? Tous des clowns patentés.

Pour les fondamentalistes, la Bible est le *Word of God*. Non négociable.

Sur l'exaltante vidéo promotionnelle[3], on évoque les millions de personnes « dont la vie a changé » après leur visite au Musée de la Création.

Mais que diable y voit-on de si éblouissant pour que notre vie s'en trouve soudain transformée ? Essentiellement, on exhibe dans des décors bibliques les divers personnages de la Bible grandeur nature, d'Adam et Ève à Jésus en passant par Moïse, Noé et toutes ces autres célébrités *historiques.* Mais, et c'est ce qui frappe le plus, on peut admirer toute une galerie de... dinosaures ! Oui. Le Creation Museum nous présente de gigantesques répliques de dinosaures qui bougent avec un réalisme saisissant grâce à la technologie *animatronics,* dernier cri des années 1950 en matière d'effets spéciaux.

Mais pourquoi cette présence incongrue de diplodocus et autres machins éradiqués de la carte du monde il y a 65 millions d'années ? Parce que, pour les créationnistes, l'Homme et le dinosaure vécurent côte à côte, et ce, dans une harmonie parfaite. Pour exemple, dans une des mises en scène inspirantes du musée, on n'a pas hésité à planter dans une verte prairie en plastique une petite fille en *animatronics* semblant s'amuser ferme avec un vélociraptor. Le film *Jurassic Park* nous ayant sensibilisés à la réputation quand même inquiétante du raptor, ce n'est pas spontanément l'animal qu'on laisserait sans surveillance dans un Centre de la petite enfance. Au cas où la scène surprendrait un parent responsable, les panneaux d'interprétation du Creation Museum l'ont vite rassuré en lui apprenant que, du temps du jardin d'Éden, les dinosaures, alors

3. Creation Museum : creationmuseum.org

tous végétariens, étaient nos amis et les bambins pouvaient donc gambader avec eux en toute sécurité.

Pour achever de vraiment bouleverser notre vie, les idéateurs du Creation Museum proposent à nos yeux ébahis des illustrations montrant le bon Noé embarquant des couples de représentants du jurassique dans l'arche. Pour les rares visiteurs chez qui pourrait naître un brin de scepticisme, les images sont appuyées de convaincantes informations historiques, fruits, à n'en pas douter, d'investigations rencontrant les plus hauts standards scientifiques. Vous serez forcé de l'admettre : il y avait des T-Rex sur l'arche de Noé.

Bon. Reconnaissons cette qualité aux créationnistes : ils s'assument.

Alors que les premières découvertes, au XIXe siècle, d'ossements de dinosaures et le développement de la paléontologie en même temps que la publication de *L'origine des espèces* sont venus complètement démolir le peu de crédibilité que pouvait encore avoir le récit de la Création version biblique, il eût semblé opportun pour les créationnistes de jeter l'éponge et de brûler leurs Bibles : « 'Scusez, on s'est gourés. On ne le fera plus, promis. »

Ils optèrent au contraire pour la bonne vieille stratégie sportive voulant que la meilleure défense reste encore l'attaque, ces illuminés au front de bœuf ont repris les espèces du jurassique à leur compte et les ont intégrées, à coups d'explications loufoques, à leur vision divine de l'histoire de l'humanité. Ainsi, au lieu de capituler et de se rendre à la raison devant l'émergence des ossements de T-Rex et de brontosaures, les créationnistes ont élaboré des théories pseudo-scientifiques délirantes selon lesquelles les dinosaures vivaient avec nous il y a moins de six mille ans[4]. Doublant la mise, les autorités administrant notre Creation Museum ont même fait ce pari à haut risque : puisque notre théorie tordue sur les dinosaures trouve une masse critique d'adhérents chez les créationnistes purs et durs, on va y aller franchement et récupérer les grosses bestioles en en faisant notre image publicitaire ! Pari pas si risqué, quand on y pense, et surtout encouragé par ces deux réalités incontournables :

1. les enfants adorent les dinosaures ;
2. les parents adorent faire plaisir à leurs enfants.

C'est pourquoi, dès qu'on circule en voiture dans un rayon de cent kilomètres autour du Creation Museum, on a l'agréable surprise de découvrir le long de l'autoroute des panneaux publicitaires géants avec d'immenses dinosaures qui nous convient à ce déconcertant Musée qui changera nos vies.

Devant une audace aussi désarmante, on ne sait s'il faut pleurer ou applaudir.

Seulement aux États-Unis…

Tarif pour un adulte : 26,95 $. Si vous cherchez une destination vacances différente.

LE CRÉATIONNISME : PAS EN VOIE D'EXTINCTION

Toute personne informée et un tant soit peu critique a compris que les Adam, Noé, Abraham et même

4. Pour lire des positions de fondamentalistes sur la question de la coexistence des humains avec les dinosaures, voir le site www.gotquestions.org

Moïse n'ont pas davantage d'historicité que Zeus, Merlin ou le Bonhomme Sept Heures. Cela n'est pas un discours d'athée : les diplômés en théologie, les experts de la Bible, même croyants, le reconnaissent.

Pour le lecteur agnostique ou athée moyen, les explications de la Création offertes dans nos Bibles sont si évidemment farfelues qu'il a peine à imaginer que sévissent encore au XXIe siècle des partisans du créationnisme. Détrompez-vous, camarades.

Le pire, c'est qu'ils ne sont pas des demeurés au plan intellectuel. Un groupuscule de déficients légers n'ayant pas terminé leur sixième année et flirtant avec veaux et brebis, les adeptes du créationnisme ? Loin de là. Selon les résultats d'un sondage Gallup tenu en 2012 à l'échelle nationale aux États-Unis, 46 % des Américains sont persuadés que Dieu a créé les humains dans leur forme actuelle, et ce, dans les dix mille dernières années. (Indication troublante : ce pourcentage n'a pour ainsi dire pas bougé depuis trente ans.) Loin de se rallier inconditionnellement à la théorie de l'évolution, pas moins du tiers des Américains sondés estiment quant à eux que l'humain a en effet subi une évolution, mais que celle-ci s'est faite sous la supervision de Dieu. On parle ici de « créationnistes mous ». Enfin, une minorité de 15 % d'Américains adhère d'emblée aux idées de la sélection naturelle et rejette toute contribution divine dans notre processus évolutif.

Ah, direz-vous, mais le phénomène est concentré au pays de l'Oncle Sam !? Mauvaise réponse.

En 2011, un grand sondage Ipsos, pour Reuter News, fut mené sur la question dans vingt-quatre pays dont quelques-uns sont aux antipodes en matière de croyance religieuse. Il s'en dégage que, en gros, à l'échelle planétaire :

- 41 % des gens sont évolutionnistes ;
- 28 % sont créationnistes ;
- 31 % ne savent tout simplement pas quoi croire.

Loin d'arriver en tête du championnat des créationnistes, les États-Unis se classent sixièmes, loin derrière l'Arabie Saoudite (75 %), la Turquie (60 %) et l'Indonésie (57 %). Mention d'honneur à la Suède et à l'Allemagne en tête des pays avec les meilleurs pourcentages d'évolutionnistes, respectivement 68 % et 65 %.

Plus près de nous, au Québec, les milliers de croyants se revendiquant de la confession évangélique, les fidèles de la secte des Témoins de Jéhovah entre autres, font également partie de cette frange de croyants pour qui on ne badine pas avec la Bible, qui prennent les Écritures saintes au pied de la lettre et ridiculisent la théorie de l'évolution. À cet égard, il est à propos de mentionner que les Témoins de Jéhovah, férus de fausse rigueur scientifique, ont dernièrement pris une petite distance vis-à-vis des créationnistes radicaux en suggérant l'amendement suivant au décompte officiel de la Création : pour Jéhovah, un jour étant égal à mille ans, le Créateur aurait, par conséquent, mis non pas six jours, mais six mille ans à exécuter ses travaux. Les ayant terminés il y a environ six mille ans, cela fait remonter à environ douze mille années le début de l'univers. Ce nouveau calcul rapproche donc les Témoins de l'âge estimé de l'univers (plus de treize milliards) dans une proportion d'environ 0,00000005 %. Saluons l'effort. D'ici la publication de ce livre, les calculs des Témoins auront vraisemblablement changé comme ils le font sur une base régulière au fil des articles de leurs magazines...

Situer, pour plusieurs, la création de l'univers en 3761 av. J.-C., une datation populaire, résulte bien entendu de calculs alambiqués, n'ayant pas le début de l'ombre d'un semblant de crédibilité et effectués à partir d'interprétations de versets glanés ici et là dans l'Ancien Testament. Ou parfois dans le Nouveau... ou parfois, pourquoi pas, dans les deux.

Il y a, on le devine, plus d'une date suggérée. Certains croyants érudits y sont même allés de propositions très pointues. Ainsi, au XVIIe siècle, l'archevêque d'Armagh, James Ussher, amant de la précision, avait calculé que Dieu avait créé le monde le dimanche 23 octobre en 2004 av. J.-C., à 18 heures !

Probablement agacés de se sentir désarmés et humiliés devant les arguments des gens de plus en plus délurés sur le plan scientifique, les créationnistes ont enrôlé du monde et comptent désormais dans leurs rangs des *savants* qui tentent de donner un vernis de respectabilité à leurs niaiseries. Cela donne des théories comme celle évoquée plus tôt, voulant qu'on ait cohabité avec les dinosaures.

Pour se donner toutes les chances de réfuter sans appel les incessantes propositions diaboliques des hommes et femmes de science, des créationnistes zélés ont même mis sur pied le très éminent Institute for Creation Research qui a ses bureaux et laboratoires de pacotille en Californie. Là, on élabore d'autres théories phénoménales comme celle disant que le Grand Canyon ait été creusé purement et simplement par le déversement d'eau provoqué par le grand Déluge que Dieu a envoyé pour punir les humains.

DESSEIN INTELLIGENT VS ÉVOLUTION

Que le commun des mortels, désespérément peu instruit et superstitieux, ait pu croire à la Création en six jours à l'époque où furent rédigés les livres de la Bible hébraïque (l'Ancien Testament), soit. Que le citoyen ordinaire ait pu croire au temps du Christ et, ultimement, jusqu'au Siècle des Lumières que les événements relatés dans la Genèse se soient vraiment passés, on le conçoit. Mais que des gens, encore aujourd'hui, y croient de tout cœur, voilà qui dépasse l'entendement. Pour dire les choses franchement, l'hypothèse voulant qu'Elvis soit toujours vivant et coule des jours paisibles loin de la civilisation sur une île perdue passe davantage le test de la vraisemblance.

On aurait cependant tort de mettre tous les créationnistes dans le même sac. De fait, dans les années 1980, la science de la création s'est séparée en deux grandes branches :

- les Young Earth creationnist ou les fondamentalistes de droite qui continuent à croire au récit de la Création mot pour mot ;
- les adeptes du Intelligent Design ou ID (dessein intelligent) qui balancent par-dessus bord les premiers chapitres de la Genèse, mais persistent à croire que Dieu est derrière la Création de notre univers.

Les représentants de l'Église voulant avoir l'air cool se drapent dans cette supposée grande idée du dessein intelligent : « L'univers ne peut sortir de nulle part, il faut une force créatrice derrière : c'est Dieu ! Et vous n'avez pas d'autre explication satisfaisante ! Ha ha, vous voilà déculottés, les scientifiques ! » En résumé : la science ne peut expliquer un phénomène ? C'est Dieu !

Dans une proportion écrasante, les hommes de science qui s'y sont intéressés ont conclu que le ID ne tient pas la route un seul instant. De toute manière, le simple bon sens démontre la vacuité de ce concept boiteux. D'abord, le ID n'explique pas *comment* un dieu quelconque aurait pu créer notre univers. Rien sur ses procédés de fabrication, mystère complet. Ensuite, comment savoir lequel des innombrables dieux auxquels on attribue la paternité de notre univers est le bon ? Allah, Yahvé, Zeus, ou un des milliers de dieux hindous ? Et puisque rien n'est créé à partir de rien, qui a créé ce Créateur ? Le dessein intelligent ne s'appuie sur aucune preuve sérieuse. Aucune.

Pour revenir au récit de la Création comme raconté dans la Bible, un minimum d'indulgence s'impose pour les types qui ont écrit le récit. Car les affirmations fantaisistes de la Genèse doivent être lues en gardant à l'esprit que les rédacteurs de ces livres étaient, sur le plan scientifique, de parfaits ignorants. N'importe quel préado du XXIe siècle un tant soit peu attentif dans ses cours de sciences en connaît davantage sur la réalité physique de notre univers qu'à peu près tous les penseurs du Xe siècle av. J.-C. Même les grands esprits du temps ne connaissaient absolument rien de la géologie, de l'archéologie, de la biologie. Leurs notions de physique, d'astronomie, de chimie étaient rudimentaires. Encore une fois, on ne peut les juger trop sévèrement : même des génies comme Copernic, Galilée, Newton, qui ont vécu environ vingt-cinq siècles plus tard, ignoraient tout, par exemple, de la préhistoire, de l'existence des dinosaures, de l'âge de notre planète...

Ce n'est qu'en 1929 que Edwin Hubble a démontré que l'univers est en expansion. Ses travaux nous ont permis d'évaluer l'âge de l'univers à environ 13,7 milliards d'années... Quant à la Terre, elle serait âgée de plus ou moins 4,5 milliards d'années. La chose est irréfutable et n'est plus débattue depuis longtemps. L'homme est le produit de l'évolution et de la sélection naturelle, un lent processus qui couvre des centaines de millions d'années.

Butés dans leur foi aveugle, les créationnistes aiment répéter sur un ton suffisant que la théorie de l'évolution n'est justement qu'une théorie dans le sens de simple hypothèse. Ils font semblant d'oublier, ou ignorent, que le terme a deux sens différents. Il peut signifier en effet une hypothèse, mais il peut surtout vouloir dire une explication scientifique bien établie et démontrée vraie par l'expérience et les faits. Parlant de l'évolution telle qu'expliquée par Darwin, *théorie* veut dire, bien entendu, *explication.* Au même titre, nous avons la théorie de l'atome, la théorie de la gravité : personne n'oserait pourtant douter de l'existence de l'atome ou de la réalité de la gravité.

Quand ils n'attaquent pas la théorie elle-même, les croyants prétendront qu'il manque des maillons à la chaîne. De moins en moins vrai. Victor J. Stenger :

> Aujourd'hui, on comprend le processus de la sélection naturelle en ces termes : une information génétique est transmise par l'ADN des cellules et elle se modifie par mutations aléatoires [...] La théorie de Darwin, que de nombreux développements scientifiques ont depuis mise à jour, est le fondement même de la biologie moderne [...] L'évolution darwinienne est une théorie bien établie qui a passé de nombreux tests concluants [...]
> Les créationnistes prétendent souvent que des formes transitoires n'existent pas. Pendant des années, les paléontologues s'attendaient à trouver des transitions entre les mammifères marins et les baleines. Dans les décennies qui viennent de s'écouler, les revues scientifiques et les médias ont fait état de nombreuses découvertes de ce genre.[5]

En définitive, les créationnistes ont tout faux quand ils sautent à pieds joints sur les idées de Darwin, car ce dernier, pas plus que ses disciples, ne prétend de toute façon expliquer les débuts de l'univers.

À ce sujet, le divertissant auteur Guy P. Harrison apporte cette distinction-clé :

> Il est important de préciser que la théorie de l'évolution ne s'adresse pas directement à la question de l'origine de la vie. Les croyants placent toujours le début sur l'axe créationnisme/dessein intelligent vs évolution. C'est mal saisir ce qui est en jeu. Car, en fait, l'idée du dessein intelligent est une prétention à expliquer le commencement de la vie alors que la

5. STENGER Victor J. , *God : The Failed Hypothesis : How Science Shows That God Does Not Exist.* Amherst, Prometheus Books, New York, 2007, 287 p.

> théorie de l'évolution ne fait qu'expliquer comment la vie a évolué au fil du temps.[6]

Mais pourquoi, au fait, les auteurs de la Genèse semblaient-ils croire que la Terre n'avait que 6 000 ans ? Selon une des hypothèses soumises, quand les auteurs des premiers livres de l'Ancien Testament ont tenté d'attribuer un âge à la Terre, tout ce qu'ils auraient eu sous la main, c'était une chaîne d'écrits remontant à la civilisation sumérienne. Les Sumériens furent parmi les premiers humains à écrire aux environs de 4 000 à 3 500 av. J.-C. Bref, si on remonte plus loin que 4 000 ans av. J.-C., on ne trouve carrément pas de traces d'écriture humaine. Au lieu de reconnaître tout simplement que l'écriture avait été inventée à cette date, les auteurs en auraient déduit que le monde et la race humaine au grand complet avaient été créés à cette époque.

Le refus entêté des créationnistes d'écouter la voix de la raison vient de ce qu'ils croient que Dieu a communiqué avec des élus, que tous les versets des Écritures saintes sont inspirés. C'est le concept de la révélation.

On aurait tort d'en minimiser l'importance. Pour tout dire, ce concept est une des plus grandes sources de violence et de conflits dans l'histoire de l'humanité. À ce sujet, Christopher Hitchens :

> La religion aime invoquer l'argument de la « révélation ». En certaines occasions spéciales, la volonté divine s'est manifestée par un contact direct avec des humains choisis au hasard à qui ont été confiées des lois immuables.

---

6. Harrison Guy P. , *50 Reasons People Give for Believing in a God.* Amherst, Prometheus Books, New York, 2008, 354 p.

> Comme il y a des contradictions entre les révélations, certaines doivent être fausses. Laquelle est vraie ? Une guerre religieuse pourra essayer d'apporter une réponse. Constante : Dieu se révèle à des gens illettrés dont l'existence même est douteuse, dans des régions désertiques.[7]

L'Ancien Testament est-il inspiré par Dieu ? Est-il le *Word of God* ? Quand on y songe, cette idée de révélation s'appuie sur une logique absurde que résume bien l'auteur Robin Lane Fox :

> Les fondamentalistes aiment dire que la Bible est « inspirée par Dieu ». Pour dire cela, ils s'appuient sur des versets disant que la Bible est inspirée de Dieu. Comme si la preuve de la vérité d'un écrit pouvait se faire par l'écrit lui-même ![8]

Les créationnistes méritent qu'on les couvre de ridicule et seraient même, à la limite, divertissants s'ils étaient inoffensifs. Or, leur vision saugrenue du monde a causé et continue malheureusement de provoquer des torts immenses à des générations d'enfants qui se font inculquer ces notions dès leur plus jeune âge. Enfants qui, plus tard, perpétuent cette folie. Les créationnistes sont des nuisances, des parasites de la raison. On devrait accorder davantage de respect au pauvre naïf qui envoie 500 dollars à un fraudeur en ligne afin de libérer l'héritage d'un oncle millionnaire vivant au Togo et dont il

---

7. HITCHENS Christopher, *God Is Not Great : How Religion Poison Everything.* Twelves Books, New York, 2007, 307 p.

8. FOX Robin Lane, *The Unauthorized Version : Truth and Fiction in the Bible.* Penguin, Londres, 2006 [1992], 480 p.

n'a jamais soupçonné l'existence. Au moins, l'aveuglement gênant de la victime d'une arnaque aussi grosse ne nuit à personne d'autre que lui-même et ne met pas d'entraves au développement moral et intellectuel de millions d'individus.

***

Comme si l'incohérence totale du récit de la création en six jours ne suffisait pas en soi à le discréditer, s'ajoute à cela que le récit n'est même pas original. Les auteurs, d'illustres inconnus en passant, ont systématiquement emprunté leurs idées à des cultures et religions existantes. Le récit de la Création, comme une bonne part des écrits de la Bible, n'est ni plus ni moins qu'une adaptation, un plagiat d'histoires qui existaient dans d'autres traditions. Un gros travail de copiage, et maladroit en plus.

Il semblerait, en fait, que la première version de la Création de nos bibles serait attribuée à un scribe et daterait probablement du VIe siècle av. J.-C. L'auteur s'inspire manifestement d'anciennes traditions mythologiques. Le processus de création où l'on différencie les éléments de l'univers apparaît dans les premiers textes sumériens dans l'épopée babylonienne de la création. Robert G. Ingersoll expose quelques parallèles :

> Chez les Perses, Dieu créa le monde en six jours. Il créa un homme appelé Adama, une femme appelée Evah et puis il se reposa. En plus des Perses, les Grecs, les Égyptiens, les Chinois et les hindous ont leur jardin d'Éden et l'arbre de vie. Aussi, les Perses, les Babyloniens, les Nubiens, le peuple du sud de

l'Inde ont tous le récit de la chute de l'homme et le sournois serpent. Les Chinois disent que le péché est venu dans le monde par la désobéissance d'une femme. Et même les Tahitiens nous disent que l'homme fut créé avec de la terre, et la première femme d'un de ses os.
Toutes ces histoires ont la même authenticité et sont d'une égale valeur pour le monde, et leurs auteurs ne sont pas plus inspirés les uns que les autres.[9]

L'historien et archéologue John Romer :
Le récit de la création de la Mésopotamie et du premier homme à y vivre, l'Enouma Elish, texte lu une fois par an dans les temples d'Our et d'Harran comme dans tous les autres sanctuaires du pays pendant une période de 4 000 ans ou plus, était, lui aussi, divisé en unités de sept qui suivaient les sept générations de la famille des dieux.[10]

ADAM AVAIT-IL UN NOMBRIL ?

Ne boudons pas notre plaisir et jouons le jeu des croyants fondamentalistes pour un moment. Puisqu'ils sont des millions à continuer de prendre pour une vérité littérale et inspirée de Dieu lui-même tout et chacune des affirmations de la Genèse, allons donc y voir de plus près et posons notre loupe sur ces versets sacrés…

---

9. INGERSOLL Robert G., *About the Holy Bible,* 1894. URL : infidels.org/library/historical/robert_ingersoll/about_the_holy_bible.html

10. ROMER John, *La Bible et l'Histoire*. Éditions du Félin, Paris, 1994 [1988], 440 p.

Les auteurs de la Bible ont compris ce principe du marketing littéraire: ouvrir avec une phrase *punchée* ! C'est pourquoi l'Ancien Testament débute sur ces mots : « Au commencement, Dieu créa le ciel et la terre. » (Gn 1, 1)

On part solide. Pas pour rien que la Bible demeure à ce jour le plus grand succès mondial de l'édition. Dès les premiers mots, le lecteur est accroché. On a déjà installé le personnage principal et établi ses superpouvoirs. Cela promet. Vite, vite, la suite !

La suite, elle arrive assez vite : « Dieu crée le monde en six jours. »

Examinons maintenant la déclinaison des six jours d'ouvrage…

Dans Gn 1, 3-4, Dieu invente d'abord la lumière et sépare la lumière des ténèbres. Bon flash pour partir : ça travaille mieux, on le sait, avec un éclairage approprié.

Le deuxième jour, Dieu avance dans les travaux et, afin de bien nous mystifier, crée le tellement pratique firmament :

> Il créa une étendue qui sépare les eaux d'avec les eaux […] et il sépara les eaux qui sont au-dessous de l'étendue d'avec les eaux qui sont au-dessus de l'étendue.
>
> Gn 1, 6

La curieuse création de cette deuxième journée pourra sembler difficile à visualiser pour qui est étranger à cette notion physique ancrée des siècles durant dans la tête des gens à l'effet qu'il y avait un gigantesque dôme solide qui coiffait la planète Terre ! Un dôme au-dessus duquel il y avait un océan. D'où le bleu. Était-on instruit, oui ou non ? L'auteur Jason Long explique :

> Regardant le ciel, on constate qu'il est bien entendu de la même couleur que l'eau. De plus, de l'eau tombe régulièrement du ciel. Avec pas plus d'observations et sans aucune compréhension du phénomène au plan scientifique, la conclusion logique pour les gens de l'époque était qu'il y avait une masse d'eau dans le ciel. Si cela était vrai, ça impliquait qu'il fallait un corps solide, un « firmament », pour contenir ce « réservoir océanique ».[11]

Jusqu'au Moyen Âge, l'humanité se croyait dans un *Truman Show*. On part de loin.

Le troisième jour, les auteurs de la Genèse nous disent que Dieu crée la terre : la verdure, les arbres, etc. Belle initiative de Dieu : on aime la mer, mais bon, après quelques jours, ça devient lassant...

Le quatrième jour, Dieu dit : « Qu'il y ait des luminaires dans l'étendue du ciel pour séparer le jour d'avec la nuit... » (Gn 1, 14)

Loin de nous l'idée de jouer les rabat-joie, mais si le jour et la nuit n'étaient pas encore séparés, comment Dieu faisait-il pour savoir que ses travaux antérieurs s'étaient étendus sur trois jours ?

Et, à bien y penser, si le soleil ne fut créé qu'après les plantes, comment le processus de photosynthèse pouvait-il fonctionner le troisième jour ? À plus forte raison, si on adhère à la théorie du « 1 jour = 1000 ans » des Témoins de Jéhova, comment la végétation put-elle survivre si longtemps sans les rayons du soleil ?

---

11. LONG Jason, *Biblical Nonsense : A Review of the Bible for Doubting Christians.* iUniverse, Lincoln, 2005, 216 p.

Mais continuons... Toujours dans la même journée, Dieu crée le soleil et la lune que les rédacteurs coiffent dans un élan de pittoresque du nom de luminaires : « Dieu fit les deux grands luminaires, le plus grand luminaire pour présider au jour, et le plus petit luminaire pour présider à la nuit ; il fit aussi les étoiles. » (Gn 1, 16)

Mise au point... D'abord, la lune n'est pas un luminaire en ce sens qu'elle ne fait que refléter la lumière du soleil. Et si Dieu l'a conçue pour « présider à la nuit », comment se fait-il qu'on puisse voir la lune de jour ? Puisqu'on y est, on trouve également un peu débonnaire le ton utilisé pour parler de la création des étoiles... « Ah, en passant, il fit aussi les étoiles... QUI SONT TOUT DE MÊME AU NOMBRE DE 300 SEXTILLONS... » Mais pour Dieu, ce nombre fou n'est rien comme on l'apprendra plus loin dans ce verset : « L'Éternel compte le nombre des étoiles, Il leur donne à toutes des noms. » (Ps 147, 4)

Avoir le temps de Nommer trois cents sextillions d'étoiles ? Dieu n'a officiellement pas de vie. Mais enchaînons...

Le cinquième jour, Dieu crée les animaux. Entre autres, il crée, nous dit-on, « les monstres marins ». Nous avons ici la confirmation que ce n'est pas un mythe.

Enfin, au sixième jour, l'homme est créé avec plein pouvoir de domination sur tout ce qui vit dans la nature :

> Dieu leur dit : « Soyez féconds, multipliez, remplissez la terre, et l'assujettissez ; et dominez sur les poissons de la mer, sur les oiseaux du ciel, et sur tout animal qui se meut sur la terre. »
>
> Gn 1, 28

On aurait tort de juger sans conséquence un passage comme celui-ci : bon nombre de fondamentalistes chrétiens citent ce verset anodin pour justifier, d'une part, leur opposition à toute forme de régulation des naissances – on doit se multiplier – et, d'autre part, leur insouciance par rapport à l'environnement et aux droits des animaux.

Après nous avoir créés, Dieu se repose au septième jour.

Et voilà comment se décline le charmant récit de la Création. C'est ainsi que des millions de croyants expliquent l'origine de la vie. Pariez que la plupart de ces bonnes âmes ignorent qu'il y a non pas *un*, mais bien *deux* récits distincts de la Création.

En effet, nous avons une première version qui, comme on le constate, présente de petites lacunes sur le plan rationnel et on a, à côté, une deuxième qui vient radicalement la contredire.

Penchons-nous maintenant sur les problèmes de raccords entre les deux...

Ainsi, tel qu'on l'a vu dans notre version 1, Dieu a consacré sa troisième journée de travail à créer le végétal : « Dieu dit : "Que la terre verdoie d'herbages, de plantes, d'arbres fruitiers, etc." » (Gn 1, 11)

Puis le sixième jour, Dieu crée les humains en ces termes : « Et Dieu créa les hommes en qualité d'image ; comme image divine, il les créa ; mâle et femelle il les créa. » (Gn 1, 27)

Deux constatations que nous pouvons déjà faire : Dieu ne créa pas un seul, mais bien plusieurs êtres humains, et qui étaient hermaphrodites. Tiens, tiens...

On remarque également que dans cette version 1, l'humain est officiellement déclaré végétarien. Que ça lui plaise ou non. En effet, Dieu a dit : « Je vous ai donné toute plante qui dissémine sa semence à la surface de la Terre entière, et tout arbre qui porte fruit : ce sera votre nourriture. » (Gn 1, 29)

Notre bon Créateur ne dictant pas de restriction à ce régime, on pourrait donc envoyer nos enfants en toute quiétude dans la nature même s'ils risquent, en prenant une collation impromptue, de tomber sur une des centaines de variétés de champignons toxiques, de plantes vénéneuses ou de fruits et légumes indigestes...

Mais ce qui ne manque pas d'étonner juste après, c'est de constater que Dieu impose le même régime alimentaire aux animaux : « Et à toutes les bêtes sauvages de la terre, à tous les oiseaux, à tout ce qui remue sur la terre, je donne en nourriture toute verdure. » (Gn 1, 30)

Voilà le verset qui explique pourquoi les créationnistes sont convaincus que les enfants de nos ancêtres pouvaient caresser des tyrannosaures sans danger ! Édifiant.

Abordons enfin la version 2 de la Création, qu'on peut lire au deuxième chapitre de la Genèse. Tout de suite, on ne peut faire autrement que de déceler un sérieux écart de chronologie par rapport à la version 1 : dans la version 2, l'homme est créé avant les plantes. Soyons bons princes et mettons ça sur le compte de l'inattention du deuxième auteur. Car on s'accorde à dire, incidemment, que la Genèse porte la signature de plusieurs auteurs. Le *on* référant bien entendu à la grande majorité des experts bibliques.

Mais au-delà de la confusion dans l'ordre des travaux divins, on observe aussi une différence troublante quant aux détails entourant la création de l'homme. Et cela est franchement indignant. Pour qui nous prend-on, à la fin ? Une petite chose tellement négligeable qu'on lui rabiboche et lui lance au visage deux créations incompatibles en lui disant : « Arrange-toi avec ça, Ducon ! » Choquant, *indeed.*

Ainsi, dans la version 2, les auteurs écrivent : « Yahvé – Dieu modela l'homme de poussière prise du sol ; il insuffla en ses narines le souffle de la vie et l'homme devint personne vivante. » (Gn 2, 7)

Est-on assez loin de la version antérieure qui nous faisait naître hermaphrodites ? À cela, les créationnistes argumenteront sans doute que ça ne contredit pas vraiment la version 1, mais que ça vient plutôt l'appuyer et la préciser en fournissant plus d'informations. En plus, force est d'admettre que cette explication technique du procédé de fabrication utilisé par notre Créateur (poussière + souffle dans le nez = homme) vient tellement rehausser la crédibilité scientifique des auteurs.

Mentionnons ici qu'un texte égyptien du XXIIe siècle av. J.-C., à la gloire du pharaon Mérikaré, associe le concept de souffle de vie à celui de création à l'image du divin. Le thème de la création de l'homme à partir de la poussière du sol ou d'argile est répandu dans les mythes d'origine des peuples voisins des Hébreux. Donc, on a encore plagié.

Reprenons cette instructive analyse de la Création en prenant comme point de départ l'installation d'Adam dans le jardin d'Éden…

On lit d'abord que, pour donner à notre homme quelque chose à faire, Dieu plante un jardin et émet sa célèbre consigne : « De tout fruit tu pourras manger, mais de l'arbre de la science du bien et du mal, tu ne mangeras pas. Le jour où tu en mangerais, tu mourrais sûrement. » (Gn 2, 16-17)

Des questions spontanées soulevées par ce passage :

1. Étant donné que Dieu connaît l'avenir et sait tout, comment se fait-il qu'Adam ne soit pas mort, comme prédit, en mangeant le fruit ? Non seulement il ne meurt pas, mais vivra même 930 ans.
2. Si Adam ne différenciait pas le bien du mal, les actions qu'il faisait *avant* tombaient dans quelle catégorie ? C'était des actions peut-être bonnes ou mauvaises ?
3. Comment Dieu peut-il exiger obstinément tout au long de la Bible qu'on fasse le bien s'il veut nous empêcher de juger de la différence du bien avec le mal ?
4. Après avoir mangé le fruit, Adam est gêné et se dissimule les parties intimes avec des feuilles en réalisant qu'il est tout nu. Si la nudité est mal, pourquoi Dieu n'a-t-il pas créé le pantalon le cinquième jour pour qu'Adam ait quelque chose à se mettre en arrivant au jardin d'Éden ?
5. Et pourquoi, après avoir créé l'homme nu, Dieu vit-il à la fin de la journée que « cela était bon » si c'était mal ?

Oublions les créationnistes un moment pour nous concentrer sur la majorité des bons chrétiens qui ne croient pas un instant à l'historicité du récit d'Adam et Ève, mais jurent y voir plutôt de simples métaphores et symboles. On veut bien. Mais cela pose la grande question : comment gérer la discrimination à effectuer entre passages à prendre littéralement et passages métaphoriques dans la masse des écrits bibliques ? Qui décrète que tel ou tel verset est symbolique ou ne l'est pas ?

En fait, les croyants, à l'instar de tous ces théologiens gonflés de suffisance, choisissent les passages qui font leur affaire. Richard Dawkins :

> Bien sûr, les théologiens irrités protestent toujours en disant qu'on ne prend plus le livre de la Genèse au pied de la lettre. Mais c'est là tout le problème. On choisit à sa convenance les fragments de l'Écriture qu'il faut croire, et ceux qu'il faut laisser de côté, en tant que symboles ou allégories.

On connaît la suite : le serpent aborde Ève et la convainc de manger le fruit, etc. Avec le serpent, on assiste encore à une autre récupération d'un symbole fort populaire depuis la nuit des temps et qui apparaît dans nombre de mythes anciens. Rappelons que les créationnistes croient dur comme fer qu'Ève a vraiment parlé à un serpent et que celui-ci lui répondait. Cela a de quoi éveiller nos soupçons : plus personne dans l'histoire humaine n'ayant depuis ce jour accompli l'exploit de dialoguer avec les serpents, à l'exception de Harry Potter.

Presque deux mille ans avant la rédaction de l'Ancien Testament, les Sumériens créèrent une légende qui fit dépendre l'origine du Mal de la première femme qui, induite par un serpent à désobéir au dieu créateur, convainc son compagnon de manger le fruit de l'arbre interdit.

Mais revenons à notre récit...

On apprend que, très tôt, notre ami Adam s'ennuie ferme, tout fin seul au jardin d'Éden. Pas d'ami, pas même un ballon Wilson pour discuter, rien. Juste du végétal. On a tous déjà parlé à nos plantes à un moment donné, mais on a fait le tour des sujets assez vite. Constatant donc qu'Adam déprime et risque de demander un remboursement, Dieu a une idée qu'il exprime en ces mots : « Je lui ferai une partenaire valable » (Gn 2, 18)

Dieu crée donc la compagne rêvée pour Adam : les animaux et les oiseaux ! Pas son meilleur coup. On note au passage l'érudition de l'auteur de la Genèse qui sait très bien que les oiseaux appartiennent à une classe distincte des animaux...

On peut observer par ailleurs une autre contradiction avec la version 1 où les animaux étaient déjà créés au cinquième jour. Rigueur, rigueur, rigueur !

Mais enchaînons... Nous approchons de la partie croustillante de l'aventure...

À Gn 2, 18, ce taquin de Yahvé-Dieu dévoile son petit côté animateur de camp de jour. On y lit en effet : « Dieu présenta les animaux à l'homme pour voir comment il les appellerait. »

Notons que Dieu semblait sans trop de difficulté être capable de nommer 300 sextillions d'étoiles, mais la tâche de nommer les animaux ?... Oh ! un peu trop complexe, mieux vaut déléguer à Adam.

Mise au point terre-à-terre pour Dieu : Adam est tout seul depuis on ne sait trop quand, il a la testostérone dans le plafond, il tombe du jour au lendemain avec tous les animaux de la terre dont la croupe de certains s'adonne à lui arriver à peu près à la hauteur de la taille... Hmmmm... Personne qui regarde alentour... Hmmmm... approche, brebis... oui...

Pardonnez la crudité de cette conclusion, mais c'est clair que notre homme a envie d'agrandir autre chose que le vocabulaire zoologique.

À ceux qui trouveraient la proposition dégoûtante, nous portons l'attention sur ce verset hautement suggestif du chapitre 2 de la Genèse : « Parmi les animaux, l'homme qu'il était *ne trouva pas de partenaire valable...* »

Même pas subtil. Vraiment, a-t-on besoin d'un dessin ?

Quoi qu'il en soit, Dieu finit par allumer et créa la femme. Encore une fois, la technique est soigneusement explicitée : pendant qu'Adam dort, Dieu lui ouvre le ventre, en retire une côte, referme le tout et crée donc la femme à partir de la côte.

Copié sur d'autres mythes dont on vous épargne la nomenclature.

Pour la petite histoire, on a longtemps cru, s'appuyant sur la création d'Ève, que l'homme avait une côte de moins que la femme. Quand, en 1543, Vesalius démontra que le nombre de côtes était égal chez l'homme et chez la femme, cela créa une controverse monstre. Est-ce qu'on en avait des belles et viriles discussions dans le temps ?

Cela étant dit, le détail de la création d'Ève montre la haute appréciation des femmes au regard de Dieu. Elle arrive quand même après les plantes et les animaux. Elle n'est ni plus ni moins qu'un choix de troisième ronde. Créée en dernier recours.

Les auteurs de l'Ancien Testament ne tarderont pas à démontrer que Dieu, l'omniscient, avait raison d'hésiter : en lisant les récits de la Bible, on se rendra compte qu'à peu près tous les malheurs, toutes les tragédies, tout le mal arrivent à cause des femmes en commençant par Ève. On y reviendra…

Une autre absurdité du récit de la Création se retrouve au chapitre 3, verset 14, quand Dieu inflige cette bien curieuse punition au méchant serpent : « Tu marcheras sur ton ventre et tu mangeras de la poussière tous les jours de ta vie. »

C'est donc dire qu'avant, les serpents avaient des pattes et marchaient ? Par ailleurs, la dernière fois qu'on a vérifié, les serpents ont l'habitude de manger des petits rongeurs. Manger de la poussière ? N'importe quoi.

Quant aux élucubrations autour de Caïn et Abel, la progéniture d'Adam et Ève, elles soulèvent d'autres questions :

1. Avec qui Caïn put-il concevoir des enfants si ce n'est en couchant avec sa propre mère ?
2. Après qu'il eut tué son frère Abel, Caïn reçoit la visite de Dieu qui lui demande où est son frère. Étant omniprésent, comment Dieu ne serait-il pas au courant ?
3. Après que Dieu l'ait banni, Caïn manifeste ses craintes en disant « Quiconque me trouvera me tuera » (Gn 4, 14). Qui peut bien le trouver puisqu'il n'y a personne sur la planète à part lui et ses parents ?

HISTOIRE D'EAU
(LE DÉLUGE)

Pourquoi donc permettrais-je à un dieu de me dire comment élever mes enfants alors que lui a noyé tous les siens?
Robert Ingersoll

Depuis des siècles, des croyants doublés d'un côté « archéologue du dimanche » se sont relayés pour tenter en vain de retrouver l'arche de Noé. Une embarcation qui n'a, bien entendu, jamais existé en dehors des pages de la Genèse. En dépit de tout bon sens, les fouilles continuent et, pour les fondamentalistes chrétiens, abandonner les recherches n'est pas une option. Ces éternels optimistes annoncent à peu près chaque semaine l'imminence de la découverte de l'arche qui est censée avoir échoué sur l'insaisissable mont Ararat. On ne finit plus de compter les fausses découvertes de fragments du bateau. Des labos ont déjà analysé du bois de l'arche qu'on aurait ainsi retrouvé pour découvrir qu'il était âgé de... plus ou moins 1200 ans. Or, le grand Déluge n'eut certainement pas lieu au IXe siècle de notre ère.

À cet égard, le site internet Noah's Ark Search[12] vaut le coup d'œil. Avec une présentation graphique n'ayant rien à envier au National Geographic, ce site, commandité par les excellents produits nettoyants Norwex, fait état des progrès quotidiens d'explorateurs dévoués qui cherchent sans relâche des vestiges de la mythique construction de Noé. Aux curieux qui vont fureter sur le site, on explique *rationnellement* toutes les soi-disant invraisemblances autour de l'histoire de l'arche dans le but de les convaincre que c'est bel et bien arrivé. L'onglet FAQ fournit des réponses tellement comiques à toute une série de questions que ça mérite le détour. Entre autres, on répond à la question de savoir comment Noé a bien pu disposer de suffisamment d'espace physique pour arriver à faire monter à bord de l'arche tous les animaux de la création. Réponse : Noé a tout simplement choisi des jeunes de chaque espèce, alors comme c'est plus petit, ça prend moins de place ! Comment n'y avions-nous pas songé ? Par ailleurs, on précise que, dans le fond, il n'y a pas tant de gros animaux sur la terre ! Fou à lier.

Selon les sondages ou études qu'on utilise, de 40 à 60 % des Américains croient à l'historicité du grand Déluge, à l'existence réelle de Noé et aux détails de son périple nautique. À la sortie du film de Darren Aronofsky dans lequel l'acteur Russel Crowe prête ses traits à Noé, il y eut de violentes réactions du côté des musulmans, outrés avant même d'avoir vu le film qu'on s'en

12. Noah's Ark Search : www.noahsarksearch.com

prenne à l'image de cette grande figure biblique. L'animateur-polémiste Bill Maher a fait une sortie mordante concernant le film qu'il résume en ces mots : « *It's about a psychotic mass murderer who gets away with it, and his name is God.* » (Traduction libre : « C'est au sujet d'un tueur de masse psychopathe qui s'en tire impunément et son nom est Dieu. »)

Difficile de trouver une position critique après le visionnement de ce film abracadabrant. Visuellement réussi, c'est certain. Mais on y prend tellement de libertés avec l'histoire originale que c'en est risible. On pense entre autres à ces anges déchus à l'apparence de Transformers croisés avec La Chose des *Quatre Fantastiques* que Noé utilise comme main d'œuvre à rabais pour construire l'arche. Vraiment ? Les scénaristes ont le droit de faire ça ? Wow !

Comme celle de la Création, l'histoire de Noé est encore un mythe inspiré d'autres mythes. De fait, il y a tant de récits anciens évoquant un grand déluge qu'on serait en peine de lui en attribuer le *copyright*.

Un mythe mésopotamien du déluge est daté d'environ 2500 à 2000 av. J.-C. Plusieurs versions en furent développées, toutes obéissant sensiblement au même modèle :

1. Un (ou plusieurs) dieu provoque un déluge pour punir la vilaine humanité ;
2. Un homme d'une grande bonté est averti ;
3. Il construit une embarcation et est sauvé avec les siens ;
4. La pluie finit par cesser, les eaux se retirent, le monde se repeuple.

Les ressemblances de la saga de Noé avec l'épopée babylonienne de Gilgamesh sont particulièrement évidentes. Il pleut donc jusqu'à ce que la surface de la Terre soit recouverte ; une fois que le bateau est échoué en haut d'une montagne, Ut-Napishtim – le Noé babylonien que nous appellerons Ut – ouvre une fenêtre et envoie en reconnaissance une colombe, une hirondelle et un corbeau. Noé fera la même chose. En sortant du bateau, Ut offre un sacrifice pour apaiser les dieux. Noé : même rituel. L'initiative de Ut calme son dieu tout comme elle calme le dieu de Noé. Enfin, en guise de récompense, Noé est gratifié de trois cent cinquante années de vie supplémentaires tandis que Ut, plus gâté, recevra l'immortalité. Il vivrait toujours dans une maison mobile en banlieue de Pompano Beach, mais cela reste à confirmer...

La mythologie grecque a aussi son histoire de déluge. Quand Zeus décide de punir les humains, il envoie un déluge sur terre, mais prend soin d'avertir Deucalion et sa femme Pyrrha de construire une arche. Même le nom de Noé viendrait d'ailleurs. John Romer écrit :

> Les compilateurs du livre de la Genèse ont utilisé pour écrire l'histoire de Noé une version parfaitement localisable, rédigée en hourrite, [...] langue qui donne la racine même du nom de Noé, son héros s'appelant Nahmizuli, mot dont les trois premières consonnes NHM forment l'équivalent en hébreu de Noé.

Les croyants qui prennent la Bible au sens littéral situent le grand Déluge en 2348 av. J.-C. L'auteur de la Genèse affirme que les seuls humains à survivre auraient été Noé et les membres de sa famille (sa femme, ses trois fils et leurs compagnes).

Cette présumée datation invalide déjà l'histoire. Car elle est impossible à concilier avec les vestiges archéologiques et les écrits conservés des civilisations du Moyen-Orient, du Nil et de la Grèce, entre autres, qui remontent avant et après 2348. La chaîne d'écrits est par ailleurs sans interruption et nulle part il n'est fait mention d'une quelconque inondation majeure, encore moins d'un déluge planétaire.

La démonstration que le récit de Noé est plagié sur d'autres mythes et l'abondance de contre-preuves physiques suffisent amplement à annihiler la crédibilité historique du personnage Noé. Mais rien ne peut davantage nous convaincre de l'invraisemblance totale de cette aventure que d'en faire une relecture avec un œil critique.

Commençons par le début…

Tous les enfants de sept ans connaissent dans ses grandes lignes l'histoire de l'arche de Noé. Résumons-en quand même les points saillants :

1. Dieu est déçu de sa création et veut faire un *reset* planétaire ;
2. Il identifie le seul homme bon sur la planète, Noé, et l'informe de son plan : « Je vais faire pleuvoir jusqu'à ce que tout ce qui est vivant soit englouti, mais toi et ta famille avez un passe-droit » ;
3. Dieu ordonne à Noé de construire une arche et d'y faire monter sa femme, ses fils et ses brus ;
4. Oh, petite formalité, en passant : Noé doit aussi y faire monter tous les animaux de la création ;

5. Comme promis, le Déluge arrive, tous les pas gentils humains dépravés, incluant petits enfants et bébés, périssent noyés avec tous les animaux qui n'avaient pas tiré le bon numéro à la loterie Noé ;
6. La pluie finit par cesser, Noé et sa famille sortent de l'arche, rendent grâce à Dieu et repeuplent la terre.

Entrons maintenant dans les détails du texte proprement dit...

Dès le départ, ces versets introductifs du Déluge donnent à penser qu'on n'embarque probablement pas dans une histoire vécue :

> Les géants étaient sur la terre en ce temps-là. Après que les fils de Dieu furent venus vers les filles des hommes et qu'elles eurent donné des enfants : ce sont ces héros qui furent fameux dans l'Antiquité.
>
> Gn 6, 4

Du gros *stock* dans ce simple verset. Des géants ? Et Dieu aurait des fils ? Ah bon. Et les héros de l'Antiquité auraient existé ? Croire à Noé implique donc que nous sommes disposés à croire également en Achille, Persée, Hercule et toute la galerie des demi-dieux. On nous demande déjà un engagement sérieux.

Le texte continue en nous donnant les motifs du Déluge :

> L'Éternel vit que la méchanceté des hommes était grande sur la Terre, et que toutes les pensées de leur cœur se portaient chaque jour uniquement vers le mal. L'Éternel se repentit d'avoir fait l'homme sur la terre [...] et il dit : J'exterminerai de la face de la terre

> l'homme que j'ai créé et tous les animaux, [...] car je me repens de les avoir faits.
>
> Gn 6, 5

On comprend. Réflexe tout à fait normal que comprennent les parents : qui, devant son enfant trop turbulent, n'a jamais envisagé ne serait-ce qu'un moment de lui maintenir la tête immergée dans la baignoire jusqu'à ce qu'il cesse de bouger ? Mais là où Dieu nous déçoit, c'est dans son inconséquence. On lit en effet deux chapitres plus loin alors que le déluge est passé et l'eau achève de baisser :

> Alors Dieu se dit en son cœur : « Je ne recommencerai plus à maudire le sol à cause de l'homme parce que l'objet des pensées du cœur humain est le mal dès sa jeunesse. »
>
> Gn 8, 21

Tout ça pour ça. Observez ici l'articulation de la logique divine :

1. Ok, les humains sont tous mauvais, je les élimine ;
2. En fin de compte, les humains sont... tous mauvais alors je les laisse aller.

De tous, seul Noé sera sauvé. De toute l'humanité, ce type était vraiment LE SEUL humain juste et bon ? Mais comment ça se passait dans ce temps-là ? La race humaine tout entière se vautrait dans d'incessants *gangs bang* À PART NOÉ ? Tout le monde se volait, s'entre-tuait, sniffait de la drogue, MAIS PAS NOÉ ? Sur toute la terre, il ne se trouvait qu'un homme, UN SEUL, qui n'était pas méchant, qui était juste ?

Oui, Noé était irréprochable. Bon, à condition de mettre de côté ce verset : « Noé fut le premier à planter de la vigne. Il but du vin, s'enivra et se mit à nu à l'intérieur de sa tente. » (Gn 9, 20)

Noé-monsieur-parfait donnait dans le camping naturiste. Et il levait le coude. Bon. On peut comprendre que ne voir que de l'eau sans interruption pendant plus de dix mois puisse éveiller la fibre alcoolique chez un homme.

Mais l'anecdote de la tente ne s'arrête pas là et révèle toute la facette bougonne et revancharde du bon Noé au cœur pur. On dit en effet qu'un de ses fils, ayant découvert Noé saoul mort et nu comme un ver, recouvrit ce dernier de son manteau en prenant mille précautions pour ne pas regarder ses attributs intimes. En guise de remerciement, Noé maudit alors ce fils pour l'éternité parce qu'il y avait une chance que le gamin ait peut-être vaguement entrevu son exceptionnel pénis. Comme si le pauvre jeune homme avait pu nourrir un soupçon d'ombre de fantasme à zieuter les organes génitaux d'un petit vieux, son père de surcroît !

S'ils semblent absurdes comme ça, le ressentiment de Noé et sa pudeur exagérée s'expliquent quand on prend connaissance des règles du Lévitique et du Deutéronome en matière sexuelle. On y viendra plus loin...

Mais que savons-nous d'autre de cet homme qui, bien qu'il ait laissé se noyer toute la race humaine et les animaux, qu'il soit alcoolique et rejette son fils pour une connerie, était considéré comme étant « l'homme le plus juste à la surface de la Terre » ? D'où sort-il ?

Dans une tentative aussi vaine qu'ennuyeuse de conférer une vraisemblance historique à Noé, les auteurs de la Genèse donnent la soporifique ascendance de Noé en remontant jusqu'à Adam et concluent ainsi cette chaîne héréditaire : « Lémec, âgé de 182 ans, engendra un fils : il lui donna le nom de Noé » (Gn 5, 29)

Vous avez bien lu : le père de Noé avait 182 ans au moment de la naissance de son fils. Mais cela était relativement jeune puisqu'on apprend plus loin que Noé dépassait lui-même les 500 ans quand il eut ses garçons.

Cela impose un bref aparté pour parler de l'âge des humains dans l'Ancien Testament...

De fait, cauchemar ultime des gestionnaires de fonds de retraite, les personnages de la Genèse vivaient des centaines et des centaines d'années.

Par exemple, le *recordman* Mathusalem (inspiration de l'expression : *Vieux comme Mathusalem*) vécut 969 ans. La plupart des personnages dont on donne l'âge dans la Genèse ont aussi dépassé les 900 ans. Si de tels chiffres étaient exacts et reflétaient la longévité humaine de cette époque biblique, Mathusalem aurait donc vécu sa crise d'adolescence vers les 140 ou 150 ans, il aurait commencé à fréquenter les bars vers 160 ans avec des fausses cartes qui lui conféraient 200 ans, le démon du midi l'aurait frappé vers 450 ans et ses premières dysfonctions érectiles se seraient manifestées quelque part entre ses 500 et 600 ans.

À moins que ces âges n'imposent une conversion comme pour le calcul des années de chiens, mais inversé ?

En réalité, ces âges extravagants relèvent encore une fois de traditions mythiques qui étaient monnaie courante dans l'Antiquité pour montrer la supériorité des personnages de l'époque. Entre autres, nous possédons une liste très ancienne de rois sumériens (ayant vécu avant le Déluge !), lesquels vécurent à des âges allant de 18 600 à 43 000 ans ! La palme appartient à un mythe de la tradition hindoue où des humains auraient vécu 8 400 000 années. En comparaison, nos patriarches de 900 ans sont des jeunots ![13]

Et on arrive à la construction de l'arche...

De toute évidence bien documentés, les auteurs donnent des repères temporels précis quant à l'époque du déluge. On lit en effet : « L'an 600 de la vie de Noé, le second mois, le 17e jour du mois commença le déluge. »

Beau professionnalisme. On voit qu'il y a eu un travail de recherche sérieux. On peut leur reprocher l'imprécision quant à l'heure, mais bon, reconnaissons un effort.

Quand on aborde maintenant la construction de l'embarcation, on est impressionnés dès le début du récit devant le savoir technique de Dieu qui fournit à Noé les paramètres précis de l'arche :

> Fais-toi une arche de bois de cyprès [...] Voici comment tu la feras : l'arche aura trois cents coudées[14] de longueur, cinquante coudées de largeur et trente coudées de hauteur. Tu feras à l'arche une fenêtre, que tu réduiras à une coudée en haut ; tu établiras une porte sur le côté de l'arche ; et tu construiras un étage inférieur, un second et un troisième.
>
> Gn 6, 14-15

---

13. *Answers in Genesis* : answersingenesis.org

14. 1 coudée = 45 cm

À vouloir paraître crédible, l'auteur se tire dans le pied : une telle construction est tout simplement irréalisable.

À titre comparatif, la Santa Maria, la plus grande des caravelles de Colomb, construite avec tout de même une avancée technologique de quatre mille ans, faisait 30 mètres de longueur. L'arche de Noé fait donc plus ou moins cinq fois la longueur du plus long bateau de Colomb. Les plus gros bateaux construits à la période la plus avancée techniquement en matière d'embarcations en bois (fin du XIXe siècle) atteignaient une longueur maximale de 75 mètres, soit à peine plus de la moitié de la longueur supposée de l'arche. En fait, les experts ont établi à environ 90 mètres la longueur maximale qu'on peut envisager pour un bateau construit en bois. Au-delà de cette limite, l'embarcation craquerait de partout et sombrerait.

Fait insolite : un certain Johan Huibers, croyant néerlandais déterminé à prouver la flottabilité potentielle de l'arche, a terminé en 2012 la construction d'une réplique exacte du bateau de Noé qu'il a transformé en théâtre-restaurant et empli d'animaux en plastique. Et la chose flotterait. Problème : si les dimensions correspondent bel et bien à celles édictées par Dieu dans le récit du déluge, la liberté qu'a prise M. Huibers avec les matériaux discrédite toute l'affaire. En effet, au lieu du bois prescrit dans la Bible, notre bricoleur a juste un peu triché en soudant ensemble plusieurs coques métalliques qu'il a recouvertes de pin scandinave !

Sur le plan de la main d'œuvre, maintenant, les vrais chantiers maritimes emploient des centaines, voire des milliers d'hommes. Pour construire l'arche de Noé, ils auraient été… *huit personnes*! C'est, en tout cas, ce que disent les Écritures. À moins de faire le même léger saut créatif que les scénaristes de *Noé* avec Russel Crowe et d'admettre qu'une bande de géants en roche ait apporté sa précieuse contribution. Vous conviendrez avec nous que ces monstres de pierre ont autant de chance d'avoir une existence réelle que King Kong ou Buzz Lightyear. Or, la construction de l'arche par huit simples humains avec zéro expérience dans le domaine ne tient pas debout tant la tâche est colossale. C'est à peu près comme prétendre que la Grande Muraille de Chine a été édifiée à temps perdu par un type avec ses trois beaux-frères et des amis de son équipe de hockey. Cela finirait par coûter cher en caisses de bière et en pizzas…

Tout bien réfléchi et pour clore le sujet, on peut se demander : pourquoi, au lieu de déléguer, Dieu n'a-t-il pas utilisé sa Toute-Puissance pour simplement faire apparaître une arche déjà construite ?

Abordons maintenant la question des animaux.

Dès le départ, il y a contradiction quand il s'agit de savoir quels animaux constitueront la ménagerie flottante. N'ayant pas trop l'air de savoir ce qu'il veut, Dieu donne d'abord cet ordre à Noé : « De tout ce qui vit, tu feras entrer dans l'arche 2 de chaque espèce : il y aura un mâle et une femelle. » (Gn 6, 19) Puis, un peu plus loin, il se ravise : « Tu prendras auprès de toi 7 couples de tous les animaux, purs, le mâle et sa femelle ; une paire des animaux qui ne sont pas purs. » (Gn 7, 2)

Finalement, Noé procédera comme suit : « Noé entra dans l'arche. D'entre les animaux purs et ceux qui ne sont pas purs, il entra deux à deux, un mâle et une femelle. » (Gn 7, 8)

En fin de compte, Noé a l'air de faire à sa tête, faisant fi de la distinction entre purs et impurs. Cela explique bien sûr pourquoi, encore aujourd'hui, on a autant d'animaux impurs que des purs alors que le rapport devrait vraiment être de 3,5 pour 1 en faveur des purs.

Mais faisons fi de ce quiproquo et entrons dans le vif du sujet : est-ce réaliste de loger tous les animaux de la terre sur un bateau ?

Quelques chiffres et questions pratiques...

On a répertorié plus ou moins 1,75 million d'espèces animales sur la planète en incluant oiseaux, insectes, etc. Si on extrapole et estimons celles qui ne sont pas encore connues, on pourrait atteindre 10 millions. Les crocodiles seulement : 23 espèces. Les araignées : 40 000. Les papillons : 17 500 espèces et on compte encore. Bien entendu, il aurait fallu qu'ils logent tous sur l'arche pour pouvoir exister aujourd'hui. Et ça mange, ces créatures-là. Tenez, le panda : environ 12 kilos de bambou frais par jour. On met ça où ? Un éléphant mange quelque chose comme 50 kilos de verdure par jour et... élimine beaucoup. Et les carnivores ? Comme Noé n'a pris à bord qu'un seul couple de chaque espèce, les lions et tigres ont dû, au fil de leurs repas, contribuer à l'extinction d'un nombre très élevé de certaines qui figuraient sur leur menu. (Quoique, en y repensant, ces félins étaient alors toujours végétariens. Mais où avais-je la tête ?)

Autre question pratico-pratique : comment les créatures exotiques se sont-elles rendues à l'arche ? Vous visualisez ce défilé de kangourous, de phoques et d'ours polaires cheminant péniblement à travers le désert pour ne pas louper l'embarquement ? Et pourquoi avoir sauvé les serpents puisqu'ils sont la cause de tous nos problèmes depuis le début ? Et pourquoi avoir sauvé les moustiques et les coquerelles dont on aurait tellement pu se passer ?

On peut aussi imaginer que la gestion des grouillants pensionnaires de l'arche sur une période s'étalant sur près d'une année est susceptible de créer de petits défis d'ordre logistique. Rappelons-nous que Noé et sa famille, ça fait un personnel de huit personnes pour nourrir et soigner les animaux en plus de ramasser leurs cacas. Aux dernières nouvelles, le plus grand Jardin zoologique au monde est en ce moment le Zoo de Berlin. Sur une superficie de 34 hectares, on y recense environ 19 500 animaux distribués en 1500 espèces. Il y a, on le rappelle, plus de 1,75 million d'espèces sur Terre et on compte encore. Le plus gros zoo au monde loge donc moins d'une espèce sur mille. Pour suffire à l'entretien de cette faune, pourtant loin d'approcher en nombre la population de l'arche de Noé, on doit tout de même compter sur un personnel dépassant 500 employés.

Steve McRoberts, un ex-Témoin de Jéhova et militant athée, a écrit plusieurs ouvrages déculottant la religion. Dans *The Cure for Fundamentalism: Why the Bible Cannot be the « Word of God »,* il relève avec humour une foule d'absurdités liées à la saga Noé. Quant au nombre d'animaux sur le bateau, ses calculs l'amènent à la conclusion suivante : pour parvenir à loger toutes les espèces, il aurait fallu que Noé entasse quinze animaux au pied carré ! Quant à la gestion des excréments de ces animaux, il fait cette amusante projection :

> Les déjections animales auraient dû être pelletées et évacuées pour ainsi dire sans interruption. Chacun des huit humains sur l'arche aurait vraisemblablement dû balancer par-dessus bord environ une demi-tonne d'excréments par jour. En travaillant seize heures par jour à raison de vingt livres toutes les vingt minutes, ils auraient pu à la limite y arriver. Seulement, ils n'auraient pas ainsi disposé du temps nécessaire pour nourrir ces mêmes animaux.[15]

Bien sûr, si on accepte, comme pour les géants en roche dans *Noé,* qu'il disposât d'une espèce de somnifère divin qui permettait de plonger toutes ces bêtes dans un état comateux de longue durée n'affectant en rien leurs fonctions vitales, c'est autre chose ! Demandez cependant l'avis d'un anesthésiste ou de n'importe qui œuvrant dans le domaine médical sur la question et vous aurez votre réponse quand vous verrez votre interlocuteur se mordre les lèvres et s'empresser de changer de pièce pour laisser libre cours à un bruyant fou rire.

Peu importe l'angle sous lequel on le prend, le récit de l'arche de Noé est absolument insensé.

Et il le devient davantage quand on examine les conditions météo. Évoquant l'ampleur du grand Déluge, la Genèse nous dit :

> Le déluge fut quarante jours sur la terre. Les eaux crûrent et soulevèrent l'arche, et elle s'éleva au-dessus de la terre [...] Les eaux grossirent de plus en plus, et toutes les hautes montagnes qui sont sous le

15. McRoberts Steve, *The Cure for Fundamentalism : Why the Bible Cannot be the Word of God.* Lulu Enterprises Incorporated, Raleigh, 2006, 490 p.

ciel entier furent couvertes. Les eaux s'élevèrent de quinze coudées au-dessus des montagnes, qui furent couvertes.

Gn 7, 17-20

Si on présume que Dieu ne ment pas et connaît tout, cela signifie que l'eau dépassait d'un peu plus de sept mètres le sommet du mont Everest. Or, le pic de cette célèbre montagne culmine à 8848 mètres.

On parle ici de précipitations viriles, oui monsieur. En gros, une telle quantité de pluie correspondrait à plus ou moins dix fois la quantité d'eau qu'il y a actuellement sur notre planète. Il faudrait qu'il pleuve sans interruption partout sur la planète pendant 40 journées à raison de précipitations de 221 mètres par jour ! Cela représente un peu plus de 9 mètres d'accumulation chaque heure. Le débit d'une pluie pareille dépasserait celui des chutes du Niagara dont le débit, on s'accorde à le dire, ne donne pas sa place.

Une averse pareille défie bien sûr toutes les lois imaginables de la physique. Et ça nous dit que les auteurs des livres de la Genèse n'avaient pas beaucoup voyagé. Eussent-ils connu l'existence d'un mont aussi prodigieusement élevé que l'Everest qu'ils se seraient sans doute gardé un peu de gêne.

Cela dit, si un tel déluge était arrivé, le volume d'eau douce sur la planète aurait dépassé celui de l'eau salée et aurait entraîné la mort de tous les habitants de nos océans. À moins que Noé ait pu recueillir tous les poissons d'eau salée et les baleines quelque part sur son arche ?

Mais coupons court sur la question de la plausibilité du grand Déluge à laquelle, pour dire les choses franchement, nous pourrions sans doute opposer cinquante mille arguments logiques. Et rendons-nous à l'après-déluge où, on le constatera, Dieu multiplie honteusement les mensonges et demi vérités...

Après que le déluge ait cessé, et que Noé et son groupe aient retrouvé la terre ferme, Dieu se lance d'abord dans un discours sur le ton du bon père de famille. On voit qu'il veut régler des dossiers et mettre des choses au clair. Ainsi, il dit à Noé: « Désormais la durée de vie des hommes ne sera que de 120 ans. »

On peut voir ici un bel effort dans la recherche de réalisme de la part des auteurs... Sauf que Noé vivra 950 ans et ses fils auront également des longévités similaires. On ne s'est pas relu et ça paraît. À moins qu'ils disent vrai et alors Dieu a simplement lancé des paroles en l'air. Ce qui ne serait pas étonnant outre mesure, car Dieu aime faire de grandes déclarations et lancer des promesses qu'il ne tient pas. Ainsi, il dit plus loin à Noé: « J'établis mon alliance avec vous: aucune chair ne sera plus exterminée par les eaux du déluge. » (Gn 9, 11)

Mise au point ici: simplement entre 2000 et 2011, on enregistra pas moins de quarante-huit inondations majeures dans le monde. En 2013, les pluies diluviennes dans le nord de l'Inde causèrent près de six mille morts. En 1999, au Vénézuéla, c'est plus de vingt mille victimes que causèrent les fortes pluies et glissements de terrain à Vargas. Les inondations catastrophiques de 1931 provoquèrent entre 2,5 et 3,7 millions de victimes en Chine. Depuis la nuit des temps, de tels *déluges* soustraient inexorablement de l'humanité un nombre significatif de malheureux.

Dieu lance également cette affirmation aussi mensongère qu'imprudente à Noé et ses fils : « Vous serez un sujet de crainte et d'effroi pour tout animal de la terre. » (Gn 9, 2)

Voilà qui en dit long sur le contexte très local dans lequel s'écrivit la Bible. En Mésopotamie, dans l'ensemble, on a une faune qui se laisse intimider facilement par l'homme. Dans un cadre géographique plus large, il a cependant été permis d'observer que, lors des nombreux face à face de l'humain avec des espèces telles le lion, le tigre, le requin, l'hippopotame et quelques douzaines d'autres prédateurs, « la crainte et l'effroi » ne se lisaient pas vraiment sur la face de l'animal.

Un brin vantard, Dieu prétend avoir fait apparaître de lui-même un arc-en-ciel après qu'ait cessé le Déluge en affirmant à Noé : « [...] j'ai placé mon arc dans la nue, et il servira de signe d'alliance entre moi et la terre. » (Gn 9, 13)

Un arc-en-ciel n'est rien d'autre qu'un phénomène optique produit par la réfraction, la réflexion et la dispersion des radiations colorées composant la lumière blanche du soleil par les gouttelettes d'humidité présentes dans l'atmosphère. Il y avait des arcs-en-ciel des milliards d'années avant même l'apparition de l'Homme. De deux choses l'une : ou Dieu fait de fausses représentations en s'attribuant le crédit de l'invention de l'arc-en-ciel ou, autre hypothèse, les auteurs de la Genèse, n'ayant aucune espèce d'idée des causes physiques expliquant l'apparition d'arcs-en-ciel, ont inventé l'histoire.

À vous de choisir, mais nous penchons pour la deuxième option.

***

Pas besoin d'explication scientifique élaborée pour disqualifier le récit du Déluge. C'est une légende, ce n'est pas arrivé et l'absurdité complète de l'histoire doit sauter aux yeux de toute personne sensée.

Et si l'intention des auteurs et le message qu'ils voulaient transmettre étaient louables (les hommes sont méchants, les bons seront récompensés, etc.), l'image que le Déluge donne de Dieu n'incite finalement pas à s'en rapprocher. On nous encourage ici à nous soumettre à un personnage qui a commandé le plus grand génocide de l'histoire. Loin devant Pol Pot, Hitler, Saddam Hussein. Un génocide mondial. Ce dieu de la Genèse est un monstre.

Le croyant est donc placé devant l'alternative suivante :

- Admettre que toute cette histoire est pure invention et qu'on doit soulever de sérieux doutes quant à l'authenticité historique de tous les récits de l'Ancien Testament ;
- Persister à croire que c'est arrivé et continuer à adorer un Dieu monstrueux qui a tué la totalité des êtres humains sauf huit élus.

Il n'y a pas de troisième avenue.

Avec le premier livre de la Bible, la Genèse, on patauge dans les mythes, dans l'extraordinaire, la fantaisie. Avec Le Livre de l'Exode, le deuxième livre de l'Ancien Testament, les paramètres changent. Si on s'ancre davantage dans la réalité, on plonge en même temps plus creux dans la folie, la violence et la haine.

Rien n'incarne mieux le côté fondamentalement déplaisant du Dieu de la Bible que son premier grand allié, l'exécuteur de ses basses œuvres : Moïse.

LE PÈRE MOÏSE EST UNE ORDURE

Les crimes les plus haineux et les plus cruels dans l'histoire ont été commis au nom de la religion.
Mohanda Gandhi

Dans les journées entourant ces rares moments de l'année dont le chrétien moyen a encore conscience qu'elles ont un quelconque lien avec leur religion (nommément Noël et Pâques), les télédiffuseurs nous resservent immanquablement ce grand classique de Cecil B. De Mille : *Les Dix Commandements.* Avec l'intuable *Astérix et Cléopâtre,* on doit reconnaître que ce péplum occupe une place de choix parmi les *pyjama movies* toutes catégories. Le type de film qu'une règle non écrite interdit de toute façon de visionner à d'autres moments que lors d'un jour férié où on n'a vraiment rien d'autre à faire.

Pour les impies qui ne seraient pas familiers avec cette grandiloquente mégaproduction, sachez que *Les dix commandements* raconte l'histoire de Moïse qui libère son peuple du méchant pharaon égyptien et les conduit jusqu'à la Terre promise. Vous dire à quel point le film fut populaire à l'époque : il reçut pas moins de sept nominations aux Oscars en 1957.

Le film, hagiographique à souhait, présente bien entendu Moïse comme un héros libérateur, un personnage irréprochable, plus grand que nature.

La lecture du Livre de l'Exode déshabille en deux temps trois mouvements le champion du petit peuple et révèle crûment le vrai Moïse : un homme soumis aveuglément aux ordres d'un Dieu méchant, un chef de tribu colérique, violent, sanguinaire, revanchard, qui se livre aux pires exactions sur ses ennemis et même sur son entourage. Il est ironique de penser que, pour incarner ce méprisant personnage dans *Les dix commandements*, on a choisi l'acteur Charlton Heston, homme infréquentable, porte-parole intransigeant de la NRA (National Rifle Association) et promoteur acharné des armes à feu aux États-Unis jusqu'à sa mort.

Si les Conventions de Genève et autres lois régissant les crimes contre l'humanité et les crimes de guerre avaient été en vigueur du temps de l'Exode, Moïse en aurait enfreint vraisemblablement tous les articles.

Quand son peuple est libéré des Égyptiens et erre dans le désert, Moïse rencontre en chemin de méchants ennemis. Sur les ordres personnels de Yahvé, Moïse et ses hommes de main pillent, exterminent, brûlent, humilient, etc. Le traitement des ennemis : jamais assez dur au goût de Yahvé. La mission de Moïse n'est qu'un enchaînementde violences et d'exactions à l'égard des autres peuples qui n'ont commis que la seule erreur de se trouver sur sa route vers la Terre promise. La barbarie divine et le manque absolu de miséricorde et de compassion du Tout-Puissant ne manquent pas de saisir d'horreur le lecteur non averti.

Pour avoir un aperçu de son bilan peu reluisant, imaginons un instant que Moïse ait eu à rendre des comptes à un tribunal international ou à une commission d'enquête...

LA COMMISSION D'ENQUÊTE SUR LES GÉNOCIDES DE L'EXODE (Extraits du procès-verbal des procédures)
(Contre-interrogatoire du témoin Moïse X)

PROCUREUR
Monsieur Moïse, n'est-il pas vrai qu'alors que vous viviez en Égypte, vous êtes intervenu dans une altercation au cours de laquelle un Égyptien avait commis des voies de fait envers un Hébreu ?

MOÏSE
C'est exact.

PROCUREUR
N'est-il pas vrai que, pour venger votre compatriote, vous avez tué cet Égyptien ?

MOÏSE
Je... je lui ai juste donné un p'tit coup de pelle derrière la tête pour l'avertir, mais je ne pensais pas qu'il était mort. Que c'est triste.

PROCUREUR
Monsieur Moïse, vous avez enterré l'Égyptien dans le sable après l'agression. Vous faites ça souvent avec des gens vivants ?

MOÏSE
Euh... Oui, j'enterrais souvent mon frère Aaron à la plage quand on allait à la mer Morte avec mes parents.

Rires retenus dans la salle d'audience.

PROCUREUR
On a des preuves selon lesquelles vous avez agi, depuis l'époque où vous viviez en Égypte, en tant qu'homme de main d'un certain monsieur... Yahvé ? Il aurait d'autres pseudonymes : Dieu, L'Éternel, Emmanuel...

MOÏSE
J'ai travaillé pour lui, oui, mais je l'ai jamais vu en personne.

PROCUREUR
Comment vous transmettait-il ses ordres ?

MOÏSE
Il se dissimulait dans une nuée ou me parlait par l'entremise de... eh bien, d'un buisson en feu.

Rires de bon cœur dans la salle d'audience

PROCUREUR
Bien sûr. Et on a des preuves que votre patron, le monsieur-aux-huit-pseudonymes, vous a mis au courant d'un complot visant à tuer tous les premiers-nés en Égypte. Et vous, sachant que ces horribles meurtres en série allaient se produire, vous n'avez rien fait pour l'empêcher ?

MOÏSE
Un instant ! J'ai averti Pharaon, mais y m'a pas écouté. Remarquez, je m'y attendais parce que Yahvé m'avait dit qu'il s'arrangerait pour que Pharaon ne me croie pas en lui jetant un sort.

PROCUREUR
On comprend que votre supérieur Yahvé avait donc le pouvoir d'agir sur la volonté des gens ? Et qu'il a fait en sorte que Pharaon refuse de vous laisser partir ?

MOÏSE
En plein ça.

PROCUREUR
N'est-ce pas contradictoire, en même temps que malhonnête, d'exercer une menace et d'empêcher l'objet de la menace de s'y soustraire en lui enlevant son libre arbitre ?

MOÏSE
Euh… Vous m'avez perdu, là…

PROCUREUR
Donc, à la suite de l'extermination des premiers-nés, Pharaon vous laisse partir. Vous avez quitté l'Égypte avec un groupe évalué à 600 000 hommes, plus femmes et enfants, c'est exact ?

MOÏSE
En effet.

PROCUREUR
Quand votre groupe arrive à la mer Rouge, qu'arrive-t-il ?

MOÏSE
Je tends la main et je sépare la mer en deux. Une fois passé, j'étends encore la main pour que la mer engloutisse l'armée égyptienne.

Murmures de perplexité dans la salle.

PROCUREUR
Des rapports ici nous disent que vous êtes simplement passé à marée basse et que les Égyptiens se sont fait surprendre par la marée haute.

MOÏSE, *furieux*
Païen ! Inculte ! Meurs !

Moïse brandit la pointe d'un bâton en direction du procureur à trois reprises, mais il n'arrive rien. Le constable spécial lui retire son bâton.

PROCUREUR
Parlez-nous de l'incident du veau d'or. Je crois comprendre que c'est survenu alors que votre frère Aaron avait fait fondre une espèce de statue et que les gens de votre tribu faisaient la fête alentour, c'est ça ?

MOÏSE
En gros, oui.

PROCUREUR
Vous auriez alors demandé à vos subalternes de « passer par le fil de l'épée les membres de leurs propres familles » ? On parle de 3000 victimes. Vous reconnaissez les faits ?

MOÏSE
Je ne faisais que suivre les ordres.

PROCUREUR
J'ai ici un rapport détaillé où on relate une attaque que vous auriez dirigée contre les Madianites.

MOÏSE, *crachant avec mépris*
Maudits soient ces adorateurs de Baal !

COMMISSAIRE
S'il vous plait, monsieur Moïse. Décorum…

PROCUREUR
D'après ce rapport, vos commandants auraient donc attaqué Madian et y auraient tué tous les hommes. Vous avez pillé tous leurs biens, incendié leurs villes et fait prisonniers les femmes et enfants, c'est bien ça ?

MOÏSE
Je ne faisais que suivre les ordres.

PROCUREUR
Mais quand vos commandants se sont présentés devant vous, vous leur auriez déclaré, et je cite : « Maintenant, tuez tout mâle parmi les petits enfants, et tuez toute femme qui a connu un homme en couchant avec lui ; mais laissez en vie pour vous toutes les filles qui n'ont point connu la couche d'un homme » ? Est-ce bien vos paroles ?

MOÏSE
Euh... c'est sûr que, pris hors contexte, comme ça...

PROCUREUR
Mais quand vous dites à vos hommes de « garder les filles pour eux », c'est de toute évidence pour en faire leurs esclaves sexuelles ?

MOÏSE
Ah ! S'il y en a qui ont les idées mal tournées...

PROCUREUR
Le bilan fait état de 24 000 victimes. J'ai par ailleurs ici un document intitulé Deutéronome. On peut y lire certaines de vos déclarations. Entre autres, vous ordonnez aux parents de lapider leurs enfants rebelles, c'est exact ?

MOÏSE
C'est Yahvé qui a dit que...

PROCUREUR
On vous prête une autre déclaration pour le moins inquiétante. Je vous remets le document. Pouvez-vous le lire à la cour, s'il vous plait ?

MOÏSE, *lisant*
« L'homme aux testicules écrasés ou à la verge coupée ne sera pas admis à l'assemblée de Yahvé. »

Vague de rires hystériques dans la salle.

COMMISSAIRE
À l'ordre ! À l'ordre !

En somme, Moïse ne fut rien d'autre qu'un officier aveuglément soumis aux ordres du patron d'en haut. Un patron à la mèche courte, toujours *furax*.

Il semble que deux comportements, en particulier, ont toujours eu le don de mettre Dieu dans tous ses états : les histoires de cul et l'adoration d'autres dieux que Lui. Là-dessus, tolérance zéro. On peut lire cette directive pratique qu'il donne à son ami Moïse :

> Si tu entends dire au sujet de l'une des villes que t'a données pour demeure ton Dieu : des gens pervers [...] ont séduit les habitants de leur ville en disant : « Allons, et servons d'autres dieux ! », tu feras des recherches, tu examineras, tu interrogeras avec soin. La chose est-elle vraie, cette abomination a-t-elle été commise, alors tu frapperas du tranchant de l'épée les habitants de cette ville [...] Tu amasseras tout le butin et tu brûleras entièrement au feu la ville avec tout son butin.
>
> Dt 13

Pour bien comprendre, à titre de comparaison : si on trouve une poignée d'incroyants sur une rue du Bronx, on va exterminer la population de la ville de New York au complet avec femmes et enfants, puis on met le feu.

Notons quand même ici le souci de justice et d'équité de Dieu qui exige de Moïse de « faire des recherches et interroger avec soin » avant de planter son épée à travers le corps du traître qui aurait prié un autre Dieu.

S'il était demeuré sans conséquence, ce passage pourrait amuser, mais il est source d'horreurs sans nom. En effet, il faut savoir que la Bible ne fut accessible au grand public qu'à partir du XVIe siècle. Et encore là, elle n'était lue que par une infime minorité de gens lettrés. Gardant le savoir biblique entre eux comme le riche son argent, les membres du clergé interprétaient comme ils le voulaient les versets du grand Livre. Ainsi, le Deutéronome était LA référence pour les Grands Inquisiteurs. Prenant pour prétexte le passage cité plus haut, on a brûlé des milliers de malheureuses victimes.

Déversons cependant le flot de notre indignation sur les auteurs (et copistes et traducteurs) de ces folles aventures guerrières et seulement sur eux. On ne peut raisonnablement en vouloir à Moïse : les événements racontés dans le Livre de l'Exode aussi bien que le personnage de Moïse lui-même ou la saga de la fuite d'Égypte, tout ça est pure invention.

Les croyants, les adeptes du judaïsme en particulier, continuent à penser que Moïse lui-même aurait été l'auteur des premiers livres de la Bible, dont l'Exode. Les experts ont depuis longtemps démontré que la chose est impossible. Moïse eut-il existé, les écrits sont ultérieurs de centaines d'années à l'époque alléguée de son existence. De plus, comment pourrait-il bien raconter sa propre mort ? La réalité, c'est qu'on ne saura jamais l'identité de son auteur (ou de ses auteurs). Accordons-lui une imagination fertile et un sens du dramatique.

À part le texte de la Bible, il n'existe aucun document d'archives qui mentionne l'existence d'un certain leader du nom de Moïse, rien qui parle de l'esclavage des Hébreux en Égypte ou qui relate l'exode de ce peuple dans le désert. Ne pas perdre de vue que, aux dires de la Bible, Moïse aurait quitté l'Égypte avec plus de 600 000 hommes. Ajoutons femmes et enfants et on approche sans doute le million et demi de personnes. Cela aurait représenté de 20 à 25 % de la population égyptienne du temps. Or, nous disposons d'une abondance de documents administratifs remontant à l'époque supposée de l'exode et pas un ne mentionne quoi que ce soit au sujet de la captivité ou de la libération des Hébreux. L'impact socio-économique du départ d'une masse d'esclaves aussi importante aurait été phénoménal et n'aurait pu être passé sous silence.

Une fois libérés, Moïse et son peuple auraient, dit-on, erré quarante ans dans le désert. Des archéologues israéliens, motivés autant qu'on puisse l'être à prouver la véracité du récit de Moïse, ont passé au peigne fin le désert du Sinaï de 1967 à 1982 sans trouver la moindre trace témoignant du séjour d'un groupe humain aussi important dans la région. Ces étendues désertiques sont pourtant idéales pour conserver des traces du passé. On a retrouvé des vestiges d'anciens campements bédouins et de villages vieux de 5000 ans. De l'exode ? *Nada.*

De toute façon, le Sinaï ne possédant que de maigres réserves en eau, il est impensable qu'un nombre si élevé de gens aient pu y survivre, ne serait-ce qu'une semaine. Au XIXe siècle, des pasteurs protestants, résolus à marcher sur les pas de Moïse, y sont allés en expédition. Inutile de dire qu'ils ont déchanté rapidement et sont retournés à la maison. John Romer :

> Ils ne tardèrent pas à remarquer que la version biblique de l'Exode présentait quelques incohérences une fois qu'on était sur le terrain et que, dans ce pays perdu, le livre saint n'était pas un guide vraiment fiable. Le récit que déroule le Livre de l'Exode va à l'encontre de toute expérience de voyage.

Au même titre que la Création, Adam et Ève, Noé, la tour de Babel, toute la saga Moïse appartient donc au domaine des mythes.

L'histoire du bébé Moïse déposé dans un panier d'osier sur les eaux du Nil et découvert par un personnage royal est une copie de l'ancien mythe babylonien au sujet du grand roi Sargon. En fait, dans l'Antiquité abondent ces récits de bébés remis aux caprices des flots dans des paniers et dont le destin est ainsi soumis à la volonté des dieux.

Le rapport de franche camaraderie que Moïse semble entretenir avec Dieu démontre, si besoin en est, la dimension fantastique de l'histoire et son total irréalisme. Par exemple, cet échange cocasse où Dieu (L'Éternel) entend *booster* la confiance de Moïse avec des tours de passe-passe dignes d'un magicien engagé pour une fête d'enfants :

> L'Éternel [Dieu] lui dit : « Qu'y a-t-il dans ta main ? » Il répondit : « Un bâton. » L'Éternel dit : « Jette-le par terre. » Il le jeta par terre, et il devint un serpent.

> Moïse fuyait devant lui. L'Éternel dit à Moïse: « Étends ta main, et saisis-le par la queue. » Il étendit la main et le saisit et le serpent redevint un bâton dans sa main. [...] L'Éternel lui dit encore: « Mets ta main dans ton sein. » Il mit sa main dans son sein ; puis il la retira, et voici, sa main était couverte de lèpre, blanche comme la neige. L'Éternel dit: « Remets ta main dans ton sein. » Il remit sa main dans son sein ; puis il la retira de son sein, et voici, elle était redevenue comme sa chair.
>
> Ex 4, 2-7

On le laisse aller encore un peu et Dieu nous gonfle un ballon en forme de chien.

Ce qui est le plus renversant dans tout ça, c'est que les auteurs, s'assumant, ne présentent même pas ces accomplissements de Dieu comme des miracles, mais bien comme des tours de magie. La preuve en est que, tout juste après cette séance du bâton-serpent, Moïse se présente, en compagnie de son frère Aaron, devant le Pharaon et ils exécutent devant ce dernier le truc du bâton changé en serpent. Pas en reste, les magiciens du Pharaon – les empereurs avaient leurs magiciens personnels à l'époque –, assez bons eux-mêmes, réussissent le truc avec succès. S'ensuit alors un véritable concours de magie où Moïse et son frère relancent les magiciens de la cour égyptienne avec divers tours. Ils commencent en changeant les eaux d'une rivière en sang simplement en y touchant avec le bâton : les magiciens du Pharaon le font aussi. Puis Moïse et son frère font sortir tout plein de grenouilles des eaux : les magiciens les accotent encore. Enfin, quand le pouvoir du bâton de Moïse accomplit l'exploit impressionnant de transformer la poussière du sol en poux, les magiciens lancent la serviette. Victoire : Moïse. C'est ainsi, par un concours de magie, que commencèrent à être infligées aux Égyptiens les célèbres dix plaies d'Égypte.

Une autre absurdité physique de l'Exode : quand Dieu a une longue rencontre avec son ami Moïse sur le mont Sinaï pour lui dicter les commandements, on nous dit : « Moïse fut là avec l'Éternel quarante jours et quarante nuits. Il ne mangea point de pain, et il ne but point d'eau. » (Ex 34, 28)

Un être humain peut, à la limite, survivre quarante jours sans manger. Il peut cependant difficilement franchir la barre des cinq ou six jours sans boire. Ou Moïse a reçu un superpouvoir l'empêchant de se déshydrater, ou il a passé à travers en buvant du vin pendant quarante jours. Remarquez, cela expliquerait le contenu délirant des dix commandements...

Le livre de l'Exode, ce n'est qu'un enchaînement de dialogues insensés, d'événements impossibles, d'anecdotes farfelues qui, voudrait-on les énumérer, exigeraient trop d'espace. Mais Moïse, c'est avant tout le dépositaire de la Loi. Il est LE grand secrétaire à qui Dieu a dicté ses règles.

En plus de régir les moindres comportements du peuple élu au quotidien, les innombrables consignes que Dieu donne à Moïse prévoient, entre autres, les modalités précises à appliquer dans l'administration de l'esclavage et la gestion des prisonniers de guerre...

1200 YEARS A SLAVE

En guide prévoyant, Dieu a transmis à Moïse des règles pleines de bon sens sur les façons de gérer nos esclaves.

Examinons-les par le biais d'une informative rubrique FAQ (Foire aux questions).

Esclavage: FAQ

- PUIS-JE ACHETER UN ESCLAVE HÉBREU ?
  Oui, vous le pouvez. L'esclave hébreu devra vous servir six années. Mais la septième, il sortira libre, sans rien payer. (Ex 21, 2)
- S'IL ME QUITTE APRÈS SEPT ANS DE SERVICE, MON ESCLAVE AMÈNE-T-IL SA FAMILLE AVEC LUI ?
  Si votre esclave avait une femme, sa femme sortira avec lui. Si c'est vous, le maître, qui lui a donné une femme, et qu'il en a eu des fils ou des filles, la femme et ses enfants seront à vous, et votre esclave sortira seul. (Ex 21, 3)
- SI J'ACHÈTE UN ESCLAVE ÉTRANGER, APRÈS COMBIEN D'ANNÉES PEUT-IL S'EN ALLER ?
  Jamais. Vous pourrez acheter autant que vous le voudrez des enfants esclaves des étrangers qui demeureront chez vous, et de leurs familles qu'ils engendreront dans votre pays ; et ils seront votre propriété. Vous les laisserez en héritage à vos enfants après vous, comme une propriété ; vous les garderez comme esclaves à perpétuité. (Lv 25, 44)
- SI JE VENDS MA PROPRE FILLE POUR ÊTRE ESCLAVE, SORTIRA-T-ELLE COMME LES AUTRES ESCLAVES ?

Non. Si votre fille déplaît à son maître, qui s'était proposé de la prendre pour femme, il facilitera son rachat ; mais il n'aura pas le pouvoir de la vendre à des étrangers, après lui avoir été infidèle. S'il la destine à son fils, il agira envers elle selon le droit des filles. (Ex 21, 7)

- Si on bat un esclave à mort, quelles sont les conséquences ?

  Les conséquences varieront en fonction de la durée de l'agonie de votre esclave. Par exemple, si un homme frappe du bâton son esclave, homme ou femme, et que l'esclave meurt sous sa main, le maître sera puni. Mais s'il survit un jour ou deux, le maître ne sera point puni ; car c'est son argent. Vous avez donc tout intérêt à bien doser la force des coups afin que n'en résulte pas une mort immédiate. (Ex 21, 20)
- Dois-je faire poinçonner l'oreille de mon esclave ?

  Non. Par contre, on mentionne à Gn 17, 12 qu'il faut circoncire celui qui « est acquis à prix d'argent », donc l'esclave doit être circoncis. On ajoute à Ex 12, 43 que l'esclave ne peut manger la pâque (l'agneau) avec vous s'il n'est pas circoncis.

PRISONNIERS (ÈRES) DE GUERRE

À notre époque, il existe tellement de conventions, de traités, de lois internationales qui régissent les guerres et conflits que le soldat s'y perd facilement et peut commettre bien malgré lui un impair militaire. Comme c'est Dieu qui a conçu les règles du Deutéronome en la matière, celles-ci sont simples à saisir et d'une efficacité irréprochable.

Par exemple, le chapitre 21 explique avec clarté le sort à réserver aux prisonnières de guerre :

> Lorsque tu iras à la guerre contre tes ennemis, si l'Éternel les livre entre tes mains, et que tu leur fasses des prisonniers, peut-être verras-tu parmi les captives une femme belle de figure, et auras-tu le désir de la prendre pour femme. Alors tu l'amèneras dans l'intérieur de ta maison. Elle se rasera la tête et se fera les ongles, elle quittera les vêtements qu'elle portait quand elle a été prise, elle demeurera dans ta maison, et elle pleurera son père et sa mère pendant un mois. Après cela, tu iras vers elle, tu l'auras en ta possession, et elle sera ta femme. Si elle cesse de te plaire, tu la laisseras aller où elle voudra [...]

Quels membres de nos Forces Armées n'ont pas déjà rencontré de ces « femmes belles de figure » lors de missions en Afghanistan ? Auraient-elles été faites prisonnières que nos soldats n'auraient pu leur conférer ce privilège immense, qu'elles avaient à l'époque bénie du Deutéronome, de devenir leur femme et de leur appartenir.

Mais au-delà de tous les petits articles de lois, de tous les règlements compliqués, les deux faits saillants qui frappent l'imagination des croyants dans la saga de Moïse demeurent les dix plaies d'Égypte et les dix commandements...

Comme nous l'avons fait pour les récits précédents de l'Ancien Testament, assumons un instant que ce serait vrai et explorons quelques passages de l'Exode.

Nous approcherons les dix plaies et les commandements en nous demandant tout simplement : et si c'était arrivé ?

ET SI... LES DIX PLAIES AVAIENT VRAIMENT FRAPPÉ L'ÉGYPTE ?

Comme on le sait, la libération des Hébreux du joug égyptien ne put se réaliser qu'à la suite d'un véritable festival du miracle orchestré par Yahvé et Moïse. L'épisode, célèbre, est connu sous le nom des dix plaies d'Égypte.

Pour faire une histoire courte, Moïse prie le Pharaon de laisser partir son peuple, le Pharaon l'envoie promener et Dieu frappe l'Égypte d'une calamité. Moïse retourne achaler le Pharaon qui s'entête encore, provoquant un deuxième fléau, etc. Les dix plaies sont les suivantes :

1. Les eaux du Nil changées en sang ;
2. Une invasion de grenouilles ;
3. La poussière du sol se change en poux ;
4. Les mouches venimeuses ;
5. La mort des troupeaux ;
6. Les ulcères ;
7. La grêle ;
8. Les sauterelles ;
9. Les ténèbres ;
10. Mort des nouveau-nés.

Bien qu'à première vue la liste ressemble à un délire sans fondement, on peut y voir au contraire une succession de fléaux logique et fondée sur des réalités physiques bien concrètes. Le réputé historien et archéologue John Romer explique :

> Le narrateur brosse, avec la plus grande précision, l'arrière-fond écologique et la diversité des biotopes qui caractérisent le pays : un manque total de pluviosité sur un territoire restreint pour sa seule survie aux berges d'une grande rivière. [...] En se réalisant l'une après l'autre, les prédictions de Moïse culminent dans le constat d'une véritable catastrophe écologique [...] Les fléaux annoncés par Moïse ne sont que les séquelles désastreuses de la crue du Nil [...] Le premier fléau (flots de sang) [...] Le flot monstrueux déferlant sur l'Égypte avec l'inondation charrie des micro-organismes de couleur rouge [...] Dans les années 1960, quand le lac Nasser se remplissait lentement à l'arrière du barrage d'Assouan, les îles du lac dont la superficie se réduisait furent infestées de scorpions, serpents et grenouilles qui s'y réfugiaient. Il y a dans les prédictions de Moïse une invasion similaire [...] Autres fléaux : quand l'inondation était totale, le pays était envahi de nuées de mouches [...] Ces conditions climatiques exceptionnelles s'accompagnaient d'orages d'une violence incroyable ; des tornades de poussière faisaient tourbillonner locustes, grenouilles et poissons dont les corps tombaient en pluie sur le sol [...]

Des crues importantes du Nil arrivaient régulièrement. Les auteurs de l'Exode étaient de toute évidence au fait des conséquences de ces catastrophes naturelles et ont brodé leur fantaisie des dix plaies autour.

D'autres scientifiques fournissent, avec certaines variantes, des explications convaincantes des dix plaies. Entre autres, selon une étude sérieuse, les dix plaies seraient des retombées d'une importante éruption volcanique. On peut découvrir plusieurs autres explications sur l'internet.

ET SI... DIEU AVAIT DONNÉ DIX COMMANDEMENTS?

En maints endroits publics et dans plusieurs institutions scolaires aux États-Unis sont affichés les dix commandements. Il s'agit de cette liste de directives d'une inefficacité navrante que Dieu lui-même aurait dictées à Moïse.

Ceux qui sont assez naïfs pour croire que Dieu a communiqué personnellement ou, pire encore, écrit lui-même ces commandements devraient relire les passages bibliques où on en parle. Selon le verset qu'on lit, c'est Moïse lui-même ou bien c'est le doigt divin qui a inscrit les commandements dans la pierre. Ridicule tellement on se contredit là-dessus. On en parlera plus en détail dans un autre chapitre.

Les dix commandements, en plus d'être inopportuns, ne sont même pas originaux. Ils seraient une adaptation du Code de Hammurabi, le monarque assyrien. Sa rédaction remonte à 2000 av. J.-C.

Au sujet du manque d'originalité des commandements, Robert Ingersoll écrit :

> Longtemps avant que ces commandements fussent donnés il y avait des codes des lois en Inde et en

> Égypte – des lois contre le meurtre, le parjure, le vol, l'adultère et la fraude. De telles lois sont aussi vieilles que la société humaine [...] Tous ceux des Dix Commandements qui sont bons étaient vieux ; tous ceux qui étaient nouveaux sont fous.

Dans les sociétés archaïques, c'était commun d'attribuer une liste de lois à une seule personne qui l'avait entendue d'un dieu. Les Romains eux-mêmes avaient une histoire semblable. Bouddha a aussi proposé une liste de dix conseils spirituels.

Énumérons maintenant les commandements avant d'en faire une rapide analyse.

1. Tu n'auras pas d'autres dieux à côté de moi ;
2. Tu ne te feras pas d'idole ni aucune forme imagée de ce qui se trouve dans le ciel ou sur la terre, ou dans les eaux ;
3. Tu ne proféreras pas en vain le nom de Yahvé ;
4. Souviens-toi du jour du sabbat pour le traiter saintement ;
5. Révère ton père et ta mère ;
6. Tu ne commettras pas de meurtre ;
7. Tu ne commettras pas d'adultère ;
8. Tu ne commettras pas de vol ;
9. Tu ne déposeras pas de faux témoignage contre ton prochain ;
10. Tu ne convoiteras pas la maison de ton prochain, ni sa femme, ni son serviteur, ni son bœuf, ni son âne, etc.

Un aparté pour mentionner ici que, comme pour le récit de la Création, il existe non pas une, mais deux versions des commandements. La deuxième contredit évidemment la première de façon très significative. Comme on le sait, Moïse, qui était capable de spectaculaires montées de lait, avait fracassé les Tables de la loi en constatant que ses protégés donnaient dans le *rave païen*. Il est ensuite retourné voir Yahvé qui lui a alors dicté d'autres commandements. Aux dires de Dieu, c'était censé être les mêmes règles: « Taille-toi deux tables de pierre identiques aux précédentes. J'écrirai sur ces tables les mêmes paroles que sur les premières. »

Or, il y a seulement 20 % des mêmes commandements dans cette deuxième liste ! Les interdictions de tuer, de voler, de parjure et d'adultère n'y figurent même plus.

Yahvé, dans un élan de fantaisie, a choisi d'ajouter, entre autres, les très pratiques commandements suivants :

- Tu observeras la fête des pains sans levain : pendant sept jours tu mangeras des pains sans levain ;
- Tout premier à ouvrir le sein maternel m'appartient ;
- Trois fois l'an, toute la population mâle se présentera devant le Seigneur Yahvé, Dieu d'Israël...

Si on croyait que Dieu ne pouvait faire pire que la première version des commandements, il nous prouve ici le contraire.

Dans notre analyse des 10 commandements, on va donc s'en tenir à la première mouture...

Que peut-on juger pertinent dans ces commandements ?

Le comédien américain Georges Carlin a fait un excellent stand-up sur les 10 commandements[16]. Carlin les analyse un à un pour en montrer le ridicule et a cette réflexion amusante au sujet du nombre de commandements :

« Pourquoi y en avait 10 ? C'est du pur marketing : le nombre 10, ça fait officiel, ça fait important. On a des *top ten list.* Le 10 est un chiffre rond, facile à retenir. Si Moïse était arrivé avec les Tables des 11 commandements, on aurait ri de lui ! »

La sagesse réputée des 10 commandements de Dieu est surévaluée. Ces règles bâclées ne résistent pas à un examen même superficiel. Voyons voir...

Les numéros 1 et 3 : pas le droit d'adorer d'autres dieux que moi et pas le droit de proférer mon nom. Même ordre de soumission dit dans des mots différents. Même parfum de dictature et d'étouffement de la liberté. Dieu est un jaloux fini et, le pire, ne s'en cache même pas, disant même en passant comme ça, entre deux commandements : « Je suis un Dieu jaloux qui punis les fautes des pères sur les fils jusqu'à trois et quatre générations s'ils me détestent » (Ex 20, 5)

Pas question d'adorer d'autres dieux que lui sinon vous êtes punis. Pire : si vous commettez l'erreur de ne pas l'adorer en exclusivité, la punition est transmise à vos enfants, petits-enfants et petits-petits-enfants qui, eux, n'ont rien à voir là-dedans. Et relevez l'incohérence à la base même de l'interdit : Dieu prétend être unique, être le seul dieu et en même temps affiche une

16. George Carlin – 10 Commandments : https://youtu.be/CE8ooMBIyC8

jalousie maladive à l'égard de concurrents qui... n'existeraient pas ?

Le droit à la liberté de religion est un des droits fondamentaux de notre Charte canadienne des droits et libertés. Tout de même paradoxal qu'au sein même du code moral d'une des religions qu'elle vise précisément à défendre, la Charte et sa liberté de religion soient ainsi foulées aux pieds. Mais bon, quand on se compare, on se console : le Coran, lui, suggère de massacrer les infidèles et les musulmans qui abandonnent leur foi... On n'est pas si mal...

Le numéro 2 des commandements part du même souci d'exclusivité de Dieu qui ne souhaite pas qu'on commence à faire des figurines de Râ, de Jupiter ou de tous ces autres dieux minables. À la limite, passe encore comme prohibition. Mais, ne voulant pas courir de risque, Dieu se met à tirer partout et étend l'interdiction de dessiner et sculpter à... à tout finalement. Pas le droit de dessiner tout court. Mis à part ce léger détail que la vie du Christ, tous les épisodes de la Bible et les personnages saints furent les sujets d'à peu près tout ce qui s'est produit en peintures et sculptures pendant plus de 1500 ans et qu'il n'est pas une église où ne surabondent pas les statues et représentations à caractère biblique, les autorités religieuses ont toujours respecté à la lettre ce commandement !

Le numéro 4, quant à lui, demande le respect du sabbat. Pour ceux qui ignorent la raison motivant cette histoire de sabbat, c'est simplement que Dieu ne veut pas sentir que quelqu'un est plus travaillant que lui : il a créé le monde en six jours et s'est reposé le septième, alors pas question de faire plus d'heures que lui. Vous

vous reposez, c'est un ordre, bon, Ok ? On lit un peu plus loin dans la Bible que Dieu ne niaisait pas avec les infractions au numéro 4 :

> [...] on trouva un homme qui ramassait du bois le jour du sabbat. Ceux qui l'avaient trouvé en train de ramasser du bois l'amenèrent vers Moïse [...] Alors Yahvé dit à Moïse : « L'homme doit être mis à mort. Toute la communauté l'assommera avec des pierres [...] Ils l'assommèrent donc avec des pierres jusqu'à ce que mort s'ensuive. »
>
> Nb 15, 32

Est-il besoin de rappeler qu'en ce XXIe siècle, cette tradition du respect du sabbat est encore un commandement suivi et respecté par nombre de communautés ? Ainsi, chez les juifs[17], des autorités ont classé en trente-neuf catégories officielles les activités interdites le jour du sabbat. On prend la chose à cœur.

Parmi les activités interdites le samedi :

- Faire ou défaire des nœuds (cela implique qu'on ne peut attacher ses chaussures !) ;
- Écrire plus de deux lettres (un juif ne peut pas jouer au Scrabble le jour du sabbat !) ;
- Allumer ou éteindre un feu (cela inclut par extension les lumières électriques... et on a tellement étiré l'idée qu'on a même promulgué l'interdiction d'ouvrir une porte de réfrigérateur, car cela provoque en effet l'activation de la lumière !)

17. Par rapport à l'orthographe du mot « juif » : nous l'écrivons avec une initiale majuscule quand il désigne les Juifs en tant que peuple, avec une initiale minuscule quand il désigne les juifs pratiquant le judaïsme ; la distinction est cependant parfois difficile à faire...

Interprétation tirée par les cheveux, vous dites ?

Mais continuons…

À première vue, le commandement numéro 5 qui demande de « révérer ses parents » semble juste et bon. Mais, pour paraphraser Georges Carlin sur le sujet : ça ne devrait pas être automatique, ce n'est pas un droit acquis pour un parent que d'avoir le respect de ses enfants, mais ils doivent le mériter et le gagner, ce respect. Pourquoi devrait-on révérer un père incestueux ou violent ? Et une mère indigne doit-elle être révérée ? Le commandement est donc applicable, mais c'est du cas par cas. Et, pour tout dire, *révérer* sonne juste un peu trop *adorer*. Respecter serait suffisant, non ?

Les numéros 6, 8 et 9 (meurtre, vol, parjure) n'ont pas leur place dans une liste de prescriptions qui, mis à part ces trois intrus, sont essentiellement à caractère moral. Ce sont là des infractions criminelles de diverses gravités qui se retrouvent dans notre Code criminel comme elles se retrouvaient dans toutes les législations des sociétés civilisées et cela aussi loin qu'on remonte. S'ils voulaient par ailleurs que leurs commandements couvrent le judiciaire, les auteurs négligent de mentionner plus ou moins trois cent cinquante infractions dont les agressions sexuelles, l'inceste, les voies de fait, etc.

Par ailleurs, difficile de ne pas être sceptique en lisant ce « Tu ne tueras point » quand on sait que les guerres de religion, les institutions de l'Église, les mouvements religieux extrémistes ont provoqué, et continuent de provoquer, plus de victimes et ont versé plus de sang dans l'histoire que n'importe quelle autre institution. Difficile de réprimer un sourire, aussi, quand on considère que les États américains du Bible Belt, ceux où les chrétiens sont les plus profondément conservateurs, sont ceux où la peine de mort est appliquée avec le plus de sévérité.

Quant au numéro 7 condamnant l'adultère, il fallait bien s'attendre à le retrouver là. Considérant l'économie générale de la Bible qui voue à l'enfer et aux pires châtiments quiconque exprime un soupçon de libertinage, il faut au moins un commandement touchant au domaine du sexe. Cela dit, le numéro 7 est plutôt *soft* quand on le lit à côté des prescriptions démentes du Deutéronome et du Lévitique qui prescrivent la peine de mort pour à peu près toute forme de comportement sexuel en dehors du mariage.

Enfin, le numéro 10, qui crée la notion de crimes de pensée en interdisant de simplement convoiter les biens matériels du voisin (où la femme, le bœuf et l'âne apparaissant dans la même énumération), est d'une stupidité absolue. Dit autrement : « Laisse l'école, n'aie pas d'ambition, n'essaie pas de te dépasser pour améliorer ton sort et, sans jamais envier l'Acura de ton beau-frère, rends-toi à pied au casse-croûte du coin pour travailler comme plongeur ».

On ne peut que hocher la tête et être consterné : les dix commandements, c'est n'importe quoi.

Si on oscille entre fabulation et horreur avec les deux premiers livres de l'Ancien Testament, avec les livres suivants, le Lévitique et le Deutéronome, on nage en plein délire. Oui, les choses vont en empirant.

LES HOMMES EN NOIR

Dieu m'a donné un utérus : il faut que ça serve.
Jeune hassidique dans le documentaire *Shekinah*

Originaire d'Israël, le sympathique et attachant rabbin Shlomo Helbrans s'est installé aux États-Unis en 1990. Notre homme fonda à Brooklyn un groupe orthodoxe extrémiste. *De facto,* il exporte de notre côté de l'Atlantique la marque Lev Tahor (*cœur pur* en hébreu). Cette communauté hassidique *hardcore* a été créée en Israël, pays où on en a vu d'autres et où on les surnomme tout de même *les talibans.* C'est dire qu'ils sont fondamentalistes et pas à moitié.

Leader des succursales nord-américaines de Lev Tahor, rabbi Helbrans enseigne au début des années 90 dans une *yeshiva,* ces écoles où, dans un environnement épanouissant, les jeunes apprennent cette langue tellement utile qu'est l'hébreu ancien et étudient la Torah et le Talmud du matin au soir.

L'impétueux rabbin est reconnu coupable par un tribunal américain sur un chef d'enlèvement en 1994. Il est condamné à la prison pour abus d'autorité envers un de ses élèves de treize ans.

Libéré en novembre 1996, et affichant un zèle renouvelé, le rabbin recommence à enseigner dans une yeshiva jusqu'à ce que les autorités américaines le déportent en Israël. Prétendant que sa vie est menacée là-bas, Helbrans parvient à obtenir un statut de réfugié et à être admis au Canada en 2003. Chanceux que nous sommes : il choisit de s'établir au Québec.

Bond en avant. En novembre 2013, une quarantaine de familles juives orthodoxes appartenant à la mouvance Lev Tahor et installées à Sainte-Agathe-des-Monts dans les Laurentides font la manchette : ses membres ont fui précipitamment le Québec pour l'Ontario afin d'échapper à la Direction de la Protection de la Jeunesse (DPJ) !

Dans les mois qui suivent, une série d'articles et de reportages-chocs révèlent les dessous des conditions de vie chez Lev Tahor. C'est à lever le cœur.

Dans cette secte gérée par notre ami réfugié Shlomo Helbrans, secondé par des illuminés obsédés autant que lui par l'application stricte des règles de conduite de la Torah, la situation des enfants au quotidien a de quoi horrifier.

Les femmes, tout comme les petites filles, doivent être couvertes d'un voile noir de la tête aux pieds. Elles ne peuvent évidemment sortir en public et ne peuvent même songer à socialiser avec quiconque hors du groupe. Soumises aux hommes, ces malheureuses doivent se raser le crâne et obéir sans protester. Des jeunes filles de treize ou quatorze ans sont souvent enfermées dans des sous-sols et battues. Une travailleuse sociale de la DPJ a constaté que frapper les pieds des enfants était une forme de discipline courante. Elle a vu les pieds d'une adolescente qui étaient couverts d'ecchymoses et enflés, précisant par ailleurs que ses ongles d'orteils étaient très épais et couverts de champignons. Comble du sadisme dans cette gestion démente de la pudeur, le rabbin forçait les femmes de Lev Tahor à porter des collants et des chaussettes en tout temps, même la nuit, habitude nocturne monstrueusement antihygiénique et provoquant ces infections douloureuses aux pieds. Au même rayon des observances stupides dans l'accoutrement, une femme surprise à ne pas porter l'épaisseur de vêtements requise a toutes les chances d'être battue pour cette téméraire insolence vestimentaire.

Bien sûr, les fillettes ne fréquentent pas l'école, mais reçoivent un enseignement de leurs mères qui, en plus de les conditionner à un mariage précoce et à un enchaînement ininterrompu de grossesses, leur inculquent les sages principes de la Torah et du Talmud.

Quant aux garçons, le bon rabbin Helbrans s'occupe personnellement de leur enseignement religieux. On comprend que, dans un cas comme dans l'autre, le parcours scolaire de ces enfants échappe totalement au contrôle du Ministère de l'Éducation.

L'exercice de la tyrannie du rabbin est complet. Sur le plan matériel, la communauté Lev Tahor vit de façon précaire. Leurs revenus ? Des chèques d'aide sociale que les membres doivent remettre à Shlomo Helbrans.

Les filles, c'est entendu, doivent se marier le plus tôt possible. Sans amour, sans choix, et avec des hommes souvent de l'âge de leur père.

« La Torah nous enseigne qu'il faut se marier dès que possible, mais nous respectons la loi canadienne et nous ne marions personne avant l'âge de 16 ans », a déjà déploré un certain Raicy Grosner, un membre de Lev Tahor.

Lire entre les lignes : dommage qu'il y ait cette satanée loi au Canada sinon on les marierait bien avant seize ans ! Dans la réalité, des jeunes filles de quatorze ou quinze ans ont été mariées à des hommes beaucoup plus vieux qu'elles. Ces hommes, bien entendu, s'empressent de leur faire des enfants à la chaîne. Les accouchements de jeunes filles de quinze ans ne sont donc pas exceptionnels.

Aparté pour signaler que Lev Tahor n'a pas l'exclusivité de ces unions dégoûtantes : le phénomène des mariages de jeunes filles se voit dans d'autres sectes et religions. Christopher Hitchens :

> Des parents mormons marient leurs filles mineures à des oncles et beaux-frères qui ont souvent déjà d'autres épouses. En Iran, les fondamentalistes chiites ont abaissé l'âge du « consentement » des filles à 9 ans ! (Peut-être par admiration pour le prophète qui avait épousé sa plus jeune femme à 9 ans.)

Pour revenir à Shlomo Helbrans, rappelons que cet immonde personnage à l'origine de tant d'abominations, ce même pervers qui fut bouté hors des États-Unis à coups de pied au cul, a été accueilli à bras ouverts dans notre *plus beau meilleur* pays au monde.

Réfugié, dit-on.

Confrontés à des accusations de maltraitance, les dirigeants de Lev Tahor nient systématiquement. Émet-on une timide critique à leur endroit qu'ils déchirent leur chemise sur la place publique, crient au complot, au harcèlement, à l'intolérance. Une personnalité a-t-elle l'audace d'exprimer dans les médias des réserves quant à leurs pratiques religieuses qu'elle s'expose à être taxée de nazi.

Toute chose étant relative, même les porte-parole de nos communautés hassidiques condamnent l'extrémisme de Lev Tahor. C'est vous dire.

Mais, somme toute, Lev Tahor n'est qu'une version sans compromis des hassidim qui sont eux-mêmes une version sans compromis des adeptes du judaïsme en général. Ce n'est qu'une question de degré de soumission aux imprécations de la Torah et du Talmud.

***

Le judaïsme est une religion très ancienne. La religion du peuple juif. Et si on en entend souvent parler (la faute aux épisodes d'accommodements raisonnables), la pratique de ce culte demeure très modeste en termes de chiffres. Alors que la planète compterait plus ou moins 2 milliards de chrétiens et près de 1,5 milliard de musulmans, on ne dénombre pas plus de 12 à 15 millions de juifs.

En gros, le judaïsme repose sur l'idée que Dieu a créé une série d'alliances avec le peuple juif. Une alliance avec Noé, avec Abraham puis avec Moïse. Chez les juifs, l'Ancien Testament, c'est du sérieux (le terme *testament* signifie d'ailleurs *alliance*). Les juifs considèrent qu'ils descendent tous d'Abraham. Du temps de ce vénéré patriarche, il y avait tout plein de dieux, de religions païennes. Dieu leur a mené un combat sanglant et s'est imposé comme LE *boss*, le seul Dieu.

Mais si ce bon vieux Abraham est vu par les juifs

comme le premier prophète, il faut savoir que la vedette des vedettes, c'est l'excelleny Moïse. Car c'est lui qui a transmis *la* Loi. Ou ce que les juifs appellent la Torah. Cette Loi divine est consignée dans le Pentateuque, un ensemble formé par les cinq premiers livres de la Bible. Le Pentateuque, c'est : la Genèse et l'Exode (Adam et Ève, le Déluge, Moïse, etc.), le Lévitique, le Deutéronome et les Nombres.

La majorité des juifs n'est évidemment pas orthodoxe. Leur rapport aux enseignements de la Torah et du Talmud est plutôt à géométrie variable. Selon qu'on se revendique des juifs dits réformateurs ou conservateurs, le degré d'observance des vieilles règles souffrira plus ou moins de souplesse.

Pour un juif orthodoxe, cependant, les écritures sont sacrées. Aucun doute dans son esprit : c'est la main de Moïse qui a rédigé les cinq livres du Pentateuque. Or, on sait depuis longtemps que l'hypothèse ne tient pas debout. Sur le sujet, Robert Ingersoll écrivait il y a plus de cent ans :

> [...] il n'est pas seulement admis par les théologiens intelligents et honnêtes que Moïse n'est pas l'auteur du Pentateuque, mais ils admettent tous que personne ne sait qui étaient les auteurs, ou qui a écrit l'un de ses livres ou un chapitre ou une ligne. Nous savons que ces livres n'ont pas été écrits dans la même génération ; qu'ils n'ont pas été écrits par une seule personne ; qu'ils sont remplis d'erreurs et de contradictions.

Les hassidim refusent même de discuter du sujet. Dans leur communauté, les règles de vie, la morale, les habitudes alimentaires, sociales, les rites, la culture, tout continue d'être ordonné en accord avec la Torah et le Talmud (des écrits qui interprètent la Torah et en ajoutent). Dès leur plus jeune âge, les enfants hassidim sont obligés d'étudier et d'apprendre par cœur ces livres. Cet enseignement implique également d'étudier l'hébreu ancien. Pourquoi ? Parce que, aux yeux des hassidim, l'hébreu est la langue de Dieu et, à la fin des temps, l'hébreu redeviendra la langue originelle sacrée, commune à tous.

Parmi les livres de la Torah, ceux qui nous renseignent sur les détails du quotidien, qui disent comment s'habiller, quoi manger, comment prier, comment se laver, comment guérir les maladies, quoi et quand sacrifier, etc., ce sont le Lévitique et le Deutéronome.

Si les hassidiques cultivent autant d'habitudes anachroniques et étranges dans leur habillement, dans leur coiffure, c'est par soumission à des ordres divins échappés quelque part dans un verset biblique.

Par exemple, pourquoi ne se rasent-ils pas la barbe et arborent-ils des papillotes (les mèches de cheveux qui débordent de leur cafetas) ? À cause de ce verset : « Tu ne couperas point en rond les coins de ta chevelure et tu ne raseras point les coins de ta barbe. » (Lv 19, 27)

Et les vêtements noirs ? Il faut se soumettre à ce petit verset du Lévitique :

> Vous observerez mes lois. Tu n'accoupleras point des bestiaux de deux espèces différentes ; tu n'ensemenceras point ton champ de deux espèces de semences ; et tu ne porteras pas un vêtement tissé de deux espèces de fils.
>
> Lv 19, 19

Donc, on s'empêche de porter une couleur quelconque toute sa vie afin de respecter cet ordre surréel tiré du même verset où on interdit absurdement aux agriculteurs de semer deux céréales différentes dans leur champ !

Il est temps de se pencher sur ces règles transmises par Moïse au peuple élu...

LES LOIS DU COCHON

Les juifs mangent kascher. Mot signifiant *ce qui est convenable*. Ou ce qui est pur. Traitant en profondeur des prescriptions alimentaires, le chapitre 11 du Lévitique donne la liste de ce que, d'une part, Dieu juge pur et, d'autre part, ce qui constitue une abomination qu'il ne faut ingurgiter sous aucun prétexte.

Le formidable salmigondis de règles autour des aliments a été affiné avec le temps. L'ensemble de l'œuvre porte le nom élégant de *cacheroute*. Actuellement, la cacheroute n'est rigoureusement observée que par les orthodoxes. La grande majorité des juifs ne se soumet pas à ces exigences. Un certain nombre maintient un sous-ensemble des lois, le plus souvent celles de l'interdit du porc et du cheval.

Bien sûr, les plats à base de porc sont également proscrits chez les musulmans. Parmi ces derniers, ils s'en trouvent d'ailleurs qui y vont assez fort dans leur tolérance au porcin. Dans *Dieu n'est pas grand*, Christopher Hitchens relate avec humour qu'en Europe, des musulmans rigoristes ont exigé avec insistance qu'on ôte de la vue innocente de leurs enfants les *Trois petits cochons*, *Miss Piggy* et le porcelet de *Winnie l'ourson* !

Qu'on soumette encore aujourd'hui son menu à la liste d'animaux prohibés dans le Lévitique est, aux yeux d'un athée, franchement surréel. On imagine bien que ce sont des impératifs d'ordre hygiénique visant la prévention de maladie qui, à l'origine, ont présidé à la rédaction des versets alimentaires. En matière de conservation de la viande, par exemple, on était dans la préhistoire et les règles du Lévitique sont, à n'en pas douter, davantage des mesures de santé publique, fruits de l'expérience et de l'observation des effets des régimes alimentaires sur la santé des gens. Mais bon, si ça vient de Moïse…

La lecture de ces restrictions gastronomiques ne manque pas d'être distrayante. Pour vous en donner une idée, voici un tableau qui fait la synthèse de ce que le Lévitique juge kascher…

ON PEUT MANGER…	MAIS ON NE PEUT PAS MANGER…
Tout animal qui a la corne fendue, le pied fourchu et qui rumine. Les trois conditions sont cumulatives et doivent donc être réunies.	Les animaux qui ruminent seulement OU qui ont la corne fendue seulement, car ils sont impurs. Exemples : – le chameau (pas la corne fendue) ; – le lièvre (rumine mais pas la corne fendue) ; – le porc (corne fendue, pied fourchu, MAIS ne rumine pas !)
Animaux qui sont dans les eaux : tous ceux qui ont des nageoires et des écailles.	Ceux qui n'ont pas de nageoires et qui ont écailles (tous les fruits de mer).

OISEAUX : on n'énumère pas ceux qui sont purs, mais on donne plutôt une longue liste des impurs.	La liste suivante (partielle) : l'aigle, l'orfraie, le corbeau, l'autruche, le hibou, la mouette, la chouette, le cygne, le pélican, la cigogne, le héron, la chauve-souris, etc.
REPTILES : « Ceux qui ont des jambes au-dessus de leurs pieds, pour sauter sur la terre. »	Tout reptile qui vole et qui marche sur quatre pieds. On donne une liste d'espèces dont je n'ai jamais entendu parler sauf pour la sauterelle.
PARMI LES ANIMAUX QUI RAMPENT SUR LA TERRE : on n'énumère que les impurs.	La taupe, la souris, le lézard, le hérisson, la grenouille, la tortue, le limaçon et le caméléon.

Inclinons-nous ici devant la force de volonté et d'abnégation des membres de la communauté hassidique. Pour exprimer leur absolue fidélité à Dieu, ils se privent, en plus du porc, d'une multitude de plats délicieux. Les bons catholiques ne réalisent pas toute la chance qu'ils ont d'avoir un pape assez ouvert d'esprit qui, se permettant une application sélective des enseignements bibliques, choisit de fermer les yeux sur le Lévitique et consent à ce qu'on se régale de potage de mouette, d'ailes de pélicans, de fricassée de lézard ou d'excellents biftecks de taupes.

Réflexion d'un hassidim observant des chrétiens s'empiffrer de *smoked meat* : « Ignorez-vous, mécréants, que votre gloutonnerie déréglée vous enverra en enfer pour l'éternité ? Ha ha ! Quand vous brûlerez dans les flammes, il sera trop tard pour pleurnicher en disant à Dieu : "M'excuse ! C'était plus fort que moi : j'aimais trop ça, les brochettes de corbeau ! Bouhouhouhou !" Vous aurez été avertis, bande de païens ! »

On aura noté au passage l'érudition suspecte des auteurs du Lévitique qui, à l'encontre des théories quand même bien documentées des savants et zoologistes modernes, classent la chauve-souris parmi les oiseaux et la sauterelle parmi les reptiles...

Avouons, par contre, que leur connaissance de la faune aquatique est parfois impressionnante. Par exemple, l'esturgeon, bien que pourvu d'écailles, se classe chez les impurs. Pourquoi ? Parce qu'on savait que ce poisson perd ses écailles lors de l'accouplement.

Précisons ici que le dossier de la sauterelle est complexe car, parmi les huit cents espèces de ce *reptile*, certaines sont kascher et d'autres pas. Leur *kascheretée* a à voir avec une série de critères dont leur capacité à sauter, leur grosseur de tête, etc. Un bon hassidim a appris, bien entendu, à différencier les sauterelles interdites des pures, avantage-clé dans cette vie au XXIe siècle où, tant de fois nous sommes confrontés à des dilemmes culinaires impliquant un choix parmi une variété de sauterelles. Plus sérieusement, il semble que la consommation de sauterelles est devenue généralement interdite chez les juifs : non pas parce que c'est dégueulasse, mais en raison du doute quant à l'identification des espèces d'insectes permises. On ne tente pas sa chance, quoi.

Selon les règlements de la *cacheroute*, ça ne suffit pas pour un bon juif de s'assurer que la viande qu'il mangera est kascher, il faut que l'animal ait été abattu de manière rituelle. On aura retiré les parties interdites à la consommation, soit le sang, le nerf sciatique et la graisse.

Pourquoi vider de son sang l'animal ? À cause de ce petit verset :

> Si un homme de la maison d'Israël ou des étrangers qui séjournent au milieu d'eux mangent du sang d'une espèce quelconque, je tournerai ma face contre celui qui mange le sang, et je le retrancherai du milieu de son peuple.
>
> Lv 17, 10

Oui. 2500 ans d'abatage rituel pour un verset biblique motivé de toute évidence par des préoccupations de santé publique obsolètes depuis longtemps.

Autre conséquence affligeante de ce simple verset : c'est en en faisant une interprétation farfelue que les Témoins de Jéhovah ont extrapolé, étendu contre toute logique le sens de *manger* et établi une prohibition des transfusions de sang. Comme si le procédé pouvait être seulement imaginé il y a 2500 ans. C'est là une croyance d'une indicible stupidité et provoquant, dit-on, plus de cinquante décès par année, principalement chez des jeunes... Comme ça a été mentionné plus tôt, ce n'est que depuis 1945 que les grands penseurs de la secte ont opté pour cette interprétation du verset. Avant 1945, les transfusions étaient donc permises chez les Témoins. On est rendus à quel niveau dans l'inconséquence ici ?

Autre règle alimentaire importante du Lévitique : la Loi décrétant que « l'agneau ne peut être cuit dans le lait de sa mère ». On ne peut, par extension, cuire ensemble viande et produit laitier. Poussant plus loin encore, les hassidim doivent attendre au moins le temps entre deux repas pour consommer du lait après avoir mangé de la viande, car les deux produits ne doivent pas se mélanger dans l'estomac.

Un cuisinier négligent apprête-t-il par inadvertance un plat non kascher ? Ce plat transmet son impureté maudite aux ustensiles utilisés pour sa préparation. Possible, toutefois, de purifier ledit ustensile si son matériau le permet, en le soumettant à une flamme à une telle température que des étincelles jaillissent de l'ustensile si on le frotte.

LE SEXE EST UN SPORT DANGEREUX...

Possible pour un citoyen contemporain de vivre une vie en accord avec les règles alimentaires découlant des prescriptions de la Torah et mener une existence à peu près normale sans attirer l'attention de personne. Autre paire de manches en matière de règles sexuelles. Si Dieu peut tolérer des écarts alimentaires et qu'on n'encourt vraisemblablement pas de sanctions graves pour avoir succombé à une tranche de bacon, le Tout-Puissant ne rigole plus quand il s'agit de libertinage. Pour les athées, des gens qui, comme on sait, s'adonnent sur une base pour ainsi dire quotidienne à des orgies lors de croisières échangistes, les exigences du Lévitique au chapitre sexuel apparaissent rien de moins que délirantes.

Si, comme ils semblent s'en vanter, les juifs orthodoxes respectent intégralement les Écritures et, en particulier, les livres composant la Torah, cela revient à dire qu'ils se soumettent à un code de lois qui les expose à la peine de mort au moindre relâchement.

Le chapitre 20 du Lévitique donne une liste des comportements sexuels tellement graves qu'ils méritent la peine de mort. Le tableau qui suit en présente un résumé…

Le lévitique propose la peine de mort pour :

Un homme qui couche…	• avec la femme de son père ; • avec sa belle-fille ; • avec un autre homme (abominable !) ; • avec sa bru ; • avec une bête ; • avec une femme indisposée par ses règles et découvre son sexe
Un homme marié qui couche…	• avec une femme mariée
Un homme qui découvre…	• le sexe de son père
Un homme qui marie…	• une femme et sa mère ; • sa sœur et qui voit son sexe tandis qu'elle voit le sien
La femme qui s'approche…	• d'une bête pour s'accoupler

Notez ici les subtiles nuances en ce qui a trait aux relations intimes avec une bête. Si le fautif est un homme, on exige, pour employer un terme juridique, l'*actus reus*: il doit avoir eu une relation sexuelle. Mais si le coupable est une femme, il suffit qu'elle s'approche de l'animal pour que l'infraction soit consommée. Règle de gros bon sens car, entre nous, dans quel but une femme s'approcherait-elle d'un chameau ou d'un bœuf sinon pour se le taper ? Elles sont comme ça, ces vicieuses compagnes de l'homme, c'est bien connu.

Si les hassidim respectent à la lettre le Lévitique, cela implique donc qu'ils ont une parfaite conduite et une fidélité sans faille en tant que maris. Contrairement aux époux chrétiens et surtout athées, ces impies dont on sait qu'ils entretiennent tous des liaisons extra-conjugales, les conjoints hassidiques seraient bien au-dessus de ces comportements décadents et n'afficheraient aucune faiblesse de la chair. La moindre infraction étant punie de mort, ça se saurait et l'exécution par le feu ou la lapidation d'un mari infidèle ne manquerait pas de faire les manchettes. Or, on n'en a jamais entendu parler dans les médias. De deux choses l'une : jamais un hassidim n'a eu ne serait-ce qu'un seul écart de conduite sexuelle ou alors on choisit bien les règles de la Torah qui font notre affaire...

Mais que penser de ces travailleuses du sexe de Montréal qui affirment à tout venant qu'elles comptent des hassidim mariés parmi leur clientèle ? Des menteuses, évidemment, dont on ne serait pas surpris outre mesure qu'elles soient en plus possédées de plusieurs démons.

Probablement une faveur de Dieu : les hassidiques ont en plus la chance d'être exempts d'homosexuels dans leur communauté. Y en aurait-il qu'ils auraient été mis à mort, bien sûr, et encore là, la nouvelle aurait fait grand bruit.

Pour ceux qui jugent les sanctions du Lévitique trop dures en matière sexuelle, remettons les pendules à l'heure : Dieu peut quand même faire preuve d'indulgence.

Le tableau qui suit nous montre des comportements sexuels moins sérieux et pour lesquels l'Éternel édicte des conséquences moins définitives que la mort…

COMPORTEMENTS SEXUELS	CONSÉQUENCES
Quiconque découvre la nudité de sa tante.	Il porte la peine de son péché.
Quiconque couche avec sa tante (et découvre ainsi la nudité de son oncle).	Il porte aussi la peine de son péché et il meurt sans enfant.
Un homme couche avec la femme de son frère (et découvre la nudité de son frère).	Il sera sans enfant.
Le père qui livre sa fille à la prostitution.	Pas vraiment de conséquence, mais ça donne un mauvais exemple…

Comparant les tableaux précédents, des lecteurs à la moralité légère ne manqueront pas de s'indigner : « C'est idiot ! C'est inconséquent ! Si je vois le zizi de mon père en prenant une douche au gym après un match de tennis, je suis passible de la peine de mort, mais si je livre ma fille à la prostitution, cela reste sans conséquence ? »

Formulé ainsi, l'argument peut sembler d'une logique implacable, bien entendu, mais qui sommes-nous, pauvres humains, pour prétendre connaître les desseins de Dieu et douter de son bon jugement ?

À ceux qui trouveraient un brin rigides les règles sexuelles du Lévitique, sachez que Dieu sait parfois faire preuve d'une grande ouverture. Par exemple, au chapitre 21, on prévoit ceci pour la sexualité des prêtres : « Qu'aucun prêtre ne se rende impur [ne baise] sauf "pour sa sœur vierge, qui n'a pas appartenu à un mari, pour elle, sa proche parente, il pourra se rendre impur" ».

La chance qu'ont ces prêtres ! Contrairement aux pauvres curés catholiques privés de partenaires, les prêtres soumis au Lévitique ont la permission de coucher avec leur sœur. Bon, il y a cette petite contrainte de la virginité, mais rien n'est parfait...

Certaines personnes remplies de préjugés, et se basant sur des phrases prises hors contexte (telle que cette prière où les juifs répètent quotidiennement « Merci, Dieu, de ne pas m'avoir créé femme. »), considèrent que les libertés individuelles des femmes hassidim sont brimées et qu'elles vivent dans un climat de soumission et d'interdits.

Rien n'est plus faux et, contrairement aux idées reçues, les hassidim sont même féministes. Dans le documentaire *Shekinah* qui propose une incursion dans la communauté hassidique, un rabbin le confirme en ces mots : « Les femmes sont au cœur du grand projet : révéler Dieu sur terre. »

Le réalisateur de ce documentaire a suivi pendant un an les élèves d'une école juive hassidique loubavitch de Sainte-Agathe-des-Monts.

Jamais vu des jeunes femmes aussi épanouies et heureuses que dans ce documentaire. Cela s'explique facilement : elles grandissent à l'écart des tentations et dans la pureté. Les jeunes filles hassidiques vivent en effet complètement séparées des garçons jusqu'à leur mariage. Elles se gardent ainsi des comportements indécents du genre de tenir un petit ami par la main ou, pire encore, d'agissements inspirés par le Diable du genre d'embrasser ce petit ami. Aucun contact avec quoi que ce soit de masculin avant le mariage. La pureté.

Des images de *Shekinah* nous font découvrir la rafraîchissante ambiance de joie qui prévaut le jour des noces. Gros party où tout le monde danse et rit. Bien sûr, les participants à la fête sont répartis dans deux locaux bien séparés, les hommes d'un côté et les femmes de l'autre. Comme quoi on peut s'adonner à de sains divertissements tout en respectant les règles de Dieu.

Les jeunes femmes qui témoignent dans le documentaire font l'impossible pour projeter une image d'équilibre et de pureté morale. Mais le plâtre craque à l'occasion. Leur parle-t-on d'homosexualité qu'elles sont unanimes à afficher une moue dégoûtée et à exprimer des commentaires horrifiés et parfaitement homophobes.

Une fois mariée, la jeune femme hassidique se rase le crâne et portera une perruque. Normal : vous l'ignoriez peut-être, brebis égarées que vous êtes, mais montrer à un autre homme que son mari ses cheveux est un acte indécent. Notez ici cette même préoccupation du côté des musulmans de cacher la chevelure sous un voile : mais c'est quoi ce sacré problème avec les cheveux des filles ?

Puis la nouvelle épouse chauve enchaînera d'excitantes séances de procréation au cours desquelles elle n'aura pas le droit de regarder les parties intimes de son partenaire tandis que ce dernier devra diriger ses pensées vers son rabbin pendant toute la durée de l'acte conjugal. La femme hassidique aura comme devoir de donner treize ou quatorze enfants à son époux.

Non, mais treize beaux enfants ! Quoi de plus merveilleux ? Et pour ceux qui jugent, posez-vous seulement la question : et si Maman Dion avait décidé d'arrêter après seulement douze, que serait-il arrivé ? Voudriez-vous vivre dans un monde sans Céline ? Je ne crois pas. Maman Dion mérite notre admiration. Et si ce n'était qu'elle s'est vautrée allègrement dans l'impureté en cuisinant, durant sa carrière télé, tout plein de plats à base de viande de porc, elle aurait même des chances d'être admise au paradis.

Contrastant avec les jeunes filles tellement trop heureuses de *Shekinah*, certaines femmes hassidiques ayant claqué la porte ont une vision moins fleur bleue de la condition féminine dans la communauté. Une d'entre elles, Deborah Feldman, a publié ses mémoires sous le titre *Unorthodox : The Scandalous Rejetion of My Hasidic Roots* (2012). Elle évoque en ces termes l'épreuve de la première relation sexuelle avec son mari hassidim :

> Après la première fois, vous devez appeler un rabbin et il pose les questions à l'homme – est-ce arrivé ? Et il déclare soit que vous êtes impure, ou pas encore pénétrée. Une fois que vous êtes pénétrée, vous êtes impure, parce que vous avez saigné. Ainsi, après la première fois, votre lune de miel est une période sans sexe. Pendant deux semaines, chaque mois, il ne peut pas vous toucher. Il ne peut pas vous remettre un verre, même si vos doigts ne se touchent pas. Il doit le mettre sur la table, puis vous le ramassez. Des contacts désintéressés ne peuvent pas se passer. Si vous êtes assis sur un canapé, vous disposez d'un diviseur entre vous. Cela vous fait vous sentir tellement dégoûtante. Vous vous sentez comme un animal.

Mais revenons aux règles sur le sexe…

Comme Dieu n'avait pas tout prévu en matière d'infractions reliées à la sexualité dans le Lévitique, il se penche avec plus d'acuité sur le sujet dans la suite intitulée Deutéronome. Le mot *Deutéronome* signifie simplement *Seconde loi* et est un ramassis des derniers discours de Moïse à son peuple.

Entre autres informations pratiques, on y précise l'étendue dans le temps de sa punition si on a commis ce terrible péché d'être l'enfant d'un couple non marié :

> Celui qui est issu d'une union illicite n'entrera point dans l'assemblée de l'Éternel ; même sa dixième génération n'entrera point dans l'assemblée de l'Éternel.
>
> Dt 23

Les conjoints de fait et autres égoïstes libertins animés par le Diable devraient y penser à deux fois avant de se rouler dans la luxure : jusqu'à la dixième génération de leurs descendants, personne ne goûtera au plaisir « d'entrer dans l'assemblée de l'Éternel ». Pour votre information, cela signifie aller à la messe.

Dans le Deutéronome, on ne craint pas de parler des vraies affaires et on aborde de front le sujet délicat des agressions sexuelles. Lisons d'abord les recommandations divines dans les cas d'agressions sur une jeune fille vierge et fiancée :

> Si une jeune fille vierge est fiancée, et qu'un homme la rencontre dans la ville et couche avec elle, vous les amènerez tous deux à la porte de la ville, vous les lapiderez, et ils mourront […] Mais si c'est dans les champs que cet homme rencontre la jeune femme fiancée, lui fait violence et couche avec elle, l'homme

> qui aura couché avec elle sera seul puni de mort. Tu ne feras rien à la jeune fille ; elle n'est pas coupable d'un crime digne de mort, car il en est de ce cas comme de celui où un homme se jette sur son prochain et lui ôte la vie. La jeune fille fiancée, que cet homme a rencontrée dans les champs, a pu crier sans qu'il y ait eu personne pour la secourir.
>
> Dt 22

Tellement bien pensé. Le talent de législateur de Dieu et sa perspicacité à prévoir des exceptions aux règles ressortent ici avec éloquence. En effet, la défense classique d'absence de consentement ne peut sérieusement être plaidée par une jeune femme qui aurait été abusée sexuellement en ville. Logique : si elle ne voulait pas, quelqu'un aurait entendu ses cris ! Par conséquent, elle ne peut être qu'une dégénérée qui, à juste titre, mérite la mort. Par contre, la jeune fille violée dans un champ jouit justement du bénéfice du doute : on présume qu'elle a dû crier, mais comme personne ne pouvait l'entendre...

Maintenant, qu'en serait-il des délicats dossiers d'agression sur une jeune fille non fiancée ?

> Si un homme rencontre une jeune fille vierge non fiancée, lui fait violence et couche avec elle, et qu'on vienne à les surprendre, l'homme qui aura couché avec elle donnera au père de la jeune fille cinquante sicles d'argent ; et, parce qu'il l'a déshonorée, il la prendra pour femme, et il ne pourra pas la renvoyer, tant qu'il vivra.
>
> Dt 22

On est d'accord pour dire que c'est tout de même sévère comme sanction pour l'agresseur. En plus de verser cinquante sicles[18] d'argent au père de sa victime en guise d'indemnisation, le malheureux agresseur devra en plus épouser la fille et ne pourra jamais divorcer. Bien fait pour lui.

Enfin, divers principes législatifs du Deutéronome précisent les modalités sentencielles en regard d'infractions sexuelles variées. Pour prendre un exemple distrayant, cette peine pour l'éjaculateur nonchalant : « S'il y a chez toi un homme qui ne soit pas pur, par suite d'un accident nocturne, il sortira du camp, et n'entrera point dans le camp ; sur le soir il se lavera dans l'eau, et après le coucher du soleil il pourra rentrer au camp. » (Dt 23)

On peut penser que, considérant le faible potentiel de dénonciation de l'infraction, la jurisprudence dans le domaine n'est sans doute pas abondante.

LES MALADIES TRANSMISES PAR LE PÉCHÉ

En raison de leur style de vie débridé et étant donné leur haut indice de dépravation, les athées, c'est bien connu, contractent des maladies transmises sexuellement pour ainsi dire tous les soirs. Ces serviteurs du Mal recourent alors au médecin et à des antibiotiques pour traiter ces maux que Dieu leur envoie sans répit en guise d'avertissements.

---

18. Le sicle est une ancienne unité de poids ainsi qu'une devise monétaire en usage parmi plusieurs peuples dont les anciens Hébreux. Il semble avoir fait référence à une unité de mesure d'orge, équivalant à 180 grains.

Qu'en est-il du hassidim atteint d'une telle maladie honteuse ?

D'abord, la situation est hautement improbable. Car, comme les faits nous ont amenés à le conclure précédemment, ces hommes irréprochables n'ont pas d'aventures extra-conjugales. Mais il peut arriver qu'au terme d'un travail acharné, Satan et ses sbires parviennent à en convaincre un ici et là de sombrer dans la fornication et la débauche. Qu'arrive-t-il à cette victime du Démon quand, en raison de ce moment d'égarement, il contracte une maladie mauvaise ? Le Lévitique nous dit ceci au chapitre 15 : « Tout homme qui a une gonorrhée est impur. »

Bon. Le mal est fait. Dieu ne peut renverser le cours des événements : un malheureux a chuté, il faut se mettre en mode solution. On voit dans le Lévitique que, dans sa grande prévoyance, Yahvé sait empêcher la propagation de cette vilaine MTS en démontrant une connaissance égale à celle des plus grands médecins modernes en ce qui a trait aux effets secondaires de la gonorrhée et en particulier à l'effet le plus couramment diagnostiqué : la communication de l'impureté.

Ainsi, sur cinq ou six versets, le bon docteur Yahvé nous prodigue ces conseils avisés :

1. Le lit sur lequel s'est assis le type avec la gonorrhée devient impur lui aussi : en fait, ça s'étend aussi à tout objet sur lequel il s'est assis ;
2. Tu fais seulement toucher au lit en question : tu deviens toi aussi impur ;
3. Tu t'assois où le gonorrhéen s'est assis ? Impur tu deviens ;
4. Tu touches le type atteint de cette MTS ? Impur ;

5. Le type te crache dessus alors que tu es pur ? Impur ;
6. Toute monture sur laquelle le libidineux s'assoit devient impure. Si toi-même, tu touches la monture : tu deviens impur.

Dans sa bienveillance, Yahvé M.D. prend le soin de prescrire à la victime collatérale de la gonorrhée une règle qui le purifie : laver ses vêtements et se laver soi-même. Malgré tout, il reste impur jusqu'au soir. Mais le lendemain matin, il est redevenu pur.

Quant à la monture qu'aurait enfourchée le gonorrhéen, on ne sait pas avec certitude si la règle du lavage s'applique à l'animal. Si la situation se présente et que vous touchez par accident un âne ou un poney impur, ne courez aucun risque et donnez-lui un bain. On n'est jamais trop prudent.

MANGE TON PROCHAIN, GARDE L'AUTRE POUR DEMAIN

S'ils sont à ce point soumis aux ordonnances de Dieu, c'est que les hassidim sont bien au fait des conséquences désagréables au plus haut point qui les attendent en cas de transgression de ses règles. Une bonne partie des versets des livres du Pentateuque est consacrée à décrire les châtiments terribles qui planent au-dessus de la tête des humains se détournant de Dieu. Dans le Lévitique, il n'y a pas moins de 31 versets sur la question et 54 autres dans le Deutéronome. Une des sanctions surréalistes fréquemment évoquées : le cannibalisme !

En font foi ces deux passages éloquents :

> Si, malgré cela, vous ne m'écoutez point et si vous me résistez, je vous résisterai aussi avec fureur et je vous châtierai sept fois plus pour vos péchés. Vous mangerez la chair de vos fils, et vous mangerez la chair de vos filles.
>
> Lv 26, 27
>
> L'homme le plus fin et le plus tendre [...] regardera son frère d'un mauvais œil, la femme qu'il a enlacée et ceux des fils qui lui resteront, pour ne pas donner à l'un d'eux la chair de ses fils qu'il mangera sans rien laisser.
>
> Dt 28, 54

Dans plusieurs autres livres de l'Ancien Testament, ces pratiques horribles de cannibalisme sont évoquées à titre de menaces pour les méchants qui montreraient des faiblesses dans leur foi aveugle en Dieu.

Je ne sais pas pour vous, mais le curé de ma paroisse ne glissait pas souvent ces versets dans ses sermons du dimanche matin.

RÈGLES DE VIE EN VRAC

Non content d'anticiper tous les scénarios possibles dans les domaines de la sexualité et de la gastronomie, Dieu énonce dans le Lévitique et le Deutéronome des règles pratiques permettant de faire face à presque tous ces petits litiges que la vie nous présente.

Par exemple, quelle peine infliger dans ces situations malheureusement trop fréquentes où, lors d'une échauffourée, une femme se porte à la défense de son mari en empoignant les organes génitaux de son adversaire ? On nous dit au chapitre 25 :

> Lorsque des hommes se querelleront ensemble, l'un avec l'autre, si la femme de l'un s'approche pour délivrer son mari de la main de celui qui le frappe, si elle avance la main et saisit ce dernier par les parties honteuses, tu lui couperas la main.

Un coupage de main, *yes* ! Enfin une franche punition, virile et exemplaire, qui nous rend fiers de dire qu'on n'a rien à envier aux musulmans et à leur Charia.

Le Lévitique sert aussi cette mise en garde pertinente et toujours d'actualité : « Quiconque touchera les animaux morts sera impur jusqu'au soir ».

Avis, donc, à tous ces conducteurs à l'esprit tordu qui s'adonnent à cette pratique malsaine et trop répandue qui consiste à immobiliser leur véhicule le long de la route pour s'amuser à taponner les carcasses de marmottes écrasées : impurs jusqu'au soir, bande de déviants ! Si vous doutez que les hassidiques respectent à la lettre le Lévitique, posez-vous cette question : en avez-vous déjà vu un touchant un raton laveur mort sur le bord de l'autoroute 20 ? Non ? Moi non plus.

Un autre exemple pour se convaincre de l'opportunité de relire et appliquer les enseignements pratiques du Lévitique, Dieu donne ce conseil : « Vous n'observerez ni les serpents ni les nuages pour en tirer des pronostics. » (19, 26)

On ne compte plus le nombre de joueurs compulsifs qui, malgré cet avertissement divin reflétant le gros bon sens, persistent à amener leur python à Las Vegas et à l'examiner longuement avant de placer leur pari à la roulette ! Il est pourtant démontré qu'aucun n'a amélioré ses gains avec ce procédé condamné par Dieu. Quand vont-ils comprendre ?

À travers les livres de la Torah, Dieu manifeste une aversion marquée pour les gens exerçant des professions tournant autour de la divination. Ainsi, il mettait déjà Moïse en garde dans l'Exode : « Tu ne laisseras point vivre la magicienne. » (Ex 22, 18)

Dans le Deutéronome, on étend la sanction de peine de mort : « Qu'on ne trouve chez toi personne qui fasse passer son fils ou sa fille par le feu, personne qui exerce le métier de devin, d'astrologue, d'augure, de magicien. » (Dt 18, 10)

Mine de rien, c'est directement inspiré de versets de ce genre que les Inquisiteurs, pendant des siècles, brûlèrent des milliers de malheureuses soupçonnées absurdement de sorcellerie.

Vous voulez être certain d'être admis dans « l'Assemblée de l'Éternel » ? Il faut respecter cette règle mentionnée plus tôt dans le chapitre sur Moïse : « Celui dont les testicules ont été écrasés ou l'urètre coupé n'entrera point dans l'assemblée de l'Éternel. » (Dt 23)

On voit bien le relâchement moral dans l'Église catholique romaine où, depuis des temps immémoriaux, on laisse impunément entrer les fidèles à l'église sans même les soumettre à un examen visuel afin de s'assurer de l'intégrité de leurs couilles et de leur pénis.

Le Deutéronome révèle également des recettes de longévité :

> Si tu rencontres dans ton chemin un nid d'oiseau, sur un arbre ou sur la terre, avec des petits ou des œufs, et la mère couchée sur les petits ou sur les œufs, tu

> ne prendras pas la mère et les petits, tu laisseras aller la mère et tu ne prendras que les petits, afin que tu sois heureux et que tu prolonges tes jours.
>
> Dt 22

Bingo ! Voilà donc la règle qui apporte la réponse à cette énigme qui a de tout temps intrigué les biologistes : mais pourquoi donc le taux de mortalité est-il si élevé dans le groupe des personnes ayant tué des mères oiseaux ?

À se remémorer quand vous pillerez votre prochain nid d'oiseau : ne vous emparez que des oisillons et cela vous assurera d'être heureux et, en prime, de vivre plus longtemps.

Votre frère meurt. Qu'advient-il de sa conjointe ? Est-elle condamnée à rester seule ? Peut-elle se tourner vers un autre homme et le prendre pour époux ? Yahvé y a pensé :

> Lorsque des frères demeureront ensemble, et que l'un d'eux mourra sans laisser de fils, la femme du défunt ne se mariera point au-dehors avec un étranger, mais son beau-frère ira vers elle, la prendra pour femme, et l'épousera comme beau-frère.
>
> Dt 25

Enfin, la question est réglée : vous devez marier votre belle-sœur endeuillée. Mais attention, rappelez-vous des conditions :

- vous devez cohabiter avec votre frère au moment de son décès ;
- il meurt sans laisser de fils.

Dans le Lévitique, Dieu fait de la discrimination envers les handicapés : ceux-ci ne peuvent aspirer au poste de prêtre...

> Nul homme atteint de quelque infirmité ne s'approchera pour offrir l'aliment de Dieu. Personne ne peut approcher [...] qu'il soit aveugle ou boiteux, défiguré ou difforme, qu'il soit bossu ou chétif [...] ou qu'il ait les glandes génitales écrasées.
>
> Lv 21, 16

En terminant, c'est dans les pages du Deutéronome qu'on apprend sans surprise que les travestis sont des êtres abominables :

> Une femme ne portera point un habillement d'homme, et un homme ne mettra point des vêtements de femme ; car quiconque fait ces choses est en abomination à l'Éternel, ton Dieu.
>
> Dt 22

***

Les premiers livres de la Bible furent rédigés il y a plus de 2500 ans par des auteurs anonymes. On vient de faire un survol de quelques-unes des centaines de règles régissant tous les aspects de la vie personnelle et sociale des tribus de l'époque.

Ces règles sont toutes aussi insensées les unes que les autres. Elles l'étaient déjà au moment de leur rédaction, c'est dire à quel point le simple fait de discuter de l'opportunité de leur application au XXIe siècle a de quoi nous laisser pantois.

Le choix est simple : ou bien ces articles de loi sont transmis par Dieu, ou bien ils sont imaginés par de simples humains. La foule de contradictions et d'invraisemblances, les prohibitions ridicules, la cruauté des sanctions, les codes de vie grotesques, tout nous dit que ça ne peut évidemment pas être d'inspiration divine. Donc, de simples hommes ont inventé tout ça.

Pourtant, des millions de croyants de confessions diverses croient toujours dur comme fer que Moïse, dans un rôle de secrétaire de Yahvé, a écrit les livres du Pentateuque.

> [...] bien avant les recherches modernes, n'importe qui d'un peu éclairé pouvait réaliser que la « révélation » du mont Sinaï et le reste du Pentateuque étaient une fiction bancale, mal bricolée [...] Les livres ont été écrits des centaines d'années après l'existence supposée de Moïse. Si c'était lui qui les avait écrits, pourquoi emploierait-il la 3e personne ? Et pourquoi dirait-il des choses comme « Moïse était un homme très humble, le plus humble que la terre ait porté. » (Nb 12, 3)[19]

Dans le monde d'aujourd'hui, le respect et l'observance entêtés de ces règles tiennent de la folie. Encore une fois, comme pour la Genèse et l'Exode : ou bien le Lévitique et le Deutéronome sont la parole de Dieu, ou ça ne l'est pas.

Si ce ne sont pas des règles dictées par Dieu lui-même, pourquoi les considérer comme sacrées ?

---

19. Hitchens Christopher, *ibid.*

Si un croyant estime, par contre, que c'est une parole révélée, un ordre venu d'en haut, il ne peut faire de la sélection et mettre en pratique celles qui lui conviennent.

On prend tout ou on ne prend rien.

Si on sélectionne arbitrairement les versets qui nous conviennent, notre foi, c'est finalement n'importe quoi.

Si on les applique tous aveuglément et sans filtrer quoi que ce soit, c'est Lev Tahor.

PETITS GÉNOCIDES ENTRE AMIS
(LES MEURTRES DE DIEU)

Il est jaloux, fier de l'être, impitoyable, injuste et tracassier dans son obsession de tout régenter... Adepte du nettoyage ethnique, c'est un revanchard assoiffé de sang, tyran lunatique et malveillant, ce misogyne homophobe, raciste, mégalomane et sadomasochiste pratique l'infanticide, le génocide et le «fillicide».
Richard Dawkins

On raconte que le fils de Winston Churchill s'interrogeait sur la religion. Ayant entrepris de lire la Bible au complet, il en a conclu : « Maintenant, je suis 100 % convaincu de ne jamais être chrétien. »

Ce qui frappe, en effet, à la lecture de l'Ancien Testament, c'est le climat général de haine et de violence. Une sourde terreur est présente à chaque page. La menace de ce Dieu sanguinaire et vengeur se fait sentir à chaque ligne. L'ambiance oscille entre la tension et le *gore*. L'Ancien Testament, c'est du Stephen King, mais sans le talent.

Dieu est, statistique à l'appui, le plus grand meurtrier de l'histoire. Incontestable.

Un tel festival d'horreurs se devait d'être mis en chiffres et il fallait qu'un jour quelqu'un s'attelle à la tâche de répertorier les innombrables homicides divins. Ce travail d'envergure fut accompli par l'auteur Steve Wells. Cet homme consacra plus de vingt années à rédiger ce qui est devenu un classique de la littérature athée : *The Skeptic's Annotated Bible* (SAB). En plus de s'appliquer à dénoncer verset après verset toutes les aberrations de la Bible, il passe également au tamis de la critique Le Coran et le Livre des mormons.

Une somme. Le résultat est impressionnant. Méticuleux, vous dites ?

Le ton des commentaires de la SAB va de l'académicien le plus sérieux au sarcasme le plus incisif. Wells braque un éclairage impitoyable qui va dans tous les coins des Écritures saintes, explique les divergences d'interprétations, les symboles, le contexte, etc. On peut lire la SAB en l'approchant par une lecture chronologique ou en choisissant parmi des thématiques majeures : les absurdités de la Bible, les cruautés, la vision de la sexualité, de la femme, etc. Plaisir garanti.

Sur le sujet des meurtres de Dieu, Wells avait tant de matière qu'il y a consacré un ouvrage complet, un livre coup-de-poing intitulé *Drunk With Blood : God's Killings in the Bible.* Comme Wells le souligne en introduction, la plupart des chrétiens connaissent seulement les génocides *sympathiques* où Dieu a puni des supposés méchants : le Déluge, les Égyptiens engloutis par la Mer rouge, Sodome et Gomorrhe…

Les croyants connaissent moins les multiples meurtres gratuits, farfelus et capricieux qui tapissent la Bible. Dans *Drunk with blood,* Wells a recensé le nombre de meurtres attribués à Dieu. Le despote céleste serait impliqué dans 158 tueries d'amplitudes variables allant d'une seule victime à plus d'un million.

En comptabilisant seulement les meurtres dont on donne des chiffres précis dans la Bible, Wells arrive à un total de 2 821 364 victimes ! En incluant le total approximatif de victimes des tueries, souvent plus retentissantes, mais pour lesquelles on ne peut avancer de chiffres précis (comme le Déluge, le meurtre des enfants égyptiens, etc.), on s'approche probablement de 25 millions de victimes.

Plus que l'effroyable total de la Seconde Guerre mondiale.

On peut dénombrer au moins une douzaine de cas où l'intervention de Dieu provoqua plus de 50 000 victimes, autant de cas auxquels on peut apposer l'étiquette de génocide. Évidemment, il faut prendre certains chiffres extravagants avec une bonne pincée de sel. Parce que les enthousiastes auteurs de la Bible font parfois dans l'amplification en proposant des récits de massacres aux proportions numériques grotesques. Par exemple, on écrit qu'au cours d'une seule bataille, pas moins d'un million d'Éthiopiens furent tués (2Ch 14, 9). Pas mal trop de morts en une journée si on compare avec la terrible bataille de Gettysburgh, le combat le plus meurtrier de la Guerre de Sécession, qui aurait fait seulement 51 000 victimes.

Au chapitre des folles exagérations, les auteurs de la Bible s'en donnent aussi à cœur joie quand ils racontent que Dieu a carrément arrêté le mouvement du soleil pour donner à son ami Josué le temps de livrer une bataille : « Et le soleil s'arrêta, et la lune suspendit sa course, jusqu'à ce que la nation eût tiré vengeance de ses ennemis. » (Js 10, 13)

Exagération qui est en même temps une autre illustration des limites scientifiques de cette époque reculée où on ne doutait pas un instant que le soleil tournait autour de notre planète. L'idée derrière cette invention est, bien sûr, de véhiculer l'infinité de la puissance de ce Dieu guerrier qui a choisi parmi tous les peuples de la Terre les descendants d'Abraham et Jacob.

On ne le répétera jamais assez : nos prêtres, pasteurs et rabbins ont toujours pris soin de sélectionner les rares passages des Écritures où Dieu paraît sous son meilleur jour. Le subterfuge semble porter ses fruits et, dans l'ensemble, les bons chrétiens entretiennent toujours l'image d'un Dieu d'amour et de pardon. On continue à parler du *Bon Dieu.*

Cette perception déformée fait penser à ces bulletins de nouvelles où, après la mise en arrestation d'un tueur en série, d'un pédophile, d'un batteur de femmes, un *vox populi* nous fait entendre des voisins qui, immanquablement, vont tous affirmer d'un air incrédule que « c'était donc un bon monsieur, serviable, souriant, on se doutait de rien », etc.

L'honnête chrétien qui s'arrêterait à lire la Bible aurait une idée du sentiment que peut éprouver la femme qui surprendrait son mari dans la cave du chalet en train de découper à la scie à chaîne les membres d'un corps de jeune fille fraîchement mutilé.

Un spécialiste du comportement qui se pencherait sur le cas du Dieu de l'Ancien Testament en particulier diagnostiquerait un narcissisme pervers. S'il n'est pas le centre d'attraction, si on le néglige un seul instant, le dénommé Yahvé pète les plombs et passe sa colère sur la pauvre humanité, se vengeant de l'affront en abusant de ses superpouvoirs à travers des actes de vengeance disproportionnés.

Le plus ironique, c'est qu'à côté de Dieu, le Diable fait figure de bon garçon. De fait, la Bible ne fait état que d'un seul épisode meurtrier où le Diable aurait tué des humains. Les victimes seraient les dix enfants de Job et l'exécution aurait été sanctionnée par Dieu à la suite d'un pari qu'il avait fait avec Satan.

Trouvez l'erreur.

Une liste exhaustive des cruautés qu'on attribue à Dieu dans la Bible exigerait un espace rédactionnel si grand qu'on se limitera ici à proposer une anthologie déclinée en catégories arbitraires et évoquant les épisodes les plus croustillants...

EXTERMINATION POUR DES HISTOIRES DE FESSES OU DE JALOUSIE

Ouvrir un club échangiste n'aurait probablement pas été la meilleure idée du temps de l'Ancien Testament. Que voulez-vous: Yahvé, le sexe, pas capable. Comme on l'a bien vu dans le chapitre précédent, les premiers livres de la Bible n'en finissent plus de proposer la peine de mort pour la moindre encoche dans le domaine sexuel.

La Bible compte par ailleurs plein d'épisodes où Dieu, devant de petits relâchements côté libido, s'est fâché noir et n'y est pas allé de main morte dans ses représailles…

Premier exemple : le massacre des Madianites.

Synopsis : les hommes d'Israël commencent à folâtrer avec les filles de Moab. Les vilaines tentatrices invitent ces hommes à manger et ils en profitent pour se prosterner devant le dieu Baal. Dieu le prend personnellement et dit, en gros, à Moïse : « Assemble les chefs et fais pendre les coupables devant moi en face du soleil pour me déchoquer. » Un homme se pointe sous les yeux de Moïse avec une femme madianite. Mauvaise idée. Un certain Phinéas se lève et prend une lance. Il suit l'homme dans sa tente et il les transperce tous les deux. S'ensuit un châtiment divin au résultat laconiquement exprimé ainsi : « Par la suite, il y eut 24 000 personnes qui moururent de la peste » (Nb 25, 1)

Donc, 24 000 morts parce que quelques gars ont vaguement flirté avec des filles qui s'agenouillaient devant un autre dieu. Si le message ne passe pas après ça…

Les curés du Québec, en spécialistes non officiels du sujet, nous ont longtemps enseigné que la masturbation rend sourd. Loin de dramatiser, ces sages conseillers en matière sexuelle étaient au contraire en deçà des conséquences potentielles de cette activité qui peut aller jusqu'à provoquer la mort. À preuve, ce passage :

> Alors Juda dit à Onan : « Va vers la femme de ton frère, prends-la, comme beau-frère, et suscite une postérité à ton frère. » Onan, sachant que cette postérité ne serait pas à lui, se souillait à terre lorsqu'il

> allait vers la femme de son frère, afin de ne pas donner de postérité à son frère. Ce qu'il faisait déplut à l'Éternel, qui le fit aussi mourir.
>
> Gn 38, 8

Énoncé plus crûment : ne voulant pas baiser la femme de son frère, Onan se masturbait tout juste avant d'aller à sa rencontre pour être sûr de ne plus être capable. On voit bien à l'œuvre ici la personnalité revancharde de Dieu qui, au lieu d'utiliser ses superpouvoirs pour décupler les fonctions érectiles de Onan ou lui jeter un sort par lequel notre homme serait affligé de priapisme, préfère l'éliminer. Toujours les moyens radicaux.

Mais la plus célèbre sortie de notre prude Créateur dans le domaine du péché charnel restera à jamais le châtiment qu'il a imposé à Sodome et Gomorrhe, deux villes qui furent anéanties avec tous leurs habitants parce qu'il ne s'y trouvait exclusivement que des libertins irrécupérables. Vous aurez déjà deviné d'où vient le mot *sodomie*...

Oui, il y avait des enfants et des bébés dans ces deux villes mais, selon la Bible, ils auraient été aussi vicieux que les adultes. Des bébés pervers, oui monsieur.

Le récit de la destruction de ces villes est hallucinant et, franchement, des plus comiques. Dans son effort de justifier le sort des pauvres victimes de ces deux localités, l'auteur a imaginé une négociation d'homme à homme entre Abraham et Dieu...

Alors qu'ils sont en vue de la ville de Sodome, les deux amis ont en effet une négo que nous nous permettons ici de paraphraser et ressemblant à ceci :

DIEU
Ouais, j'ai eu pas mal de plaintes au sujet de Sodome et Gomorrhe. Paraît que c'est assez débauché merci. Je vais vérifier les rumeurs et si c'est comme on m'a dit, hou là là que ça va aller mal : je vais tout brûler. Pas de quartier !

ABRAHAM
M'enfin, y sont pas tous pervers. Je t'offre un marché : si tu trouves cinquante personnes justes, tu épargnes la ville, Ok ?

DIEU
Mmmmm... Ok.

ABRAHAM
Parfait !... Mais, bon, disons, Yahvé, qu'on n'arrive pas tout à fait à exactement cinquante, mais bon, qu'il nous en manque quatre ou cinq... Tu vas pas détruire la ville au complet si on en trouve, par exemple, quarante-cinq ?

DIEU
Mais non, ce serait pas raisonnable, Abe, tu as raison.

ABRAHAM
Remarque, ce serait aussi salaud de tous les anéantir si on trouve tout de même, je sais pas moi, quarante bonnes personnes.

DIEU
Ouais, j'avoue. Écoute, s'il y a quarante justes, je vais me retenir. Ok ?

ABRAHAM
Génial, Yahv baby ! *(il fait un* high five *à Yahvé)* Mais, bon, on n'est quand même pas à dix justes près : et si on s'entendait pour trente ? Dernière offre ?

DIEU, *soupirant*
J'accepte. Mais juste parce que c'est toi.

ABRAHAM
Ah et puis si on faisait un chiffre rond, hein ? On va dire vingt justes, ça va ?

DIEU
C'est cool avec moi, Abe.

ABRAHAM
Bon. *(serrant la main de Yahvé)* Marché conclu, donc ? Si tu trouves dix justes dans la ville, tu la détruis pas ?

DIEU
Euh... j'ai accepté à dix ?

ABRAHAM
Oui, oui !

DIEU, *sceptique*
Bon, ça va. Mais là, je descends pas plus bas. Fini.

En voulant mettre en lumière la magnanimité de Dieu, l'auteur ne parvient en fait qu'à nous convaincre que ce ne serait pas à Lui qu'on devrait se fier pour marchander le prix de sa nouvelle voiture. Très mauvais négociateur.

En fin de compte, pour vérifier s'il se trouve dix justes dans la ville débauchée, Dieu y délègue deux anges. Ces derniers débarquent à Sodome et rencontrent un certain Lot. Notre ami Lot, qui se trouve par hasard le seul homme juste de la région, les invite chez lui. Les anges le suivent dans sa maison et il leur apprête un bon dîner (il est bien connu que les anges sont des créatures réputées pour avoir un solide appétit). Mais voilà qu'avant l'heure du coucher, ça cogne à la porte. Qui est là ? Toute la population de la ville ! La Bible précise bien : TOUTE la population sans exception, jeunes et vieux, hommes et femmes. Que veulent-ils ? Ils le disent sans détour : « On veut les deux étrangers que tu héberges chez vous pour les prendre dans toutes les positions possibles ! » Rien de moins. C'était dépravé comme ça dans cette ville. Pas le genre de place où on prie avant les séances du conseil.

Et c'est là que ça devient intéressant...

Le bon Lot qui, rappelons-le, est *le* bon garçon de la ville, *le* modèle de vertu, s'avance alors devant la foule d'obsédés sexuels et leur dit : « Je vous en prie, ne commettez pas le mal. Voici : j'ai deux filles encore vierges, je veux bien vous les faire venir : vous agirez avec elles comme bon vous semblera. Mais à ces personnages, ne faites rien. »

On mesure bien dans ces paroles la grandeur d'âme n'ayant d'égal que le sens de l'hospitalité de Lot qui, plutôt que de risquer que ses invités passent un mauvais quart d'heure, propose plutôt que ses deux filles soient l'objet d'un viol collectif d'une ampleur municipale. Mais l'offre, bien que généreuse et partant du cœur, est refusée. Comme la meute de libidineux menace de briser la porte, les anges, à la manière d'un Messmer biblique, leur jettent un sort et les coquins n'arrivent plus à trouver la porte !

Les anges pressent alors Lot, sa femme et ses filles de s'enfuir et de quitter la ville au plus vite. Ce qu'ils font aussitôt. Au passage, les anges leur donnent une série de consignes, leur demandant entre autres ne pas regarder derrière eux. Une fois que notre belle petite famille est hors des limites de Sodome, Dieu fait pleuvoir sur la ville du feu et du soufre venant du ciel et tout le monde périt sans exception. Oubliant la consigne des anges et ne voulant pas se priver d'un divertissement sans doute impressionnant à cette époque pré-Netflix, la femme de Lot jette un coup d'œil furtif par-dessus son épaule : bang, transformée en statue de sel ! Notons ici que si les anges avaient laissé juste un soupçon quant à l'ampleur de la punition pour simplement lancer un regard en arrière, Mme Lot serait sûrement parvenue à se contrôler… mais bon…

La conclusion de l'histoire ne manque pas de piquant. Une fois sa ville détruite, Lot s'installa dans une grotte avec ses deux filles. Après quelques jours, en manque d'hommes, les deux vilaines soûlèrent leur père au vin et l'enfourchèrent joyeusement, tombant toutes les deux enceintes.

Et on avait là, avec les membres de la famille de Lot, les seules personnes justes dans toute la ville. On est d'accord pour dire que ça n'allait pas bien.

CAS DE « OVER-REACTION » DIVINS

Les auteurs de la Bible beurrent épais quand il s'agit de montrer la supériorité militaire des Israéliens et ce qu'il en coûtait aux ennemis d'en découdre avec eux et leur chef Dieu. Entre autres, ce passage racontant l'issue de la bataille contre les Syriens : « Le septième jour, le combat s'engagea, et les enfants d'Israël tuèrent aux Syriens cent mille hommes de pied en un jour. Le reste s'enfuit à la ville d'Aphek, et la muraille tomba sur vingt-sept mille hommes qui restaient. » (1 Roi 20, 29)

Passons sur le fait qu'il faudrait un invraisemblable mur plus haut que la tour Eiffel ou plus large que douze terrains de football pour écraser 27 000 hommes et venons-en à la vraie question : si Dieu a exterminé les Syriens avec une telle violence, c'est sûrement parce qu'il avait une bonne raison ? Celle-ci est exposée dans le verset précédent : « Parce que les Syriens ont dit : "L'Éternel est un dieu des montagnes et non un dieu des vallées, je livrerai toute cette grande multitude entre tes mains [...]" » (1 Roi 20, 28)

On veut bien que l'autodérision ne soit pas son fort et que le Bon Dieu n'aime pas se faire balancer des insultes. Mais un bilan de 127 000 morts pour cette simple insulte ? Pour cette « insultette » ? Dans le répertoire des noms insultants, on s'entend pour dire que « dieu des montagnes » sonne quand même moins offensant que, par exemple, « dieu des trous du cul » ou « dieu des cons ». Il nous apparaît qu'un petit « dieu des montagnes » aurait pu mériter un châtiment plus clément, du genre une épidémie de picote ou un gros rhume. Mais 127 000 morts ? *Coooooome on* !

Autre situation où Dieu réagit un peu trop violemment : cette fois où des malheureux ont innocemment fait brûler de l'encens dont l'odeur ne sembla pas plaire à Môssieu L'Éternel : « Un feu sortit d'auprès de l'Éternel, et consuma les deux cent cinquante hommes qui offraient le parfum. » (Nb 16, 35)

Ça aurait été quoi si ces types avaient lancé une bombe puante ? Un deuxième déluge ?

On voit ailleurs dans la Bible que Dieu, un tantinet possessif, ne badinait pas et exerçait une vengeance fulgurante quand il était question de sa précieuse arche d'alliance. Ainsi, on lit dans 1S 6, 19 qu'il tue 50 000 personnes qui avaient commis l'erreur de simplement regarder l'arche. Ils n'ont pas pissé dessus, ils n'y ont pas dessiné des graffitis obscènes du genre « Pour une bonne pipe : Abraham, 555-1212 », ILS L'ONT REGARDÉ ! Du calme, Yahvé.

Un autre cas de réaction disproportionnée et gratuite de Yahvé est celui du génocide relié à un recensement commandé par… lui-même !

Synopsis : Yahvé demande au roi David de faire un recensement. David délègue le travail à Joab, son chef d'armée. Joab rouspète un peu, mais finalement fait le tour du pays et dénombre les gens. Il arrive à Jérusalem au bout de neuf mois et vingt jours. Résultats : il y aurait 800 000 hommes de guerre en Israël et 500 000 hommes en Juda. Le lendemain, David demande pardon à Yahvé en ces termes : « J'ai commis un grand péché en faisant cela ! Daigne me pardonner, car j'ai agi en insensé ! ». (Quel péché ? Où ça ?) De toute façon, Yahvé dit au prophète de la cour, Gad, de faire le message suivant à David : « Yahvé te propose trois fléaux : choisis-en un et il te frappera de ce fléau. » (2S 24)

Le choix est celui-ci : sept ans de famine, trois mois de fuite devant ses ennemis ou bien trois mois de peste. En fin de compte, Dieu envoya la peste et il mourut 70 000 personnes. On essaie de comprendre ici : Dieu commande un recensement et est furieux parce qu'on a obéi à ses ordres !

MEURTRES ANIMALIERS

Sur le plan de l'exécution de ses meurtres, Dieu ne répugne pas à mettre personnellement la main à la pâte et à liquider des victimes sans défense par son action directe. À d'autres moments, il va utiliser des auxiliaires, des genres d'officiers qui vont faire exécuter ses ordres par des subalternes bien humains. Ces auxiliaires sont des leaders de son peuple (Moïse, Josué, David, etc.). De temps en temps, Dieu faisait faire le travail par ses anges. Comme en fait foi ce passage, il semble que ces créatures ailées pouvaient être d'une efficacité hors du commun : « Cette nuit-là, l'ange de l'Éternel sortit, et frappa dans le camp des Assyriens cent quatre-vingt-cinq mille hommes. Et quand on se leva le matin, voici, c'étaient tous des corps morts. » (2R 19, 35)

Ouf ! En une nuit, à peu près l'équivalent du total des victimes du bombardement sur Hiroshima sans la technologie nucléaire. Et ce, avec un commando d'un seul ange. Impressionnant.

En quelques occasions, dans de petits élans de fantaisie meurtrière et pour donner du répit aux anges, Dieu va se servir d'animaux. Pensons à cette belle histoire d'Élisée au service d'une leçon de bienséance pour les enfants dissipés :

> Alors que le prophète Élisée était sur la route de Bethel, de jeunes garçons se moquèrent de lui en criant : « Monte, chauve ! Monte, chauve ! » Le prophète se tourna vers eux et les maudit au nom du Seigneur. Surgirent alors des bois deux ours qui taillèrent en pièces 42 des enfants.
>
> 2R 2, 23

Bon. Il y a une règle non écrite voulant que taquiner un gars sur sa calvitie, à moins que ce soit un beau-frère ou un collègue de bureau pas susceptible, ça ne se fait pas. Mettons-nous à la place d'Élisée : une bande de gamins qui te traitent de chauve, ça a de quoi agacer même le plus tolérant des prophètes. D'autant plus qu'en haut de quarante-deux, ce n'est plus une bande, mais une cour d'école au complet qui se payait sa tête dégarnie. Concédons qu'Élisée ait pu se sentir froissé. À la limite, qu'il ait sacré une taloche au premier de ces garnements qui lui tombait sous la main, ça aurait pu passer. Mais faire « tailler en pièces 42 enfants » par des ours ? Juste un peu disproportionné, nous semble-t-il.

L'ours est assurément un bon choix de bête quand on doit massacrer des gens. Mais, comme en fait foi le prochain passage biblique, le bon vieux serpent peut être d'un bon secours à l'occasion : « Alors Dieu envoya contre le peuple des serpents brûlants ; ils mordirent le peuple, et il mourut beaucoup de gens en Israël. » (Nb 21, 6)

D'abord souligner qu'il est pour le moins paradoxal que l'animal que Dieu a maudit au début de l'histoire (la pomme... Ève...) lui serve de complice pour accomplir des sales besognes. Et puisqu'on y est, le serpent tout court n'est-il pas suffisamment meurtrier selon l'opinion divine ? Fallait-il vraiment que Dieu crée une espèce possédant en plus la faculté de brûler ? Voilà qui ressemble à du pur sadisme : « Ahah ! La mort lente provoquée par la sécrétion du venin, c'est trop doux : si on ajoutait des bonnes brûlures par-dessus ? Ahah ! »

En plus de l'ours et des serpents brûlants, Dieu sous-contracte ici et là avec le roi des animaux. Par exemple, dans cet épisode où il entend passer un message de bienvenue sans équivoque à des étrangers :

> Le roi d'Assyrie fit venir des gens de Babylone, de Cutha, d'Avva, de Hamath et de Sepharvaïm, et les établit dans les villes de Samarie à la place des enfants d'Israël. Ils prirent possession de Samarie, et ils habitèrent dans ses villes. Lorsqu'ils commencèrent à y habiter, ils ne craignaient pas Dieu, et Dieu envoya contre eux des lions qui les tuaient.
>
> 2R 17, 24

En lisant cela, on ne peut s'empêcher de songer à l'ironie : Dieu utilise des lions pour tuer des païens et des siècles plus tard, dans le Circus Maximus à Rome, d'autres païens auraient utilisé les mêmes fauves pour éliminer les chrétiens...

Le brave lion est aussi utilisé lors d'une histoire non exempte de bizarrerie :

> Un des fils de prophète dit à son compagnon sur l'ordre de Dieu : « Frappe-moi, je t'en prie ! » Mais l'autre refusa de le frapper. Il lui dit alors : « Puisque tu n'as pas écouté la voix de Dieu, un lion te tuera aussitôt que tu m'auras quitté. » L'homme le quitta et aussitôt un lion l'attaqua et le tua.
>
> 1R 21, 35

On ne sait trop par où commencer pour rendre compte de l'incommensurable non-sens de ces versets. C'est comme de la niaiserie présentée en poupées russes : une niaiserie en révèle une autre puis une autre, etc. D'abord, Dieu demande à un type qu'il exige de son compagnon de le frapper. C'est quoi, ça ? Cela ne suffit pas qu'il cogne sur les humains, mais Dieu voudrait en plus que ces derniers s'adonnent au masochisme ? Ou Dieu a-t-il le bras mort à force de trop en tuer ? Toujours est-il qu'au deuxième niveau de la niaiserie, le type ne discute pas et supplie bêtement son compagnon de le frapper. Enfin, au troisième étage de niaiserie, on arrive à cette menace rocambolesque du lion ! Mais où Dieu est-il allé chercher ça ? Si on établissait les mille menaces de représailles les plus plausibles, les fauves ne feraient même pas partie de la liste ! Si tu ne m'écoutes pas, tu vas manger mon poing sur la gueule, la foudre va te frapper, tu vas attraper la lèpre, les fesses vont te tomber, etc. Mais un lion va te manger ? N'importe quoi. Et en plus, ça arrive. Fou raide.

DIEU, LE STRATÈGE MILITAIRE

Dans la hiérarchie des chefs de guerre réputés pour être des *toughs,* Dieu se classe au sommet. À côté de lui, Gengis Khan ou Pol Pot font figure de moumounes. Pour Dieu, pas de problème à lancer les prisonniers de guerre au bas d'une falaise (2Ch 24, 12). Si quelqu'un est prêt à lui sacrifier ses enfants, Dieu va lui offrir son aide dans une bataille (2R 3)… Un petit passage montrant que la notion de crime de guerre n'était pas inventée encore :

> Dieu dit : « Quiconque sera capturé sera passé au fil de l'épée. Leurs petits enfants seront écrasés à mort sous leurs yeux. Leurs maisons seront pillées et leurs femmes violées. […] Les armées tueront les jeunes gens avec des flèches. Elles n'auront pas de pitié pour

> les bébés et ne montreront pas de compassion pour les enfants. »
>
> Es 13, 15

Tout l'Ancien Testament n'est qu'une succession de batailles où les ennemis du peuple élu et de Dieu sont exterminés jusqu'au dernier. Dans ce domaine, Moïse a ouvert le chemin en massacrant des populations complètes à qui mieux mieux.

À la mort de Moïse, un certain Josué prend la relève comme leader des Hébreux. Le nouveau chef du peuple élu a une surprise de taille en arrivant en Terre promise : il y a déjà du monde installé !

Hmmm… que faire ?

D'abord, on favorise une approche diplomatique. On demande donc gentiment à ces peuples : « Ok, soumettez-vous à notre Dieu, devenez nos esclaves et… ah, dernier détail, que tous les hommes se fassent circoncire ! »

Contre toute attente, à l'unanimité, les peuples sont réticents à accepter cette proposition généreuse. On n'a d'autre choix que d'appliquer le plan B du général divin : les exterminer tous.

Avec Dieu comme stratège personnel, Josué va faire un grand ménage dans la région, accumulant les massacres sanglants, les viols, les génocides, etc.

Dieu fait anéantir quantité de villes et de tribus. Comme on le constate, il ne laisse personne en vie chez l'ennemi mais, étant donné que c'est un être de bonté, il sait parfois être compatissant et donne un exemple de sa grande mansuétude dans cet extrait du livre d'Ézéchiel :

> Et le Seigneur dit : « Passe au milieu de la ville, au milieu de Jérusalem et fais une marque sur les fronts des hommes qui soupirent à cause de toutes les abominations qui se commettent dans la ville. » Et j'entendis le Seigneur dire aux autres : « Suivez-le à travers la ville et tuez tous ceux dont le front n'est pas marqué. Ne montrez aucune pitié. Tuez-les tous : jeunes et vieux, filles et femmes et les petits enfants. Mais ne touchez à personne avec la marque. »
>
> Ez 9 : 4-7

Beau geste de la part de Dieu. Mais bon, je serais responsable du comité qui doit dessiner les marques dans le front, j'avoue que je sentirais de la pression. Identifier ceux qui « soupirent à cause des abominations », ça laisse place à l'interprétation. Le critère de sélection aurait gagné à être plus précis. Mais une fois la tâche du marquage complétée, reconnaissons que la deuxième étape du plan a le mérite d'être claire : tuer tout le monde, incluant vieillards, femmes et enfants.

***

Pourquoi des millions de chrétiens continuent-ils à adorer un Dieu aussi cruel ? En dépit des meurtres, du sang, de l'indifférence pour nos souffrances, pourquoi continuer à croire qu'il soit digne de notre amour ?

On a déjà deux millions de raisons de bannir la Bible de nos vies. Le livre est tapissé de violence, de ségrégation, de racisme, de misogynie, le dieu qu'on y rencontre a tous les défauts du monde et ne dégage rien qui ressemble à de l'amour.

En soi, ça devrait suffire à disqualifier le livre.

Au cas où vous hésitiez encore, bienvenue au département fantastique de la Bible !

ABSURDES, SALES ET MÉCHANTS
(ABSURDITÉS, FANTASTIQUE ET VULGARITÉS DANS L'ANCIEN TESTAMENT)

S'il y a des erreurs, idées fausses, théories erronées, mythes ignorants et bévues dans la Bible, elle doit avoir été écrite par des êtres finis ; c'est à dire par des hommes ignorants qui se sont trompés.
Robert Ingersoll

Des livres entiers furent consacrés aux invraisemblances dans la Bible. Quand on parcourt les pages de l'Ancien Testament en particulier, elles abondent. Les histoires sans queue ni tête s'enchaînent les unes après les autres : les exploits guerriers de David, Samson avec ses cheveux qui lui donnent une force surhumaine, des prophètes qui résistent au feu ou aux lions, etc. À côté de ça, il y a une foule de passages relevant d'une absurdité complète et d'autres où l'on fait montre d'une immense vulgarité.

Nous porterons surtout notre attention sur les épisodes qui, en plus de se distinguer par leur caractère fantaisiste, ont un côté divertissant…

LE FANTASTIQUE

J'ai connu un fan fini du *Seigneur des anneaux* qui croyait dur comme fer à l'existence des elfes, hobbits et trolls. Puis il a eu sept ans.

Dut-il être le plus fervent amateur de fantastique, un adulte sensé ne croit pas un seul instant à l'authenticité de récits où apparaissent des créatures mythologiques. De son côté, un auteur aspirant à un minimum de crédibilité n'insérera pas de telles créatures dans ses histoires. Pourtant, la Bible en regorge.

Peut-on d'ailleurs s'en surprendre quand, dès les premiers chapitres de la Genèse, on rencontre un serpent qui parle ?

L'Ancien Testament compte pas moins de soixante-huit versets où il est fait mention de dragons. La Bible parle aussi de licornes en plus d'évoquer les géants, les satyres, le phœnix, le cocatrix, etc.

Faisons un rapide tour d'horizon de ce curieux bestiaire biblique…

Les licornes

La licorne est une créature mythologique à mi-chemin entre le cheval et la chèvre, se distinguant par une longue corne sur le front. Réputée pour sa nature indomptable, la licorne ne se soumettait, selon la légende, qu'aux jeunes filles vierges. Ce magnifique animal était déjà bien connu dans l'Antiquité grecque et, de toute évidence, familier aux auteurs de l'Ancien Testament. On mentionnait la licorne pas moins de neuf fois dans la Bible. Et c'était toujours pour s'en servir comme d'un modèle d'insoumission. Des exemples :

> La licorne veut-elle être à ton service ? Passe-t-il la nuit vers ta crèche ?
>
> Jb 39, 9
>
> Les licornes tombent avec eux, Et les bœufs avec les taureaux.
>
> Es 34, 7

Vous chercheriez en vain le mot *licorne* dans votre édition de la Bible. En effet, dans les traductions plus récentes, on a éliminé les mentions de la licorne qui est remplacée par le buffle. Mais, comme diraient les reporters des bulletins de circulation, « le mal était fait » ! Ainsi, durant des siècles, la Bible perpétua l'idée que les licornes ont vraiment existé. Ce fut même l'animal mythique le plus populaire du Moyen Âge à la Renaissance. Tant et si bien qu'on fit longtemps le commerce de sa corne. On vendait à gros prix des articles divers faits d'authentiques cornes de licornes, de tels objets possédant de soi-disant vertus miraculeuses et guérissant la plupart des maladies.

Sur des sites internet religieux, il est amusant de lire les commentaires de divers auteurs sur la mention des licornes dans la Bible, où deux points de vue opposés s'affrontent :

1. Ceux qui, conscients du discrédit que ça jette sur la Bible, expliquent la présence des licornes par des confusions de traductions ;
2. Ceux qui assument entièrement, persistent et signent : les licornes ont déjà existé.

Les dragons

On manifeste une connaissance intime des dragons dans la Bible. Certains portent même des noms. Il y a Léviathan, un redoutable serpent de mer à sept têtes crachant le feu et que seul Dieu peut parvenir à vaincre. Il y a aussi Behemoth, un autre dragon moins polyvalent côté locomotion devant se contenter d'évoluer sur le plancher des vaches. Des exemples de mentions explicites de dragons :

> Tu pourras marcher sur lion et vipère, piétiner lionceau et dragon.
>
> Ps 91, 13

> Dans un pays de misère et d'angoisse, de la lionne et du lion rugissant, de la vipère et du dragon volant, ils portent à dos d'âne leurs richesses.
>
> Es 30, 6

> [...] car de la souche du serpent sortira une vipère, et son fruit sera un dragon volant.
>
> Es 14, 29

La Bible nous propose même une histoire tellement plausible où le prophète Daniel en affronte un. La méchante bête terrorisant un village, Daniel le nourrit avec une espèce de mixture qui le fait exploser. Ici, on est résolument dans le récit fantastique, quelque part entre *Bilbo le Hobbit* et *Game of Thrones*. Sérieusement, un dragon qui explose !

Encore une fois, des défenseurs de la vérité biblique que de tels délires embarrassent s'empresseront d'expliquer la présence des dragons par des erreurs de traduction. Tandis que d'autres fondamentalistes, loin d'être gênés par la chose, expliquent qu'au contraire il y a bel et bien eu des dragons sur terre à l'époque ancienne. Une autre version loufoque répandue chez les créationnistes : mais non, il n'y a jamais eu de dragons, les auteurs de la Bible parlent tout simplement de dinosaures !

Cocatrix et Basilic

Assez mal foutu esthétiquement, le cocatrix est quant à lui un dragon à deux pattes avec une tête évoquant celle du coq. D'où son nom, bien sûr. Cette volaille hybride aurait eu des pouvoirs magiques dont celui, quand même redoutable, de transformer les gens en pierre d'un simple regard. Une copie des pouvoirs de la Méduse, finalement. La croyance médiévale voulait que le chant d'un coq eût un effet mortel sur le cocatrix ou, qu'autrement, la seule façon de l'exterminer était de le faire se regarder dans un miroir. Naïfs au Moyen Âge.

Dans les éditions plus anciennes de la Bible, on pouvait lire ce verset : « Le nourrisson s'ébattra sur l'antre de la vipère, et l'enfant sevré mettra sa main dans la caverne du cocatrix. » (Es 11, 8)

On a cependant biffé le cocatrix des versions modernes de la Bible pour le remplacer par une autre créature. Ainsi, le même verset se lit aujourd'hui : « Le nourrisson s'ébattra sur l'antre de la vipère, et l'enfant sevré mettra sa main dans la caverne du basilic. » (Es 11, 8)

À ne pas confondre avec l'herbe aromatique, Ce Basilic est une créature légendaire dont on parle déjà du temps de l'antiquité gréco-romaine. C'est un petit serpent au venin et au regard mortels. Si la substitution du cocatrix par le basilic visait à hausser la crédibilité de la Bible, ce ne fut pas le meilleur choix stratégique.

Les Satyres

Quant aux satyres, ce sont des machins mi-hommes, mi-boucs (ou mi-chevaux parfois) issus de la mythologie grecque. On les mentionne ici et là dans l'Ancien Testament :

> Les épines pousseront dans ses palais [...] Il deviendra le repaire des hyènes et le domaine des autruches. Les chats sauvages y rencontreront les chacals, les Satyres s'appelleront l'un l'autre.
>
> Es 34, 13
>
> Les bêtes du désert y reposeront, les hiboux rempliront ses maisons ; les autruches y habiteront et les Satyres y sauteront.
>
> Es 13, 21

Pour se faire une appréciation du mode de vie des Satyres, visionner les deux *Percy Jackson*, films d'action à succès destinés aux six à douze ans et dont les scénarios sont le résultat évident d'un scrupuleux souci d'authenticité historique.

Les géants

Enfin, un conte fantastique ne serait pas complet sans la présence de géants. Les auteurs de l'Ancien Testament y font référence au moins une douzaine de fois.

Comme ç'a été mentionné précédemment, on peut lire au début du récit de l'arche de Noé que : « Les géants étaient sur la terre en ces temps-là, après que les fils de Dieu furent venus vers les filles des hommes. » (Gn 6, 4)

L'affirmation pose problème. Car, admettons que ça ait été vrai, ces gaillards n'auraient-ils pas tous été exterminés lors du grand déluge ? Si Noé avait accueilli des géants à bord de l'arche, on l'aurait su. Pourtant, on revoit des géants après la grande inondation mondiale. De deux choses l'une : ou bien il y avait des passagers clandestins géants à bord du bateau, ou bien ces géants, sacrés débrouillards, s'étaient réfugiés au sommet de l'Everest et ont patienté, debout sur la pointe des pieds, la tête hors de l'eau, gardant des mois durant cette position jusqu'à ce que l'eau baisse. Et ce, à condition de mesurer au moins sept mètres.

Difficile de trancher devant deux hypothèses rivalisant autant sur le chapitre de la crédibilité.

Mais quelle grandeur, au fait, atteignaient ces satanés géants ?

Dans le livre des Nombres, on évoque la taille impressionnante des géants : « [...] et nous y avons vu les géants, enfants d'Anak, de la race des géants : nous étions à nos yeux et aux leurs comme des sauterelles. » (Nb 13, 33)

On ne parle pas de types de 1,84 mètre. Toutes proportions gardées, pour qu'un homme normal ait l'air d'une sauterelle à côté d'eux, les géants devraient mesurer dans les cinquante mètres. Les auteurs ont probablement poussé un peu fort dans la comparaison pour nous impressionner.

Il convient donc de se tourner vers un verset du Deutéronome, où l'on avance une estimation plus réaliste sur la taille d'un certain géant royal en ces termes : « Og, roi de Basan, était resté seul de la race des Rephaïm. Voici, son lit, un lit de fer [...] Sa longueur est de neuf coudées, et sa largeur de quatre coudées, en coudées d'homme. » (Dt 3, 11)

La coudée ancienne équivalant, comme nous l'avons vu, à une longueur de plus ou moins quarante-cinq centimètres, le lit du roi Og avait donc une longueur d'un peu plus de quatre mètres. Décidément, on ne veut pas être le beau-frère de Og quand ce dernier a besoin d'un coup de main pour son déménagement.

Mais le géant le plus populaire de la Bible est celui que le jeune David a terrassé avec sa fronde : le Philistin Goliath. Or, combien mesurait ce célèbre géant ? On nous le dit dans la Bible : « Il se nommait Goliath, il était de Gath, et il avait une taille de six coudées et un empan. » (1S 17, 4)

C'est environ trois mètres. Possible ? Hmmm... pas avec ce qu'ils mangeaient à l'époque.

LES ABSURDITÉS

Encore une fois, il y a tant et tant d'absurdités dans l'Ancien Testament qu'on pourrait y consacrer un ouvrage au complet. Mais nous retiendrons quatre épisodes qui nous semblent suffisamment délirants pour les besoins de la démonstration : Jonas dans la baleine, la tour de Babel, l'âne qui parle et les folies du prophète Ézéchiel

Jonas dans la baleine

Il semble qu'on ne peut atteindre aucune limite assez haute sur l'échelle de l'amplitude de l'incohérence pour ébranler cette conviction obstinée des croyants purs et durs voulant que tout ce qui est écrit dans la Bible est la parole de Dieu et inattaquable. Licornes, géants, dragons, serpents qui jasent, amenez-en : tout est vrai, c'est le mot de Dieu.

Après les récits de la Création et du Déluge, l'histoire de Jonas est sûrement l'une des plus invraisemblables de la Bible. Citons un verset du livre qui résume la mésaventure de l'intrépide Jonas : « Dieu décida qu'un grand poisson absorberait Jonas, et Jonas fut dans les entrailles du poisson trois jours et trois nuits. » (Jon 2, 1)

Le gars est avalé par un poisson, y séjourne trois jours et en ressort vivant. Bon.

Dans l'ensemble, les théologiens eux-mêmes ont depuis longtemps choisi de ne pas mener ce combat : ils admettent que Jonas, c'est un conte, une métaphore, etc. Faisons fi de la classification déficiente des auteurs du livre qui, à l'époque, classaient dans la famille des poissons tous les grands mammifères marins et assumons qu'ils voulaient parler d'une baleine. Il faut que ça soit le cas, car le plus grand poisson qui existe est le requin-baleine qui, s'il peut tout de même atteindre jusqu'à 15 mètres, ne pourrait loger commodément un être humain pour un week-end. À 30 mètres de longueur, la baleine bleue peut raisonnablement offrir en son estomac le confort d'un loft de bonne dimension.

Nous ironisons, bien sûr, en évoquant la plausibilité d'un tel exploit. Cependant, le distingué Professeur John D. Moriss, sur le site officiel du site créationniste *Institute for Creation Research,* est des plus sérieux quand il avance une explication rationnelle à l'histoire de Jonas. Il affirme entre autres « [qu'il] y a eu plusieurs cas rapportés de marins à l'ère moderne ou d'autres individus qui furent avalés par des poissons géants et qui furent récupérés toujours en vie plusieurs heures plus tard. »

On peut parier que les sources du Professeur Moriss proviennent des mêmes journaux qui rapportent qu'Elvis a été aperçu au service à l'auto d'un McDonald ou que l'abominable homme des neiges a convolé en justes noces avec Lady Di dont on sait que c'est un double qui périt dans l'accident survenu à Paris en 1997.

La tour de Babel

Un autre des nombreux récits embarrassants de la Bible est l'histoire de la tour de Babel racontée au chapitre 11 de la Genèse.

Si on en croit ce conte, avant qu'ils entreprennent la construction de cet édifice, les humains parlaient tous le même langage. Mais comme ils eurent cette ambition folle d'ériger une tour si haute qu'elle monterait jusqu'au ciel et leur permettrait de voir le Royaume de Dieu, cela déplut avec raison au Tout-Puissant qui tenait à son intimité. Yahvé envoya alors un sort sur les humains pour confondre leurs langages. C'est là l'explication biblique de la disparité des langues.

L'idée que la technologie de cette époque permît d'élever une tour assez haute pour dépasser les nuages est déjà pas mal questionnable. Mais moins que l'idée d'un Dieu omniscient détruisant une tour ou jetant un sort aux humains parce qu'il se serait cru en danger d'être espionné !

Lors d'un office auquel nous avons assisté dans une Salle du Royaume, le prédicateur de la semaine a abordé ce thème de la diversité des langages. Lisant les versets de la Bible qui raconte ce mythe enfantin de la tour de Babel, notre homme a affirmé à son auditoire le plus sérieusement du monde que c'était là « la seule explication logique » à la diversité des langues humaines. Ne reculant devant aucune audace et ajoutant une épaisseur d'idiotie, il déclara même que les humains acquirent ce jour-là une langue complète avec le vocabulaire, la syntaxe, la grammaire, etc., tout cela, clé en main !

La stupidité de la proposition est telle qu'on ne sait même pas par où commencer pour la dénoncer. Dans leur magazine *Tour de garde* du 1er septembre 2013, les faux érudits travaillant pour la Watchtower Society se font l'écho du discours du prédicateur en développant la question de l'origine des langues. Là encore, on peut observer dans leur texte le même sophisme cousu de fil blanc :

> Des spécialistes pensent que les groupes linguistiques ne sont pas apparus brusquement, mais ont évolué à partir d'une langue mère. D'autres sont d'avis que plusieurs langues primitives se sont développées indépendamment, passant du simple grognement au langage complexe.[20]

---

20. Les langues sont-elles nées à babel ? (La Tour de Garde, septembre 2013)

Et on arrive alors au *punch* classique. Ces théories contradictoires ont amené de nombreuses personnes à la même conclusion que le professeur Fitch : « Nous n'avons pas encore trouvé d'explication pleinement convaincante. »

Disqualifiant des théories scientifiques solides et documentées parce qu'elles ont des divergences incidentes et mineures, les Témoins proposent alors l'inévitable conclusion : si on n'est pas sûr, c'est parce que c'est Jéhova ! Donc, c'est bel et bien Jéhovah qui a créé les langues exactement comme on le rapporte dans l'histoire de la tour de Babel.

Poussant encore plus loin dans la malhonnêteté intellectuelle et la science à dix sous, les auteurs de l'article écrivent un peu plus loin : « Il existe bel et bien des fossiles linguistiques. Que sont ces fossiles ? Les plus anciens témoignages écrits, les seuls fossiles linguistiques que l'homme puisse espérer trouver, remontent au maximum à 4000 ou 5000 ans. »

En effet, tout le monde sait que les plus vieux écrits qu'on a retrouvés remontent à environ 3500 à 4000 ans av. J.-C. Mais, petit détail en passant : L'HOMME A COMMENCÉ À PARLER LONGTEMPS AVANT D'ÉCRIRE !

Les langues, au sens moderne du terme, sont apparues de 60 000 à 80 000 ans avant notre ère. Peut-être davantage. On en compte plus de 6 000 sur la planète et chacune d'elles est le fruit d'une longue et patiente évolution aux plans du vocabulaire et de la syntaxe.

Vraiment, parler de signes linguistiques en assimilant l'invention de l'écriture à l'apprentissage du langage articulé ? Croire littéralement au récit de la tour de Babel ? Au secours.

Un âne qui parle

Un autre récit complètement dingue et qui préfigure le personnage de l'inséparable compagnon de Shrek est celui de l'âne qui parle.

L'histoire, racontée au chapitre 22 du Livre des Nombres, se résume à peu près ainsi :

Un homme du nom de Balaam chevauche son âne sur un long trajet. Fâché que son animal se soit assis deux fois sans sa permission, Balaam se met à le battre. Apercevant un ange sur la route, l'âne s'assoit une troisième fois. Bien entendu, le très sanguin Balaam, qui lui ne voit pas l'ange, se lance à nouveau dans une démonstration de cruauté animale envers la bête indisciplinée.

L'âne se tourne alors vers son maître et demande : « Mais qu'est-ce que je t'ai fait pour mériter que tu me châties encore ? » Pas démonté un seul instant par la soudaine et stupéfiante agilité verbale de son âne, Balaam se lance au contraire dans une discussion avec ce dernier, lui reprochant de se moquer de lui. Persistant et signant, Balaam lui dit même qu'il déplore ne pas avoir d'épée sous la main sinon il lui aurait déjà fait la peau. En fin de compte, Dieu permet que Balaam voie l'ange lui aussi et les deux ont une discussion plutôt ésotérique.

On n'est pas trop certains de saisir le message. Ce dont on est sûr, cependant, c'est que croire aux récits de la Bible implique de croire, en plus de l'histoire de Jonas dans la baleine, à celle d'un âne volubile qui argumente avec son maître.

Si vous commencez à éprouver ce sentiment que les auteurs de la Bible donnaient dans la contre-culture, attendez de rencontrer Ézéchiel…

Les élucubrations d'Ézéchiel

Parmi les prophètes de l'Ancien Testament, on a les majeurs et les mineurs. On en répertorie cinq dits majeurs pour douze mineurs. Il va de soi qu'un prophète doit être jugé important pour figurer dans la première catégorie. Ézéchiel évolue dans la ligue majeure. On peut raisonnablement en déduire qu'on est en présence d'un puits de sagesse infinie. Pourtant, voici un prophète dont les écrits donnent à penser qu'il consommait des produits aux effets puissants. Le livre d'Ézéchiel est une succession de propos hallucinés et sado-masos. Déjà, ça s'ouvre avec une vision vaguement psychédélique :

> Je regardai, et voici, il vint du septentrion un vent impétueux, une grosse nuée, et une gerbe de feu, qui répandait de tous côtés une lumière éclatante […] Au centre apparaissaient quatre animaux, dont l'aspect avait une ressemblance humaine. Chacun d'eux avait quatre faces, et chacun avait quatre ailes […] Ils avaient des mains d'homme sous les ailes à leurs quatre côtés ; et tous les quatre avaient leurs faces et leurs ailes. Leurs ailes étaient jointes l'une à l'autre ; ils ne se tournaient point en marchant, mais chacun marchait droit devant soi. Quant à la figure de leurs faces, ils avaient tous une face d'homme, tous quatre une face de lion à droite, tous quatre une face de bœuf à gauche, et tous quatre une face d'aigle. Leurs

> faces et leurs ailes étaient séparées par le haut ; deux de leurs ailes étaient jointes l'une à l'autre, et deux couvraient leurs corps.
>
> Ez 1, 4

En plus de voir des monstres décidément bizarres, Ézéchiel est soumis par Dieu à un régime alimentaire original : « Il me dit : Fils de l'homme, mange ce que tu trouves, mange ce rouleau, et va, parle à la maison d'Israël ! J'ouvris la bouche, et il me fit manger ce rouleau. » (Ez 3, 1)

Non, ce n'était pas un rouleau de printemps vietnamien. Les livres étant à l'époque écrits sur des rouleaux, notre ami Ézéchiel mange littéralement des livres, donnant un nouveau sens à *lecteur boulimique*. Garçon visiblement facile à satisfaire au plan culinaire, il nous dit que cela goûte « aussi bon que le miel ».

Ézéchiel, c'est le souffre-douleur de Dieu, c'est le ti-cul au primaire à qui les *bullies* font manger des vers de terre. Semblant bien s'amuser avec Ézéchiel, Dieu lui fait subir un paquet d'autres épreuves pas trop agréables :

> Et l'Éternel me parla et me dit : « Va t'enfermer dans ta maison [...] on mettra sur toi des cordes, avec lesquelles on te liera, afin que tu n'ailles pas au milieu d'eux. J'attacherai ta langue à ton palais, pour que tu sois muet...
>
> Ez 3, 24

On est dans *Jackass* à la puissance 10.

Mais ça ne s'arrête pas là. Prolongeant les tortures, Dieu force ensuite Ézéchiel à se coucher et à rester sur le côté gauche durant 390 jours puis sur le droit pendant un autre 40 jours, ces chiffres symbolisant le nombre d'années où certaines villes vécurent dans le péché. Pour ajouter au bien-être de son prophète favori, Dieu lui dicte par la suite quelques petites recettes de cuisine appétissantes : « Tu mangeras des gâteaux d'orge, que tu feras cuire avec des excréments humains. » (Ez 4, 12)

Mange de la *marde*, Ézéchiel. *Jackass*, qu'on vous dit.

LES VULGARITÉS BIBLIQUES

Si les récits fantastiques ou absurdes sont, à la limite, rigolos et même mignons, on ne peut pas dire la même chose des innombrables passages bibliques où les auteurs sombrent dans la vulgarité. C'est parfois drôle, oui, mais c'est en même temps déconcertant. Après tout, la Bible est un livre sacré, prétendument inspiré : pourquoi tant de versets qui sentent mauvais ? Des craquelures dans le beau vernis du Livre saint...

Gland Gland Gland, Le Seigneur Dieu de l'Univers

Prépuce, prépuce, prépuce, prépuce, prépuce... !

On ne sait pas combien de fois les mots *prépuce* et *circoncision* reviennent dans la Bible. Vous pouvez parier qu'on mentionne aussi souvent prépuce dans l'Ancien Testament que *bitch* dans les chansons de Snoop Dogg. Les auteurs sont obsédés par ce bout de peau. On comprend que, pour le peuple juif, la circoncision est une affaire à prendre au sérieux. La tradition tire son origine de ce verset classique au sujet de l'alliance que Dieu a conclue avec Abraham :

> C'est ici mon alliance, que vous garderez entre moi et vous, et ta postérité après toi : tout mâle parmi vous sera circoncis. Vous vous circoncirez ; et ce sera un signe d'alliance entre moi et vous.
>
> Gn 17 : 10

Notez qu'on circoncit aujourd'hui autant chez les musulmans, les chrétiens ou les athées. On circoncit dans à peu près toutes les régions du monde. Environ 30 % des hommes de la planète le seraient. On coupait le prépuce chez les Égyptiens plus de 2300 ans av. J.-C, bien avant les Juifs. On invoque des motifs sanitaires pour justifier l'opération. Les dirigeants du peuple juif avaient sans doute compris que des raisons de santé publique militaient en faveur de la circoncision et que le moyen le plus efficace d'en répandre la pratique était d'en faire un règlement imposé par Dieu.

Alors que de nos jours on procède en général à la circoncision sur les bébés de huit jours, aux temps bibliques on n'était jamais trop vieux. Par exemple, Abraham, le père des croyants, s'est décidé sur le tard et il a fait ça en groupe :

> Abraham prit Ismaël, son fils, tous ceux qui étaient nés dans sa maison et tous ceux qu'il avait acquis à prix d'argent [...] et il les circoncit ce même jour, selon l'ordre que Dieu lui avait donné. Abraham était âgé de quatre-vingt-dix-neuf ans, lorsqu'il fut circoncis.
>
> Gn 17 : 23

Sachant qu'Abraham possédait pas moins de 318 esclaves, on conçoit que ce fut une grosse journée au bureau.

Les récits abondent où le peuple élu de Dieu impose aux hommes d'autres peuples de se faire circoncire. Dans une instance particulièrement cruelle, les fils de Jacob forcent ainsi les mâles de toute une tribu à se faire circoncire et, alors que ces pauvres lascars sont encore en train de se remettre de l'opération, Jacob et ses hommes foncent sur eux et les tuent jusqu'au dernier pour venger un affront fait à leur sœur. Sournois comme stratégie.

Les auteurs de la Bible aiment tellement le concept de circoncision qu'ils vont jusqu'à l'utiliser en tant que métaphore littéraire : « Circoncisez-vous pour l'Éternel, circoncisez vos cœurs, hommes de Juda et habitants de Jérusalem, de peur que ma colère n'éclate comme un feu. » (Jr 4, 4)

Un des moments forts dans les histoires de circoncision reste l'épisode de la chasse aux prépuces de David. Dans le livre de Samuel, on raconte que David est follement en amour avec une princesse, mais doit, pour obtenir ses faveurs, apporter une dot en prépuces au roi :

> Avant le terme fixé, David se leva, partit avec ses gens, et tua deux cents hommes parmi les Philistins ; il apporta leurs prépuces, et en livra au roi le nombre complet, afin de devenir gendre du roi.
>
> 1S 18, 27

Le roi compte faire quoi au juste avec 200 prépuces ? Une courtepointe ? Une tente au fini soyeux ? Est-ce, à bien y songer, le genre d'individu qu'on a envie d'avoir comme beau-père ? Jusqu'où un homme peut-il aller pour une belle fille sans sombrer dans l'excès de zèle ?? Il nous semble que dix ou douze meurtres accompagnés de mutilations génitales devraient suffire comme preuve de bonne volonté... Deux cents, vraiment ?

Les testicules

On a déjà vu au chapitre sur Moïse que, dans le bon vieux temps, biblique, il était interdit d'entrer à l'église si on avait les testicules écrasés : « Celui dont les testicules ont été écrasés ou l'urètre coupé n'entrera point dans l'assemblée de l'Éternel. » (Dt 23, 1)

On fait ici et là référence à cet attribut mâle dans la Bible. Un passage assez amusant mérite d'être mentionné et concerne Abraham.

Le vénéré patriarche Abraham est le père du judaïsme et aussi de l'islam. Il est considéré avec un respect infini par les croyants de ces deux religions aussi bien que par les chrétiens. N'empêche, il pouvait avoir des habitudes curieuses :

> Abraham dit à son serviteur, le plus ancien de sa maison : Mets, je te prie, ta main sous mes testicules ; et je te ferai jurer par l'Éternel de ne pas prendre pour mon fils une femme parmi les filles des Cananéens au milieu desquels j'habite.
>
> Gn 24, 2

Peut-être devrait-on modifier cette tradition de prêter serment sur la Bible dans nos palais de justice et respecter la coutume d'Abraham ? Vous voyez d'ici le témoin glisser sa main sous la cuisse du greffier et lui empoignant les parties intimes en jurant de dire la vérité, toute la vérité et rien que la vérité ? Les procès seraient moins ennuyants, aucun doute là-dessus.

Hémorroïdes

Muni d'une toute-puissance, comme on sait, Dieu châtie souvent les méchants humains. Tantôt ce sera avec un déluge, tantôt avec du feu, parfois avec la peste ou d'autres fléaux désagréables. Une journée pendant laquelle il se sentait en manque d'inspiration, il punit ainsi ces ennemis : « La main de l'Éternel s'appesantit sur les Asdodiens, et il mit la désolation parmi eux ; il les frappa d'hémorroïdes à Asdod et dans son territoire. » (1S 5, 6)

On peut facilement imaginer le degré de désolation des malheureux Asdodiens dont le seul recours eut été de s'associer avec Satan pour qu'il leur fasse apparaître une caisse de Préparation H.

Et pour demeurer dans la passionnante région des organes génitaux et des hémorroïdes, allons-y tout de go avec le dernier des sujets vulgaires sur lesquels aiment discourir les auteurs de la Bible : les excréments.

Excréments, crottes et cacas

Un autre sujet franchement appétissant qu'on aborde sans retenue aucune dans la Bible : la merde.

On a déjà pris connaissance de cet extrait où Dieu demande au prophète Ézéchiel de faire du pain à base d'excréments. On vient de lire que le Père céleste peut aussi infliger des hémorroïdes en guise de punition. Le passage qui suit est un mélange des deux :

> Si vous n'écoutez pas, si vous ne prenez pas à cœur de donner gloire à mon nom, dit l'Éternel des armées, j'enverrai parmi vous la malédiction [...] je détruirai vos semences et je vous jetterai des excréments au visage.
>
> Ma 2, 1

On comprend que l'Éternel des armées, c'est Dieu. Il parle donc ici en tant que grand *commander-in-chief*. Je ne suis pas versé en matière de tactique de combats. C'est peut-être moi, mais il me semble que, quand tout ce que peut trouver le chef d'une armée comme menace afin d'intimider l'ennemi, c'est de lui catapulter des crottes en pleine face, on est en droit d'émettre des doutes quant à ses choix de stratégies militaires. À peu près comme si, sur les Plaines d'Abraham, Montcalm avait répondu à Wolfe : « Ok, et si on réglait ça avec un *food fight* ? »

Un autre passage biblique à saveur scatologique :

> Rabschaké leur répondit : « Est-ce à ton maître et à toi que mon maître m'a envoyé dire ces paroles ? N'est-ce pas à ces hommes assis sur la muraille pour manger leurs excréments et pour boire leur urine avec vous ? »
>
> 2R 18, 27

C'est officiel : on ne veut pas être invité à dîner dans le village de Rabschaké.

Enfin, la dernière référence aux excréments est la plus distrayante et concerne directement la personne de Dieu.

À notre époque, la vision d'un dieu anthropomorphique a quelque chose de folklorique. Quand ils évoquent leur perception de Dieu, les croyants d'aujourd'hui se défendent bien d'imaginer cette figure de vieillard imposant à la longue barbe vêtu d'une magnifique tunique tel que les artistes l'ont représenté durant des siècles.

C'était autre chose avant. Du temps où on a écrit les livres de l'Ancien Testament, en tout cas, Dieu avait un corps comme nous et effectuait régulièrement des visites sur terre où il échangeait avec quelques privilégiés. À l'époque, Dieu parlait, respirait, marchait, faisait comme les humains. Plus tard, du temps de Jésus, il apparaissait inconcevable que le Père descende de là-haut pour se mêler à ses minables créations. Le mieux qu'on pouvait espérer, c'était d'entendre sa vibrante voix céleste ou de le voir se manifester par des lumières éblouissantes. Adaptant le principe du faisceau de lampe braqué dans le visage lors des interrogatoires de criminels, Dieu aveuglait les humains pour ne pas être vu.

Mais, aussi fou que ça puisse sembler, du temps des Moïse, Abraham, David, Salomon et compagnie, Dieu venait faire son tour, et ce, le plus naturellement du monde. Tant et tellement, d'ailleurs, qu'il avait les mêmes préoccupations terre-à-terre que nous, du genre de craindre de marcher sur des crottes. Comme en fait foi cette consigne qu'il donne à son ami Moïse :

> Tu auras parmi ton bagage un instrument, dont tu te serviras pour faire un creux et recouvrir tes excréments, quand tu voudras aller dehors. Car l'Éternel, ton Dieu, marche au milieu de ton camp pour te protéger et pour livrer tes ennemis devant toi ; ton camp devra donc être saint, afin que l'Éternel ne voie chez toi rien d'impur, et qu'il ne se détourne point de toi.
>
> Dt 23, 12

Omniscient, omnipotent, doté d'une puissance infinie, créateur de l'univers, Dieu a peur de marcher dans la crotte.

***

Nous conclurons ici notre examen de l'Ancien Testament. Si jamais vous prenait l'envie d'approfondir le sujet, la bibliographie de ce livre vous offre d'excellentes lectures. Pour ce qui est des ressources sur la toile, nous vous recommandons le divertissant bouquin *Why Are You Atheists So Angry?* de la militante Greta Christina. Vous y trouverez un chapitre entier de références internet.

PARTIE II

LE FABULEUX DESTIN DE JOSHUA BEN JOSEF

Confrontés aux violences et absurdités de l'Ancien Testament, les croyants se réfugient souvent derrière cet argument à la mode : « Mais voyons ! On ne croit plus à ces vieux livres de la Bible, on sait bien que ce ne sont que des légendes. De toute façon, Jésus-Christ, notre Sauveur, a aboli toutes ces règles désuètes et c'est en Lui que nous mettons notre foi ! »

D'abord, un rappel de quelques versets compromettants s'impose.

Par rapport aux dispositions de l'Ancien Testament, c'est notre ami Jésus qui a dit : « Ne pensez pas que je sois venu abroger la Loi ou les prophètes : je ne suis pas venu abroger, mais perfectionner. » (Mt 5, 17)

Il en rajoute un peu plus loin en brandissant cette menace : « Quiconque donc aura supprimé l'un de ces plus petits commandements et aura enseigné ainsi les hommes sera appelé le plus petit dans le Royaume des Cieux. » (Mt 5, 19)

Autrement dit : si tu n'obéis pas aux règles de l'Ancien Testament, tu peux mettre une croix sur ta place au royaume !

Ensuite, les Évangiles nous répètent *ad nauseam* que Jésus est là pour accomplir les prophéties de l'Ancien Testament. Il serait inconséquent de rejeter les écrits à la source même de l'existence de celui qu'on considère comme son héros.

Enfin, tel que nous nous appliquerons à le démontrer, les enseignements du gaillard de Nazareth sont moins avisés et moins moralement élevés qu'il n'y paraît à première vue. Quant à ses miracles allégués et à sa divinité, des réserves importantes sont de rigueur.

Il y a cependant un monde de différences entre les récits de l'Ancien Testament et ceux du Nouveau. Ces derniers sont, dans l'ensemble, beaucoup plus ancrés dans la réalité. Fini les visites paroissiales de Dieu, fini les exagérations folles, les multiplications de génocides, les créatures fantastiques, etc..

D'un autre côté, c'est Jésus qui introduit l'idée de l'enfer et du châtiment éternel, c'est lui qui parle sans cesse de Satan et des démons, c'est lui qui enjoint de le préférer à sa propre famille.

Et pour revenir à l'idée du fardeau de preuve évoqué dans notre introduction, les Écrits du Nouveau Testament ne passent pas, loin de là, le test de la fiabilité. On ne connaît pas les auteurs, on ne possède pas d'originaux et il y a tant et tant de contradictions majeures d'un livre à l'autre qu'on ne peut pour ainsi dire rien tenir pour certain au plan historique.

MATTHIEU, MARC, PAUL ET LES AUTRES

On n'a aucune copie originale d'aucun des livres du Nouveau Testament ou de n'importe quel écrit chrétien. On n'a même pas de copie faite directement des originaux, ni de copie de copies des originaux, ou même de copies faites des copies des premières copies.
Bart Ehrman

Il y a des théories du complot pour tout. Les attentats du 11 septembre, l'assassinat de JFK, la mort de Michael Jackson...

On comprend bien que le personnage de Jésus n'est pas épargné et le répertoire des folles rumeurs à son sujet est aussi vaste que divertissant. Entre autres thèses passablement lucratives pour son idéateur, il y a eu le *Da Vinci Code* où Dan Brown spécule sur une hypothétique progéniture du Christ. Parmi d'autres sources tout de même pas insignifiantes, il y a le Coran où il est affirmé qu'on n'a pas crucifié Jésus, mais une espèce de double à sa place. S'ajoutent à cela des théories sur l'homosexualité du Messie, sur son origine extra-terrestre, sur sa présence en Amérique, etc.

Même si la grande majorité des experts (champ assez large et flou quand il s'agit de l'examen des écrits bibliques) est d'avis que notre homme a une existence historique avérée, bon nombre de chercheurs fort crédibles appuient cette idée voulant que le personnage de Jésus-Christ appartienne au monde du mythe.

Certains auteurs disposent d'un arsenal d'arguments très convaincant quand il s'agit de prouver que Jésus n'a pas existé. On peut penser à Robert Price, Richard Carrier, David Fitzgerald. D'autres auteurs délirent et échafaudent des fables dans le but évident de créer le scandale et vendre des livres. Récemment, il y a eu ce livre d'un bibliste américain qui développe une théorie voulant que l'histoire de Jésus ait été inventée par les Romains eux-mêmes afin de garder un meilleur contrôle sur les Juifs. Ah bon.

Le fait que Paul, le premier à écrire au sujet de Jésus, entretienne un silence troublant sur la réalité physique du Christ soulève déjà des questions. Le Dr Jason Long s'exprime ainsi à ce sujet :

> Étant donné que Paul fut le premier à écrire sur Jésus, il est vraiment curieux qu'il ne relate aucun de ses miracles. On peut s'interroger sur son étrange silence sur Jésus. On peut se demander comment il se fait que Paul n'ait pu trouver personne qui puisse témoigner de l'existence physique de Jésus et des événements entourant son ministère. Paul aurait eu la chance de rencontrer des milliers de personnes ayant été en contact avec Jésus. Que Paul choisisse de ne parler de Jésus qu'en termes de « présence spirituelle » est contradictoire avec l'image du sauveur bel et bien humain.

Plusieurs hypothèses ont été émises voulant que Jésus soit un mythe ou une espèce de clone de personnage mythique

Par exemple, Dans son livre *Godless,* l'auteur Dan Barker suggère que Jésus pourrait être un avatar du dieu Mithra. Il nous apprend que le culte de Mithra aurait été introduit à Rome en 67 av. J.-C. sous l'appellation *culte de Chrestos.* Bien que ce dieu païen (d'origine perse) précède le Christ d'au moins 600 ans, les parallèles entre la vie de ce Mithra et celle de Jésus sont assez étonnants et méritent un petit paragraphe…

D'entrée de jeu, les circonstances de la naissance sont similaires : Mithra serait né d'une vierge le 25 décembre et sa naissance amena la visite de bergers et de mages qui lui apportèrent des cadeaux. Adulte, Mithra accomplissait les miracles traditionnels : ressusciter les morts, guérir les malades, les aveugles, sortir les démons, etc. Son triomphe et son ascension au ciel étaient célébrés à l'équinoxe du printemps (Pâques). Avant de retourner au paradis, Mithra soupa avec ses douze disciples (le chiffre étant relié aux signes du zodiaque). En souvenir de ce souper, ses disciples partageaient un repas sacré de pain marqué d'une croix. Les paroles de la cène furent, dit-on, empruntées à la secte mithraïste dont le leader fut lui aussi enterré dans un tombeau duquel il ressuscita après trois jours. Le Mithraïsme était une religion ascétique, anti-femmes, et les prêtres n'étaient que des hommes. Selon cette religion, à la fin des temps, il y aura une grande bataille entre les forces de la lumière et des ténèbres. Les gens vertueux seront sauvés et les autres brûleront en enfer. Cela commence à faire des coïncidences, avouons-le.

L'hypothèse de Barker : fort probable que la légende de Jésus ne soit que du copié-collé sur Mithra. Pour tout dire, les points communs des événements significatifs ayant marqué la trajectoire de Jésus de Nazareth avec les parcours d'autres divinités bien établies à son époque abondent et ne manquent pas de surprendre.

Un tableau qui en donne un aperçu :

Bouddha (Chine ?)	Né d'une vierge ; Exécutait des miracles ; Nourrit 500 hommes à partir d'un petit panier ; Fût transfiguré sur une montagne ; Est monté au nirvana ou au ciel ; Fut appelé *La lumière du monde.*
Horus (Égypte)	Né d'une vierge le 25 décembre dans une grotte ; Baptisé à 30 ans ; Eut 12 disciples ; Marcha sur l'eau ; Transfiguré sur la montagne ; Enterré dans un tombeau et a ressuscité.

Krishna (Inde)	Né d'une vierge ; Son père était charpentier ; Naissance attendue par des anges et des hommes sages qui se présentèrent avec de l'or, de l'encens et de la myrrhe ; Ressuscitait les morts, guérissait les lépreux ; Fut transfiguré devant ses disciples ; Ressuscita d'entre les morts et monta au ciel ; Il est la seconde personne de la trinité.

Mais à la fin de la journée, la question de savoir si Jésus est aussi historique que Jules César ou Napoléon n'a de toute façon guère d'importance.

Enfin, voyez ce qui arrive avec le monstre du Loch Ness...

En bref, le Loch Ness est ce lac écossais où vivrait prétendument un terrifiant monstre marin. N'ayant rien de plus que quelques témoignages douteux et une simple photo prise en 1934 comme appui, la légende prit une dimension planétaire et procura incidemment à la région du Loch Ness une manne touristique inespérée de coureurs de monstres. Sur son lit de mort, en 1994, un certain Christian Spurling révéla, preuves à l'appui, tous les détails de ce qui avait été un simple canular. En dépit de tout bon sens, vingt ans plus tard, des touristes affluent toujours dans l'espoir de voir surgir un monstre dont on sait qu'il n'existe pas.

> Les légendes du Big foot et du monstre du Loch Ness ont été toutes deux réfutées par les gens qui les ont créées. Un membre de l'expédition Patterson qui a produit le célèbre film montrant un Big foot a avoué qu'ils avaient tout inventé en déguisant un joueur de basket-ball dans un costume de gorille... Le photographe qui a pris la première photo de Nessie a aussi avoué que c'était un monstre fabriqué avec de la mousse... Bien que ces confessions aient été publiées, les légendes persistent.[21]

Dans un de ses livres décidément trop brillants pour mon intelligence limitée, le philosophe Michel Onfray a ces mots sur l'opportunité de creuser la question :

> L'existence de Jésus n'est aucunement avérée historiquement. Aucun document contemporain de l'événement, aucune preuve archéologique, rien de certain ne permet de conclure aujourd'hui à la vérité d'une présence effective à la charnière des deux mondes abolissant l'un, nommant l'autre (...) En revanche, comment nier l'existence conceptuelle de Jésus ? (...) Laissons les amateurs de débats impossibles conclure la question de l'existence de Jésus... [22]

Des sondeurs ont demandé à des fervents chrétiens si, dans l'hypothèse où des experts sérieux leur présentaient des preuves démontrant que Jésus n'a jamais existé, cela aurait pour effet d'affecter leur foi. Dans une

---

21. McCormick Matthew S., *Atheism and the Case Against Christ.* Prometheus Books, Amherst, NY, 2012, 298 p.

22. Onfray Michel, *Traité d'athéologie.* Grasset, Paris, 2005, 282 p.

importante majorité, ces gens ont répondu par la négative. Veulent pas le savoir !

Robin Lane Fox parle des premiers écrits chrétiens :

> Même les premières sources interprètent les événements dans toute une variété de manières. Ils se contredisent entre eux ; ils prévoient le futur et, même avec l'aide d'amis et d'éditeurs, leurs détails ne sont pas plus fiables qu'un annonceur du canal météo [...] Malgré toutes les démonstrations d'erreurs et que plein de choses soient inventées, les gens disent : « Et puis ? » Et ils continuent de croire.

Dans un article intéressant de la revue *Cerveau et Psycho* (« Apocalypse de 2012 : qui sont ceux qui y croient ? », novembre-décembre 2012), on explore la question des croyances qui se heurtent aux contradictions révélées par la réalité.

L'auteur explique : « Aussi étonnant que cela puisse paraître, le démenti factuel d'une croyance ou d'une prédiction n'implique pas mécaniquement l'abandon de l'ensemble des croyances auxquelles l'adepte adhère. »

En clair, la plupart du temps, les croyances résistent à l'épreuve des faits.

Au bout du compte, il serait vain de gaspiller des énergies à tenter de prouver que Jésus n'a pas existé. D'une part, rien ne pourrait infléchir la conviction des croyants, d'autre part, les non-croyants sont somme toute indifférents à la chose.

On va donc tenir pour acquis qu'un individu du nom de Jésus a bien vécu en Palestine au Ier siècle de sa propre ère. La question est maintenant de savoir jusqu'à quel point les sources d'informations qu'on possède sur lui sont fiables.

Quelles sont ces sources, au fait ? L'archéologie ne nous fournissant pas l'ombre d'une preuve matérielle sérieuse, on n'a d'autre choix que de se rabattre sur des écrits. C'est tout ce qu'on a sur Jésus : des écrits.

RIEN SUR JÉSUS EN DEHORS DE LA BIBLE : ET ALORS ?

Trois vérités incontestables :

1. On ne possède aucun document contemporain au Christ faisant même mention de son existence.
2. Dans les soixante années qui suivirent sa mort, on n'a aucun écrit extrabiblique à son sujet.
3. La mention la plus ancienne de son existence remonterait aux environs de l'année 95, se limite à un seul paragraphe et serait un faux partiel ou total.

Au sujet de ce silence généralisé, Dan Barker, ex-pasteur devenu athée, nous dit :

> Cela est troublant d'autant plus que ces années (le Ier siècle) sont une des périodes les plus documentées de toute l'Antiquité. Comment les miracles de Jésus n'ont-ils pas attiré l'attention des centaines d'auteurs contemporains ? Pourquoi ne trouve-t-on aucune mention de l'existence de Jésus ? Pourquoi n'y a-t-il aucune trace historique du supposé massacre des Innocents perpétré par Hérode ? Ou de choses aussi extraordinaires que l'affirmation de Matthieu selon laquelle, après la mort de Jésus, des morts sont

ressuscités et se sont mis à arpenter les rues de Jérusalem ?[23]

Nous possédons des documents d'historiens et de chroniqueurs qui racontent dans le détail la vie du peuple juif à l'époque de Jésus. À noter qu'ils font souvent référence à des soi-disant prophètes, à des magiciens, guérisseurs, gourous qui, comme on sait, pullulaient au Proche-Orient en ces temps troublés. Rien sur un dénommé Jésus. Enfin, rien ou presque. Les croyants s'entêtent pourtant à dire qu'on n'en finit plus d'avoir des auteurs du temps qui parlent de Jésus. Pas vraiment. Là-dessus, Bart Ehrman :

> Des érudits croyants vous jureront que de grands historiens de son époque (Josèphe, Tacite, Lucian, Suétone, Pline…) font en maintes occasions des allusions au Christ. En fait, ces auteurs (qui ont écrit de 50 à 150 ans après la mort de Jésus) font davantage référence à la naissance du christianisme et au zèle de ses premiers disciples qui choisissaient le martyr et la mort plutôt que de renier leur maître. Le problème : aucun de ces historiens n'est né du vivant de Jésus. Ils ont vécu ou écrit des dizaines d'années après la soi-disant crucifixion. Ils n'ont pu donner un compte-rendu fiable sur Jésus. Leurs références à Jésus ne prouvent simplement que l'existence d'une légende entourant un personnage du nom de Jésus. Rien de plus. Encore une fois, ces historiens parlent par ailleurs abondamment d'autres personnages de

23. BARKER Dan, *Godless : How an Evangelical Preacher Became One of America's Leading Atheists.* Ulysses Press, Berkeley, 1992, 392 p.

> cette époque qui accomplissaient des miracles et des guérisons et qui étaient beaucoup plus connus que Jésus.[24]

En dehors du Nouveau Testament, les seuls auteurs qui parlent abondamment du Christ et de son ministère sont des Pères de l'Église, les vaillants fondateurs de la religion chrétienne qui ont écrit entre le IIe et le IVe siècle et n'ont évidemment eu aucun contact avec des contemporains ou même des proches descendants de contemporains de Jésus. De ces écrits des Pères fondateurs, on en possède tant que vous voulez. Mais ils ne prouvent d'aucune façon l'existence réelle de Jésus.

Pour tout dire, en dehors des pages de la Bible, la plus ancienne confirmation de l'existence de Jésus que l'on possède daterait du milieu des années 90, soit plus de soixante ans après sa mort. Cette confirmation se retrouve dans les *Antiquités juives*, un ouvrage majeur et hautement documenté du célèbre historien Flavius Josèphe. Ce savant, auteur prolifique, est né en l'an 37 et a laissé une œuvre imposante. Il vivait tout près des lieux des événements et peut être considéré comme une source fiable. Il était un historien juif hautement respecté et souvent cité. Sur les centaines et centaines de pages où il relate le quotidien en Palestine au Ier siècle, Josèphe consacre un seul court paragraphe à Jésus, ce qui ne manque pas d'étonner.

---

24. Ehrman Bart, *La construction de Jésus, aux sources de la religion chrétienne*, traduit de l'anglais par Dassas Véronique & St-Hilaire Colette. H & O, Saint-Martin-de-Londres, 2010, 383 p.

> En ce temps-là paraît Jésus, un homme sage ; c'était un faiseur de prodiges, un maître des gens qui recevaient avec joie la vérité. Il entraîna beaucoup de Juifs et aussi beaucoup de Grecs ; celui-là était le Christ. Et quand Pilate, sur la dénonciation des premiers parmi nous, le condamna à la croix, ceux qui l'avaient aimé précédemment ne cessèrent pas. *Car il leur apparut après le 3e jour, vivant à nouveau ; les prophètes divins avaient dit ces choses et dix mille autres merveilles à son sujet.*

Des études d'experts ont toutes confirmé que la dernière phrase a été ajoutée bien des années plus tard et se révèle être une fraude pure et simple. De fait, tout le passage est vraisemblablement frauduleux. La preuve en est que ce paragraphe est carrément absent des plus vieilles copies de Josèphe et n'apparaît pas avant le début du IVe siècle. Il faut savoir que les scribes de l'Église primitive avaient peu de scrupules historiques et ne reculaient devant rien pour raffermir la crédibilité du Christ.

Pour être franc, si on retire ce court paragraphe, l'œuvre de Josèphe est plutôt un plaidoyer contre l'existence de Jésus. Josèphe a vécu en Judée à la même époque que les apôtres. Il a voyagé, a vécu à Cana. Il parle de tous les personnages marquants de Palestine et décrit chaque événement significatif des soixante-dix premières années de notre ère. Mais Jésus ne méritait pas même une ligne. Dans le meilleur des cas, si on exclut qu'il y ait eu fraude, Josèphe se base sur du ouï-dire et ne prouve pas grand-chose.

Après Josèphe, d'autres auteurs ont parlé de Jésus, mais leurs écrits sont trop éloignés des événements pour avoir une quelconque valeur historique.

Bref, la seule preuve écrite en dehors de la Bible qui atteste de l'existence de Jésus et a une certaine proximité dans le temps (tout de même soixante ans) se résume à un seul paragraphe et il a été sans doute trafiqué.

En fin de compte, est-ce que, par l'absence de mentions de Jésus dans des écrits en dehors de la Bible, on doit conclure qu'il n'a jamais existé ? Pas nécessairement.

Dans *Did Jesus Exist*, le spécialiste du Nouveau Testament Bart Ehrman avance qu'il est tout à fait normal de ne posséder aucun registre au sujet de Jésus puisqu'on n'a de toute façon aucun registre de quiconque a vécu en Palestine au Ier siècle et n'appartenait pas à la classe dominante. On n'a ni certificats de naissance ou de décès, ni minutes de procès de personne parmi les petites gens du peuple auxquelles appartenait évidemment Jésus. Qui plus est, on n'a pour ainsi dire rien d'écrit au sujet de Ponce Pilate qui, pourtant, occupa la fonction très importante de gouverneur de Judée durant plus de dix ans. À part de brèves mentions chez deux ou trois historiens, à part quelques pièces de monnaie à son effigie, rien sur Pilate. Finalement, il est dans l'ordre des choses qu'en dehors de la Bible, on ne trouve pas de documents écrits sur Jésus de Nazareth.

Pour résumer, on ne peut pour ainsi dire rien savoir sur Jésus en dehors des livres du Nouveau Testament, mais cela ne signifie pas pour autant qu'on doive conclure qu'il n'est qu'un mythe.

Nous voilà donc prêts à nous plonger dans les Évangiles. Fiables ou pas ?

SELON MARC, MATTHIEU, LUC, JEAN ET LES QUARANTE AUTRES

La preuve la plus forte de l'existence avérée du Christ réside dans les pages des Évangiles. Et dans ces pages, l'élément le plus probant, étonnamment, est la crucifixion.

L'argument clé de Bart Ehrman, que nous tentons ici de résumer, ressemble à ceci : si les évangélistes avaient inventé Jésus de toutes pièces, jamais ils ne l'auraient fait mourir sur la croix, ce châtiment étant si avilissant et mal vu des Juifs qu'il faut que cela soit vraiment arrivé pour que quatre auteurs soient unanimes à le raconter.

John Romer appuie cette position :

> Dans l'Empire romain [...], la crucifixion symbolisait la dégradation totale. Le stigmate de honte qui marquait cette forme d'exécution était si fort qu'il fallut attendre le IIIe siècle avant que la croix du Christ ne devienne l'emblème de toute la chrétienté. Aucun théologien de l'époque n'aurait eu l'imagination assez perverse pour inventer une fin aussi bassement humiliante pour le Roi des cieux. [...] Être crucifié symbolisait une dégradation pire que d'être décapité, brûlé vif ou livré aux bêtes féroces. À part les plus pauvres et les esclaves, cette condamnation ne s'appliquait pratiquement à personne.

Loin de discréditer l'historicité de Jésus, la crucifixion est donc l'épisode de sa vie qui donne le plus de fiabilité à l'existence réelle de Jésus. Car si le personnage avait été une pure création mythique, il est inconcevable que les auteurs l'aient fait mourir sur une croix.

Cela étant dit, si c'est une chose de reconnaître que Jésus a vécu, c'en est une toute autre de démêler le vrai du faux dans ce que les quatre évangélistes écrivent à son sujet. À commencer par ce qu'il aurait dit durant sa vie. Comme on le verra dans un autre chapitre, il est raisonnable d'avancer que Jésus a prononcé moins de 20 % des paroles qu'on lui attribue dans les Évangiles.

Question de se donner des points de repère avant de plonger dans la seconde partie de la Bible, mentionnons que le Nouveau Testament compte vingt-sept livres et peut être divisé en cinq parties :

1. Les quatre Évangiles. Dans l'ordre de présentation : Matthieu, Marc, Luc et Jean. Dans l'ordre d'écriture : Marc, Matthieu, Luc et Jean ;
2. Les Actes des Apôtres. Écrits par Luc, c'est comme son Évangile, *part two* et ça raconte le début du christianisme ;
3. Les épîtres de Paul ;
4. Un certain nombre de lettres écrites par d'autres personnages ;
5. L'Apocalypse de Jean (ou Livre de la révélation).

Qui a écrit quoi et quand ?

Chose certaine dès le départ : Jésus n'a laissé personnellement aucun écrit. Fort à parier qu'il ne savait pas écrire, de toute façon.

Les lettres de Paul, dont la moitié ne sont d'ailleurs pas de cet homme, furent écrites en premier et constituent donc les plus anciennes informations que nous ayons concernant le Christ. Quelques années après les écrits de saint Paul furent rédigés les Évangiles.

On n'a aucune idée de l'identité des auteurs des Évangiles. Quand on ignorait l'auteur d'un écrit, c'était la coutume, en ce temps-là, de l'attribuer à une personnalité connue. On décida donc que nos Évangiles seraient signés par des disciples de Jésus. Encore aujourd'hui, une majorité de croyants pense que ce sont des apôtres qui ont rédigé les Évangiles. Dans l'esprit de la plupart des chrétiens, les Évangiles constituent des espèces de reportages écrits par des témoins directs des faits : les apôtres suivaient Jésus et rédigeaient l'histoire au fur et à mesure que ça se produisait. Très, très loin de la réalité.

On sait depuis longtemps qu'aucun des Évangiles n'a été rédigé par un des douze du *boys band* original. Aucun théologien sérieux n'essaiera de vous faire croire que les apôtres ont signé ces livres. De fait, il est même inconcevable que les apôtres aient seulement su lire ou écrire. Encore plus inconcevable qu'ils aient pu écrire dans la langue grecque, langue originale des Évangiles. Les hommes qui suivent le Christ parlent l'araméen, ils viennent de milieux ruraux, sont de condition modeste et, avouons-le, n'affichent pas à travers les récits des Évangiles une grande culture ou une grande sophistication. L'analphabétisme est répandu partout à l'époque. Dans les meilleures années, un maximum de 10 % des gens sait lire. Encore moins peuvent écrire. Et ce sont les classes privilégiées.

De plus, le style de certains Évangiles, celui de Luc en particulier, indique un talent littéraire certain. Un apôtre de Jésus qui aurait écrit un Évangile, ça serait Miley Cyrus qui écrit À la recherche du temps perdu.

Les Évangiles ayant été rédigés en grec, leurs auteurs sont sans doute des chrétiens très cultivés qui maîtrisent la langue. On ne sait pas, on ne saura jamais qui les a écrits. Pas plus qu'on ne peut identifier avec certitude la plupart des auteurs des quelque quarante autres existants et qui ne furent pas choisis pour figurer dans le Nouveau Testament. Car oui, il y a plus de quarante Évangiles.

Bien des gens, rappelons-le, ont une sorte de vision angélique du Nouveau Testament et pensent que les évangélistes ont été témoins de ce qu'ils racontent. On imagine les Matthieu, Marc, Luc et Jean, débordant de partout de l'inspiration du Saint-Esprit, se précipitant sur leur plume dans les jours qui auraient suivi la résurrection de Jésus pour rédiger frénétiquement la vie du Sauveur à chaud.

La réalité est tout autre et un bref survol chronologique de l'affaire s'impose ici...

Jésus aurait été crucifié aux alentours des années 30 à 35. Aucune allusion à son existence dans les mois, les années qui suivent. En fait : silence radio de plus de 20 ans. Absolument aucun mot sur Jésus de Nazareth. *Nada.* Zoom en avant jusqu'au milieu des années 50 : dans sa lettre aux Corinthiens, Paul rédige les premiers textes de l'histoire concernant Jésus. Paul n'affirme jamais avoir rencontré physiquement Jésus après qu'il ait soi-disant ressuscité et n'essaie d'ailleurs d'en convaincre personne.

À ce sujet, Bart Ehrman écrit :

> Paul, qui n'a jamais rencontré Jésus, en parle peu. Si Jésus est une personne réelle, Paul, son fan numéro 1, en aurait parlé comme d'un homme. Le Jésus de Paul est désincarné, spirituel, parlant aux hommes du ciel, ce n'est pas un homme en chair et en os. Paul ne parle jamais des parents de Jésus ou

de la naissance à Bethléem. Il ne parle pas de Nazareth. Ne mentionne pas de miracles, ne nomme pas d'apôtres par leur nom, ne parle pas du procès de Jésus et ne dit pas où a eu lieu la crucifixion. Paul cite rarement Jésus. Il ne parle pas de ses enseignements.

Si on résume : le premier écrit sur Jésus se situe vingt ou vingt-cinq ans après sa mort et est signé d'un type qui ne l'a pas connu, qui n'en a qu'entendu parler et qui a une vision présentant tous les symptômes d'une hallucination.

Et on en arrive aux Évangiles.

En partant, ce qui fait un peu mal à l'indice de fiabilité de ces quatre récits, c'est qu'il est aujourd'hui reconnu qu'aucun des quatre évangélistes n'a été un témoin direct des événements racontés. Qui plus est, aucun n'a fréquenté Jésus, n'a assisté à sa mort ou ne l'a vu une fois ressuscité. À part Luc, ont-ils même connu personnellement un des apôtres ? Cela n'est même pas établi avec certitude.

Alors, d'où les auteurs des Évangiles tiennent-ils l'histoire de Jésus ?

Le plus évoqué des scénarios est celui de la transmission orale populaire : nos quatre écrivains bibliques ont entendu parler des faits et gestes de ce Jésus par des personnes qui le tenaient d'autres personnes et les ont couchés sur papier des dizaines d'années après la mort du principal intéressé. Du ouï-dire de ouï-dire. Du genre dont l'aubergiste tenait telle anecdote sur Jésus du frère de la coiffeuse d'un gars dont le voisin aurait déjà rencontré un apôtre, etc.

Le nombre de témoins à travers lesquels les histoires sur Jésus sont passées avant d'arriver à l'auteur du premier Évangile demeure inconnu. Peut-être quinze, peut-être cinquante, peut-être deux cents. On ne peut que spéculer. On ignore combien de sources les auteurs ont consultées et jusqu'à quel point ils se sont efforcés de corroborer les récits. Mais on sait que ce sont des informations de deuxième ou troisième main dans le meilleur des cas.

On peut parler du téléphone arabe : chaque petite erreur a un effet multiplié à mesure qu'on accumule les relais. Déjà, sans même aller plus loin, on ne peut concevoir que chaque verset, chaque mot des Évangiles soit le reflet exact de la réalité historique de Jésus.

On a cru longtemps que Matthieu a signé le premier Évangile, d'où sa position dans le Nouveau Testament. On sait maintenant que c'est plutôt Marc qui fut le premier à écrire le sien aux alentours des années 65 à 70. Très probablement, même, au début des années 70, juste après la destruction du Temple de Jérusalem. De toute façon, on est au moins trente ans après la mort de Jésus. Matthieu aurait écrit son Évangile vers l'an 80. Puis Luc, vers le milieu des années 80 et, faisant bande à part, celui de Jean daterait des années 90 à 110.

Pour mieux permettre d'évaluer l'énorme fossé temporel séparant la vie du Christ des preuves écrites qu'on possède sur lui, voici un tableau comparatif à caractère absolument pas scientifique. On y voit en parallèle les événements contemporains aux débuts de l'Église primitive et des événements plus récents et près de notre époque...

CHRONOLOGIE DES ÉCRITS DU NOUVEAU TESTAMENT			CHRONOLOGIE COMPARATIVE D'ÉVÉNEMENTS CONTEMPORAINS
Naissance de Jésus	-4	1896	Premiers Jeux olympiques de l'ère moderne.
Début probable de son ministère	27	1927	The Jazz Singer : premier film parlant.
Année approximative de la crucifixion	30	1930	Babe Ruth signe un contrat avec les Yankees de New York pour 160 000 $
Première lettre de Paul	55	1955	Ouverture de Disneyland.
Évangile de Marc	70	1970	Séparation des Beatles.
Évangile de Matthieu	80	1980	Mort de Jean-Paul Sartre à 74 ans.
Évangile de Luc	85	1985	Nintendo lance Super Mario Bros.
Évangile de Jean	90	1990	Nelson Mandela est libéré.
Date approximative des plus anciens exemplaires disponibles des Évangiles	200	2100	?

Loin dans le temps, vous dites ?

Étant donné que les trois premiers Évangiles (Marc, Matthieu et Luc) montrent pas mal de recoupements et répètent plusieurs mêmes histoires, on les coiffe du nom qui sonne érudit de *synoptiques*. En gros, ça veut dire *ensemble ou concordance de vues.* Ainsi, quand on parlera plus loin des synoptiques, on voudra dire les versions de Marc, Matthieu et Luc.

Celui de Jean est un cas à part. Il raconte des choses radicalement différentes de ses trois collègues. Dans sa forme autant que sur le fond, il est original et la lecture peut devenir irritante tellement l'ambiance générale est antisémite. Sans aucun doute le livre préféré de Dieudonné dans le lot. L'Évangile selon Jean, comme celui des autres, n'a lui non plus aucune prétention historique et est d'abord une espèce d'infopub pour l'Église naissante. Si chaque auteur a son style et vise un public précis, ils ont tous ce même objectif : vendre Jésus.

Revenons aux synoptiques...

Marc écrit le premier. Les auteurs de Matthieu et Luc ont largement copié sur l'Évangile de Marc et peut-être une autre source. Appelée Q, elle est une hypothèse qui expliquerait les points communs que Matthieu et Luc ont ajoutés aux écrits de Marc. La lettre Q vient de l'allemand *quelle* qui signifie *source.*

On est donc placé devant un effet d'entonnoir.

Si vous aimez les chiffres, ceux-ci vous donneront une illustration de ce que les synoptiques ont en commun :

- 76 % de ce qu'a écrit Marc se retrouve dans Matthieu et/ou dans Luc (ce qu'on appelle la triple tradition) ;
- 35 % de ce qu'a écrit Luc lui est exclusif, ce pourcentage tombe à 20 % pour Matthieu et à seulement 3 % pour Marc ;
- à peu près 200 versets (surtout des enseignements de Jésus) sont partagés par Matthieu et Luc seulement.

Ce genre de données a de quoi tempérer l'enthousiasme des croyants convaincus que les preuves au sujet des détails de la vie de Jésus sont béton. Comme on le constate, une bonne part des écrits de Luc et Matthieu n'a pas un caractère indépendant, mais est le résultat d'un plagiat de Marc.

Et malgré cela, les contradictions entre ces trois auteurs se comptent par centaines.

On voit ailleurs dans ce livre que les évangélistes ne s'enfargeaient pas dans les faits et ne prétendaient pas faire œuvre d'historien. Ils remaniaient les événements, ajoutaient, inventaient. Plus particulièrement chez Matthieu et Luc, on déploie des trésors d'imagination pour convaincre le lecteur que Jésus est indéniablement le Messie et qu'il accomplit les unes après les autres toutes ces limpides prophéties de l'Ancien Testament.

Les croyants sont persuadés que les évangélistes furent inspirés par Dieu. Or, en supposant que le Tout-Puissant en personne eût dicté le texte des Évangiles, on se heurte à cet épineux problème : aucun des Évangiles originaux n'a survécu. Et on a une multitude de preuves démontrant que des modifications nombreuses et souvent majeures ont été apportées aux Évangiles par des scribes et copistes. Pour croire que Dieu ait pu aussi « inspirer » toutes ces versions avec leurs contradictions irréconciliables, il faut une foi aux racines vraiment profondes.

Pendant les trois cents premières années de notre ère, les textes du Nouveau Testament étaient vivants. Ils changeaient à chaque retranscription. Les scribes s'arrangeaient pour harmoniser les Évangiles, pour qu'ils s'accordent. Ils corrigeaient, se permettaient d'embellir, etc. Et c'est sans parler des défis colossaux que devaient relever les traducteurs, défis encore plus grands pour l'Ancien Testament. Robin Lane Fox :

> Tout ce qu'on lit dans la bible est le résultat d'arrangement et de réinterprétation. Le plus récent comité international à avoir étudié les textes de l'Ancien Testament a identifié au moins 5000 passages importants où un mot hébreu était si ambigu qu'il pouvait avoir besoin d'être corrigé.

Ce n'est pas d'hier qu'on sait que la pureté originale des saintes Écritures a été bafouée. Au IIIe siècle, l'auteur chrétien Origène déplorait les retouches qu'on faisait aux textes et parlait d'une audace dépravée des copistes.

Il est frappant de constater qu'en comparant les 5400 copies les plus anciennes connues du Nouveau Testament, on réalise que pas deux ne sont identiques. Et pas seulement sur des détails, souvent sur des éléments majeurs.

En 1707, John Mill d'Oxford, un théologien brillant, recensa 30 000 variantes dans les textes du Nouveau Testament. À notre époque, à l'aide de nouvelles découvertes de manuscrits, le savant Herman von Soden en a relevé plus de 45 000.

Si on résume, entre la résurrection alléguée de Jésus et jusqu'à l'écriture des Évangiles, il y eut du bouche-à-oreille et l'histoire ne fut écrite qu'entre trente et cent ans plus tard. À partir de là, des copies ont été faites, puis des copies de copies, etc. Et à chaque nouvelle copie, des changements apparaissent.

Mais, rétorqueront les croyants, même avec des modifications de détails, les quatre Évangiles demeurent des livres inspirés par Dieu et ont traversé 2000 ans !

Question : si les quatre Évangiles choisis pour le Nouveau Testament étaient inspirés, pourquoi les quarante autres ne l'auraient-ils pas été ?

Dans les premiers siècles circulaient en effet une multitude d'autres écrits chrétiens parmi lesquels tout plein d'autres Évangiles dont les textes nous sont parvenus : la version de Thomas, de Pierre, des Hébreux, de Judas, etc. Ces récits mettent parfois à mal des faits que les chrétiens ont toujours tenus pour acquis.

Dans un Évangile de Marie-Madeleine, par exemple, Marie est considérée comme une disciple et même une leader chez les premiers chrétiens. L'Évangile de la Vérité relate les enseignements de Jésus, mais ne mentionne jamais sa mort et sa résurrection. Si loin qu'en l'année 200, l'Évangile de Pierre, par exemple, avait la cote et était hautement considéré chez les chrétiens.

On possède d'amples extraits anciens de ces apocryphes dont certains auraient été rédigés par des proches de Jésus, sources autrement plus fiables que les auteurs anonymes des quatre Évangiles qu'on connaît.

On aurait pu s'attendre à ce que les Pères de l'Église se ruent sur ces versions ! En vérité, le choix des livres officiels du Nouveau Testament (le canon) a été effectué au fil d'interminables débats et chicanes étalés sur trois longs siècles. Au terme de luttes théologiques de haute voltige, seuls quatre ont passé le test. C'est-à-dire qu'on a ultimement jugé acceptables les nombreuses différences entre Matthieu, Marc, Luc et Jean.

Disons les choses telles qu'elles sont : les Évangiles ayant échoué au test comportaient des passages qui, soit dérangeaient un peu trop au plan moral, soit proposaient des récits tellement surréalistes que c'en était gênant. Par exemple, celui attribué à Thomas contient des anecdotes sur l'enfance de Jésus qui est présenté comme abusant de ses pouvoirs magiques à la façon d'un Drago Malfoy, changeant malicieusement ses camarades en chèvres ou transformant de la boue en moineau ! Le jeune Jésus aidait aussi son père charpentier en allongeant au besoin des pièces de bois grâce à sa force surnaturelle.

Il est intéressant, en passant, de constater que, pour décrire Jésus, les auteurs du Coran se seraient inspirés de traditions relatées dans ces apocryphes que nous venons d'évoquer, ces versions de la vie de Jésus jugées trop étranges pour les inclure dans nos livres saints. Car, oui, on parle du Christ dans le Coran. Jésus n'apparaît évidemment pas comme un être divin, mais il est toutefois considéré comme un prophète de premier plan. Tellement bon qu'il aurait prédit la venue d'un important messager de Dieu après lui et qui s'appellerait Mahomet ! Le Jésus du Coran est né, non pas dans une étable, mais sous un palmier. Alors qu'il n'était que nouveau-né, Jésus ordonna à sa maman Marie de faire tomber les dattes de l'arbre pour les manger. Donnant dans la prestidigitation, il aurait animé des oiseaux d'argile et, à la demande spéciale des apôtres, il aurait fait descendre du ciel une table de festin.

En lisant cela, on trouve tout à coup que nos versions à nous sont bien ancrées dans la réalité...

COUP DE CANON

Avant d'en arriver au choix final des quatre Évangiles, il aura fallu des siècles d'affrontements et de disputes assommantes. Les arguments ayant motivé la sélection étaient parfois proprement irrationnels. Par exemple, un des premiers hommes d'Église célèbres à s'attaquer à la tâche fut un certain Irénée. Ce grand savant, qui devint évêque de Lyon, suggéra aux alentours de l'an 180 qu'un bon nombre pour les Évangiles serait quatre. Pourquoi quatre ? Eh bien parce que la Terre a quatre coins, il y a quatre vents et il y a quatre bêtes dans l'Apocalypse. Solides arguments, Irénée. Trop fort !

Le choix s'effectua donc parmi pas mal d'écrits. On disposait, en plus des quelque quarante Évangiles, de plusieurs récits du style « apocalypse » et de beaucoup de lettres.

Quand on lit certains passages complètement hallucinés des apocryphes, on comprend assez vite pourquoi ils ont été balayés sous le tapis. Surtout quand il s'agit d'histoires relatant des miracles farfelus.

Quelques exemples de récits mis de côté[25] :

1. Jean, l'homme qui chuchote à l'oreille des coquerelles

Les premiers chrétiens considéraient les Actes de Jean à Rome comme aussi dignes de foi que les quatre Évangiles qu'on connaît. Dans un chapitre assez

25. Ehrman Bart, *Lost Scriptures : Book that Did Not Make It into the New Testament.* Oxford University Press, Londres, 2003, 352 p.

distrayant, on raconte qu'à un moment donné notre ami Jean prêche et est suivi par de nombreux disciples avec lesquels il décide de louer une chambre dans une auberge pour la nuit. Comme il ne reste qu'un lit disponible, il revient, bien entendu, à monsieur Jean. Comble du malheur : il est infesté de coquerelles. Sans faire ni une ni deux, Jean s'adresse alors directement aux répugnants insectes en ces termes : « Je vous le dis, Ô coquerelles, sachez vous comporter et retirez-vous de ce lit pour la nuit, restez tranquille dans un coin et gardez vos distances du serviteur du Seigneur ! ». À la surprise générale, les affreuses blattes obtempèrent. Déjà un tantinet suspect en terme de crédibilité. Mais ce n'est pas tout. Le lendemain matin, nous dit le récit, alors que les disciples quittent l'auberge, ils aperçoivent les coquerelles sagement regroupées près de la porte d'entrée, attendant le départ de Jean qui leur adresse alors ces dernières paroles : « Étant donné que vous vous êtes bien comportées, vous pouvez maintenant réintégrer ce lit... » Le Docteur Dolittle peut aller se rhabiller.

2. Pierre, le chien qui parle et le poisson ressuscité

Dans un autre apocryphe, le bon apôtre Pierre ne recule devant rien pour montrer qu'il est un vrai de vrai représentant du Christ. Le gars ayant pas mal de choses à se faire pardonner (comme d'avoir renié Jésus trois fois), il en met donc épais. On sait qu'à l'époque du Christ il y avait de nombreux magiciens – dont un certain Simon – qui connaissaient une grande popularité. Ce Simon tombait sur les nerfs de saint Pierre. Ce dernier considérait que le magicien éloignait les bonnes gens de Dieu. Il se dit donc qu'avec un miracle bien punché, il parviendrait à discréditer Simon. L'apôtre lui fit donc le truc du chien qui parle.

On peut ainsi lire :

> Pierre, voyant un gros chien attaché à une chaîne, alla le détacher. Une fois libéré, le chien se mit à parler et dit à Pierre : « Qu'attends-tu de moi, toi le servant du Dieu vivant ? » Pierre lui répondit : « Va voir Simon et dis-lui de ma part de s'en aller, qu'il trompe les gens et leur donne de mauvaises idées. »[26]

Sans attendre, le bon chien remplit sa mission : il trouve Simon, se dresse sur ses pattes arrière et lui livre le message. Vous avez bien lu : il s'est dressé sur ses pattes arrière ! Le chien revient ensuite vers Pierre et la foule d'admirateurs pour lui dire qu'il a exécuté ses ordres. Puis, drame, le pauvre animal meurt subitement ! Étonnamment, la foule rassemblée là, public visiblement difficile, doute encore des pouvoirs miraculeux de Pierre même après la visite du canin parlant. Loin de se démonter, notre apôtre double alors la mise. Apercevant un poisson fumé sur un étal de poissonnier, il lance : « Et si vous voyez ce poisson nager à nouveau, allez-vous croire en Celui dont je prêche la parole ? » Après une courte concertation, le public accepte le pari. Pierre enjambe alors le corps du chien, s'empare du poisson fumé et le jette dans un bain. Le poisson, ressuscité, se remet bien sûr à nager devant un public ébahi. Magie !

---

26. *The Acts of Pete* : www.gnosis.org/library/actpete.htm

3. L'étoile volubile

Brent Landau est un théologien qui a publié un livre intitulé *The Revelation of the Magi.* Il s'agit de la première traduction anglaise d'un ancien manuscrit écrit vraisemblablement au IIe siècle et conservé pendant des générations dans la Librairie du Vatican. En résumé, il s'agirait de l'histoire de nos célèbres rois mages, mais avec le point de vue des trois bonshommes. Dans la version retenue dans nos bibles, les rois voient une étoile brillante qui les conduit à la crèche. Sans plus de détails. Dans *The Revelation of the Magi,* l'étoile descend du ciel et s'installe dans la caverne aux trésors des mystères cachés. L'étoile a des bras de bébé qui attirent les rois mages à elle. On y apprend que l'étoile est en réalité une version non-née de Jésus. De plus, l'étoile-bébé parle et raconte toutes les circonstances de son imminente naissance aux rois mages. L'étoile-bébé-Jésus les informe aussi des détails de sa crucifixion, etc. Puis elle les guide dans le désert en leur envoyant à manger au besoin. Et on croyait notre histoire des rois mages tirée par les cheveux…

4. Pierre, le tueur de magiciens

Alors qu'il est à Rome, Pierre entend parler d'un grand tournoi de magie auquel est inscrit le célèbre Simon. Ce dernier était alors la saveur du mois et Pierre, aussi obsédé par ce Simon que le Coyote avec le Road Runner, s'inscrit pour lui régler son compte une fois pour toutes. Début du tournoi : Simon impressionne la foule en faisant un David Copperfield de lui-même et survolant la ville. Impuissant à décoller du sol et au comble de la frustration, Pierre en appelle à son ancien maître Jésus (alors installé, comme on le sait, à la droite du Père) : « Jésus, vas-tu tolérer qu'un incroyant comme Simon puisse voler ? Je te demande, s'il te plaît, de bien vouloir le faire tomber. Mais je ne voudrais pas qu'il meure, non, non, mais seulement qu'il se blesse sérieusement. Pourrais-tu le faire tomber de manière à ce qu'il se casse la jambe à trois places ? » Aussitôt dit, aussitôt fait : Simon perd de l'altitude, fait un violent écrasement et, comme prévu, se casse la jambe en trois endroits. Pas au bout de ses peines, le pauvre Simon subit alors les foudres de la foule mécontente qui lui lance des pierres. Le magicien volant va finalement mourir aux termes d'atroces douleurs alors qu'on l'opère à la jambe.

LE PROPHÉTISÉ
(LES PROPHÉTIES DANS LE NOUVEAU TESTAMENT)

S'il peut paraître bizarre qu'une action soit délibérément réalisée pour justifier une prophétie, c'est parce qu'elle est en effet bizarre.
Christopher Hitchens

Imaginez que, une journée où vous n'avez rien de mieux à faire, vous décidiez de vous mettre à croire à l'astrologie. Ainsi, en vous levant ce matin-là, vous lisez fébrilement votre horoscope qui vous prédit ceci : « Vous renouez avec de vieilles connaissances. Travail et argent : dans vos achats et en affaires, votre flair peut être surprenant. Amour : Une petite attention ferait le plus grand plaisir à votre conjoint. »

Gardant à l'esprit ces prédictions, vous vous empressez de lancer des recherches d'amis du collège sur Facebook, puis vous vous ruez au centre d'achats et vous appliquez à trouver la meilleure aubaine possible pour une magnifique paire de chaussures que vous offrez à votre tendre moitié, la remplissant de joie. Le lendemain, il ne vous reste plus qu'à impressionner vos collègues de bureau en disant : « Hey, les copains, y faut que je vous raconte ce qui m'est arrivé hier ! Si vous ne croyez pas à l'astrologie après ça... » Dans Matthieu, on peut lire :

> Lorsqu'ils approchèrent de Jérusalem, et qu'ils furent arrivés à Bethphagé, vers la montagne des Oliviers, Jésus envoya deux disciples, en leur disant : « Allez au village qui est devant vous ; vous trouverez aussitôt une ânesse attachée, et un ânon avec elle ; détachez-les, et amenez-les-moi. Si quelqu'un vous dit quelque chose, vous répondrez : Le Seigneur en a besoin. Et à l'instant il les laissera aller. » Or, ceci arriva afin que s'accomplît ce qui avait été annoncé par le prophète : « Dites à la fille de Sion : Voici, ton roi vient à toi, plein de douceur, et monté sur une ânesse et sur le petit d'une bête de somme. »
>
> Mt 21, 1

Bête application du ridicule procédé de l'horoscope patenté.

Passons par-dessus le mauvais exemple que donne Jésus en organisant carrément un vol de bétail et laissons de côté le problème de la virtuosité physique requise pour s'asseoir à la fois sur deux montures et posons-nous plutôt la question : pourquoi les auteurs des Évangiles multiplient-ils ce genre de références aux vieilles prophéties de l'Ancien Testament ?

Pas compliqué : c'est motivé par une basse question de marketing. Les évangélistes devaient démontrer sans équivoque que Jésus est LE Messie annoncé par les prophètes.

Pour les évangélistes, il était fondamental de vendre l'idée que Jésus de Nazareth était ce sauveur tant attendu, qu'il était le Messie. Directeur général d'un club de hockey au lendemain du repêchage et évangéliste : même combat.

Le subterfuge littéraire a fonctionné à merveille et, deux millénaires plus tard, il ne fait aucun doute dans l'esprit de tout chrétien pratiquant qui se respecte que Jésus est le Messie. Rappelons ici que les adeptes du judaïsme ne voient toujours en Jésus qu'un simple prophète et attendent encore le Messie annoncé dans l'Ancien Testament.

À l'époque, on ne blaguait pas avec la venue du Messie. Sous l'occupation romaine, en particulier, les Juifs priaient très fort pour qu'arrive une fois pour toutes ce surhomme depuis si longtemps annoncé par les prophètes. Mais le Messie qu'ils attendaient et espéraient, c'était un roi guerrier, un chef charismatique qui allait tenir tête aux Romains et libérer leur peuple. Un prédicateur itinérant qui allait seulement déclamer des paraboles, guérir des estropiés et finir sur une croix ? Non, ça ne collait pas du tout avec les attentes.

Quand les prophètes des saintes Écritures évoquent le Messie, ils parlent d'un libérateur, d'un homme fort et spectaculaire. On anticipe plus un Alexandre ou un Rob Roy qu'un Dalaï-Lama. Et à son époque, Jésus est loin d'être le seul candidat aspirant au titre de Messie.

> Du temps de Jésus, partout courait la rumeur qu'un Messie viendrait abattre le pouvoir romain et libérer les Juifs ; déjà, Rome avait fait mettre à mort quelques-uns de ces candidats au messianisme et,

> pour le pouvoir impérial, Jésus de Nazareth n'était qu'un cas parmi bien d'autres.[27]

Et il en vint, des hommes aux personnalités bien trempées dans l'histoire juive dont on était convaincus qu'ils étaient des Messies. Le plus célèbre demeure un dénommé Bar Kokhba (Fils de l'Étoile). Ce gaillard fit grand bruit au IIe siècle de notre ère, plus ou moins une centaine d'années après la crucifixion de Jésus. Un certain Rabbi Akiva, considéré comme le plus grand sage de son temps, reconnut lui-même Bar Kokhba comme le Messie. À l'époque, la situation des juifs était catastrophique. On ne se remettait pas de la défaite cuisante de la première guerre perdue contre les Romains au tournant des années 70. Le charismatique Bar Kokhba organisa donc une armée, il instaura un État juif en terre de Judée et projeta de reconstruire le Temple de Jérusalem. Les Romains ne le voient pas venir. Résultat : une bataille rangée où les hommes de Bak Kokhba anéantissent une légion romaine complète. Bien sûr, Rome réagira avec une force terrifiante. Finalement, en l'an 135, le Messie et ses hommes seront à peu près tous massacrés.

Selon l'évangile qu'on lit, Jésus nie être le Messie, est réticent à le reconnaître ou encore l'assume entièrement. Au final, il semble que l'auteur de Jean fait encore bande à part. Dans sa version des faits, Jésus fait son « coming out » divin sans réserve : « Si vous croyiez Moïse, vous me croiriez aussi, car c'est sur moi qu'il a écrit. Mais si vous ne croyiez pas à ses écrits, comment croiriez-vous à mes paroles ? » (Jn 5, 46)

---

27. Romer John, *ibid.*

Mais dans les synoptiques, Jésus est ambigu sur la question, joue au mystérieux, se fait prier dès qu'on aborde le sujet.

Parlant de lui-même, Jésus emploiera presque toujours l'expression *Fils de l'Homme.* Votre interprétation de ce *Fils de l'Homme* vaut bien les 3500 interprétations des 3500 théologiens qui se sont penchés sur la question.

Tout au long de son ministère, Jésus se faisait achaler avec son messianisme : « Est-ce bien toi le Messie ? C'est toi ? C'est toi, hein ? » Cela transpire d'un bout à l'autre des Évangiles. Les disciples de Jésus n'en peuvent plus d'espérer que leur maître admette une fois pour toutes son statut de grand sauveur. Dans leur coin, tapis dans l'ombre et guettant leur proie, les pharisiens et les ennemis jurés de Jésus souhaitent aussi qu'il se vante d'être le célèbre « Oint » ou, mieux, d'être le fils de Dieu pour l'accuser de blasphème et s'en débarrasser. Chose sûre, Jésus est méfiant des conséquences et interdit régulièrement aux disciples de déclarer en public qu'il est le Messie.

Les apôtres croyaient fermement que leur patron allait changer l'ordre des choses en Israël, qu'il allait remplir cette promesse d'instaurer son royaume sur terre. La débandade fut donc énorme quand il mourut sur la croix.

Pour compenser et assurer la survie de la secte, on mit bien sûr en place le scénario de la résurrection. On dut également, en parallèle, couler dans le béton l'identité messianique de Jésus. Pour cela, nos évangélistes ont imaginé un procédé efficace : raccorder des prophéties de l'Ancien Testament aux faits et gestes de Jésus.

Alors ils se mettent à étudier les textes des vieux prophètes et cherchent des indices.

Que fait-on quand Jésus meurt et qu'on ne découvre aucune prophétie indiquant que le Messie va souffrir sur une croix et mourir ? On aurait pu capituler et s'avouer vaincu : « Bon, ok, on a essayé, c'était pas lui. Au suivant ! » Mais la fascination pour le guérisseur de Nazareth est bien réelle, la légende grandit chaque jour, un succès monstre semble à portée de main, les troupes sont motivées : on doit tirer profit du *buzz* et tout faire pour renforcer l'image de l'étoile montante.

Les rédacteurs des Évangiles, en particulier Matthieu, Luc et Jean, vont alors déployer des trésors d'imagination pour dénicher des versets dans les saintes Écritures hébraïques pouvant lier tant bien que mal les prédictions des prophètes à Jésus. Et tant pis si le résultat est parfois résolument incongru.

Quand on lit le Nouveau Testament, on est estomaqué en découvrant la quantité d'événements, le nombre de paroles qui sont attribuées à Jésus pour qu'une lointaine prophétie, en général diablement obscure, se réalise. Comme on peut interpréter de plusieurs façons à peu près chaque verset de la Bible, on imagine le formidable terrain de jeux pour des auteurs zélés. Comme le dit si bien David Mills : « Peu importe l'événement qui peut se produire, il se trouvera toujours un passage biblique qui peut être interprété comme l'ayant prédit. »[28]

Les quatre auteurs qui racontent les histoires sur Jésus connaissent bien les vieilles écritures juives et ça

28. MILLS David, *Atheist Universe : The Thinking Person's Answer to Christian Fundamentalism.* Ulysses Press, Berkeley, 2006 [2003], 272 p.

paraît : une foule de leurs récits sont développés à la lumière des prédictions qu'on y retrouve.

Sa naissance, son ministère, son entrée à Jérusalem, la passion, la résurrection sont construits avec les prédictions de la Bible hébraïque en tête.

En plus, loin de cacher qu'ils emploient ce procédé de raccordement tordu, les évangélistes citent même souvent mot à mot le texte des anciennes prophéties auxquelles ils se réfèrent. Le lecteur ne met pas longtemps à réaliser qu'on utilise sans retenue aucune ce truc douteux qui, pourtant, vient torpiller la crédibilité historique du récit. S'assumant, l'auteur du premier Évangile, Marc, ouvre même son livre sur ces lignes : « Commencement de l'Évangile de Jésus Christ, Fils de Dieu. Selon ce qui est écrit dans Ésaïe, le prophète. » (Mc 1, 1)

Si les quatre évangélistes donnent dans la *plug* de vieilles prophéties, c'est Matthieu le champion du procédé. Son Évangile est tapissé d'un bout à l'autre d'anecdotes se concluant par la sempiternelle formule « Et cela est arrivé pour que s'accomplissent les prophéties [...] » Matthieu à lui seul fait 130 allusions aux textes anciens et cite littéralement 43 passages de l'Ancien Testament.

Il serait fastidieux de recenser et d'examiner tous ces passages de la vie de Jésus autour desquels on peut mettre des bémols gros comme une maison parce qu'ils sont au service de la réalisation d'une prophétie.

Cependant, comme les deux moments les plus forts, les plus universellement connus et appris des chrétiens appartiennent à ces récits inventés pour faire se réaliser des prophéties, on ne peut vraiment pas passer à côté.

On parle ici de la Nativité et de la Passion.

DANS CETTE ÉTABLE QUE JÉSUS EST CHARMANT...

S'il s'en trouve parmi les lecteurs de ce livre à encore croire au récit de la Nativité et à être transportés d'émotion à la vue des touchantes crèches de Noël, soyez avertis : à peu près rien de ce qu'on nous a appris concernant la naissance de Jésus n'est réellement arrivé.

Marc a écrit le premier Évangile. Il ne dit pas un traître mot sur les circonstances entourant la naissance de Jésus. Accordons-lui cet effort d'honnêteté : l'auteur qu'on appelle Marc n'avait de toute évidence aucune information sur la vie de Jésus avant sa mission publique et, donc, choisit de ne pas en parler. Rien sur la jeunesse de Jésus, encore moins sur le moment où sa mère accoucha de lui. Comment, de toute manière, quelqu'un aurait-il bien pu connaître les détails de cette naissance ? Jamais Jésus ne confie quoi que ce soit sur sa vie personnelle aux disciples. On n'a évidemment pas de certificat de naissance ou rien qui ressemble à une preuve documentaire au sujet de ces années obscures. Marc saute son tour.

Seuls Luc et Matthieu insèrent les circonstances de sa naissance dans leurs écrits.

Ces deux garçons, rappelons-le, ont écrit plus de cinquante ans après la mort du Christ. Leurs bucoliques descriptions de la Nativité ne sont rien d'autre que de pures fabulations appuyées sur d'anciennes prophéties. Pour bien nous convaincre qu'ils ont tout inventé, ils élaborent en plus deux versions complètement différentes et, surtout, irréconciliables.

Quand on examine les *origin stories* de Jésus, le moins qu'on puisse dire, c'est que ça partait mal. En effet, on n'est pas même arrivés aux récits de la naissance proprement dite que, déjà, Matthieu et Luc se contredisent en proposant des généalogies différentes de Jésus dans un effort maladroit de démontrer qu'il descend du roi David, prérequis génétique, comme on sait, pour un Messie. On reproduit donc dans ces deux Évangiles la longue liste des ancêtres de Jésus. Comme s'il pouvait y avoir l'ombre d'une chance que les auteurs aient été en mesure d'effectuer une recherche d'une ampleur telle qu'elle dépasserait la compétence même des généalogistes professionnels modernes ! Preuve qu'on est dans le domaine de la fabulation : non seulement les deux généalogies ne balancent pas en termes de nombres d'ancêtres (29 pour Matthieu, 43 pour Luc), mais des noms différents apparaissent d'une liste à l'autre.

On remarque que Matthieu fait remonter les ancêtres de Jésus jusqu'à Abraham tandis que Luc se rend jusqu'à… Adam ! Les experts nous apprennent que cela s'explique par les objectifs de propagande, divergents, des deux auteurs. Alors que Matthieu veut montrer que Jésus est juif, il fait remonter l'arbre généalogique jusqu'au père du peuple juif, Abraham. De son côté, Luc voulant montrer que Jésus est le sauveur de tous les hommes, il établit qu'on est universellement reliés à lui en remontant jusqu'à Adam.

Ces généalogies sont d'ailleurs objet de dérision chez les auteurs sceptiques qui posent la pertinente question : puisque le père de Jésus est Dieu, pourquoi établir une généalogie qui passe par Joseph ?

Abordons enfin la Nativité…

L'histoire poétique qu'on nous raconte depuis les Noëls de notre enfance avec l'ange Gabriel, l'étable à Bethléem, les bergers, l'étoile guidant les rois mages : tout ça n'est rien d'autre qu'un amalgame malhabile de deux contes. Au fil du temps, on a ainsi tricoté ensemble du mieux qu'on a pu des éléments des deux versions de Luc et Matthieu. C'est donc cette invention hybride qu'on nous ressert depuis des lustres à la messe de minuit. Comme si ce n'était pas assez, on y a en plus ajouté des éléments jamais même évoqués par les prophètes, par exemple : le bœuf et l'âne ou encore la présence des rois mages, etc.

De fait, tout ce qui semble un minimum plausible sur les origines de Jésus, c'est qu'il viendrait du petit village de Nazareth. Un trou perdu en Galilée. Pas glamour une seconde. Et vient-il seulement de Nazareth ? Ce minuscule bled existait-il à l'époque ? Des érudits s'obstinent sur cette question depuis deux cents ans.

Nos évangélistes, donc, partent avec cette information déconcertante, mais impossible à ignorer : notre Messie serait né à Nazareth. Or, cela ne fait pas leur affaire, et ce, en raison de ce petit verset du prophète Michée : « Et toi, Bethléem, petite entre les milliers de Juda, de toi sortira pour moi Celui qui dominera sur Israël et dont l'origine remonte aux temps anciens » (Mi 5, 1)

Et pourquoi veut-on à tout prix raccorder ce verset à Jésus ? Parce que le Messie devait nécessairement être le descendant du roi David et naître dans la même ville que lui parce que David, lui, était né à Bethléem.

Pour bien mesurer à quel point le lien tient du délire, considérons que le prophète Michée a vécu au

VIIIe siècle avant Jésus. Matthieu et Luc s'appuient donc sur un seul verset déjà ambigu, écrit de la main d'un seul prophète qui aurait visualisé on ne sait trop comment le lieu de naissance d'un hypothétique dominateur, et ce, plus de xept cents ans avant que ça n'arrive ! On est ici dans la même ligue que Nostradamus.

Mais, que voulez-vous, la prophétie de ce satané Michée, alors populaire dans le palmarès juif, demeure agaçante pour les premiers chrétiens. Sachant que s'ils font naître leur Messie à Nazareth, ils vont se faire remettre Michée sur le nez, Matthieu et Luc conviennent donc de situer le saint accouchement à Bethléem. À peu près le seul point sur lequel ils s'entendent.

Le tableau qui suit montre les contradictions entre les faits saillants des deux versions.

NATIVITÉ SELON MATTHIEU : SYNOPSIS	NATIVITÉ SELON LUC : SYNOPSIS
Pas un mot sur la naissance de Jean le Baptiste, cousin de Jésus.	L'ange Gabriel apparaît à Élizabeth, lui annonçant qu'elle enfantera un prophète qui deviendra Jean le Baptiste.
Marie et Joseph doivent se marier : surprise, Marie est enceinte ! Malaise de Joseph. Pas d'ange Gabriel.	Gabriel apparaît à Marie et lui annonce qu'elle aura un enfant par l'intermédiaire du Saint-Esprit.

Alors que Joseph envisage des procédures de divorce, voilà qu'en rêve on lui apprend que Marie fut fécondée par l'opération du Saint-Esprit. Soulagement de Joseph : « Oufff, cocu du Saint-Esprit, ça compte pas ! » Pas de recensement.	Un décret de l'Empereur Auguste ordonne un grand recensement pendant que Quirinius est gouverneur de Syrie. Les gens doivent s'inscrire dans la ville de leur ancêtre. Remontant mille ans en arrière, Joseph a comme ancêtre David qui vient de Bethléem. Il doit donc s'y rendre. Pas de rêves de Joseph.
Mariage de Joseph et Marie : naissance de Jésus à Bethléem. Pas d'étable.	Arrivée à Bethléem. Plus de place à l'hôtel. Le couple s'installe dans une étable. Marie accouche et place Jésus dans une mangeoire.
Arrivée des rois mages qui ont suivi une étoile.	Des bergers, avertis par un ange et une troupe de l'armée céleste, vont rendre hommage au bébé. Pas de rois mages.
Le roi Hérode, ayant appris que le grand Roi viendra de Bethléem, intercepte au passage les trois rois mages et leur demande de le tenir informé. Hérode craint pour son poste.	Hérode n'est pas mentionné.
Les rois mages donnent leurs magnifiques cadeaux et, astucieux, retournent chez eux par un autre chemin.	*Nada.*

Ne voulant courir aucun risque, Hérode envoie massacrer tous les enfants de moins de deux ans à Bethléem et dans les environs.	Aucun massacre d'enfants.
Ayant été averti en rêve des plans de Hérode, Joseph s'enfuit en Égypte avec femme et enfant.	Personne ne se rend en Égypte.
Une fois là-bas, Joseph est encore averti en rêve que Hérode est mort : plus de danger, ils peuvent revenir au pays.	*Nada.*
Joseph et sa famille s'installent à Nazareth.	Toute la famille retourne s'installer à Nazareth.

Donnons au moins ça à Matthieu et Luc : personne ne peut les soupçonner de collusion. On devine qu'ils ne se sont pas consultés en secret et n'ont pas échangé leurs notes afin d'arriver à des histoires qui se corroborent l'une et l'autre pour mieux convaincre le lecteur.

On observe cependant que, mis à part le choix de Bethléem, l'un des seuls éléments dans la Nativité sur lequel Matthieu et Luc s'entendent est la si précieuse virginité de Marie.

Vous le voyez venir : Marie est vierge pour que s'accomplisse tout bêtement une prophétie. Mais dans ce cas précis, et c'est assez stupéfiant, Matthieu et Luc s'appuient sur un verset qui non seulement n'a aucune espèce de lien avec Jésus, mais est, de surcroît, mal traduit.

Les évangélistes s'appuient en effet sur ce verset puisé dans le livre d'Ésaïe : « Voici, la jeune fille deviendra enceinte, elle enfantera un fils, et elle lui donnera le nom d'Emmanuel. Il mangera de la crème et du miel jusqu'à ce qu'il sache rejeter le mal et choisir le bien. » (7, 14-15)

Ne prétendant aucunement parler du Messie, le prophète Ésaïe s'adresse dans ce verset au roi Ahaz. Cela se passe huit siècles avant la naissance de Jésus. Ésaïe parle ici de la naissance d'un prince royal. Rien à voir avec notre héros de Nazareth qui, la dernière fois qu'on a vérifié, ne s'appelle d'ailleurs pas Emmanuel, mais Jésus. Ce n'est plus de l'interprétation, c'est dénaturer des propos et dire des pures folies. Enfin, pas besoin de consulter un nutritionniste pour se permettre de suggérer qu'un enfant qu'on ne nourrirait qu'à « la crème et [au] miel » aurait de sérieux problèmes de croissance.

Quand les évangélistes ont commencé à ainsi ressortir des vieilles prophéties de l'Ancien Testament en en tortillant le sens, ils ont utilisé la traduction grecque qui n'était pas fidèle à 100 % à la version hébraïque. Des écueils étaient inévitables. La soi-disant virginité de Marie est attribuable à un pur quiproquo linguistique.

En hébreu, le mot qu'Ésaïe employait pour parler de la mère de l'enfant dans le passage précité était *alma.* Le mot signifie *jeune femme* et ne se dit pas nécessairement à propos d'une vierge. Si l'auteur avait voulu parler d'une vierge, il aurait employé le mot *betula.* Quand le traducteur de l'hébreu au grec traduisit ce passage, il employa le mot *parthenos.* Encore une fois, ce mot peut se dire d'une vierge, mais aussi bien d'une jeune fille ayant simplement atteint l'âge de la puberté.

En traduisant, Matthieu et Luc ont donc commis une double bourde : conclure qu'Ésaïe parlait de la naissance de Jésus et que sa mère était vierge. Ainsi, pour une référence obscure, hors contexte, maladroitement traduite et absolument dénuée de fondement, on a fait de la mère de Jésus de Nazareth une vierge avec les implications inouïes que cela engendre. Dire que l'image de virginité de Marie a inconsciemment associé la sexualité au péché est un doux euphémisme.

> La soi-disant virginité de Marie a toujours suggéré la vision que Dieu a du sexe : c'est un péché. Il semble que la civilisation occidentale a depuis 2000 ans vécu une névrose sexuelle en raison d'une erreur de traduction de Matthieu et Luc qui ne lisaient pas l'hébreu ![29]

Ajoutons que, loin d'être une idée originale, la conception d'un personnage hors du commun sans l'apport des spermatozoïdes d'un père en chair et en os s'est vue dans bien d'autres traditions. On prétendait que des célébrités comme Alexandre le Grand ou l'empereur Auguste étaient nés de l'union de leur mère avec un dieu. Même prétention d'une conception virginale pour plusieurs figures charismatiques de la religion comme on l'a vu précédemment.

Potin croustillant à caractère historique : Origène, père de l'Église grecque, ainsi que le Talmud des Juifs prétendent que Jésus serait le fruit d'une liaison adultère entre Marie et un soldat romain du nom de Pantera dont on aurait même retrouvé la pierre tombale ! Cette

29. Harris Sam, *The End of Faith: Religion, Terror, and the Future of Reason.* W.W.Norton and Co, New York, 2004, 348 p.

rumeur se promenait dans les milieux non chrétiens et certains pensent qu'on aurait pu inventer l'histoire de la conception virginale pour balayer sous le tapis ces gênants qu'en-dira-t-on…

Rappelons que seuls Matthieu et Luc racontent la naissance de Jésus. Un phénomène aussi extraordinaire qu'une conception virginale se serait-il produit, nul doute que Jean et Marc en auraient eu écho.

En tentant d'avoir l'air bien documenté dans sa relation de la Nativité, Luc commet par ailleurs une grosse erreur. Il prétend que Joseph et Marie se sont rendus à Bethléem, question d'obéir aux ordres de l'autorité romaine puisque le gouverneur Quirinius aurait à l'époque commandé un grand recensement. Problème de date d'abord : Quirinius ne fut nommé gouverneur que dix ans après la mort d'Hérode le Grand et Luc prétend que Jésus est né alors qu'Hérode le Grand régnait. Ensuite, le gouverneur ne peut avoir imposé cette exigence farfelue de demander aux gens d'aller dans le village où vivait leur ancêtre mille ans plus tôt ! Le fait est qu'il y eut effectivement un grand recensement en Judée au début de notre ère et ce fut un événement majeur. Luc l'a incorporé dans son récit pour lui donner plus de crédibilité, mais aussi pour une raison de pure propagande.

> « Pourquoi donc se seraient-ils déplacés à Bethléem à cette époque ? » a dû se demander Luc. Le recensement de Quirinius avait vraiment marqué l'époque : Luc a donc rattaché la naissance à cet événement majeur pour les Juifs. Cela offrait un grand avantage que de montrer Joseph et Marie obéissant à l'autorité romaine. Ça montrait la vraie nature

> de soumission de cette nouvelle religion que bien des Romains voyaient comme révolutionnaire. Le décret, aux termes de Luc, venait de César lui-même et était mondial. Luc écrivait son Évangile pour Théophile, un non-juif, dans un monde romain. Établir une connexion entre son histoire et le gouvernement romain, ça paraissait bien.[30]

Il y a plusieurs autres vieilles prophéties qu'on a reliées sans logique aucune à la nativité.

Par exemple, comment prétendre sérieusement que Joseph et Marie se sont enfuis en Égypte et sont revenus plus tard sur la base de ce verset écrit par le prophète Osée : « Quand Israël était jeune, je l'aimais, et j'appelai mon fils hors d'Égypte. » (11, 1)

L'ami Osée, qui était vraiment dévoué à son boulot et à son patron céleste (il a marié une prostituée sur l'ordre de Dieu !) a écrit ses visions environ sept-cent-cinquante ans avant Jésus. Et Matthieu s'appuie sur ce seul verset pour envoyer la sainte Famille en Égypte alors que le prophète Osée faisait bêtement référence à l'exode où Moïse, aidé de Dieu, conduisit son peuple hors d'Égypte pour le libérer de l'esclavage.

Et pourquoi Matthieu invente-t-il cette sordide affaire de génocide de bébés immortalisé sous le nom de massacre des Innocents ? C'était, tenez-vous bien, pour accomplir la prophétie suivante : « On entend des cris à Rama, des lamentations, des larmes amères ; Rachel pleure ses enfants ; elle refuse d'être consolée sur ses enfants, car ils ne sont plus. » (Jr 31, 15)

---

30. Fox Robin Lane, *ibid.*

Il faut savoir que Jérémie parlait ici de Rachel, mère tribale du Royaume du Nord, qui pleurait ses enfants perdus lorsque les Assyriens conquirent son Royaume en 721 avant Jésus-Christ ! Les historiens sont formels : il n'y eut jamais de massacre des Innocents sous Hérode.

Par rapport aux pittoresques Rois mages :

> Où ils n'avaient pas de faits, Matthieu et Luc ont inventé. Matthieu a imaginé les rois mages, Luc les bergers... L'histoire des rois mages a beaucoup changé avec les années. Ce n'est qu'au VIe siècle qu'on leur trouva des noms ![31]

Pendant qu'on y est, où est-on allé pêcher la justification de l'étoile suivie par les Rois mages et qui les mène à la crèche ? Dans un effort de raccordement aux proportions olympiques, Matthieu se réfère à cette prophétie obscure : « [...] une étoile sortira de Jacob » (Nb 24, 17)

De plus, en relisant Matthieu, l'absurdité physique du célèbre phénomène stellaire saute aux yeux : « Après avoir entendu le roi, les Rois partirent. Et voici, l'étoile qu'ils avaient vue en Orient marchait devant eux jusqu'à ce qu'étant arrivée au-dessus du lieu où était le petit enfant, elle s'arrêta. » (Mt 2, 9)

Une étoile qui marche ? Et comment une étoile peut-elle s'immobiliser au-dessus d'une maison ? La vérité, c'est que, dans le temps, tout le monde croyait que les étoiles n'étaient que des petits points de lumière à une courte distance de la terre. L'idée qu'une étoile, à la manière d'un objet volant à basse distance comme un

---

31. *Ibid.*

hélicoptère par exemple, puisse s'immobiliser au-dessus d'un endroit précis avait du sens.

Comme le rappelle l'ex-évêque et grand expert des Écritures John Shelby Spong, Matthieu, à l'instar de ses trois collègues, ne prétendait pas écrire une biographie de Jésus. Il n'a fait qu'interpréter sa vie, compilant le plus de références possible à la Bible hébraïque. Ça dit à quel point on ne peut compter sur lui quand il s'agit d'avoir des comptes-rendus fiables d'événements réels.

Rien dans son récit de la Nativité n'est arrivé. Rien. Adieu l'ange Gabriel, la virginité de Marie, les Rois mages et l'étoile, adieu le voyage en Égypte !

Matthieu n'était pas un historien. Il accomplissait une mission : prouver à ses lecteurs que Jésus était le Messie. Plus précisément, selon monsieur Spong, Matthieu voulait prouver que Jésus n'était rien de moins que le « deuxième Moïse ». Les parallèles avec le Moïse original sautent aux yeux :

- le roi Hérode, apeuré de perdre sa couronne en ayant entendu parler de la naissance d'un futur roi, fait massacrer les bébés à Bethléem : le Pharaon avait commis exactement le même genre de génocide du temps de Moïse ;
- Jésus et sa famille s'enfuient en Égypte, le pays de Moïse ;
- les Israélites et Moïse ont erré dans le désert 40 ans pour être testés par Dieu ; Jésus a été tenté dans le désert durant 40 jours ;
- les Israélites sont allés au mont Sinaï où Dieu leur a remis les commandements : Jésus a prononcé un sermon sur la montagne où il a livré son interprétation des lois de Moïse.

Puisqu'on parle de la naissance de Jésus, pour ceux qui croiraient encore qu'il est né un 25 décembre, il vaut la peine d'expliquer pourquoi on a convenu de le célébrer à cette date particulière. Tous s'entendent pour dire qu'on a toujours ignoré le jour exact, mais la motivation de l'établir par convention répondrait, encore une fois, à des préoccupations marketing.

Le fait est que, dans l'antiquité, les païens (le peuple) fêtaient le solstice d'hiver le 21 décembre. Les célébrations abondaient lors de cet événement annuel. Au début de la chrétienté, les croyants ont essayé de persuader les autorités d'établir un jour férié pour souligner la naissance de leur maître Jésus, ce qu'on leur refusa. Les chrétiens se sont alors dit : « Ok, on va donc fêter en même temps que le solstice et on va ainsi, en plus de satisfaire nos fidèles, les empêcher d'aller aux *partys* des païens ! » On a ainsi commencé à fêter Noël le 21 décembre. Plus tard, le Pape Grégoire XIII, en révisant le calendrier julien pour créer le calendrier grégorien (l'actuel), a repoussé la date du solstice de 4 jours, l'amenant au 25 décembre pour des raisons liées à l'astronomie. Depuis, on fête Jésus le 25 décembre.

D'autres hypothèses, on l'a vu, suggèrent qu'on fait coïncider sa naissance avec celle du dieu païen Mithra.

En tout état de cause, il n'est pas né à cette date. Si ça se trouve, il est plutôt né en plein été ! En effet, certains auteurs contemporains avancent cette amusante idée voulant que si l'on accorde foi à l'Évangile de Luc selon lequel, quand ils furent avertis de la naissance de Jésus, « les bergers passaient la nuit dans les champs, veillant à la garde de leur troupeau » (Lc 2, 8), ça signifie qu'il serait plutôt né durant la saison estivale. En effet, cette pratique pour les bergers était de mise après la moisson de juin, époque où les moutons retournaient y paître.

Bon. L'hypothèse est plausible et, quelque part, vient légitimer les sympathiques célébrations des Noëls du campeur si populaires au Québec en juillet !

Pour en finir avec ce sujet, les croyants posent à juste titre la question : pourquoi les athées fêtent-ils donc Noël ? À vrai dire, il faudrait leur retourner la question : pourquoi vous, les chrétiens, fêtez-vous Noël alors que le 25 décembre n'a strictement rien à voir avec Jésus ? Pire encore : toutes les grandes traditions de Noël ont des origines païennes.

Des siècles avant Jésus, chez beaucoup de peuples, on avait cette tradition d'installer dans sa maison un sapin et de le décorer en décembre. Il était utilisé dans les fêtes païennes pour célébrer le solstice d'hiver et annonçait le retour du dieu solaire. Dans l'Antiquité, les Égyptiens célébraient le dieu Râ avec des sapins. De même, les Romains se servaient de cet arbre dans leurs Saturnales, des célébrations religieuses polythéistes. Les Scandinaves aussi l'utilisaient pour célébrer leurs dieux. La coutume chrétienne de décorer ce conifère date d'aussi tard que le XVIe siècle et serait apparue en Allemagne. Les bons curés connaissaient le lourd passé païen du sapin. Aussi, jusque dans les années 1840, on considérait païen le sapin aux États-Unis. Pire encore : le gouvernement américain n'a pas déclaré Noël comme étant une fête nationale avant 1870.

Les échanges de cadeaux ? Païen, comme le sapin ! En fait, ce fut interdit jusqu'au Moyen Âge par l'Église catholique.

Le gui : cette plante était considérée comme sacrée chez les anciens peuples. Pour les druides, entre autres, c'était un symbole de fertilité. Païen, le gui.

Quant au père Noël, si le personnage est toléré avec un degré de sympathie variable chez les croyants tièdes, il a droit à un mépris souverain chez les fondamentalistes, en particulier chez les Témoins de Jéhova.

La figure du bon père Noël est par contre bien accueillie chez la plupart des athées que ce vieillard de légende sympathique amuse fort. La raison étant que bon nombre d'athées mettent Dieu et le père Noël exactement sur le même pied en terme de crédibilité.

Sur le site internet Unreasonnable Faith, on a dressé une liste des points que les deux célébrités ont en commun.

	LE PÈRE NOËL	DIEU
Possède une liste où les gens sont classés mauvais ou bons	X	X
Il sait tout et est omniprésent	X	X
Longue barbe blanche	X	X
Les enfants apprennent son existence de leurs parents	X	X
En général, les enfants y croient	X	X
On connaît beaucoup de chansons à son sujet	X	X
Demande des offrandes (la dîme ou… des biscuits !)	X	X
Il a plusieurs assistants ou serviteurs	X	X
Il ne retourne jamais les appels	X	X
Récompense ceux qui sont gentils et croient en lui	X	X

Pour terminer avec Noël, cette observation tellement juste de Robert Ingersoll : « Les parties amusantes de la fête de Noël ne sont pas chrétiennes : elles sont généralement païennes, c'est-à-dire humaines, naturelles. »

LA PASSION ET LA CRUCIFIXION

La Nativité est donc le résultat de raccords extravagants avec des anciennes prophéties. On observe le même procédé quand on arrive aux détails de la crucifixion.

Selon Luc, au chapitre 24, Jésus aurait dit « qu'il était écrit qu'il devait souffrir et revenir des morts le 3e jour ». Mais où exactement cela était-il écrit ? On réfère, de fait, à des versets de l'Ancien Testament où le prophète Ésaïe parle d'un « serviteur souffrant ». Mais on ne sait pas de qui il parlait exactement quand il évoquait ce personnage. Selon la plupart des auteurs modernes, il faisait très probablement référence à Israël. Métaphore.

Une chose est sûre : le prophète Ésaïe ne pouvait certes pas imaginer qu'un Messie remplirait cette prophétie : ces élus de Dieu ne sont pas censés souffrir et encore moins sur une croix, le mode d'exécution, on l'a vu, le plus déshonorant qu'on puisse imaginer.

Comme pour la Nativité, les récits de la Passion sont truffés d'éléments fictifs et invraisemblables. La plupart pour justifier, encore une fois, de confuses prophéties.

Par exemple, au cours du dernier souper avec ses apôtres, Jésus prédit que ses compagnons vont déguerpir dès qu'il sera arrêté. Il le fait en citant une vieille prophétie : « Alors Jésus leur dit : Je serai pour vous tous, cette nuit, une occasion de chute ; car il est écrit : Je frapperai le berger, et les brebis du troupeau seront dispersées. » (Mt 26, 31)

En effet, il semblerait que, pour Marc, Matthieu et Luc du moins, aucun des douze poltrons n'était présent quand Jésus fut mis en croix. Quand on y pense, cette lâcheté générale des apôtres est assez affligeante. On peut comprendre que Judas n'était pas là, étant occupé aux préparatifs de son suicide. Mais les onze autres ? Voilà des disciples qui ont tout abandonné pour Jésus, l'ont suivi durant des années, ont assisté à une multitude d'exploits miraculeux et ils prennent congé le jour où on le crucifie ? Bravo pour l'exemple.

Revenons aux prophéties...

Quand Jésus est arrêté et que Pierre veut le défendre, son Maître l'en empêche et lui dit : « Comment alors s'accompliraient les Écritures d'après lesquelles il doit en être ainsi ? » (Jn 18, 11)

Jugez du sommet d'étrangeté qu'on atteint ici : Jésus aurait consciemment empêché l'intervention de ses apôtres pour éviter qu'on ne contrecarre l'accomplissement de vieilles prédictions. Tout ça sonne un peu comme ces scènes dans les films de voyages dans le temps où les protagonistes doivent s'appliquer à ne pas bouleverser le cours des choses afin de ne pas altérer les événements du futur.

Pour ce qui est de « s'élever le troisième jour », aucune prophétie ne parle d'un Messie qui accomplit l'exploit de ressusciter. La seule allusion, qui est juste un peu proche si on a beaucoup d'imagination, se retrouve dans Osée :

> Venez, retournons à l'Éternel ! Car il a déchiré, mais il nous guérira ; Il a frappé, mais il bandera nos plaies. Il nous rendra la vie dans deux jours ; Le troisième jour il nous relèvera, et nous vivrons devant lui.
>
> Os 6, 2

Cela fut écrit plus de 700 ans av. J.-C. et le passage ne réfère pas à un individu en particulier ou à un tombeau vide. Le *nous*, métaphorique, ferait référence au peuple d'Israël et ne parle jamais de résurrection du corps.

Avec la crucifixion, les auteurs des Évangiles ont en quelque sorte l'envers du problème qu'ils rencontraient avec la Nativité. Ils n'avaient aucune idée des circonstances de sa naissance, mais il fallait faire naître Jésus à Bethléem parce qu'une vieille prophétie l'imposait. À l'inverse, on savait avec certitude que Jésus avait été mis en croix, mais il n'existait pas de prophétie qui indiquait que le Messie devait souffrir et mourir.

Usant alors du procédé qui les a jusque-là si bien servis, nos évangélistes cherchent et cherchent encore des indices dans les livres des prophètes. On finit par en trouver. Ce ne sont pas dans des passages qui réfèrent au Messie, mais qui décrivent, le plus souvent, les souffrances des « justes de Dieu ». Rien à voir avec Jésus. Bon, pourquoi laisser les faits nous arrêter ?

Les auteurs des Évangiles vont alors tirer des conclusions hâtives et dénuées de sérieux et nous dire que ces passages font vraiment allusion au Messie même si le mot n'est jamais employé et que personne jusqu'ici n'avait pensé qu'il pouvait en être question.

Nous l'avons dit : ni les apôtres ni les auteurs des Évangiles n'étaient présents à la crucifixion. Il semble donc hautement hypothétique qu'un témoin ait pu relayer aux auteurs des Évangiles les détails du supplice et, surtout, transmettre le mot à mot des paroles que Jésus aurait pu prononcer sur la croix. Les auteurs devaient inventer des scènes d'action et des dialogues.

Par exemple, ils concluront que ce passage des prophètes parle de la crucifixion : « Une bande de malfaiteurs m'entoure ; ils m'ont percé les mains et les pieds [...] Des gens me voient, ils me regardent ; ils se partagent mes vêtements et tirent au sort mes habits. » (Psaume 22)

Ce passage n'a rien à voir avec le Messie.

Quand il relate les blessures infligées au Christ en croix, Jean affirme ceci :

> S'étant approchés de Jésus, et le voyant déjà mort, ils ne lui rompirent pas les jambes ; mais un des soldats lui perça le côté avec une lance, et aussitôt il sortit du sang et de l'eau. Celui qui l'a vu en a rendu témoignage, et son témoignage est vrai ; et il sait qu'il dit vrai, afin que vous croyiez aussi. Ces choses sont arrivées, afin que l'Écriture fût accomplie : Aucun de ses os ne sera brisé.
>
> Jn 19, 33

Ce verset est le résultat d'acrobaties intellectuelles de haute voltige. En effet, la référence de Jean se trouve aussi loin que dans Le livre de l'Exode, au chapitre 12, où Dieu donne les prescriptions pascales à Moïse. Entre autres, on y apprend qu'aucun étranger ne peut manger la Pâque (un agneau). Dieu ajoute qu'on mangera la Pâque dans une seule maison et, parlant de la chair, il précise : « Vous n'en briserez pas les os. » Bien entendu, il y a toute une symbolique impliquée, car Jésus est assimilé à l'agneau pascal, etc. Voilà qui explique qu'on mentionne dans le récit de la crucifixion que les soldats ne brisèrent pas les tibias de Jésus. C'est dire à quel point ça n'a aucun rapport…

Et comment peut-on croire cette information au sujet d'un soldat qui aurait transpercé Jésus au côté quand on sait que cette attaque à la lance est censée réaliser une prédiction du prophète Zacharie ainsi formulée 600 ans plus tôt :

> En ce jour-là, je chercherai à détruire toutes les nations qui viendront contre Jérusalem. Je répandrai sur les habitants de Jérusalem un esprit de grâce et de supplication et ils regarderont vers moi, vers celui qu'ils ont transpercé.
>
> Za 12, 9

En bref, tous les éléments de la crucifixion sont copiés sur des textes écrits des centaines d'années plus tôt. Ce tableau en donne les grandes lignes :

LA CRUCIFIXION SELON MARC ET MATTHIEU	PROPHÉTIES DE L'ANCIEN TESTAMENT
« Jésus ne répondit plus rien, de sorte que Pilate était dans l'étonnement. » (Mc 15, 5)	« Il a été maltraité et opprimé, Et il n'a point ouvert la bouche. » (Es 53, 7)
« Ils le crucifient et partagent ses vêtements, tirant au sort ce que chacun emporterait. » (Mc 15, 24)	« Ils se partagent mes vêtements, Ils tirent au sort ma tunique. » (Ps 22, 19)

« Ils crucifient avec lui deux brigands, l'un à sa gauche et l'autre à sa droite. » (Mc 15, 27)	« ...il a été mis au nombre des malfaiteurs... » (Es 53, 12)
« Les passants l'insultaient en hochant la tête et en disant : "Sauve-toi toi-même !", etc. » (Mc 15, 29) « Les grands prêtres se moquaient, disant : "Il a mis sa confiance en Dieu ; qu'il le délivre maintenant s'il l'aime". » (Mt 27, 41)	« Tous ceux qui me voient se moquent de moi, Ils ouvrent la bouche, secouent la tête : "Recommande-toi à l'Éternel ! L'Éternel le sauvera, Il le délivrera, puisqu'il l'aime !" » (Ps 22, 7)
« L'un d'eux courut emplir une éponge de vinaigre et lui présenta à boire... » (Mc 15, 36 ; Mt 27, 48)	« Ils mettent du fiel dans ma nourriture, Et, pour apaiser ma soif, ils m'abreuvent de vinaigre. » (Ps 69, 22)
« Mon Dieu mon Dieu, pourquoi m'as-tu abandonné ? » (Mc 15, 34 ; Mt 27, 45)	« Mon Dieu mon Dieu, pourquoi m'as-tu abandonné ? » (Ps 22)

Écrivant plus de quarante ans après les faits, les auteurs des Évangiles ne pouvaient avoir la moindre idée des dernières paroles du Christ sur la croix. La preuve en est qu'ils lui attribuent tous des mots différents. Alors que Matthieu et Marc proposent le touchant : « Mon Dieu mon Dieu, pourquoi m'as-tu abandonné ? », Luc choisit de lui faire dire : « Père, je remets mon esprit entre tes mains. » (Lc 23, 46) et Jean se contente de l'énigmatique : « Tout est accompli. » (Jn 19, 30)

Phrases dont on doit conclure qu'elles furent inventées de toutes pièces. Il est virtuellement impossible que les auteurs des Évangiles aient interviewé des témoins directs de la crucifixion. L'auraient-ils fait que l'entrevue aurait eu lieu plusieurs décennies après l'événement. Jésus, agonisant, aurait-il prononcé d'ultimes paroles qu'il les aurait sans doute balbutiées ou murmurées : il aurait fallu qu'un témoin soit physiquement à proximité pour bien entendre, ce qui apparaît plutôt périlleux considérant sa position à ce moment-là.

Quand on y pense, le cri de désespoir du Christ blâmant son père de l'avoir laissé tomber serait d'ailleurs assez incohérent. Jésus savait depuis longtemps ce qui l'attendait, s'était résigné à ces souffrances et, dans sa logique, son Père l'attendait là-haut : pourquoi se sent-il soudain « abandonné » ? Tout se déroule pourtant selon le plan.

***

Il est raisonnable de tirer cette conclusion : l'ensemble des éléments autour de la Nativité et de la mise en croix de Jésus étant au service d'une démarche opportuniste visant à prouver à n'importe quel prix le statut de Messie de Jésus, on doit les disqualifier comme n'ayant pour ainsi dire aucune crédibilité.

Mais poussons un peu plus loin dans leurs retranchements les fidèles qui persistent à croire à la vérité absolue des Évangiles et qui s'entêteront à ne rien voir de farfelu dans les liens avec les vieilles prophéties.

Admettons qu'ils se tiendraient et auraient du sens, il faudrait encore se poser la question : les prophètes de l'Ancien Testament étaient-ils fiables ?

LES PROPHÈTES DE L'ANCIEN TESTAMENT : DANS LE CHAMP GAUCHE

Nos bons curés et pasteurs ne tarissent pas d'éloges à l'endroit des prophètes bibliques et de leurs formidables pouvoirs de divination. Or, à l'exception de prédictions d'événements faciles à anticiper ou qui s'étaient carrément déjà produits, il n'y a pas une seule prédiction significative des Prophètes de l'Ancien Testament qui se soit accomplie. Pas une seule.

Dans la Bible hébraïque, il n'y a pas moins de dix-sept livres attribués à des prophètes dont l'expertise est précisément de *prophétiser* et, pour ainsi dire, rien de ce que ces personnages annoncent pour le futur n'est arrivé.

Le seul qui annonce des événements avec une étonnante précision est Daniel. Mais il avait ce petit avantage pour lui : il les a prédits APRÈS qu'ils se soient produits ! Alors qu'on a longtemps cru que son livre avait été écrit au VIIe siècle av. J-C, on a prouvé formellement qu'il fut plutôt rédigé vers -150.

Et si des exégètes ont relevé ici et là des prophéties étonnantes d'exactitude qui semblent avoir fonctionné, il fut chaque fois établi que les passages en question sont des ajouts tardifs. De la fraude, quoi.

On pourrait citer huit cents exemples de prédictions qui n'ont pas marché. Il n'y a que ça dans l'Ancien Testament. On se limitera à quelques-unes ayant le mérite de n'être pas trop obscures ou ambiguës. Des remerciements au Dr Jason Long qui, dans son livre *Biblical Nonsense*, a fait l'exercice et nous a facilité la tâche.

1. Damas en ruines

Une des vedettes de la prophétie est Ésaïe. On y fait allusion sans arrêt dans les Évangiles. Voilà, est-on en droit de penser, un prophète qui doit chaque fois taper dans le mille ! Or, ses prédictions ne se réalisaient jamais. Un exemple : « Oracle sur Damas. Voici, Damas ne sera plus une ville, Elle ne sera qu'un monceau de ruines. » (Es 17, 1)

Damas est la ville la plus importante de Syrie, comptant aujourd'hui plus de 1,8 million d'habitants. Surtout, c'est la plus ancienne ville continuellement habitée au monde. De toutes celles de son époque, dont la plupart sont aujourd'hui disparues, le très éclairé Ésaïe a choisi la seule qui est encore active plus de 2500 ans plus tard ! Et même si la Syrie traverse une période instable et difficile, pas vraiment prévu que Damas devienne un amas de ruines avant un bon bout de temps.

2. Élimination des villes païennes

Toujours chez Ésaïe, cette prédiction terrible : « Car la nation et le royaume qui ne te serviront pas périront, Ces nations-là seront exterminées. » (Es 60 12)

Entendre que les pays où l'on n'adore pas le dieu de l'Ancien Testament seront rayés de la carte. Aux dernières nouvelles, cela recoupe plus ou moins les deux tiers des pays sur la planète. Pas partie pour se réaliser non plus, cette prédiction.

3. La fin du Nil

Au moins trois prophètes ont prédit que le Nil allait s'assécher. Le toujours très fiable Ésaïe l'a dit, en plus d'Ézéchiel et Zacharie : « Il passera la mer de détresse, il frappera les flots de la mer, et toutes les profondeurs du fleuve seront desséchées. » (Za 10, 11)

Avec l'Amazone, le Nil est toujours le plus grand fleuve du monde. Il continue à déborder chaque été et ne donne pas vraiment de signes d'assèchement.

4. Israël, terre de paix

Parlant de l'établissement du peuple d'Israël, Dieu fait de grandes promesses par la bouche du Prophète Ézéchiel : « [...] et ils bâtiront des maisons et planteront des vignes ; ils y habiteront en sécurité [...] » (Ez 28, 26)

Mis à part que les Juifs furent chassés de leur pays pendant près de 2000 ans, qu'ils sont en conflit permanent avec les Palestiniens depuis leur retour en 1948 et que les mesures de prévention d'actes terroristes atteignent des proportions démentes, on peut dire qu'en effet, ils y « [habitent] en sécurité ».

5. Adieu Babylone

Les prophètes Ésaïe et Jérémie indiquèrent que la ville de Babylone ne serait plus jamais habitée après sa chute en 689 av. J.-C.

> C'est pourquoi les animaux du désert s'y établiront avec les chacals, et les autruches y feront leur

> demeure ; elle ne sera plus jamais habitée, elle ne sera plus jamais peuplée.
>
> Jr 50, 39

Moins d'un siècle après la chute de 689, Nabuchodonosor II reconstruisit Babylone. La ville connut la prospérité durant des siècles et ne déclina que vers le 1er siècle av. J.-C. au profit d'Antioche. Son déclin, phénomène courant dans l'histoire des villes, est attribuable à des facteurs simplement économiques. Des touristes visitent toujours les ruines de Babylone et, selon nos informations, y font rarement des rencontres avec des chacals et des autruches.

6. Évitez l'Égypte

Le prophète Jérémie prédit que Dieu va frapper tous les Israélites qui iront s'établir en Égypte :

> Tous ceux qui tourneront le visage pour aller en Égypte, afin d'y demeurer, mourront par l'épée, par la famine ou par la peste, et nul n'échappera, ne fuira, devant les malheurs que je ferai venir sur eux.
>
> Jr 42, 17

Jusqu'à nouvel ordre, on n'a jamais pu observer l'apparition de peste spontanée chez les immigrants israéliens établis en Égypte.

***

Les conclusions qu'on peut se permettre de tirer en regard des prophéties évoquées tout au long des Évangiles se résument donc à ceci :

- beaucoup des faits et gestes et des paroles attribués à Jésus sont de pures inventions ;
- ces inventions ont pour but de prouver le messianisme de Jésus ;
- en soutien à leur démarche, le procédé utilisé par les auteurs des Évangiles est de raccorder des prophéties datant en général de plus de 600 ans à la vie de Jésus ;
- toutes ces prophéties de l'Ancien Testament sont soit extrêmement ambiguës, soit liées à des événements contemporains (ou antérieurs) aux prophètes qui les ont écrites ;
- mis à part les faits évidents à prédire, ces prophètes se sont continuellement trompés dans leurs prédictions.

LES GRANDES ILLUSIONS
(LES MIRACLES)

Sans les miracles, je ne serais pas chrétien.
Saint Augustin

Les miracles, c'est le socle sur lequel repose une bonne partie de la crédibilité de Jésus. Les miracles, plus que tout ce qu'il a pu enseigner, ont créé la marque Jésus. Les miracles sont ce qu'on peut qualifier de « fonds de commerce de Jésus ».

Soyons clairs : sans eux, personne n'aurait cru en lui. Saint Augustin lui-même l'affirme : sans miracles, je change de club. La triste réalité, c'est que Jésus n'avait pas le choix d'opérer des miracles pour qu'on l'écoute et qu'on lui porte de l'intérêt.

> D'après les Évangiles, la faculté qu'avait Jésus de guérir les affections du corps et de l'esprit servait en quelque sorte de « bande-annonce » à l'enseignement qu'il dispensait ensuite. Le miracle venait en préambule à la prédication et la persistance

> de ce schéma devint l'une des causes des persécutions dont Jésus fit l'objet et de sa condamnation à mort.[32]

Les miracles constituant les éléments de preuve les plus évoqués à l'appui de la divinité du sujet Jésus, il est essentiel de les examiner de plus près. Cette relecture critique des récits de miracles confortera probablement les sceptiques et athées dans leur position. Quant aux très hypothétiques lecteurs croyants, ils trouveront l'exercice futile et interrogeront sa rigueur scientifique. Vrai qu'il y a une part d'interprétation dans nos analyses, mais en raison de leur nature foncièrement ambiguë, pratiquement chaque verset des Écrits saints exige d'être interprété.

Avant de se pencher sur les miracles, une courte mise en contexte s'impose...

Jésus vivait en Palestine il y a deux mille ans. S'adressait-il à des gens moins critiques et plus enclins à la superstition que nous, citoyens du XXIe siècle ? Poser la question, c'est y répondre.

Les disciples du Christ et le peuple de son époque en général croyaient dur comme fer à Dieu et au Diable et voyaient la conséquence de leurs actions bénéfiques ou malfaisantes dans à peu près tous les événements du quotidien.

> À l'époque des disciples, et après pendant plusieurs siècles, le monde était rempli de surnaturel. Presque tout ce qui arrivait était regardé comme miraculeux. Dieu était le gouverneur direct du monde. Si les gens

32. Romer John, *ibid.*

> étaient bons, Dieu leur envoyait un climat propice et de bonnes moissons ; mais s'ils étaient mauvais, il leur envoyait déluge et grêle, gel et famine. Si quelque chose de merveilleux arrivait, c'était exagéré jusqu'à ce que ça devienne un miracle.[33]

Nous savons par des études que, plus une personne est éduquée, instruite, plus son scepticisme vis-à-vis les choses surnaturelles grimpe en flèche. La religiosité, les superstitions sont en quelque sorte proportionnelles à l'ignorance : moins les gens sont instruits, plus ils sont enclins à croire.

En général, les gens vivant au Ier et au IIe siècle avaient un très bas niveau d'instruction et même les plus érudits ne maîtrisaient pour ainsi dire aucune notion scientifique. On ne peut même pas comparer le niveau de connaissances d'un étudiant moyen de seize ou dix-sept ans de notre époque à celui d'un pêcheur ou d'un gardien de moutons du Ier siècle en Palestine. Ces bonnes gens croyaient que la Terre était plate, qu'en lançant une roche en l'air assez fort, on avait une chance d'atteindre une étoile, ils ne savaient rien des causes des maladies ou des phénomènes naturels.

Leur crédulité par rapport aux miracles de Jésus ne pouvait qu'être très élevée. Non pas parce qu'ils étaient naïfs ou idiots, mais parce qu'ils étaient ignorants.

Nous savons qu'à l'époque de Jésus, les guérisseurs et les magiciens pullulaient en Palestine. Plusieurs avaient des carrières fulgurantes. Parmi les faiseurs de miracles célèbres du temps, il y avait Apollonios de Tyane, un

---

33. Ingersoll Robert G., *ibid.*

philosophe qui faisait de la prédication, avait des disciples, guérissait les malades, chassait les démons et ressuscitait les morts. Une foule de légendes circulent autour d'Apollonios. On raconte, entre autres, que sa naissance est surnaturelle, qu'il avait le pouvoir d'être à deux endroits en même temps et qu'il monta aux cieux à sa mort.

Une autre célébrité de l'époque du Christ dont nous avons parlé précédemment était Simon, le magicien que Luc évoque dans les Actes des Apôtres (8, 9) :

> Il y avait dans la ville un homme nommé Simon qui, se donnant pour un personnage important, exerçait la magie et provoquait l'étonnement du peuple de la Samarie. Tous, depuis le plus petit jusqu'au plus grand, l'écoutaient attentivement, et disaient : « Celui-ci est la puissance de Dieu ». Ils l'écoutaient attentivement parce qu'il les avait longtemps étonnés par ses actes de magie.

En réalité, du temps de Jésus, Simon avait même une base de groupies plus grande que le Christ. Là où Simon s'est planté, c'est qu'avant de mourir il aurait prédit qu'il ressusciterait mais, probablement par manque de répétition du numéro, il n'est pas parvenu à réussir ce tour.

Le Talmud comporte aussi des légendes où des rabbins utilisent leur pouvoir pour appeler la pluie. Pour ainsi dire, toutes les religions ont leurs récits de faiseurs de prodiges.

Chose certaine, nombre de spécialistes s'entendent pour dire que les historiens ne pourront jamais prouver un seul miracle de Jésus en raison de la méthodologie même de la science de l'histoire, ce genre d'accomplissement sort de leur territoire. En bref, seule la foi permet de croire à des actes miraculeux. Une foi bien ancrée, car les preuves directes n'existent pas.

> Les premiers récits qui nous sont parvenus des miracles publics de Jésus ont été écrits entre trente-cinq et soixante-cinq ans après les faits, par des auteurs qui n'en ont pas été les témoins, fondant leurs récits sur des traditions orales transmises au fil des décennies par des gens qui essayaient d'en convaincre d'autres de croire en Jésus. De plus, ces récits divergent sur tous les aspects.[34]

LES CATÉGORIES DE MIRACLES

On pourrait classifier les miracles de Jésus en quatre catégories :

1. Les guérisons ;
2. Les résurrections ;
3. Les exorcismes ;
4. L'altération des lois de la nature.

Tous les exploits recensés dans les Évangiles tombent dans une de ces catégories, quelques-uns en chevauchant plus d'une.

En la matière, la banque d'informations des évangélistes semble à géométrie plus que variable. On se limite parfois à donner les grandes lignes de l'événement en un ou deux versets : des miracles du type entrefilets.

34. EHRMAN Bart, *ibid.*

Dans d'autres passages, on précise le lieu et l'époque où telle guérison survint. On cite volontiers le nom des miraculés, on va jusqu'à donner le nombre d'années durant lesquelles les malheureux furent affligés de leur mal. En prime, on a même parfois droit à un rapport des conditions météo et, étonnamment, au verbatim, au mot à mot des échanges entre Jésus et ses patients. On peut ici parler de miracles de type circonstanciés.

En termes de chiffres, le décompte des événements miraculeux circonstanciés ressemble à ceci :

- 18 guérisons et 3 résurrections ;
- 6 exorcismes ;
- 9 altérations des lois de la nature.

Vous aurez deviné que les épisodes varient d'un évangéliste à l'autre. Ainsi, des auteurs détiennent certaines exclusivités. Quelques miracles sont recensés dans plus d'un Évangile. À peu près aucun prodige n'est rapporté chez les quatre évangélistes et quand ça arrive, les versions ne concordent pas.

Quand on y pense, l'idée qu'un dieu doive nous convaincre de son existence par des tours de magie a, en soi, quelque chose de curieux. Mais, ultimement, si tel était vraiment son but, pourquoi ne se serait-il manifesté que par des « micromiracles » ayant peu de portée universelle ? Pourquoi ne pas éradiquer des épidémies ? Faire disparaître la faim dans le monde ? Empêcher ou interrompre des séismes ?

> Sans exception, les miracles sont ambigus, mal documentés, obscurs [...] Il est raisonnable de conclure qu'un être Tout-Puissant et omnipotent ne se contenterait pas de miracles que des illusionnistes

peuvent recréer [...] Si Dieu voulait réaliser des miracles sans ambiguïté, rien ne l'empêcherait.[35]

Nous ne nous attarderons pas sur les alléguées résurrections opérées par Jésus. Suffit de mentionner ici qu'il en aurait effectué trois. Deux de ces récits de résurrections seraient des reprises pures et simples de semblables miracles déjà accomplis par des prophètes de l'Ancien Testament. Quant à la célèbre résurrection de Lazare, de nombreux ouvrages en répertorient les invraisemblances (en particulier les livres de Gérald Messadié).

Le temps est venu d'examiner ces miracles.

I. LES GUÉRISONS

– Maman, je peux avoir du chocolat?
– Il y en a dans le placard, va donc te servir.
– Mais Maman, je peux pas, tu sais bien que je n'ai pas de bras...
– Ah ! Pas de bras, pas de chocolat !

Anonyme

Quand on lit les comptes-rendus des guérisons de Jésus dans les Évangiles, on s'aperçoit qu'ils obéissent à la règle de la blague « pas de bras, pas de chocolat ».

35. McCormick Matthew S., *ibid.*

Presque toujours, en effet, on observe la même dynamique. Suffit de remplacer les bras par la foi.

Jésus devant un malheureux paralytique : « Pas de foi, pas de jambes ! »

En face d'un aveugle qui l'implore : « Pas de foi, pas d'yeux ! »

La foi en Jésus apparaît invariablement comme un prérequis si on veut que ses pouvoirs opèrent. Pour s'en convaincre, on peut lire ce passage assez étonnant de l'Évangile de Matthieu qui fait état des piètres résultats de Jésus au terme d'une escale de son grand *Miracle Tour* qui l'avait amené à Nazareth, son village natal : « Il ne fit pas beaucoup de miracles dans ce lieu, à cause de leur incrédulité. » (Mt 13, 58)

Pas de biscuits pour ces misérables sceptiques nazaréens qui n'auront d'autre choix que de faire la file aux urgences. Ou de s'en remettre à un autre des populaires guérisseurs qui, on l'a vu, géraient alors de florissantes entreprises. La demande était forte à l'époque et les débouchés nombreux pour les finissants en *guérissage* (qu'on appelle aussi *thaumaturges*).

Au Ier siècle, au Proche-Orient, les notions de guérison, traitement et miracle se recoupaient.

> Du temps de Jésus, en Palestine, pays au climat sec, une pluie survenue après une prière fervente était considérée comme un « signe » du ciel, sens que le mot « miracle », aussi bien en grec qu'en hébreu, avait à cette époque. De même, quand un médecin parvenait à guérir ou à soulager un malade, ce qui était loin d'être aussi systématique qu'aujourd'hui, la chose était considérée par la plupart comme une

> réponse de Dieu. Les maladies étaient en effet tenues pour des châtiments divins [...] C'était donc Dieu qui accordait la guérison par l'intermédiaire d'un thérapeute.[36]

Donc, gardons à l'esprit que, dans la perspective du petit peuple du temps de Jésus, quand le physio vous débarre le dos, il réalise un miracle. Une telle mentalité peut nous faire rire : « Ha ha ! Qu'ils étaient arriérés ! Ce n'est plus comme ça aujourd'hui ! »

Faux. Selon un récent sondage, pas moins de 34 % des Américains affirment avoir été témoins ou avoir expérimenté eux-mêmes une guérison spirituelle. Un Américain sur trois ne doute pas de l'intervention de Dieu dans le rétablissement de la santé d'un de ses proches ou de lui-même.

Quelque part, en ce moment même, un croyant excité danse de joie, larmes aux yeux et bras en l'air, et remercie son dieu de l'avoir écouté et d'avoir réglé ses problèmes gastriques.

Mais revenons à Jésus.

Étant donné que la foi semble être LE prérequis pour aider ses patients, comment notre homme parvenait-il à en déceler l'existence ? Car il devait forcément l'identifier, histoire de ne pas commettre de terribles impairs du genre faire marcher des paraplégiques impies !

Il ne peut y avoir qu'une seule explication logique : le fils de Dieu était doté d'une espèce de radar du spirituel, d'un détecteur de « croyage », d'un ultra-méga-décrypteur-surnaturel-de-foi, *name it.*

---

36. MURCIA Thierry, *Les miracles de Jésus ont-ils une réalité historique ?* (extrait de RFP Volume 1, numéro 3/4, 2000)

D'où ça venait et comment ça fonctionnait ? Nulle part ce n'est expliqué. On l'ignore. Les croyants ont bien sûr la réponse : « Ne voyez-vous pas, sots que vous êtes, qu'il s'agit d'une autre déclinaison de sa toute-puissance divine ? »

Ah, mais bien sûr !

Cependant, quand on y pense plus que huit secondes, des problèmes surgissent...

Ainsi, et c'est quand même paradoxal, il arrive que Jésus s'enquière auprès de ses aspirants miraculés de la force de leur foi en ses capacités de guérisseur. Par exemple, il demande à deux lascars à qui il s'apprête à rendre la vue : « Croyez-vous que je puisse faire cela ? » (Mt 9, 27)

Bien sûr, les non-voyants, pas fous, s'empressent de répondre par l'affirmative. Sans faire ni une ni deux, Jésus les touche et ils voient. La question était-elle assez superflue ici ? Jésus, fort de son infaillible *super-duper-faith-detector-plus,* sait trop bien si les deux gars ont une foi sincère. Pourquoi alors leur demander ? Pouvait-il par ailleurs imaginer un seul instant que les deux types seraient assez morons pour répondre : « Non, on croit que tu es un imposteur, mais bon, on court le risque quand même. »

Enfin, s'il est facile de concevoir que son don de clairvoyance spirituelle puisse s'exercer avec efficacité quand le Christ a affaire à un ou deux malades, qu'en est-il des situations où il confronte un groupe ? Comment parvenait-il à simultanément identifier et distinguer les croyants et les sceptiques ? Et qu'advenait-il de ceux qui croyaient tout en entretenant de légers doutes ? Et de toutes ces personnes guéries sans pourtant avoir fait l'objet d'un tri par le détecteur de foi ? On pense, par exemple, à cet épisode de miracle collectif lors d'une visite à Gennésareth : « Tous ceux qui touchaient la frange de son manteau guérissaient. » (Mt 14)

Ils ont TOUS guéri. C'est donc dire que, par une sacrée coïncidence, toutes ces bonnes gens qui ont effleuré ses vêtements avaient la foi sans exception ? Pas un seul qui doutait là-dedans ?

Et ceux qui, pas trop branchés sur l'actualité, n'avaient pas entendu parler de ce Jésus ? Ils ne pouvaient évidemment pas avoir foi en un individu qu'ils ne connaissent pas. Condamnés, ces ignorants, à endurer leur pierre au rein ?

Il y a déjà ce vice dans la cohérence à la base des guérisons du Christ qui laisse perplexe. Mais ce n'est là qu'une des nombreuses lacunes qui viennent ébranler la crédibilité des miracles qu'on lui prête.

Un peu à la manière de la deuxième opinion qu'on recueille d'un médecin pour valider (ou invalider) un diagnostic suspect, nous examinerons les guérisons de Jésus, nous efforçant d'en relever les contradictions, les imprécisions, les erreurs, les absurdités, etc. Nous tenterons surtout de démontrer que si guérisons il y eut, aucune divinité ne fut vraisemblablement impliquée dans le processus.

En écho aux dix commandements, cet examen sera résumé en une liste tout à fait arbitraire pouvant s'intituler :

LES 10 GRANDES OBJECTIONS AUX GUÉRISONS DE JÉSUS

Objection 1 :La variété des techniques et modalités de guérison

Quand on se rappelle les guérisons du Christ racontées par nos curés à la messe, on visualise un Jésus qui guérit de manière théâtrale et remet sur pied des malades à l'aide d'un pouvoir infini conféré par le Très-Haut. Les films bibliques, et surtout les tableaux des peintres classiques, entretiennent cette image du Fils de Dieu, tête auréolée, posture grandiloquente, main tendue solennellement vers un pauvre hère, prononçant une parole qu'on devine édifiante, le tout appuyé par un effet d'éclairage venu du ciel, lumière céleste dont les rayons convergents inondent le miraculé au son de la musique de mignons angelots qui surveillent la scène avec bienveillance, grattant la harpe, soufflant dans une flûte à bec. Il est bien connu, évidemment, que les anges, semblables en cela à la famille de Michael Jackson, ont tous des dons musicaux.

La réalité pratique des guérisons était plus terre-à-terre et bien moins spectaculaire. Vous pouvez gager que c'était tranquille côté angelots tout nus et qu'on était loin du festival des auréoles.

Comment ça se passait ? On apprend d'abord en relisant nos Évangiles que Jésus, en matière de techniques opératoires, n'a pas qu'un seul *modus operandi.*

Parfois, par une parole, il ordonne à la personne de guérir en ne manquant pas de mentionner la raison pour laquelle il daigne lui venir en aide. L'injonction verbale revient souvent à la formule : « Tu as la foi, c'est bon : guéris et au suivant. » On parle donc de véritables guérisons du type ordonnances.

À d'autres moments, peut-être en raison de la fatigue, la chaleur, le manque de motivation, Jésus ne prend même pas la peine de prononcer les paroles magiques et soigne des afflictions par un simple toucher. On dit à propos de certaines de ces guérisons qu'il « impose les mains ». C'est-à-dire qu'il les place solennellement sur une partie du corps du patient et prie dans sa tête.

Parfois, Jésus y va du populaire combo parole et toucher. Dans de tels cas où il met toute la gomme, on comprend que sa moyenne est excellente. Il peut aussi agir en thérapeute. Quand il guérit des aveugles, il frotte leurs yeux avec de la boue et de la salive. Pour faire entendre un sourd : les doigts dans les oreilles et encore la salive.

Pourquoi un type d'essence divine investi d'une toute-puissance et capable de guérir d'une simple parole ou d'un bref toucher se complique-t-il la vie en introduisant boue et salive dans ses interventions ? Pourquoi se salir les mains quand il suffirait d'ordonner à la maladie de disparaître ?

Parfois aussi, Jésus pouvait même ménager tout effort et guérir en mode passif. Comme on l'a vu un peu plus haut, simplement toucher ou effleurer une pièce de ses vêtements pouvait se révéler suffisant pour procurer un soulagement prompt et de longue durée. Une question s'impose ici : l'exercice de son pouvoir de guérison affectait-il physiquement Jésus d'une manière quelconque ? Le ressentait-il ?

On a la réponse à ces questions dans le célèbre épisode de la saigneuse. Au chapitre 5 de son Évangile, Marc nous raconte que Jésus guérit une femme « atteinte d'une perte de sang depuis douze ans ». Aucune idée de ce que peut être cette maladie ni de la raison pour laquelle Marc connaît avec tellement de précision le nombre d'années durant lesquelles la malade en fut affligée... Toujours est-il qu'on nous explique, sur un ton qui n'est pas sans nous rappeler les boniments des « faith healers » modernes, que la malheureuse avait auparavant consulté plusieurs médecins sans succès et que son état empirait. Ce jour-là, le Christ se déplaçait à travers une foule. Profitant de la cohue, la saigneuse arrive subrepticement derrière le Messie et touche ses vêtements. Aussitôt, elle est guérie. Jésus, écrit Marc, « sentit en lui-même qu'une force était sortie de lui » ! (Mc 5, 30)

On a là une information inédite et assez stupéfiante : quand il guérit, Jésus s'épuise et se voit dérober de précieuses énergies. C'est donc dire qu'à la manière d'une batterie qui se décharge avec l'utilisation, le pouvoir miraculeux de Jésus subit des flux et des variations. Il se transfuse dans le miraculé, en quelque sorte.

On est ici en droit de spéculer que si le Christ a ressenti une baisse d'énergie quand la seule saigneuse a touché ses vêtements, le pauvre a dû avoir les batteries carrément à plat après le bain de foule à Gennésareth où, rappelons-le, « tous furent guéris ».

Mais bon, les évangélistes ne précisent pas leur pensée à ce sujet.

Les façons de guérir vues jusqu'ici laissent croire que le miraculé potentiel devait à tout le moins avoir un contact physique avec le Christ ou un de ses morceaux de vêtement pour avoir un espoir de rétablissement. Il y a au minimum un toucher impliqué.

Mais là encore, les Évangiles parviendront à nous surprendre : Jésus réussissait à accomplir des guérisons à distance. Plus besoin de se déplacer, il fait la livraison.

À titre de télémiracle, l'exemple le plus frappant demeure sans doute la guérison de l'esclave du centurion.

Résumé : un centurion romain vient trouver Jésus et le prie gentiment de guérir son esclave couché et frappé de paralysie. Personne, bien entendu, ne veut d'un esclave incapable de marcher. Au prix que ça coûte. Jésus s'offre d'aller chez le centurion qui lui lance cette phrase devenue un classique : « Seigneur, je ne suis pas digne de te recevoir chez moi, mais dis seulement une parole et mon esclave sera guéri. » (Nos curés ont remplacé les mots « mon esclave sera guéri » par « je serai guéri », on se demande bien pourquoi...) Jésus répond donc au Romain : « Va, et qu'il soit fait comme tu as cru. » Évidemment, l'esclave a, dit-on, guéri sur le champ. Et nous avons ici un miraculé qui remerciera le Christ de lui permettre de mener dans la joie et la santé une longue vie dans la servitude.

Cette téléguérison est d'autant plus méritoire qu'elle implique que le rayon d'action du radar spirituel de Jésus s'étende au-delà de sa proximité immédiate et qu'il puisse sentir à des distances appréciables si le prospect-miraculé a bel et bien la foi.

En sus de cette extension dans l'espace de son pouvoir de guérison, on peut observer qu'il s'exerce même dans le temps. Si le rétablissement du malade survient en général sur-le-champ, il peut aussi se manifester un peu plus tard. Par exemple, quand il guérit les dix lépreux, ceux-ci partent et ce n'est que plus tard qu'ils *délèprisent.*

Enfin, toujours sur les modalités des dons de thaumaturge de Jésus, il est intéressant de noter qu'il est transférable. En effet, tout comme une garantie prolongée ou un bail automobile, ce superpouvoir du Christ peut passer à n'importe qui et sans restriction. Par exemple, Jésus l'a donné à quelques reprises à ses apôtres et même, en une occasion particulière, à plus de soixante-dix personnes à la fois.

Objection 2 :Les échecs de guérison

À peu près tout le monde est persuadé que Jésus avait une fiche parfaite dans le domaine des guérisons. Eh bien non. Jésus a parfois dû soit renoncer, soit s'y reprendre à deux ou trois fois avant de réussir.

On a déjà mentionné cette visite infructueuse à Nazareth où Jésus ne put accomplir d'action surnaturelle en raison de l'incrédulité d'un public difficile. Remarquez, il est permis d'imaginer leur réaction bien légitime : « Hé, mais c'est Jésus, le garçon de Joseph, qui a fait nos meubles de cuisine ! Il serait le Messie ! Ha ha ! Soyons sérieux ! » C'est bien connu : nul n'est prophète en son pays.

Par ailleurs, on recense deux cas de guérison célèbres où le Christ a dû travailler particulièrement fort avant d'obtenir un résultat.

Voyons d'abord l'histoire de « L'aveugle de Bethsaïde » racontée dans l'Évangile de Marc (8, 22-26) :

> On amena à Jésus un aveugle qu'on le pria de toucher. Prenant l'aveugle par la main, il le mena hors du bourg, lui mit de la salive sur les yeux, lui imposa les mains et lui demanda : « Vois-tu quelque chose ? » Alors l'aveugle leva les yeux et dit : « Je vois des hommes, car j'aperçois comme des arbres qui marchent ». Jésus lui mit de nouveau les mains sur les yeux et il vit clair ; il fut si bien guéri qu'il voyait tout distinctement. Puis il le renvoya chez lui en lui disant : « N'entre même pas dans le bourg. »

Enchaînons maintenant avec le récit de « L'aveugle-né » raconté en primeur dans l'Évangile de Jean (9, 1-41) : « Jésus cracha à terre, fit de la boue avec sa salive, lui appliqua la boue sur les yeux et lui dit : "Va te laver à la piscine de Siloé." Il y alla donc et revint voyant clair. »

Quelles observations peut-on faire à partir des guérisons de *L'aveugle de Bethsaïde* et de *L'aveugle-né* ? Dans les deux cas, les évangélistes précisent les techniques employées par Jésus : il frotte les yeux des gens affectés avec de la salive mêlée à de la boue. On a noté que dans Marc, chose étrange, il doit même se reprendre.

Voilà qui révèle une évidence indiscutable : devoir s'y prendre à deux fois est tout à fait incompatible avec l'exercice d'un pouvoir d'origine surnaturelle ou divine. Dieu ne peut pas avoir besoin de deux essais, le fils de Dieu ne peut pas se planter en réalisant un miracle sinon cela ferait de lui une espèce de Ron Weasley des divinités et ça contredirait tout ce que dit la Bible sur sa toute-puissance.

Ces ratés miraculeux mènent tout naturellement à cette autre conclusion : si Jésus a bel et bien redonné la vue à des gens affligés de problèmes oculaires et que ce ne fut pas par des gestes à caractère surnaturel, il faut que ce soit alors par de simples applications de traitements. On est donc dans le thérapeutique.

Jésus était-il, de toute façon, confronté à des cas de cécités complètes ? Rien n'est moins sûr. Il y a quantité de facteurs qui peuvent causer une cécité partielle ou totale, temporaire ou permanente. On peut penser à des cas d'ulcères de la cornée, de kératites, d'herpès, etc. Dans *L'homme qui devint Dieu,* Gérald Messadié avance la théorie que Jésus ne faisait qu'essuyer du pus séché, de la croûte formée sur les yeux de malades, imitant en cela des guérisseurs de son époque. On devine qu'avec la pauvreté des conditions d'hygiène de son temps, les virus et infections de toutes sortes proliféraient allègrement.

Objection 3 : Les simples purifications

De nos vagues souvenirs des messes de notre enfance, on garde l'impression que Jésus passait son temps à guérir des lépreux. En bons catholiques avec une connaissance rudimentaire des Évangiles, on a le sentiment que cette maladie faisait partie de la vie de tous les jours en Palestine en ce temps-là, que tout un chacun comptait une victime de la lèpre dans sa famille. On dirait qu'aux beaux jours de Jésus, on butait sur des lépreux à tous les coins de rue. Les « squeegees » du Ier siècle. Pourtant, il est étonnant de constater, à la relecture des Évangiles, que l'on compte seulement deux récits circonstanciés de guérison concernant des gens affligés de cette condition.

Il est utile de préciser que, quand la Bible parle de lèpre, le terme ne renvoie pas nécessairement à la maladie de Hansen, mais s'étend à toute maladie de la peau. La précision agrandit d'autant le champ des affections qu'elle réduit le mérite de la guérison. Gérald Messadié : « Les Évangiles abondent en description de "lèpres" qui ne sont en fait que des plaies ulcéreuses, et de cécités qui ne sont que des ophtalmies purulentes. »

Une seule guérison de ce type est racontée dans plus d'un Évangile. On la lit en effet chez nos trois synoptiques (Mc 1, 40 ; Mt 8, 1 et Lc 5, 12). Voici comment Luc relate l'anecdote :

> Un homme couvert de lèpre l'ayant vu [Jésus], il lui fit cette prière : « Seigneur, si tu le veux, tu peux me rendre pur. » Jésus étendit la main, le toucha et dit : « Je le veux, sois pur. » Aussitôt, la lèpre le quitta. Puis Jésus lui ordonna de n'en parler à personne. « Mais, dit-il, va te montrer au sacrificateur et offre pour ta purification ce que Moïse a prescrit afin que cela leur serve de témoignage. »

Donc, Jésus ne *miraculise* pas vraiment son lépreux, mais le purifie tout simplement. Pas sûr sûr de l'amplitude des retombées épidermiques du procédé, et on peut douter que le type soit passé en une fraction de seconde du look *Elephant Man* au look Georges Clooney.

Ce qui nous incite encore plus à douter, c'est qu'après l'intervention de Jésus, notre ex-galeux se voit imposer cette ordonnance : « offre pour ta purification ce que Moïse a prescrit » !

Si le lépreux, faisant tout de même affaire avec le Messie, croyait s'en tirer à si bon compte, il venait de subir une amère désillusion. En effet, les prescriptions dont parle Jésus, soigneusement détaillées dans le Lévitique, ne sont pas de tout repos. Voici ces petites formalités établies par le bon docteur Moïse en dix étapes simplifiées :

1. Le lépreux, devenu pur, va voir un prêtre qui ordonnera qu'on prenne deux oiseaux vivants et du bois de cèdre ;
2. On immole le premier oiseau dans un vase ;
3. On prend l'oiseau resté vivant avec le bois, on les plonge dans le sang de l'oiseau égorgé ;
4. Le prêtre asperge alors de sang sept fois notre lépreux en rémission, le déclare pur et lâche l'oiseau ;
5. Notre lépreux-phase3-de-délèpreté nettoie ses vêtements, se rase tous les poils, se lave et laisse passer sept jours pendant lesquels il n'a pas le droit d'entrer dans sa tente ;
6. Après sept jours, il se rase tous les poils du corps ;
7. Le huitième jour, notre ami prend deux agneaux et une agnelle (avouez que vous ignoriez qu'on appelait ainsi la femelle de l'agneau !) avec de l'huile ;
8. Le prêtre immole donc le premier agneau ;
9. Le prêtre prend alors du sang du sacrifice : il en met sur le lobe de l'oreille droite du quasiment-plus-du-tout-lépreux, sur le pouce de sa main droite et sur le gros orteil de son pied droit ;
10. Le prêtre trempe son doigt dans l'huile et en asperge le miraculé sept fois devant Dieu.

Ici, quand on y pense, Jésus a quasiment l'air du vendeur ratoureux qui n'a pas fait lire les petits caractères au client. Il guérit le gars, mais oblige ce dernier à se soumettre à des procédures postmiracles à n'en plus finir qui impliquent, entre autres, de sacrifier des oiseaux, des agneaux, de se raser de la tête aux pieds, etc.

Un miracle du Christ ne devrait-il pas être gratuit et surtout ne pas demander de suivi ? Déroutant. Et redondant. C'est un peu comme si, après avoir guéri un patient atteint de douleurs musculaires aux jambes, il lui prescrivait six mois de physio !

Objection 4 : L'omerta des miraculés

Pratiquement toutes les fois où il a procédé à une guérison, Jésus donne cette consigne au miraculé : « Surtout, c'est important, n'en parle à personne ! »

Qu'est-ce qui peut bien justifier cette incongrue loi du silence ? Jésus ne veut pas attirer l'attention sur lui ? Si tel est le cas, pourquoi ne pas avoir choisi une autre branche professionnelle où il va de soi d'afficher profil bas ? Charpentier, fleuriste, facteur ? Mais non. En lieu et place, Jésus fait le tour du pays, convertit des disciples, marche sur les eaux, multiplie des pains, répand les paraboles à longueur de journée, chasse les vendeurs du temple, ressuscite des morts, prêche à des milliers de personnes, MAIS IL NE FAUT PAS QUE CELA SE SACHE !

Or, il semble que la notion de secret n'était pas répandue dans les mœurs des gens de ce temps-là, parce que tout le monde semblait enclin à se vanter de sa guérison au plus d'amis possible.

Curieux, en passant, de constater qu'une telle transgression d'un ordre divin demeure sans conséquence. On trahit la banale confidence d'un collègue de bureau au sujet de son fétichisme des verrues et on a droit à des textos haineux : le fils de Dieu en personne te dit de fermer ta gueule, tu bavasses de toute l'affaire dix minutes après et ce n'est pas plus grave ? Bon. Il nous semble que cette désobéissance mériterait au minimum une petite punition divine. Pas trop sévère quand même. Du genre être transformé en statue de sel... mais seulement un week-end sur deux...

Cette injonction de l'omerta est aussi fondamentalement absurde tant le maintien du secret est de toute manière impossible dans la plupart des cas. Imaginez cet homme paralytique depuis sa naissance qui rentre chez lui le soir en gambadant joyeusement, son grabat sous le bras, et est accueilli par sa femme stupéfaite :

– Parbleu, Jacquot ! Que t'est-il arrivé ?

– Mais... mais voyons, rien du tout. Ha ha ! De... de quoi tu parles, chérie ?

– Tu marches, imbécile !

– Ciel ! J'avais pas remarqué ! Oh là là, mais qu'a-t-il bien pu se passer ?

Pour ajouter à l'incohérence de cette loi du silence, on dirait que Jésus ne l'applique pas avec constance. Ainsi, il y a des cas où il pousse au contraire le miraculé à en parler à tout le monde. Par exemple, après qu'il ait exorcisé un type possédé d'une bande de démons et les ait transférés, à leur demande, dans un troupeau de deux mille pauvres cochons qui se sont tous précipités au bas d'une falaise, Jésus a ces paroles : « Retourne chez toi auprès des tiens, rapporte-leur tout ce que le Seigneur a fait pour toi. »

Bravo. On parle ici de deux mille cochons tués, un cheptel qui, à n'en pas douter, dans la Palestine miséreuse du temps, suffisait à assurer le gagne-pain de familles entières. On a là le seul miracle pour lequel les dommages collatéraux sont disproportionnés par rapport au bienfait accompli et c'en est précisément un dont Jésus veut que tous soient informés. Pas sa meilleure opération de relations publiques.

Spoiler alert: il y a une raison toute simple – et franchement illogique – expliquant l'omerta généralement imposée par Jésus. Nous la verrons un peu plus loin...

Objection 5 : Les histoires de guérisons abracadabrantes

Parmi les récits de guérisons qui sont recensés dans plus d'un Évangile, la plupart sont truffés de contradictions qui en rehaussent l'invraisemblance. Il deviendrait fastidieux de s'y attarder dans le détail. Simplement se rappeler qu'il n'y a pas moyen de trouver un miracle raconté de la même façon ne serait-ce que dans deux Évangiles.

D'autres anecdotes thérapeutiques sont tellement incohérentes en elles-mêmes qu'elles n'ont finalement pas besoin d'être contredites pour être reléguées au rayon des inventions farfelues.

Par souci de divertissement, les plus amusantes méritent cependant qu'on s'y arrête.

D'abord, il y a le récit de ce paralytique raconté en primeur dans l'Évangile de Jean. On ne sait trop si c'est en raison d'une consommation de substances illicites ou parce qu'il craignait l'ennui chez son lecteur, mais Jean relate une guérison d'aveugle en y insérant des éléments plutôt fantaisistes :

> Il y eut une fête des Juifs et Jésus monta à Jérusalem. Or, près de la porte des brebis, il y a une piscine qui s'appelle en hébreu Béthesda et qui a cinq portiques. Sous ces portiques étaient couchés en grand nombre des malades, des aveugles, des boiteux, des paralytiques, qui attendaient le mouvement de l'eau ; car un ange descendait de temps en temps dans la piscine et agitait l'eau ; et celui qui y descendait le premier après que l'eau avait été agitée était guéri, quelle que fût sa maladie. Là se trouvait un homme malade depuis trente-huit ans. Jésus, l'ayant vu couché et sachant qu'il était malade, lui dit : « Veux-tu être guéri ? » Le malade lui répondit : « Seigneur, je n'ai personne pour me jeter dans la piscine quand l'eau est agitée et pendant que j'y vais un autre descend avant moi. » « Lève-toi, lui dit Jésus, prends ton lit et marche. » Aussitôt cet homme fut guéri.
>
> Jn 5

Déjà, à l'intervention des anges qui « viennent agiter l'eau de la piscine de temps en temps » se profile chez le lecteur critique le début d'une ombre de scepticisme.

Notez, comme dans le cas qui nous occupe, quand un passage des Écritures saintes n'a aucun sens, les apologistes diront qu'il s'agit tout simplement d'une parabole. Ok. Si c'est le cas, quel en est le message ? Ne courez pas autour des piscines, vous pourriez heurter un ange !

De fait, l'aspect irréel de l'histoire n'a d'égal que son côté désarmant. C'est quoi cette pratique sadique qu'auraient les anges de brasser, selon leur bon plaisir, l'eau d'une piscine et de regarder le *stampede* de ces malheureux infirmes qui se bousculent pour remporter la guérison de la semaine ? Les anges sont-ils à ce point malicieux ? Ne sont-ils pas censés être du bord des bons ? Si, par ailleurs, le récit était vrai, il nous permettrait d'affirmer que l'indice d'empathie chez les citoyens de Jérusalem était assez bas. On a là un pauvre paralysé qui attend depuis TRENTE-HUIT ANS ! Personne n'a voulu lui donner un *break* durant tout ce temps ? Personne pour dire : « Ok, prends ma place, grand-père, j'suis juste là depuis dix minutes... ».

L'autre guérison incohérente, si elle ne sombre pas dans le fantastique, recèle des incongruités physiques d'un autre ordre. C'est l'histoire de l'oreille recollée.

Mise en contexte : après le dernier souper, Jésus est au jardin de Gethsémani avec ses disciples quand le traître Judas et sa bande de vilains rappliquent pour l'arrêter. Un des apôtres tire alors une épée et tranche l'oreille d'un des sbires du fourbe apôtre.

Fait rare : les quatre Évangiles relatent l'anecdote. Mais avec des variantes quant au sort de l'oreille. Chez Marc et Matthieu, on est peu loquace : l'oreille est tranchée, point. Chez Jean, décidément mieux informé (bien qu'il ait écrit son Évangile des années après ses collègues), on apprend que l'apôtre qui joue de l'épée est Simon-Pierre et on révèle même l'identité de la victime : il s'agirait d'un certain Malchus, esclave du souverain sacrificateur. Mais aucune allusion à une guérison d'oreille chez monsieur-Jean-qui-sait-tout. C'est seulement chez Luc qu'on lit que Jésus guérit le pauvre homme. Luc l'explique ainsi :

> L'un des disciples frappa le serviteur [...] et lui emporta l'oreille droite. Jésus, prenant la parole, dit « Laissez, arrêtez ! » Et, ayant touché l'oreille de cet homme, il le guérit.
>
> Lc 22, 51

Pas simple à visualiser. L'oreille, nous dit-on, a été EMPORTÉE ! Or, emportée est pas mal synonyme de tranchée : tranchée comme dans coupée et tombée par terre. Mais comment diable Jésus a-t-il bien pu opérer cette guérison ? Il a touché le trou béant sur le côté de la tête du gars et a fait repousser une oreille toute neuve ? Ou il a ramassé l'oreille par terre, l'a léchée et recollée dans une manipulation à la Monsieur Patate ? Dans un cas comme dans l'autre : difficile à avaler.

Objection 6 :Les guérisons/paraboles

La lecture des exégètes, des connaisseurs des Écritures saintes, nous apprend beaucoup de choses sur Jésus dont le croyant moyen n'est pas informé. Ainsi, certains des miracles qu'il a accomplis ne l'ont pas vraiment été, mais constitueraient des paraboles.

Les théologiens le savent, nos prêtres le savent, mais n'en parlent pas. Pas bon pour les fidèles. Des fois qu'ils se mettraient à réfléchir. À la différence des autres miracles, on n'a pas besoin de soumettre ce type de miracles à des explications « scientifiques » : ils ne sont pas arrivés et c'est admis.

Il y a plusieurs de ces guérisons/paraboles.

Un exemple de guérison symbolique : la fois où Jésus croise dix lépreux. Il les guérit et leur dit d'aller voir le prêtre pour le rituel que l'on sait (les oiseaux, les agneaux, le rasage du poil, etc.). Un seul des dix, un Samaritain prend-on soin de préciser, revient et remercie Jésus. La plupart des experts de la Bible ne croient pas que cette guérison soit autre chose qu'un récit inventé et symbolique. En réalité, les dix lépreux représenteraient ici les dix tribus d'Israël qui peuplaient la région. Le seul lépreux qui reconnaît Jésus est un Samaritain, un non-juif : l'épisode rappelle donc que l'Évangile est aussi apporté aux non-juifs. Et même aux Samaritains, ennemis jurés des Juifs. Tout à fait logique que ce soit une parabole, en effet. En fin de compte, ce n'est pas arrivé pour vrai.

Dans la même veine, on peut penser au récit de l'aveugle de Jéricho, commun aux trois synoptiques. Dans les grandes lignes, on nous dit que Jésus rend la vue à un aveugle qui, après la guérison, le suit.

Encore là, de nombreux savants des Écritures saintes suggèrent qu'il s'agit simplement d'une parabole de la découverte de la foi : au début, l'homme est aveugle et à la fin, voyant, il suit Jésus. Conclusion : ce n'est vraisemblablement pas arrivé.

Objection 7 : Les guérisons dont le style ne colle pas à Jésus

Le récit du paralytique à Capharnaüm parle d'une des guérisons les plus connues de Jésus et, à ce titre, figure dans ses *best of.* C'est pourquoi on nous la sert souvent à l'église. Dans les grandes lignes, l'anecdote, récurrente chez Marc (2, 1-12), Matthieu (9, 1-8) et Luc (5, 17-26), se résume ainsi :

- Jésus prêche dans une maison, il y a tout plein de fans alentour ;
- des gens arrivent avec un paralytique, porté par quatre hommes ;
- vu la trop grosse foule devant la porte, on pratique une ouverture et on descend l'infirme avec son grabat (un lit) par le toit dans la maison ;
- Jésus lui dit : « Mon enfant, tes péchés te sont pardonnés » (déjà curieux, en passant, comme si le pardon des péchés était un prérequis à la guérison) ;
- des méchants scribes et pharisiens présents se disent en eux-mêmes : mais pour qui se prend-il pour pardonner les péchés ? C'est un blasphème, etc. ;
- Jésus, doté du pouvoir d'entendre leurs pensées, les confronte ainsi : « Pourquoi avez-vous de telles pensées ? Lequel est le plus facile ? Dire au paralytique que ses péchés lui sont pardonnés ou lui dire de se lever, prendre son lit et marcher ? » ;
- les scribes et pharisiens sont sans réponse ;
- Jésus ajoute : « Afin que vous sachiez que le Fils de l'homme a sur la terre le pouvoir de pardonner les péchés, je te l'ordonne, lève-toi, prends ton grabat et va t'en » ;
- le paralytique se lève, prend son grabat et part, à l'étonnement général.

Quand ils s'arrêtent aux circonstances de cette guérison, les connaisseurs des Évangiles froncent les sourcils : tout, dans ce passage, est en opposition directe avec l'attitude générale de Jésus. Ce type n'est tout simplement pas le Jésus qu'on connaît. Du début à la fin du Nouveau Testament, le Christ manifeste ouvertement son mépris pour les scribes et pharisiens, multipliant les répliques cinglantes à leur endroit. Jésus réclame aussi en général une discrétion absolue auprès des gens qu'il guérit, leur enjoignant de n'en parler à personne. Surtout, il refuse toujours obstinément de tomber dans le jeu des incroyants qui font des demandes spéciales et réclament des miracles : Jésus insiste pour que les gens croient sans voir ce genre de signes.

Or, il enfreint ici toutes ces règles. Sur un ton de défi, le voilà qui joue au chien savant devant scribes et pharisiens à qui il daigne consentir un signe de ses pouvoirs divins. Il ne manque que le chœur gospel, les déhanchements frénétiques, la corbeille de dons qui se promène dans le public et on est dans un spectacle de *preacher* américain. Cela détonne parmi les guérisons du Christ et soulève de gros doutes quant à la véracité de l'histoire.

Enfin, Jésus ne voudrait jamais procurer une quelconque satisfaction aux pharisiens qu'il exècre. Au contraire, on verra qu'il accomplira des miracles le jour du sabbat dans le seul but de les contrarier. Leur donner un spectacle ? Impensable. À preuve, ce passage de Matthieu :

> Alors quelques-uns des scribes et des pharisiens prirent la parole, et dirent : « Maître, nous voudrions te voir faire un miracle. » Il leur répondit : « Une génération méchante et adultère demande un miracle ; il ne lui sera donné d'autre miracle que

> celui du prophète Jonas. Car, de même que Jonas fut trois jours et trois nuits dans le ventre d'un grand poisson, de même le Fils de l'homme sera trois jours et trois nuits dans le sein de la terre. »
>
> Mt 12, 38

Notons en passant l'invraisemblance de cette affirmation où Jésus jure que sa génération ne verra pas de miracles alors que, dans toute l'histoire humaine, ce serait précisément celle qui en aurait vu le plus !

Objection 8 :Les raccords tordus avec les prophéties

On a soulevé dans une objection précédente le caractère illogique de cette habitude que Jésus avait d'ordonner aux miraculés de ne souffler mot de leur guérison à personne.

On a aussi démontré dans un chapitre précédent que si certains passages des Évangiles pèchent par excès d'absurdité, c'est bien souvent parce que les auteurs y sont allés un peu fort dans leurs efforts de raccord avec les vieilles prophéties. Ainsi, Matthieu donne une justification à cette omerta du Messie. Il nous dit que Jésus interdit aux miraculés d'en parler :

> [...] afin que s'accomplît ce qui avait été annoncé par Ésaïe, le prophète : Voici mon serviteur que j'ai choisi, mon bien-aimé en qui mon âme a pris plaisir. Je mettrai mon Esprit sur lui, Et il annoncera la justice aux nations. Il ne contestera point, il ne criera point, et personne n'entendra sa voix dans les rues.
>
> Es 12, 17

Conclusion 1 : Jésus n'a probablement jamais interdit aux gens de parler de leurs guérisons.

Conclusion 2 : Quand bien même la prophétie aurait eu une chance d'avoir un semblant de lien avec Jésus, elle dit que « personne n'entendra sa voix dans les rues ». On ne parle pas de la voix des miraculés, mais de celui accomplissant ces miracles. Et Jésus, prêchant à longueur de semaine en public, enfreignait donc sans arrêt la prophétie. Parlons d'actes manqués en la matière.

Un autre raccommodage avec les vieilles prophéties : cette véritable *jam-session* où le Christ se lance dans un déchaînement de guérisons : « Jésus guérit quantité de gens, de maladies, d'infirmités et d'esprits mauvais, et rendit la vue à quantité d'aveugles. » (Lc 7, 21)

C'est beau à voir comme ça, mais ces innombrables et soudaines guérisons surviennent – quel hasard ! – la journée même où des disciples de Jean le Baptiste viennent demander à Jésus s'il est bel et bien le Messie. Ayant donc guéri et ressuscité à qui mieux mieux ce jour-là, Jésus peut envoyer ce message à Jean le Baptiste : « Rapportez à Jean ce que vous avez vu : les aveugles voient, les boiteux marchent », etc.

Ce message est bien sûr une citation presque mot pour mot d'une prophétie de l'Ancien Testament. Encore ici, on est devant un épisode arrangé avec le gars des vues : on agence des faits pour valider un autre accomplissement de prophétie.

Objection 9 : Les plagiats d'autres guérisseurs

On l'a mentionné : à l'époque du Christ, les guérisseurs pleuvaient. Beaucoup étaient bien plus populaires que Jésus de son vivant et leurs exploits se sont souvent rendus jusqu'à nous par des écrits extrabibliques.

Au chapitre 4 de l'Évangile de Jean, on nous parle du fils d'un officier du roi qui avait on ne sait trop quelle maladie que Jésus a bien entendu guérie. Dès le départ, l'anecdote surprend par la précision un peu louche de certains détails.

En gros, ça va comme suit :

- l'officier supplie Jésus de guérir son fils à distance ;
- Jésus bougonne comme toujours pour se faire prier : « On sait bien, ça vous prend tout le temps des miracles pour croire, etc. » ;
- il guérit quand même le bambin en disant ces simples mots : « Il vit. » ;
- le bon père de famille retourne chez lui, accueilli par ses esclaves tout heureux de lui apprendre que son fils va mieux ;
- le papa demande alors à ses esclaves à quelle heure son fils s'est senti mieux. On lui dit que c'est à 7 heures : « Parbleu ! C'est précisément à cette heure-là que Jésus a prononcé les paroles magiques ! »

L'historicité de cette guérison en prend pour son rhume si on en compare les détails à une guérison accomplie, quelques années avant la version de Jean, par un certain Hanina ben Dosa, rabbin guérisseur célèbre du temps de Jésus. Les faits : le fils d'un certain Gamaliel, un autre rabbin, était malade. Gamaliel envoya des disciples auprès de Hanina, lequel déclara que la fièvre du garçon était tombée. Les disciples notèrent l'heure à laquelle Hanina prononça ces mots et s'en retournèrent chez Gamaliel qui confirma que la fièvre de son garçon était tombée à cette heure précise.

L'histoire de cette guérison courait chez le peuple juif dans ce temps-là. Or, Jésus effectue une guérison qui serait littéralement un copier-coller ? Un peu fort comme coïncidence.

Objection 10 : L'absence de guérison sans équivoque

Il n'est pas inutile de mentionner que des problèmes potentiels de traduction s'ajoutent dans l'équation quand il s'agit d'évaluer la crédibilité ou l'amplitude des guérisons de Jésus-Christ. Prenons pour seul exemple le rétablissement allégué de paralytiques qui, côté manifestation de pouvoir divin, figurent tout de même dans le peloton de tête. La bulle de notre admiration béate pour les prouesses de Jésus risque d'éclater quand on sait que le terme grec *paralytikos* qu'on trouve dans nos Évangiles (mot qui a donné paralytique) avait alors un sens très large et, loin de ne couvrir que des cas de paraplégies, pouvait aussi bien désigner une simple luxation !

Jésus a-t-il jamais fait repousser un membre à un infirme ? Accompli une guérison d'une envergure telle qu'aucune autre explication que l'intervention divine ne puisse l'expliquer ? Tout indique que non.

L'examen attentif des guérisons prétendument opérées par Jésus nous amène à conclure qu'il n'y eut, à aucun moment, rien de surnaturel ou de divin dans le processus. On est devant des traitements thérapeutiques, des paraboles, des raccordements à d'anciennes prophéties ou des plagiats d'autres miracles notoires à l'époque. Et quand différentes versions d'un événement sont offertes, elles se contredisent trop pour pouvoir être toutes vraies à la fois.

Cela nous ramène encore à la fiabilité ô combien suspecte des auteurs.

Est-il besoin de rappeler qu'aucun des quatre évangélistes n'a bien entendu assisté à une quelconque des soi-disant guérisons du Christ ? Tout indique qu'aucun des quatre n'a pu recueillir le témoignage d'un des miraculés en personne. Loin d'être certain que Matthieu, Marc, Luc ou Jean furent même parvenus à discuter avec des témoins objectifs présents lors d'une de ces séances miraculeuses.

Au mieux : du ouï-dire de deuxième, troisième ou quatrième main auquel s'ajoutent les initiatives littéraires des évangélistes et/ou copistes qui avaient tous pour mission de convertir les lecteurs, qui ne se sont jamais présentés comme des reporters ou des historiens et, du coup, n'hésitaient pas à embellir, déformer, copier les récits des collègues en réarrangeant les détails, en exagérant ou en inventant carrément.

II. LES EXORCISMES

Your mother sucks cocks in Hell, Karras,
you faithless slime!
Le Démon s'adressant au Père Karras,
(*The Exorcist,* 1973)

On est d'accord pour dire que si un ami vous confie avoir vu des démons la veille au soir, vous en conclurez qu'il a soit visionné un film d'horreur, soit expérimenté de nouvelles drogues. Ou alors il souffre d'hallucinations, devrait sérieusement consulter et être retiré séance tenante de vos amis Facebook.

De nos jours, plus personne n'a de rencontres avec des démons.

Enfin, plus personne à l'exception des insupportables péquenots décidément bizarres, vivant dans de petites villes du Wisconsin et qui, afin d'obtenir leurs quinze minutes de gloire, délirent sur leurs expériences avec les Cohortes du Mal dans des émissions de télé de chaînes spécialisées traitant des phénomènes paranormaux.

Et à l'exception, bien entendu, de la très sérieuse International Catholic Association of Exorcists (I.C.A.E.), composée de prêtres et démonologistes qui peuvent se comparer aux célèbres *Ghostbusters* à ces petites différences près: ils existent pour vrai et n'entendent pas à rire! On trouve sur les pages web du I.C.A.E. cette information des plus pratiques: les femmes sont plus enclines à être possédées par Satan que les hommes. Pourquoi? Parce que la Vierge Marie était tellement parfaite que ça met le Diable en maudit et, pour tout dire, ça l'humilie un brin. Alors, pour se venger, il s'amuse à posséder les femmes. Bien fait pour elles, ces vilaines.

L'Association internationale des exorcistes a été fondée en 1990 par la vedette des traqueurs de démons, le père Gabriel Amorth, le commandant en chef en matière de chasse au Malin à Rome, qui fut nommé par nul autre que Jean-Paul II. Non, l'I.C.E.A. n'est pas composée de curés excentriques se réunissant dans des sous-sols en secret : le Q.G. est au Vatican. Ne chômant décidément pas, le père Amorth aurait géré pas moins de 70 000 exorcismes en carrière. Dans une entrevue accordée en 2011, le recordman du démoniaque y va de révélations-chocs. Clouant le bec aux enquêteurs policiers, notre Jackie Chan du Mauvais nous apprend que l'attentat raté contre le Pape Jean-Paul II, en 1981, de même que l'agression d'une femme malade mentale qui a fait chuter le Pape Benoît XVI en se ruant sur lui lors de la Messe de Minuit en 2009 étaient deux actions devant être imputées à la responsabilité du Diable. Côté pratico-pratique, le père Amorth révèle aussi dans son entrevue qu'il faut jusqu'à six ou sept personnes pour parvenir à maîtriser une personne possédée par le Diable. Il affirme que certains possédés ont vomi des vis, des morceaux de verre, des pièces de métal et même des pétales de rose. Comme quoi le régime alimentaire des démons est diversifié.

Mais mises à part leurs confrontations aussi trépidantes que discrètes avec les troupes du I.C.A.E., force est d'admettre que Satan et ses copains affichent profil bas par les temps qui courent.

Comme si le goût de la possession leur avait passé. Boffff...

Sans doute le Diable se berce-t-il paisiblement, égrenant des journées entières à se remémorer avec nostalgie la belle époque de Jésus. Oui, cet âge béni où le Prince du Mal affichait l'arrogance et l'enthousiasme de la jeunesse ! Oh, que les Forces vives de l'Enfer avaient des horaires chargés dans le temps ! Les démons étaient partout, sans cesse occupés, pas de répit, les vacances connaît pas. Et des clients comme ça, mon vieux !

C'est effectivement un des aspects qui sautent aux yeux à la relecture du Nouveau Testament : on parle constamment des démons dans les Évangiles. Et sous tellement d'appellations qu'on s'y perd.

Il convient de prendre ici un instant pour nous démêler dans la terminologie du sujet dans les Évangiles...

Savoir d'abord que, comme utilisé dans la Bible, le mot *Démons* est le terme générique qui englobe Satan, le Diable et un certain Beelzebul (dont dérive Belzébuth). En gros, les démons sont vus comme des êtres à mi-chemin entre des humains et Dieu. Le mot *Démon* revient pas moins de soixante-trois fois dans le Nouveau Testament.

De son côté, Satan aurait été à l'origine un genre d'avocat de la poursuite dans le tribunal de Dieu, celui qui accusait les humains de leurs péchés (Jb 1, Zech 3, Chron 21). Il sera ensuite perçu comme un ange déchu. Satan est mentionné trente-six fois dans le Nouveau Testament. Le mot *Satan* signifie *adversaire*.

Le Diable est une autre Force du mal. Son nom revient 35 fois dans le Nouveau Testament. Enfin,

Beelzebul est un ancien nom juif utilisé pour identifier le chef des Forces du mal. Son nom vient de Baal-zebub (Le Seigneur des mouches !).

Voilà pour la présentation de la famille des Malins...

À l'époque du Christ et jusqu'au Moyen Âge, les démons avaient le dos large. En résumé, à peu près toutes les maladies et les catastrophes naturelles étaient imputées aux esprits mauvais.

Les exorcismes joueront un rôle de premier plan dans le ministère de Jésus. Curieusement, alors que les Évangiles de Marc, Matthieu et Luc relatent plusieurs exorcismes, Jean n'en parle pas.

Dans le tout premier Évangile qui fut écrit, celui de Marc, on ne perd pas de temps à introduire le personnage du Diable, qui entre en scène dès le début de l'histoire. Aussi tôt que dans le chapitre inaugural, la première activité à laquelle se prête Jésus après son baptême, c'est en effet d'aller dans le désert pendant quarante jours et d'y résister à Satan. Le pauvre diable n'est pas de taille et, après trois rounds, notre George Saint-Pierre de la foi l'emporte par décision unanime. Notons que le délirant épisode de la tentation au désert est repris chez Matthieu et Luc. Alors que Marc ne fait que mentionner le séjour et la rencontre avec Satan sans plus de détails, nos amis Matthieu et Luc multiplient les rebondissements. Il vaut la peine de lire dans son intégralité la version de Matthieu :

> Alors Jésus fut emmené par l'Esprit dans le désert, pour être tenté par le Diable. Après avoir jeûné quarante jours et quarante nuits, il eut faim. Le tentateur, s'étant approché, lui dit : « Si tu es Fils de Dieu, ordonne que ces pierres deviennent des pains. »

> Jésus répondit : « Il est écrit : L'homme ne vivra pas de pain seulement, mais de toute parole qui sort de la bouche de Dieu. » Le Diable le transporta dans la ville sainte, le plaça sur le haut du temple et lui dit : « Si tu es Fils de Dieu, jette-toi en bas ; car il est écrit : Il donnera des ordres à ses anges à ton sujet ; Et ils te porteront sur les mains, de peur que ton pied ne heurte contre une pierre. » Jésus lui dit : « Il est aussi écrit : Tu ne tenteras point le Seigneur, ton Dieu. » Le Diable le transporta encore sur une montagne très élevée, lui montra tous les royaumes du monde et leur gloire, et lui dit : « Je te donnerai toutes ces choses, si tu te prosternes et m'adores. » Jésus lui dit : « Retire-toi, Satan ! Car il est écrit : Tu adoreras le Seigneur, ton Dieu, et tu le serviras lui seul. » Alors le Diable le laissa. Et voici, des anges vinrent auprès de Jésus, et le servaient.
>
> Mt 4, 1-11

Il n'est pas un théologien sérieux pour croire que cette mésaventure dans le désert a eu lieu pour vrai. Trop de questions soulèvent déjà l'absurdité de la proposition :

- Pourquoi, en partant, L'Esprit saint aurait-il voulu soumettre Jésus à ces tests ridicules ?
- Si Jésus jeûnait et que les anges le servaient, ils servaient quoi ?
- Si l'histoire était vraiment arrivée, qui l'aurait relayée ? Personne n'en ayant été témoin et Jésus ne l'ayant pas racontée ;

- Pourquoi Marc, dont la version précède celle des deux autres de dix ou quinze ans, ne semble rien connaître des détails de la conversation entre Satan et Jésus alors que ses collègues, eux, multiplient les détails ?
- Pourquoi Jean n'en dit-il pas un mot ?

La raison pour laquelle ce récit s'est retrouvé dans les Évangiles saute aux yeux dans le cas de Matthieu qui, on l'a vu, veut prouver que Jésus est un Moïse 2.0.

Les parallèles sont évidents :

1. Après son baptême dans la mer Rouge, que fit Moïse ? Il erra quarante ans dans le désert avec son peuple. Que fait Jésus après son baptême ? Il erra quarante jours dans le désert ;
2. Quand Moïse était dans le désert, il affronta trois épreuves dont la première fut le manque de nourriture qui fut réglé par l'envoi divin de la manne (Ex 16, 31). La première tentation de Jésus invoque aussi une pénurie alimentaire : « [...] ordonne que ces pierres deviennent des pains. ») ;
3. La deuxième épreuve de Moïse fut le manque d'eau qui le força à tester Dieu en frappant une roche dont s'écoula de l'eau (Ex 17, 5). La deuxième épreuve de Jésus dans le désert visait aussi à tester Dieu ; « [...] jette-toi en bas [...] ses anges [...] te porteront sur les mains [...] »
4. Enfin, la troisième épreuve de Moïse fut celle où son peuple se mit à adorer un veau d'or et à rejeter leur Dieu (Ex 32, 46). Satan mit Jésus à l'épreuve une troisième fois en lui proposant de le choisir comme Dieu au lieu du vrai.

Trop de coïncidences. Matthieu a adapté la traversée du désert de Moïse. Jésus n'a jamais été tenté par le Diable. Invention.

Par contre, il a fait de la chasse aux démons une de ses grandes spécialités. En effet, on ne met pas longtemps à prendre connaissance des sessions d'exorcismes dans les Évangiles. Après avoir ouvert son récit en évoquant la tentation au désert, Marc reste dans la thématique et enchaîne avec une guérison de possédé. Jésus se rend dans une synagogue à Capharnaüm et son tout premier miracle est ainsi décrit :

> Il se trouva dans leur synagogue un homme qui avait un esprit impur, et qui s'écria : « Qu'y a-t-il entre nous et toi, Jésus de Nazareth ? Tu es venu pour nous perdre. Je sais qui tu es : le Saint de Dieu. » Jésus le menaça, disant : « Tais-toi, et sors de cet homme. » Et l'esprit impur sortit de cet homme, en l'agitant avec violence, et en poussant un grand cri.
>
> Mc 1, 23

L'anecdote est reprise chez Luc à peu près dans les mêmes mots. Curieusement, Matthieu ne la raconte pas.

Dans son livre *Les origines de la Bible*, J. R. Porter indique que les processus d'exorcisme de Jésus dans le Nouveau Testament suivent un ordre bien déterminé. La structure se retrouve dans les contes populaires grecs et juifs du Ier siècle. Dans les textes grecs de magie, entre autres, on retrouve des traits communs aux récits de miracles de Jésus. Par exemple, le Démon reconnaît souvent l'identité surnaturelle du guérisseur ; dans Mc 3, 11 et 8, 29, les esprits impurs disaient à Jésus : « Tu es le fils de Dieu ! »

Les textes grecs disent aussi qu'il est important que l'esprit révèle sa propre identité. Dans l'histoire du démoniaque guérasénien (Mt 8, 28-34, Lc 8, 26-39), les démons disent que leur nom est Légion.

La contradiction peut étonner : alors que ses propres disciples ne parviennent pas à déceler en Jésus un lien filial avec Dieu, les possédés le démasquent d'emblée.

La lecture des autres livres du Nouveau Testament, entre autres les nombreuses lettres destinées aux premiers chrétiens, démontre bien qu'on voit en Jésus l'ennemi juré du Malin, un chasseur de démons triple A. Des exemples de versets :

> Celui qui commet le péché procède du Diable, car le Diable est pécheur dès l'origine. Or, c'est pour détruire les œuvres du Diable que le Fils de Dieu s'est manifesté.
>
> 1Jn 3, 8

> Vous savez comment Jésus a parcouru le pays en faisant le bien et en guérissant tous ceux qui étaient sous le pouvoir du Diable.
>
> Ac 10. 38

Les lettres de saint Paul procurent aussi des bonnes idées à mettre en pratique pour se prémunir des attaques de démons :

> Revêtez-vous de l'armure de Dieu, afin de pouvoir résister aux embûches du Diable. Ce n'est pas contre la chair et le sang que nous avons à lutter, mais contre les [...] esprits mauvais répandus dans les airs.
>
> Ep 6, 11

Donc, le meilleur moyen de prévention pour vous et vos proches : toujours garder une armure de Dieu à portée de la main. Et, pendant qu'on y est, vérifiez les batteries du détecteur de fumée.

Comme pour le don de guérison, il appert que la faculté de chasser les démons est transférable. Avant de monter au ciel, Jésus remet ainsi le pouvoir à ses apôtres : « Voici les miracles qui accompagneront ceux qui auront cru : en mon nom, ils chasseront les démons ; ils parleront de nouvelles langues. » (Mc 16, 17)

Une espèce de combiné exorciste-polyglotte, en fin de compte, que le Maître leur donne en guise de cadeau d'adieu.

On écrit régulièrement que Jésus « exorcisa plein de possédés ». On ne peut cependant recenser que deux récits, qui sont repris avec force détails dans les trois Évangiles synoptiques.

Pour rendre compte de manière divertissante de ces deux histoires terrifiantes, nous nous proposons de les approcher comme on le ferait si on critiquait des films d'horreur…

Voici donc nos critiques personnelles de *L'exorciste 1 : Légion* et de la suite tout aussi angoissante, *L'exorciste 2 : Epilectic boy.*

L'EXORCISTE 1 : LÉGION !

Le scénariste crée un climat de tension palpable dès le début et renouvelle le genre en présentant un personnage de possédé original et particulièrement inquiétant. Vivant dans les sépulcres (beurk !), l'homme est doté d'une force surhumaine. Avant Jésus, d'autres ont déjà tout essayé pour le maîtriser : chaînes, fers aux pieds, rien n'y fit. Le type est le Houdini des possédés. La confrontation entre le héros du bien et la victime du mal obéit aux règles du genre et la séance d'exorcisme n'évite malheureusement pas le cliché : « Sors de cet homme, esprit impur ! »
Mention honorable pour la touche d'humour apportée au scénario. En effet, quand Jésus demande à l'homme comment il s'appelle, ce dernier réplique : « Légion est mon nom, car nous sommes plusieurs ! »
Cela dit, on sombre par la suite dans l'invraisemblance. En effet, Jésus s'abaisse à négocier en quelque sorte avec la confrérie démoniaque, cette dernière s'étant attachée à l'endroit et ne voulant pas être envoyée hors du pays. Cette réaction ne colle pas au personnage du Christ tel qu'installé par le scénariste. On a ensuite droit à une scène *trash* qui nous rend plutôt inconfortables : les démons ayant supplié Jésus de les envoyer dans un troupeau de porcs qui se trouvait là, Jésus accède à leur demande et transfère donc Légion dans les porcs. Possédés à leur tour, les deux mille malheureux cochons prennent leur élan et se précipitent du haut d'une falaise dans la mer où ils se noient. Dans une finale touchante qui laisse entrevoir un *sequel*, les gens du village, terrifiés par ce qu'ils ont vu, chassent Jésus et le supplient de ne plus revenir.
Le suspense ne manque pas, l'action est au rendez-vous. Cependant déconseillé pour le public sensible à la cruauté animale.

(Présenté chez Mc 5, 1 ; Mt 8, 28 ; Lc 8, 26)

L'EXORCISTE 2 : EPILEPTIC BOY !

Un peu à la manière de Rambo qu'on n'arrête plus de sortir de sa retraite, Jésus reprend du service dans cette histoire d'exorcisme, mais il accepte à contrecœur : « Race incrédule ! Jusqu'à quand vous supporterai-je ? Amenez-le-moi ! » Le rôle du possédé est tenu par un garçon au jeu des plus convaincants. Dès sa première apparition, il vole littéralement la vedette à Jésus, multipliant les convulsions et se roulant par terre en écumant avec un réalisme saisissant. Dans un souci d'authenticité, le scénariste fait dire au père de l'enfant possédé : « Aie pitié de mon fils qui est épileptique et souffre beaucoup. » L'idée n'apporte rien au récit et vient au contraire mélanger le public : s'il est épileptique, est-ce que sa condition n'a finalement rien à voir avec les Forces du mal ?

Présenté comme un sacré négligent, le personnage du père nous fait rager par moments, par exemple quand il indique à Jésus : « Mon fils tombe souvent dans le feu et souvent dans l'eau. » Tiens-le loin du foyer et ne l'amène plus à la pêche, Ducon ! avons-nous envie de lui dire.

Quelques incohérences dans le récit méritent d'être soulignées. Par exemple, Jésus exorcise l'enfant en criant : « Esprit muet et sourd, je te l'ordonne, sors de cet enfant ! » Comment l'esprit, étant sourd, a-t-il pu entendre son injonction ?

En fin de récit, le scénariste n'a pu résister au cliché de la fausse mort qu'on voit venir de loin depuis Fatal attraction. Exorcisé, donc, le garçon ne bouge plus, tout le monde le croit décédé et, bien sûr, Jésus le prend par la main et il se réveille. En épilogue, une scène qui met la table pour une autre suite et qui, de plus, révèle une part des secrets du pouvoir magique de notre héros. À ses disciples qui ont tenté en vain d'exorciser l'enfant avant lui et veulent connaître la raison de leur échec, Jésus a cette réplique

finale percutante : « Cette espèce-là ne peut sortir que par la prière et le jeûne. »
Moins spectaculaire que *L'Exorciste 1,* cela demeure un divertissement honnête. Pour la crédibilité des démons, il eût cependant mieux valu ne pas faire mention de l'épilepsie, car cela gâche le plaisir.
(Présenté chez Mc 9, 14 ; Mt 17, 14 ; Lc 9, 37)

En raison de son étrangeté totale, un autre récit d'exorcisme mérite d'être raconté ici. L'histoire en question se retrouve dans Marc (7, 24) et dans Matthieu (15, 21).

L'histoire commence quand une Cananéenne supplie Jésus de guérir sa fille tourmentée par un démon. Or, Jésus ignore la pauvre femme et ne prend même pas la peine de lui répondre. À ses disciples qui s'étonnent de sa réaction mesquine, Jésus a cette réplique condescendante : « Je n'ai été envoyé qu'aux brebis perdues de la maison d'Israël. »

C'est une des rares fois où le Christ fait ouvertement de la discrimination. Les brebis d'autres maisons qu'Israël : pas intéressé ! Mais la suite nous démontre qu'au fond, à la façon de l'oncle qui, au réveillon du jour de l'an, veut un peu se faire prier avant de pousser sa chansonnette qui nous fait tant rire, notre bon Jésus voulait seulement qu'on insiste un peu. En effet, devant la détermination de la dame qui va jusqu'à se prosterner devant lui, Jésus va finalement acquiescer. Mais pas avant d'avoir tenu avec la mère de la petite possédée ce dialogue surréaliste :

Jésus : « Il n'est pas bien de prendre le pain des enfants pour le jeter aux petits chiens. »

La femme : « Il est vrai, mais les petits chiens mangent les miettes qui tombent de la table de leurs maîtres. »

Jésus : « Ô femme, ta foi est grande, qu'il soit fait comme tu le désires. »

On croirait un dialogue entre Golum et le Père Fouras. Rien compris.

Tous les croyants pensent bien connaître Marie-Madeleine, l'amie pécheresse de Jésus. Mais saviez-vous que cette dame avait un gros dossier personnel en matière de possession ? Comme en fait foi ce verset, elle en logeait tant et tellement qu'elle constituait en soi une espèce de multiplex de diables : « Les douze étaient avec de lui et quelques femmes qui avaient été guéries d'esprits malins et de maladies : Marie, dite de Magdala, de laquelle étaient sortis sept démons. » (Lc 8, 2)

Oufff ! Et dire que les épidurales n'existaient pas dans le temps. Pauvre fille.

Par rapport au pouvoir d'exorciser, on a vu qu'il faut un talent particulier que Jésus maîtrisait. Mais est-ce qu'il voyait la concurrence des autres exorciseurs d'un bon œil ? Oui et non. Cela dépend du verset qu'on lit. Par exemple, on nous dit dans Marc et Luc :

> Jean lui dit : « Maître, nous avons vu un homme qui chasse des démons en ton nom ; et nous l'en avons empêché, parce qu'il ne nous suit pas. » « Ne l'en empêchez pas, répondit Jésus, car il n'est personne qui, faisant un miracle en mon nom, puisse aussitôt après parler mal de moi. »
>
> Mc 9, 38 et Lc 9, 49

Par contre, Matthieu cite Jésus qui semble proclamer le contraire :

> Ceux qui me disent : Seigneur, Seigneur ! n'entreront pas tous dans le royaume des cieux [...] n'avons-nous pas prophétisé par ton nom ? n'avons-nous pas chassé des démons par ton nom ? et n'avons-nous pas fait beaucoup de miracles par ton nom ? Alors je leur dirai ouvertement : Je ne vous ai jamais connus, retirez-vous de moi, vous qui commettez l'iniquité.
>
> Mt 7, 21

C'est le moment de répondre à une question d'application pratique et qui est sur toutes les lèvres : un possédé peut-il faire une rechute ? Et advenant que oui, sa condition ira-t-elle en empirant ? Réponse : s'il faut en croire ce pronostic de Jésus, la rechute est bel et bien possible et drôlement inconfortable :

> Lorsque l'esprit impur est sorti d'un homme, il va par des lieux arides, cherchant du repos, et il n'en trouve point. Alors il dit : Je retournerai dans ma maison d'où je suis sorti ; et, quand il arrive, il la trouve vide, balayée et ornée. Il s'en va, et il prend avec lui sept autres esprits plus méchants que lui ; ils entrent dans la maison, s'y établissent, et la dernière condition de cet homme est pire que la première. Il en sera de même pour cette génération méchante.
>
> Mt 12, 43

C'est donc dire qu'une fois dépossédé, on n'est pas au bout de nos peines et on risque de subir une espèce de *home invasion* de diables encore plus méchants que le précédent, en plus. Assez effrayante perspective.

Comme en font foi ses nombreux exorcismes, Jésus est non seulement persuadé de l'existence de Satan et de sa présence sur terre, mais il tient avec lui des conversations sur une base régulière. Jésus paraît presque obsédé et voit même le Prince des ténèbres à l'œuvre chez ses proches : « Jésus, se retournant, dit à Pierre : Arrière de moi, Satan ! Tu m'es en scandale ! » (Mt 16, 23)

On parle trop ? Si on en croit Jésus, c'est inspiré par le Malin :

« Que votre parole soit oui, oui, non, non : ce qu'on y ajoute vient du diable. » (Mt 37, 5)

Bien que ça nous fasse sourire aujourd'hui, cette insistance continue sur la présence du Diable dans les Évangiles eut des impacts profonds et dramatiques dans l'histoire de l'humanité. Pris très au sérieux jusqu'à il n'y a pas si longtemps, le Diable a ainsi fait peur à l'ensemble des chrétiens pendant presque deux mille ans. On parle ici d'une multitude de générations. Qui entretenaient souvent une peur bleue du Démon et de son armée. Vous pensez bien qu'aux temps médiévaux, époque soumise à une emprise absolue de l'Église, cela confinait à la folie.

> On tenait pour acquis que le Diable pouvait s'introduire dans la nourriture que les moines mangeaient et que le malheureux qui négligeait de faire le signe de la croix avant d'ingurgiter sa nourriture courait un sérieux risque de possession. La vieille expression « *Bless you* » [« Dieu vous bénisse » et « À vos souhaits »], utilisée à l'endroit d'une personne qui vient d'éternuer, vient d'une lointaine coutume

> reliée au Diable. On croyait jadis qu'en éternuant une personne expulsait en quelque sorte son âme et, durant le court laps de temps requis pour que l'âme réintègre le corps, la personne était exposée aux démons qui rôdaient et profitaient de ce moment pour posséder le corps sans âme. Bien entendu, dire « *Bless you* » ne manquait pas d'effrayer les démons. Jusqu'à la fin du XVIIIe siècle, on croyait à cette théorie voulant que les maladies mentales fussent attribuables à des possessions sataniques. Beaucoup de médecins en inféraient que toute souffrance physique infligée au patient faisait logiquement souffrir également les démons. Par conséquent, le meilleur traitement possible pour ce patient était de les faire tellement souffrir que les démons, n'en pouvant plus, se résignent à abandonner le corps du possédé. [...] Quand l'anesthésie fit son apparition, des gens pieux s'y sont opposés, argumentant qu'il s'agissait d'une manière de se soustraire à la volonté de Dieu qui a sûrement une bonne raison d'imposer des souffrances à l'homme.[37]

***

Pas moins de 35 % des Américains sont convaincus de l'existence réelle, physique, du Diable. Avec cette stupéfiante croyance vient aussi la certitude que ce représentant du Mal est à l'œuvre du matin au soir et nous guette constamment.

---

37. Russell Bertrand, *An Outline of Intellectual Rubbish.* Haldeman-Julius, Girard, 1943

Si vous voyagez dans les régions les plus conservatrices et religieuses des États-Unis, vous afficher comme athée n'est pas une bonne idée. C'est même dangereux, et ce, en raison du Diable !

En effet, l'auteur américain Guy P. Harrison raconte qu'il a souvent entendu des chrétiens avancer cette hypothèse loufoque voulant que les athées soient des serviteurs de Satan. Il démonte vite l'argument et en révèle son inhérente absurdité. En gros : Satan provenant de la Bible, il faudrait d'abord croire en son contenu pour croire à l'existence du malin.

> Les athées n'ont pas un agenda d'ordre surnaturel impliquant Satan. Les athées ne croient pas davantage à des démons avec des fourches qu'aux dieux avec des auréoles. Le diable n'est qu'une autre sorte de dieu pour les athées.
>
> Ceux qui adorent vraiment Satan ont bien plus en commun avec les chrétiens, musulmans, hindous et autres croyants qu'avec les athées.[38]

38. Harrison Guy P. , *ibid.*

III. ALTÉRATIONS DES LOIS DE LA NATURE

Les fans de Criss Angel ont été éberlués de voir leur idole marcher sur l'eau à la façon de Jésus. « *Ayoye, dude* ! Mais comment fait-il ? Cet homme est sans doute un demi-dieu ! Peut-être est-il même un dieu complet, un autre Messie ? »

En visionnant la vidéo *Criss Angel Walk on Water Revealed*[39], on découvre les dessous de cet exploit. Comme toujours, la désillusion est amère, car le truc est tristement banal. Criss marche simplement sur une plateforme de plexi-glass munie de pattes appuyées au fond de la piscine. Les caméras filmant la marche de M. Angel sont placées dans un angle précis pour éviter que des reflets trahissent le secret. Bien entendu, les baigneurs étonnés qui jurent qu'il n'y a rien qui soutient le magicien sont grassement rétribués pour garder le silence sur l'imposture. Aussi bête que ça.

Ce qui est l'élément troublant de cette prouesse, c'est qu'on y voit comme une sorte de défi au divin : voilà un homme qui peut accomplir un des plus grands miracles du Christ.

Les miracles attribués au Christ logeant dans la catégorie « altération des lois de la nature » sont certainement ceux dont la crédibilité est la plus facile à ébranler. Pas grand-chose qui tient la route dans la liste.

39. Par exemple sur www.secrets-explained.com/criss-angel/walking-on-water

LA MULTIPLICATION DES PAINS

Ce fantasme ultime du boulanger artisanal constitue un des miracles les plus connus de Jésus. Et pas pour rien : il n'y a pas moins de six versions différentes de cette célèbre multiplication des pains réparties dans les quatre Évangiles. Marc et Matthieu (deux versions chacun), Luc et Jean (une version chacun).

Entendons-nous bien : ce récit de Jésus qui multiplie les pains et les poissons pour des milliers de spectateurs n'est pas arrivé pour vrai. Le miracle est symbolique. N'importe quel prêtre vous le dira.

D'abord, il faut savoir que le procédé de la corne d'abondance était déjà connu, puisqu'on a un récit dans l'Ancien Testament dans lequel le prophète Élisée nourrit une centaine d'hommes avec vingt miches de pain (2R 4, 42). On a donc plagié en changeant des détails.

L'ex-évêque et expert biblique John Shelby Spong explique que ce qu'on appelle les *nature miracles,* en général, ne doivent pas être considérés comme littéralement arrivés. Spong se penche en particulier sur ces épisodes où des foules de quatre à cinq mille personnes se nourrissent de cinq pains et deux poissons. Toujours, on remarque le symbolisme fort des chiffres avancés :

- Jésus dispose de cinq pains et deux poissons (pour un total de sept, le nombre de jours que Dieu a mis à créer le monde) ;
- Après que tout le monde ait mangé, il reste douze paniers (ou sept, selon la version) de miettes de pain (pour les douze tribus d'Israël et les douze apôtres).

Autant de symboles nous crient littéralement que l'aventure est simplement là pour porter un message. Spong avance cette hypothèse :

> Tous ces chiffres symboliques nous disent que cette séance où Jésus nourrit les gens préfigure l'Eucharistie. Quand on arrive à Jean, le lien devient clair. Jésus compare sa chair qui nourrit à la manne envoyée par Dieu à Moïse dans le désert. Ces histoires de multiplication de pains ne doivent pas être prises littéralement : ce sont des narrations qu'on doit interpréter comme des manières de présenter Jésus comme le « Nouveau Moïse ».

Le blogueur Jimmy Akin sur le site du National Catholic Register parle de ce célèbre miracle et nous apprend que le pape lui-même ne le prend pas vraiment au pied de la lettre. Oui, le pape ! On parle ici d'un type avec un CV assez garni côté connaissance de la Bible.

Le miracle des pains multipliés est malgré tout un des favoris du bon pape François. Il semble qu'il l'évoque souvent dans ses sermons. Quand on lit entre les lignes, il reconnaît cependant que l'événement est symbolique et non pas réel. Le pape a ainsi déclaré :

> C'est cela le miracle : plutôt qu'une multiplication, c'est un partage, inspiré par la foi et la prière. Tout monde mange et il en reste : c'est le signe de Jésus, le Pain de Dieu pour l'humanité.

Ce même pape François a aussi affirmé :

> La parabole de la multiplication des pains et des poissons nous enseigne ceci : si la volonté est là, ce qu'on a ne connaît pas de fin. Au contraire, on en a même trop et rien ne sera gaspillé.

Si le pape lui-même, un type pas très athée merci, en parle comme d'une parabole, qui peut affirmer sérieusement que ce miracle s'est produit dans la réalité ?

LE FIGUIER DESSÉCHÉ

Jésus a accompli des miracles édifiants. Mais il pouvait aussi donner dans le miracle capricieux. Pensons à cette fois où il exerce ses pouvoirs divins sur un impuissant figuier :

> Le matin, en retournant à la ville, Jésus eut faim. Voyant un figuier sur le chemin, il s'en approcha ; mais il n'y trouva que des feuilles, et il lui dit : « Que jamais fruit ne naisse de toi ! » Et à l'instant le figuier sécha.
>
> Mt 21, 18

De deux choses l'une : ou bien Jésus est nul en matières horticoles et ignore que ce n'est pas la saison des figues ou, pire encore, il le sait, mais estime que pour satisfaire l'appétit d'un aussi prestigieux personnage que Lui, le figuier aurait pu faire un effort et défier les lois de la nature. Dans un cas comme dans l'autre, Jésus a ici une attitude navrante qui n'est pas sans rappeler les accès de colère de Joe Dalton dans Lucky Luke.

Bien entendu, les exégètes savent très bien que c'est là une histoire inventée, que le figuier représente le peuple d'Israël qui a le don d'exaspérer Jésus, etc. Encore une fois, un miracle qui ne s'est produit que dans l'imagination d'un évangéliste.

LA MARCHE SUR L'EAU

Ce n'est pas pour rien que l'idée est venue à Criss Angel de recréer ce miracle. Il figure dans le Top 3 des performances les plus populaires du Fils de l'homme. On ne se trompe pas en affirmant que si Jésus donnait des spectacles aujourd'hui, il garderait sûrement ce *walk on water* en guise de premier rappel.

Disons-le tout net : la relecture des versets décrivant la légendaire marche nautique déçoit beaucoup. On réalise d'abord à quel point la narration a un ton racoleur et, surtout, on constate une enflure de l'anecdote de fois en fois. On est dans le thème marin : le récit a tout, en effet, d'une histoire de pêcheur.

Chez Marc, le premier à raconter la balade aquatique, ça se décline ainsi :

> Le soir étant venu, la barque était au milieu de la mer, et Jésus était seul à terre. Il vit qu'ils avaient beaucoup de peine à ramer ; car le vent leur était contraire. À la quatrième veille de la nuit environ, il alla vers eux, marchant sur la mer, et il voulait les dépasser. Quand ils le virent marcher sur la mer, ils crurent que c'était un fantôme, et ils poussèrent des cris ; car ils le voyaient tous, et ils étaient troublés. Aussitôt Jésus leur parla, et leur dit : « Rassurez-vous, c'est moi, n'ayez pas peur ! » Puis il monta vers eux dans la barque, et le vent cessa. Ils furent en eux-mêmes tout stupéfaits et remplis d'étonnement.
>
> Mc 6, 47

C'est le côté tout à fait gratuit du miracle qui nous surprend d'emblée : mais pourquoi Jésus s'amuserait-il à ainsi gambader sur les eaux ? Que veut-il prouver ? En quoi est-ce utile ?

Dès qu'on tente de visualiser la scène, on se heurte à des hérésies physiques. En admettant que Dieu ait conféré à son Fils le pouvoir de marcher sur les eaux, comment notre homme a-t-il pu négocier avec le facteur vague ? Si, comme l'indique Marc, il ventait suffisamment fort pour que les apôtres aient de la difficulté à ramer, il y avait de fortes vagues sur le lac. Or, si c'est une chose de concevoir une marche sur un lac parfaitement calme ou à la surface d'une piscine intérieure, le défi prend une tout autre dimension dans des vagues d'un mètre. En wake-board, ça pourrait aller si on est doué dans la pratique de ce sport, mais à pied ? À moins que Jésus ait évolué en enjambant méthodiquement les vagues ou en sautant par-dessus à pieds joints mais, ce faisant, il aurait eu l'air franchement ridicule, attitude qui ne sied pas à son statut de Messie.

D'autres questions comme ça : pourquoi Jésus voulait-il dépasser ses apôtres ? Par esprit de compétition ? Pour montrer qu'il est meilleur qu'une chaloupe ? Et pour quelle raison ses disciples le prirent-ils pour un fantôme ? Et si la barque était « au milieu de la mer » (le lac Tibériade fait 13 km de largeur), comment Jésus parvenait-il à voir et reconnaître ses disciples de la berge, située vraisemblablement à une distance de 6 ou 7 km ?

Si des éléments semblent déjà hautement suspects dans la version de Marc, ce n'est rien en regard de ce que Matthieu ajoute à son tour. Dans son récit, tout se passe à peu près comme dans celui de Marc jusqu'à ce que les apôtres reconnaissent Jésus. C'est alors qu'intervient ce trop curieux *challenge* de notre ami Pierre :

> Pierre lui répondit : « Seigneur, si c'est toi, ordonne que j'aille vers toi sur les eaux. » Et il dit : « Viens ! » Pierre sortit de la barque, et marcha sur les eaux, pour aller vers Jésus. Mais, voyant que le vent était fort, il eut peur ; et, comme il commençait à s'enfoncer, il s'écria : « Seigneur, sauve-moi ! » Aussitôt Jésus étendit la main, le saisit, et lui dit : « Homme de peu de foi, pourquoi as-tu douté ? »
>
> Mt 14, 28

Tout cela fait trop penser au papa qui apprend à son enfant à nager : dès qu'il retire les bouées des bras du bambin, celui-ci est gagné par la peur et commence à couler.

Voyez comme on mélange tout. S'il y a un homme dont l'indice de foi en Jésus doit être au niveau 10, c'est bien Pierre. C'est le bras droit du Christ, son confident, le type à qui il laissera les clés du paradis. S'il y avait des points Air Miles pour la foi, Pierre pourrait faire le tour du globe trois fois gratis. Donc, Pierre commence à marcher sur les eaux et pointe en lui la crainte bien légitime de se planter en raison de la force des vagues. Et Jésus conclut aussitôt à un vacillement aussi soudain qu'imprévu de l'indice de foi du gars sur qui bâtira son Église ? Un bref moment *chicken,* et la loyauté de Pierre est remise en question ?

Et puis l'image de Pierre s'enfonçant progressivement dans le lac fait sourire. Un peu comme si, à la manière d'une chambre à air percée et dont la flottabilité et le volume diminuent à mesure qu'elle se vide de son air, sa foi entraînait Pierre au fond en se dégonflant. Comme si l'intensité de notre foi pouvait varier, comme si on pouvait démontrer un certain pourcentage de foi. Si un type croit à 90 %, il va caler jusqu'aux genoux, à 50 %, ça sera jusqu'à la taille, et si son indice de foi se situe dans la zone des 20 %, il n'aura plus que la tête qui dépasse de l'eau.

Cette retouche aussi *cartoonesque* qu'embêtante de Matthieu au supposé miracle de la marche sur le lac incite encore plus à déduire qu'on est devant une invention, un conte fantaisiste visant à impressionner les lecteurs.

Étrangement, Luc ne dit pas un traître mot au sujet de la marche sur l'eau.

Puis Jean, environ vingt ans après ses collègues, ressort l'anecdote en y ajoutant cette précision technique pour bien mettre en évidence l'ampleur de l'exploit: « [...] Après avoir ramé environ vingt-cinq ou trente stades, ils virent Jésus marchant sur la mer et s'approchant de la barque [...] » (Jn 6, 19)

Un stade de cette époque équivaut à environ 180 mètres. Jésus aurait donc franchi à peu près 5,4 km sur l'eau. C'est une sacrée distance, surtout dans des vagues.

Additionnées à la fiabilité déjà douteuse des Évangiles, toutes les incongruités mentionnées jusqu'ici démontrent assez bien que l'idée qu'une personne d'essence divine ait déjoué les lois de la physique en trottinant sur un élément liquide s'appuie sur une preuve inconsistante.

LA PÊCHE MIRACULEUSE

La pêche miraculeuse a aussi atteint un statut de classique tant ça a été raconté par nos prêtres. Peu d'entre nous se rappellent cependant que c'est un exploit que Jésus réalise après sa résurrection, alors qu'il visite ses amis disciples pour la dernière fois avant de monter au ciel. Constatant, donc, que les apôtres sont bien partis pour revenir bredouilles de la pèche, il les enjoint à jeter leur filet du côté droit de la barque et, ô miracle, les filets sont remplis de poissons !

D'abord, seul Jean raconte ce miracle. Déjà louche étant donné que, comme on le sait, il est le dernier à avoir écrit son Évangile plus de soixante ans après la mort de Jésus. Toutes les anecdotes qu'il raconte en primeur sont donc à prendre avec réserve.

De toute façon, les experts bibliques s'accordent tous à reconnaître que le récit de la pêche miraculeuse est purement symbolique et ne s'est pas produit dans la réalité. Jean précise (comme s'il pouvait savoir ça !) que le filet contient exactement 153 poissons. Or, les zoologistes de la Grèce antique croyaient que tel était le nombre d'espèces de poissons différentes qui existaient. Cette pêche illustrerait donc la nature universelle de l'Église qui embrasse toute l'humanité. Pas arrivé.

JÉSUS CALME LA MER

D'abord, la *mer,* on vient de le voir, c'est le lac de Tibériade. Jésus et ses apôtres ont maintes fois traversé cette étendue d'eau. Voici comment Matthieu raconte le miracle :

> Il monta dans la barque, et ses disciples le suivirent. Et voici, il s'éleva sur la mer une si grande tempête que la barque était couverte par les flots. Et lui, il dormait. Les disciples s'étant approchés le réveillèrent, et dirent : « Seigneur, sauve-nous, nous périssons ! » Il leur dit : « Pourquoi avez-vous peur, gens de peu de foi ? » Alors il se leva, menaça les vents et la mer, et il y eut un grand calme.
>
> Mt 8, 23

Une interprétation du miracle veut que ce soit une métaphore. En grec, le mot *tempête* veut dire *tremblement de terre.* Les éléments de la métaphore seraient ainsi expliqués : les disciples représentent la communauté chrétienne, le bateau est l'Église. En face des incertitudes et des dangers qui menacent la foi et l'Église, Jésus réitère l'importance de garder la foi. Jolie métaphore. Mais une métaphore n'est pas un fait. Encore une fois, Jésus n'a pas réellement calmé une tempête.

Le miracle peut par ailleurs s'expliquer par cette obsession de l'auteur de Matthieu qui, on l'a vu, s'entête à vouloir faire de Jésus un Moïse 2.0. Or, y a-t-il miracle plus impressionnant que celui de la Mer Rouge fendue en deux ? Et y a-t-il meilleur moyen de rapprocher Jésus de Moïse que de démontrer que les éléments lui obéissent, à lui aussi ?

L'EAU CHANGÉE EN VIN

Un des miracles les plus connus dans la carrière de Jésus. Quand on y pense, loin d'être le plus stupéfiant. N'importe quel illusionniste amateur peut accomplir le même tour. Comme pour l'histoire de Lazare, ce miracle vinicole est raconté seulement chez Jean. Sa relecture révèle quelques étrangetés.

> Trois jours après, il y eut des noces à Cana en Galilée. La mère de Jésus était là, et Jésus fut aussi invité aux noces avec ses disciples. Le vin ayant manqué, la mère de Jésus lui dit : « Ils n'ont plus de vin. » Jésus lui répondit : « Femme, qu'y a-t-il entre moi et toi ? Mon heure n'est pas encore venue. » Sa mère dit aux esclaves : « Faites ce qu'il vous dira. » Or, il y avait là six vases de pierre, destinés aux purifications des Juifs, et contenant chacun deux ou trois mesures. Jésus leur dit : « Remplissez d'eau ces vases. » Et ils les remplirent jusqu'au bord. « Puisez maintenant, leur dit-il, et portez-en à l'ordonnateur du repas. » Et ils en portèrent. Quand l'ordonnateur du repas eut goûté l'eau changée en vin – ne sachant d'où venait ce vin, tandis que les esclaves, qui avaient puisé l'eau, le savaient bien –, il appela l'époux, et lui dit : « Tout homme sert d'abord le bon vin, puis le moins bon après qu'on se soit enivré ; toi, tu as gardé le bon vin jusqu'à présent. » Tel fut, à Cana en Galilée, le premier des miracles que fit Jésus.
>
> Jn 2, 1

Étrangetés :

- Pourquoi donc, constatant que les fêtards vont manquer de vin, Marie se tourne-t-elle vers son fils pour porter la chose à son attention ? A-t-il l'habitude de faire apparaître du vin au cours des noces ?
- Ensuite, pourquoi cette réponse bête et méchante de Jésus à sa mère : « Femme, qu'y a-t-il entre toi et moi ? »
- Que signifie ce « Mon heure n'est pas encore venue » ?

En présumant que l'événement se soit bel et bien produit, l'auteur Gérald Messadié, scientifique de formation, avance une explication technique à ce miracle. Il nous apprend d'abord que la quantité d'eau qu'il fallut vraisemblablement pour remplir les six vases (selon ce qu'on sait des dimensions des vases de l'époque) est étonnante : de 480 à 720 litres ! C'est énormément de vin. C'est un minimum de six cents bouteilles de 750 ml ! De quoi soûler la ville de Cana au grand complet.

Il explique que les Juifs de l'époque qui buvaient du vin le coupaient d'eau pour moitié ou les deux tiers. Il parle ainsi de la vinification du temps du Christ :

> La vinification traditionnelle n'existant pas encore, le vin devait être épais et il était riche en moût et en lie. Quand le vin reposait dans des amphores soutenues par des trépieds, un fond plus sirupeux, mélangé à la lie, pouvait représenter, selon le cru, les conditions d'entreposage et l'âge, de 15 à 20 % du total. Si l'on y ajoutait l'eau, on obtenait sans doute un breuvage un peu râpeux, pauvre en bouquet, mais plus satisfaisant en corps.

L'eau aurait donc été versée sur du moût, puis le tout aurait été brassé, ce qui aurait donné un vin de moindre qualité, mais assez bon pour des fêtards dans un état d'ébriété probablement déjà avancé.

Pour d'autres auteurs, cet exploit vinicole est un autre miracle purement symbolique pour annoncer le renouveau et la restauration. Les prophètes de l'Ancien Testament promettaient que le temps du renouveau serait caractérisé comme un temps où « le vin nouveau coulerait des montagnes » (Jl 3, 18, Am 9, 14). Par ce miracle, Jésus ne ferait que montrer un avant-goût du renouveau de toute chose. Cela vise à dire que, le temps venu, Jésus se manifestera en amenant un ordre nouveau et une ère d'abondance sans fin. Vu sous cet angle, on doit encore en déduire que ce n'est vraisemblablement pas arrivé.

Ou c'est symbolique, ou, si c'est arrivé, ça s'explique sans intervention surnaturelle.

LE STATÈRE DANS LE POISSON

La palme de l'action miraculeuse la plus comique dans le répertoire de Jésus va sans conteste au miracle du statère[40] dans le poisson.

L'histoire commence quand Jésus et ses apôtres, d'éternels fauchés, sont pris au dépourvu lorsqu'ils tombent sur des percepteurs d'impôt :

> Lorsqu'ils arrivèrent à Capernaüm, ceux qui percevaient les deux drachmes s'adressèrent à Pierre, et

40. Monnaie grecque antique qui vaut 2 ou 4 drachmes selon la région.

> lui dirent : « Votre maître ne paie-t-il pas les deux drachmes ? » « Oui », dit-il. Et quand il fut entré dans la maison, Jésus le prévint, et dit : « Que t'en sembles, Simon ? Les rois de la terre, de qui perçoivent-ils des tributs ou des impôts ? De leurs fils, ou des étrangers ? » Il lui dit : « Des étrangers ». Et Jésus lui répondit : « Les fils en sont donc exempts. Mais, pour ne pas les scandaliser, va à la mer, jette l'hameçon, et tire le premier poisson qui viendra ; ouvre-lui la bouche, et tu trouveras un statère. Prends-le, et donne-le-leur pour moi et pour toi. »
>
> Mt 17, 24

Un autre miracle qu'on ne nous sort pas souvent à la messe tellement il est idiot et réduit le Christ à un statut de prestidigitateur pour fêtes d'enfants.

Ce miracle en dit long sur la crédibilité de tous les miracles attribués à Jésus. Si, en effet, les auteurs ont écrit des anecdotes aussi dénuées de bon sens et d'une invraisemblance absolue, cela met du plomb dans l'aile des autres miracles.

***

Démontrer avec les meilleures preuves du monde à un croyant endurci que Jésus de Nazareth ne possédait pas une essence divine lui permettant la réalisation de miracles ne suffira pas à ébranler sa foi. Le croyant aurait une réponse dans le genre : « Ah mais les miracles, c'est secondaire. Ce qui compte, c'est la personne du Christ et ce sont ses enseignements ».

Bon. Explorons donc ces autres dimensions du personnage…

LE DISCOURS DU ROI
(PERSONNALITÉ ET ENSEIGNEMENTS DE JÉSUS)

I. LA PERSONNALITÉ DU FILS DE DIEU

Il y a selon moi une sérieuse faille dans la moralité de Jésus-Christ : il croyait à l'enfer. Je n'ai personnellement pas le sentiment qu'une personne profondément et sincèrement humaine puisse croire en un châtiment éternel.
Bertrand Russell, *Why I am not a Christian*

Beaucoup de livres furent publiés sur Jésus en tant qu'homme. Étonnamment, en 1975, un certain Elton Trueblood, un chrétien du type rigolard, a lancé un bouquin intitulé *The Humor of Christ* où il ferait la démonstration que, contrairement à l'image qu'on en a, Jésus était un être débordant d'humour. Selon l'auteur, il ne faudrait pas prendre ce qu'il racontait au premier niveau, mais voir l'ironie, le second degré dans ses paroles. Jésus était un sac à blagues, selon Trueblood.

Pas eu le courage de commander le livre... Ma curiosité a ses limites.

Aux antipodes du joyeux drille imaginé par ce M. Trublood, le Jésus des Évangiles a des humeurs oscillant entre le sérieux, la colère, le mépris, la tristesse, la mélancolie... Il ne rit jamais, sourit très rarement. Jésus ne donne pas souvent dans la plaisanterie et on l'imagine mal se lançant dans des sessions de pets sous les bras ou de calembours pour dérider son auditoire. Le seul jeu de mots qu'on lui prête demeure son célèbre « Pierre, tu es pierre et sur cette pierre, je bâtirai mon église. » (Mt 16, 18) Bon. On ne dépasse quand même pas le niveau 6 ou 7 sur l'échelle de l'hilarité.

Aparté sur l'origine de ce jeu de mots autour de l'apôtre Pierre...

Le disciple préféré de Jésus s'appelait en fait Simon (Symon en araméen). Jésus l'appela Simon Cephas, qui signifie *le roc*. Pourquoi ce surnom ?

Toujours est-il que, quand vint le temps de traduire le prénom de l'apôtre, on choisit Pierre, histoire de pouvoir perpétuer l'humour de Jésus.

La mémoire embellit et on a en tête un Jésus toujours attentionné, aimant, bénissant, on imagine un être de lumière, la main toujours tendue pour aider. Une relecture des Évangiles modifie complètement cette image idéale. Le Messie y apparaît la plupart du temps comme un homme aigri, sectaire, revanchard, ronchonneur, ingrat et animé par des principes déconcertants. Ce personnage ne fait pas d'effort pour être attachant, démontre rarement de l'affection, est opiniâtre, dit des choses et son contraire. Jésus a aussi un côté je-sais-tout qui peut devenir irritant. Pas facile de saisir le personnage.

> Lorsqu'on essaie de faire surgir des pages des Évangiles le personnage qu'était Jésus, on se heurte toujours au même problème crucial : quels critères ont choisis les auteurs pour décrire le héros de leur histoire et rapporter ses paroles et ses actes ? On touche là à une question de genre littéraire [...] Jésus ne semble pas très sûr, lui non plus, de l'image qu'il projette à ses contemporains. Un jour, il demande à l'un de ses disciples : « Qui suis-je aux dires des hommes ? »[Mc 8 : 27][41]

L'HUMILITÉ DE JÉSUS

On s'attend à une bonne dose d'humilité chez Jésus. Mais les paroles qu'il échappe ici et là nous montrent un type qui ne se prend pas pour n'importe qui. Au douzième chapitre de Matthieu, Jésus parle de lui trois fois en en rajoutant un peu chaque fois :

> Or, je vous le dis, il y a ici quelque chose de plus grand que le temple.
>
> Mt 12, 6

> [...] et voici, il y a ici plus que Jonas.
>
> Mt 12, 41

> [...] elle vint des extrémités de la terre pour entendre la sagesse de Salomon, et voici, il y a ici plus que Salomon.
>
> Mt 12, 42

41. ROMER John, *ibid.*

Il se voit plus *big* que le temple, plus important que Jonas et Salomon. Tout comme Jules César le faisait avant lui, Jésus a cette habitude de parler de lui-même à la troisième personne. Et parler de soi à la troisième personne, c'est officiellement un indice de mégalomanie.

Le passage suivant nous décrit un autre moment fort des *Aventures de Jésus, le Messie humble* :

> Jésus dit à Simon : « Vois-tu cette femme ? Je suis entré dans ta maison, et tu ne m'as point donné d'eau pour laver mes pieds ; mais elle, elle les a mouillés de ses larmes, et les a essuyés avec ses cheveux. Tu ne m'as point donné de baiser ; mais elle, depuis que je suis entré, elle n'a point cessé de me baiser les pieds. Tu n'as point versé d'huile sur ma tête ; mais elle, elle a versé du parfum sur mes pieds. C'est pourquoi, je te le dis, ses nombreux péchés ont été pardonnés : car elle a beaucoup aimé. »
>
> Lc 7, 44

Si on interprète bien le passage, le personnel des salons de pédicure part avec une longueur d'avance pour l'accès au Royaume de Dieu. Son fils aime qu'on lui dorlote le pied. Jésus a des caprices dans le domaine du confort pédieux, il sait apprécier le pied odoriférant et propret.

Lors de son arrestation, à l'apôtre qui a sorti une épée pour se battre, Jésus somme de ranger son arme et ajoute : « Penses-tu que je ne puisse faire appel à mon Père, qui mettrait aussitôt à ma disposition plus de douze légions d'anges ? » (Mt 26, 53)

En plus d'avoir un côté prétentieux et franchement, « mon père est plus fort que le tien », cette réflexion a quelque chose d'incohérent. Car si, en effet, il sait que son heure est venue, que son destin est de souffrir pour racheter les péchés de l'humanité, que son père céleste en a décidé ainsi, il devrait savoir que Dieu n'enverra pas des renforts ailés pour le sortir de ce mauvais pas et contrecarrer ainsi l'accomplissement de son propre plan.

Et le Seigneur ne fait-il pas encore une belle démonstration de son humilité quand il a ces mots : « Tous ceux qui sont venus avant moi sont des voleurs et des brigands ; mais les brebis ne les ont point écoutés. » (Jn 10, 8)

Autre exemple de parole déstabilisante de Jésus ayant trait, cette fois, aux conditions exigées pour augmenter ses chances d'entrer au Royaume : « Jésus dit à la foule : Si quelqu'un veut venir après moi, qu'il se renonce lui-même, qu'il prenne sa croix et me suive. Car celui qui veut sauver sa vie la perdra, mais celui qui perdra sa vie à cause de moi la sauvera. » (Mt 16, 25)

Enfin, une autre citation célèbre du Christ qui n'est pas une célébration de sa modestie : « Jésus lui dit : Je suis le chemin, la vérité, et la vie. Nul ne vient au Père que par moi. » (Jn 14, 6)

LA COMPASSION DE JÉSUS

C'est là une des valeurs les plus prônées par la foi judéo-chrétienne, mais, il faut bien le dire, la compassion ne semble pas le fort de Jésus qui, par grands bouts, se comporte avec la même froideur hautaine que le Dieu indifférent de l'Ancien Testament.

Ainsi, après qu'il ait visité une ville et y ait accompli des miracles, Jésus a certaines attentes vis-à-vis des habitants ayant joui de ses faveurs. Si on ne remplit pas ses attentes, le Nazaréen exerce une terrible vengeance et ne fait pas dans la dentelle quand il en évoque les conséquences. Prenons pour exemple ce passage :

> Alors Jésus commença à reprocher aux villes où il avait opéré le plus de miracles de n'avoir pas fait pénitence : « Capharnaüm, tu seras précipitée jusqu'aux enfers ! [...] Au jour du jugement, il y aura moins de rigueur pour le pays de Sodome que pour toi. »
>
> Mt 11, 20

Considérant que le pays de Sodome connut un sort raisonnablement sévère en étant anéanti par une pluie de feu et de soufre avec tous ses habitants, promettre à Capharnaum un châtiment le dépassant en horreur a de quoi inquiéter son conseil de ville.

Et nous qui croyions que Jésus guérissait le peuple par amour et de manière désintéressée ! Non, il soumet la distribution de ses miracles à un marché impossible à honorer. Le marché revient à dire : « Ok, j'ai guéri Marcel de son problème de peau, Charlotte de ses vergetures et j'ai redonné la vue à deux aveugles, alors toute la ville est obligée de faire pénitence et de croire en moi ou bien je l'envoie en enfer pour l'éternité ! » Quand on s'y arrête, l'obligation contractuelle exigée des pauvres citoyens de Capharnaum est, en plus d'être floue, follement disproportionnée. Disons que Jésus a miraculé dix personnes sur une population de cinq mille. Il arrive quoi si seulement trois ou quatre patients négligent de faire « pénitence » ? La ville est envoyée en enfer quand même ? Et si des Capharnaümois n'étaient simplement pas au courant du passage de Jésus ou de ce devoir de « pénitence » ? Le principe voulant que l'ignorance de la loi n'est pas une excuse s'applique et on envoie encore la ville au complet dans le feu, enfants et bébés compris ?

Une autre démonstration d'absence de compassion vis-à-vis des gens endeuillés nous est servie dans l'histoire de ce disciple qui veut suivre Jésus et lui dit : « Permets-moi d'abord d'enterrer mon père. » Jésus lui répond platement : « Suis-moi et laisse les morts enterrer leurs morts. » (Mt 8, 21-22)

Bon, évidemment, il y a un message codé là-dedans, mais pour le lecteur qui prend la chose au pied de la lettre, la moralité du conseil est douteuse. En plus d'être absurde car, comme on le sait, les cadavres ont des aptitudes limitées quand vient le temps de manier une pelle.

Enfin, à une mère éplorée qui sollicite ses talents de guérisseur pour son fils, Jésus fait de la discrimination basée sur l'ethnie et a cette réplique cinglante : « Je n'ai été envoyé qu'aux brebis perdues de la maison d'Israël. » (Mt 15, 24)

REVANCHARD ET COLÉRIQUE

Jésus est rancunier et jaloux. Inspiration évidente pour l'ex-président Georges W. Bush, il a eu cette phrase sans équivoque : « Celui qui n'est pas avec moi est contre moi. » (Mt 12, 30)

Le Christ a la mémoire longue. Vous lui avez tourné le dos ? Vous ne perdez rien pour attendre : « [...] quiconque me reniera devant les hommes, je le renierai aussi devant mon Père qui est dans les cieux. » (Mt 10, 33)

Avec Jésus, c'est sans cesse le vieux principe du « faites ce que je dis, mais pas ce que je fais ». Ainsi, il condamne la colère et se dit intolérant par rapport aux insultes. Cependant, rien ne l'empêchera de s'adresser ainsi à des gens qui ne pensent pas tout à fait comme lui : « [...] voyant venir à son baptême beaucoup de pharisiens et de sadducéens, il leur dit : Races de vipères, qui vous a appris à fuir la colère à venir ? » (Mt 3, 7)

Il en rajoute même un peu : « Races de vipères, comment pourriez-vous dire de bonnes choses, méchants comme vous l'êtes ? »

Il n'a pas une très haute opinion des gens de son époque. Selon lui, ils sont tous méchants et trompent leurs femmes : « Une génération méchante et adultère demande un miracle ; il ne lui sera donné d'autre miracle que celui de Jonas. » (Mt 16, 4)

Tantôt ils seront incrédules, tantôt ils seront pervers : « Race incrédule et perverse, répondit Jésus, jusqu'à quand serai-je avec vous ? Jusqu'à quand vous supporterai-je ? » (Mt 17, 17)

Après être ressuscité, il apparaît à deux de ses apôtres et marche avec eux. Comme il a radicalement changé son apparence physique, les deux gars ne le reconnaissent pas tout de suite. Réaction : « Alors Jésus leur dit : Ô hommes sans intelligence, et dont le cœur est lent à croire tout ce qu'ont dit les prophètes ! » (Lc 24, 25)

Sympa, qu'on vous dit.

ANTISÉMITE

Jésus était Juif. Pourtant, peu d'écrits affichent autant de mépris pour les Juifs que les Évangiles qui abondent en passages antisémites. On en dénombrerait plus de quarante dans Marc, quatre-vingts dans Matthieu, cent-trente dans Jean et cent-quarante dans les Actes des Apôtres.

Par exemple, comment interpréter ce discours bien senti de Jésus qui s'adresse ainsi à ses compatriotes juifs à qui il déclare de but en blanc qu'ils sont les rejetons de Satan :

> Si Dieu était votre père, vous m'aimeriez, car c'est de Dieu que je suis sorti et que je viens [...] Pourquoi ne comprenez-vous pas mon langage ? Parce que vous ne pouvez écouter ma parole. Vous avez pour père le diable et vous voulez accomplir les désirs de votre père.
>
> Jn 8, 41

Nous l'avons déjà exprimé : lire l'Évangile de Jean est un exercice pénible tant l'obsession et l'acharnement de l'auteur à dénigrer le peuple juif sont omniprésents. Le contexte historique y serait pour beaucoup. Au moment de la rédaction de l'Évangile de Jean, vers l'an 90, la rupture est consommée entre ces nouveaux chrétiens et les Juifs qui ont chassé les disciples du Christ des synagogues. Jean décrit sans cesse les Juifs comme étant hypocrites, agressifs, peu brillants. Tel Iznogoud qui tente vainement d'éliminer le Calife, les Juifs multiplient les malhabiles tentatives d'assassinat manquées de Jésus. La fois où Jésus les traite « de fils du

Diable », les Juifs se mettent à lui lancer des pierres et il leur échappe de justesse.

Jésus guérit-il un malheureux le jour du sabbat ? Les Juifs le pourchassent sans relâche (Jn 5, 15)

Il ajuste même ses itinéraires en fonction des Juifs : « C'est pourquoi Jésus ne se montra plus ouvertement parmi les Juifs ; mais il se retira dans une ville appelée Ephraïm. » (Jn 11, 54)

L'auteur met dans la bouche des Juifs des paroles qu'ils n'auraient jamais pu prononcer. Par exemple, il fait dire au grand prêtre : « Nous n'avons d'autre roi que César. » (19, 15)

Impensable que ce personnage d'autorité ait pu dire une chose aussi avilissante pour son peuple et conserver son poste.

Bien entendu, les événements menant à la crucifixion du Christ seraient tous orchestrés par les Juifs. Les Évangiles insistent pour faire porter la responsabilité de la mort de Jésus sur les Juifs. Pour exemple cet épouvantable verset de Matthieu où les Juifs répondent ainsi à Pilate qui veut relâcher Jésus : « Que son sang retombe sur nous et sur nos enfants ! » (Mt 27, 25)

Les premiers chrétiens sont des modèles d'antisémitisme. Pour eux, les Juifs sont carrément des meurtriers. En fait foi cet extrait éloquent d'une lettre de St-Paul : « [...] ces Juifs qui ont mis à mort le Seigneur Jésus et les prophètes, qui nous ont persécutés, qui ne plaisent pas à Dieu, et se font les ennemis du genre humain... » (1Th 2, 15)

Quand le christianisme devint religion officielle en 312, la répression contre les Juifs ne fit qu'empirer. Ils furent pendant des siècles accusés de crimes absurdes.

Par exemple, on croyait que les hommes juifs, tout comme leurs femmes, avaient des menstruations. Et ils avaient besoin du sang d'enfants chrétiens pour régénérer leur sang ! On les accusait donc de tuer des enfants pour se nourrir de leur sang à travers des rituels.

Le christianisme a créé l'antisémitisme et c'est là une de ses pires réalisations. Et Jésus était Juif. Merveilleux.

II. LES ENSEIGNEMENTS DU CHRIST

Ce ne sont pas les passages que je ne comprends pas dans la Bible qui m'inquiètent : ce sont ceux que je comprends.
Mark Twain

Chapeauté par le Westar Institute aux États-Unis, le Jesus Seminar est un groupe constitué de plus de cent-cinquante experts de la Bible, chercheurs, docteurs des sciences des religions, exégètes, qui ont procédé à l'examen systématique des paroles attribuées à Jésus dans les quatre Évangiles et dans l'Évangile selon Thomas (Évangile apocryphe découvert en 1945). S'étant étalés sur les années 1980 et 1990, les travaux et recherches du Jesus Seminar ont débouché sur des conclusions étonnantes qui furent publiées de 1990 à 1993. En plus de jeter un éclairage nouveau sur divers aspects de la vie de Jésus, les études du Jesus Seminar proposent ces chiffres aberrants concernant les paroles attribuées au Christ. Selon leurs rapports :

- 14 % des paroles de Jésus sont « probablement authentiques » ;
- 2 % seulement de ses paroles sont « très probablement authentiques ».

Après des années d'études, ces sommités dans le domaine concluent que pas plus de 16 % des paroles rapportées dans les Évangiles ont « probablement » franchi les lèvres de Jésus-Christ. Ce ne sont pas là des délires d'athées en mission. Ce sont les résultats d'années d'études par des gens sérieux et, dans l'ensemble, croyants.

Le Jesus Seminar a suscité des controverses et les chrétiens fondamentalistes n'ont que mépris pour ses travaux. N'en reste pas moins qu'il en ressort une conclusion dont l'ensemble des connaisseurs des Évangiles ne fut pas surpris outre mesure : une grande partie des enseignements de Jésus est née de l'imagination des évangélistes.

Mais permettons-nous de mettre en veilleuse cette étude et passons par-dessus le fait que tout ce qu'on a pour prouver les paroles de Jésus, ce sont des copies de copies de copies de copies trafiquées de textes écrits des dizaines d'années après sa mort par des types qui ne l'ont pas connu, se sont fiés à du ouï-dire et se sont en bonne partie plagiés entre eux, et tenons pour acquis que Jésus a vraiment dit ce qu'on lit dans le Nouveau Testament.

Bref, faisons un acte de foi.

Jésus en a dit, des choses. Mais pas tant qu'on pourrait le penser. Si ses paroles occupent une bonne part des Évangiles, il y a de la redondance. Beaucoup de redondance. Beaucoup de redites. De phrases reformulées, redondantes. Jésus se répétait. Exactement comme dans ce très pénible paragraphe que vous venez de lire.

Oui, Jésus aimait se répéter, toujours dire la même chose avec des mots semblables mais des angles différents. Un peu le Francis Cabrel des prophètes.

D'abord, il parle souvent en paraboles et ces petites histoires se recoupent assez souvent sur le fond. Pour les amateurs de chiffres, les paraboles à elles seules constituent plus ou moins le tiers des discours de Jésus. Pour l'essentiel, il communique dans ses paraboles le même message : « Ayez foi en moi et en mon Père et vous aurez le Royaume et blablabla. On traite des paraboles plus loin dans ce livre...

À part ça, le contenu verbal de Jésus ressemble à ceci :

- des grands discours moraux ;
- des énonciations de quelques grandes règles de vie ;
- des remontrances aux apôtres qui ne comprennent jamais rien ;
- des prophéties sur sa mort prochaine et sur l'imminente fin du monde ;
- du chialage et des montées de lait contre les scribes, les pharisiens, les juifs, le monde en général.

Par rapport aux enseignements moraux de Jésus, une majorité de chrétiens estime qu'ils devraient être suivis. Ils auraient intérêt à relire les Évangiles.

Jésus donne dans l'ambiguïté, il multiplie les images douteuses et au bord de la vulgarité, les comparaisons mal choisies, les conseils inappropriés.

Considérant que les récits de l'Ancien Testament (en particulier la saga de l'exode et Josué) ne sont qu'une succession de meurtres, viols, punitions divines, atrocités, bains de sang, n'est-il pas confondant d'entendre Jésus soutenir ces horreurs ? Qui plus est, il souhaite même « perfectionner » la chose.

En fin de compte, les messages de ce grand homme ont-ils le mérite d'être sages, avisés, exemplaires ? Enseigne-t-il une morale qu'on doit suivre ?

> Jésus ne parle jamais de vertus comme la beauté, la vérité, la connaissance, la raison... Jésus ne se prononce jamais sur les questions sociales, sauf pour le divorce. Il ne se prononce pas sur la guerre, la peine capitale, le jeu, la justice, l'égalité des sexes ou des races, la tyrannie, l'esclavage, etc.. Ainsi, il n'y a rien d'anti-chrétien à se prononcer pour l'avortement, le suicide assisté, etc. : Jésus n'a rien dit sur le sujet.[42]

LES GRANDES RÈGLES DE VIE : JÉSUS OU YODA ?

Le monde serait-il meilleur si on suivait les grandes règles du Christ ou si, plutôt, on conduisait nos vies en accord avec les règles de Maître Yoda de *La guerre des étoiles* ?

Examinons d'abord quelques-unes des grandes règles de Jésus...

---

42. MACKIE J. L , *The Miracle of Theism : Arguments For and Against the Existence of God*. Oxford University Press, New York, 1982, 288 p.

« Tout ce que vous voulez que les hommes fassent pour vous, faites-le aussi pour eux. »
Mt 7, 12

Les jeunes excités jouant du tambourin dans les rassemblements-monstre des Jeunesses catholiques n'en finissent plus de s'extasier devant la sagesse et de la profondeur de cette célèbre *golden rule* de Jésus. « Wow ! Il fallait bien une âme exceptionnelle, un être d'essence divine pour concevoir un tel précepte moral ! »

Vous avez déjà deviné que cette règle d'or n'a pas été inventée par Jésus. Il ne prétendait d'ailleurs pas détenir un droit d'auteur sur cette ligne, ajoutant immédiatement après dans Matthieu : « C'est là en effet la Loi et les Prophètes. »

Voilà. Il ne reprenait qu'un punch de l'Ancien Testament. Qui n'avait rien inventé non plus.

La réalité, c'est qu'à peu près tout ce qui existe en terme de religion ou philosophie orientale avait depuis longtemps incorporé la « règle d'or » avec quelques variantes. Et, désolé les jeunes, leurs versions à eux sont mieux formulées que celles de Jésus.

Par exemple, environ 300 ans av. J.-C., l'hindouisme disait ceci : « C'est votre devoir : ne faites pas aux autres ce qui vous causerait du mal si on vous le faisait. »

De leur côté, les bouddhistes l'ont dit ainsi : « Ne blesse pas les autres d'une façon que tu jugerais blessante pour toi-même. »

Les confucianistes, « Ne faites pas aux autres ce que vous ne voudriez pas qu'ils vous fassent. »

On retrouve la même règle à peu de choses près dans le taoïsme et d'autres religions anciennes.

L'auteur Dan Barker fait observer que l'approche chrétienne se distingue par le caractère « positif » de sa formulation. En effet, la règle de Jésus est énoncée de façon positive *(« faites aux autres... »)* alors que les autres sont « négatives » (« ne faites pas... »). Loin d'être un point en faveur du Christ, cela pourrait constituer une faiblesse.

Ainsi formulée, la règle des autres religions et philosophies vise à minimiser le plus possible le mal qu'on peut infliger aux autres humains. C'est préventif. L'application en est plus simple, l'efficacité plus garantie. Ce n'est pas compliqué : je ne désire pas être volé, je ne volerai pas... je ne souhaite pas recevoir un coup de poing en pleine gueule, je n'en donnerai à personne...

D'un autre côté, est-il toujours à propos de mettre en pratique l'approche positive et de « faire aux autres ce qu'on aimerait qu'on nous fasse à nous » ?

Bien sûr que non.

Jean-François aimerait bien qu'on lui cuisine des muffins à l'huile de foie de morue, car il adore ça. Aimeriez-vous qu'on vous en serve ? Je ne pense pas. Et qu'en est-il du sadomaso ? Gageons qu'il risque de ne pas faire trop plaisir à son collègue de bureau en le ligotant à son bureau avec un *gagged ball* dans la bouche tout en le fouettant et le traitant de salope. Enfin, serait-il indiqué d'acheter un cadeau à un être cher basé sur ce qu'on aimerait recevoir soi-même ? « Mais, chérie, j'étais certain que tu souhaitais recevoir ce gun à clous ! Tant pis, je vais le garder ! »

Les goûts, les désirs, les envies, les aspirations varient d'un être humain à un autre. On n'aime pas tous les mêmes choses et c'est tant mieux. Mais cela disqualifie cet enseignement de Jésus comme ligne de conduite dans la vie.

Bref, en plus de n'avoir aucune originalité, la « règle d'or » de Jésus est trop souvent inadéquate ou, à tout le moins, maladroitement formulée.

> **« Si quelqu'un te frappe sur la joue droite, tends-lui l'autre joue. »**
>
> Mt 5, 39

L'auteur Dan Barker commente :

> Certains voient ça comme de la « résistance non violente ». C'est bien plutôt une « violente non-résistance » ! D'inviter une personne qui abuse de nous à abuser davantage n'est pas du pacifisme. C'est inconscient, dangereux ! Si un criminel s'introduit par effraction dans ma maison et menace ma famille, dois-je rester passif et ne rien faire ?

La règle est d'un ridicule consommé.

Si une femme est violée, doit-elle se tourner de côté et offrir une nouvelle position à son agresseur ? Si votre fils est victime d'intimidation par une brute à l'école, devez-vous le motiver à encourager le *bully* à le harceler encore plus ?

La règle devrait plutôt se lire : si quelqu'un te frappe sur la joue droite, fous le camp. Ou alors, défends-toi pour éviter une autre claque. Ou demande de l'aide, dépose une plainte à la police. Laisse la personne savoir que ce comportement est inacceptable.

Ajoutons que le précepte ne fut même pas imaginé

par Jésus. Il fut utilisé par Lao-Tzeu et Boudha au moins cinq cents ans avant lui.

« Aime ton prochain comme toi-même. »
Mt 22, 39

Quand un jeune homme demande à Jésus lesquels des commandements sont importants, il répond : « Tu ne tueras pas [...] Tu aimeras ton prochain comme toi-même. » Curieuse réponse : Jésus connaît l'Ancien Testament par cœur et le « aime ton prochain comme toi-même » ne figure pas dans les dix commandements officiels.

En ajoutant une couche, saint Paul répète dans ses écrits qu'aimer son prochain comme soi-même passe avant les commandements : « Celui qui aime le prochain accomplit toute la Loi... » (Rm 13) Comprendre d'abord que le *prochain* dans la Bible se reporte exclusivement aux Israélites et pas aux autres peuples.

> Le célèbre « Tu aimeras ton prochain » n'avait pas le sens que nous lui donnons aujourd'hui. Il signifiait seulement « Aime un autre juif ». Cette idée est démontrée de façon implacable par le médecin américain et anthropologue évolutionniste John Hartung.[43]

Si tel est le cas, d'exemplaire qu'elle était, la règle devient discriminatoire. Et xénophobe. Et quand bien même on l'étend à tout le genre humain, ce concept

---

43. Dawkins Richard, *ibid.*

présente d'inquiétants problèmes d'application. Ainsi, qu'arrive-t-il à ceux qui ne s'aiment pas ou ont une basse estime d'eux-mêmes ? Les suicidaires ? S'ils aiment les autres autant qu'eux-mêmes, on s'entend que ça ne va pas très bien. À l'autre extrême, les narcissiques, prétentieux et autres insupportables personnes imbues d'elles-mêmes s'aiment sans conteste avec une grande intensité, mais, de par leur personnalité, voient les autres comme des moins que rien. Ceux-là mêmes qui rendraient la règle de Jésus la plus payante en sont soustraits d'office.

Elle compte trop d'exceptions pour demeurer une règle. À part ça, comment aimer quelqu'un qu'on ne connaît pas et qu'on vient à peine de rencontrer ? Il est dans l'ordre des choses qu'un étranger doit passer un minimum de tests avant que je lui accorde mon amour avec ce que ça implique.

Et cela est difficile à réconcilier avec cet autre conseil tellement constructif de Jésus : « Qui aime sa vie la perd, mais qui déteste sa vie en ce monde la garde pour la vie éternelle. » (Jn 12) Comment peut-on réussir ce tour de force consistant à détester sa propre vie tout en s'aimant ?? J'ai une vie dégueulasse, tout est noir, triste et navrant, mais que je m'aime donc !

« Aime tes ennemis. »

Mt 5, 44

Une déclinaison du principe précédent avec cette nuance : en plus d'aimer les autres autant que toi-même, aime aussi ceux qui te détestent. Parce que c'est en général le sentiment que des « ennemis » ont à notre égard. Que penser de ce principe moral ?

Une chose est sûre : à ne pas laisser entrer dans le vestiaire d'une équipe de hockey. Le jour où nos Canadiens vont commencer à aimer les joueurs des autres clubs, on peut dire adieu aux séries. Et si les Alliés avaient aimé les nazis ? On vivrait sous le IIIe Reich ?

Aimer ses ennemis va à l'encontre de que ce que nous dictent nos instincts.

> Certains ennemis ne devraient pas être aimés. Certains doivent être détestés. L'amour n'est pas un impératif, un sentiment qui peut ignorer les qualités de son objet [...] On peut traiter des gens avec respect, avec justice, mais les aimer ? Si l'amour signifie vraiment quelque chose, il doit être réservé à ceux qui nous sont chers, qui ont mérité notre admiration. C'est contraire à la nature humaine de s'attendre à ce qu'on ait des sentiments identiques pour tous. Et ça dévalue l'amour qu'on porte à nos proches que d'aimer autant les étrangers ou les ennemis. Imaginez dire à votre conjointe : « Je t'aime, mon amour... mais, bon, j'aime tout autant le boucher du supermarché et ton ex-mari qui te battait...![44]

D'ailleurs, Jésus lui-même ne donnait pas nécessairement l'exemple en la matière. Voyant des marchands au temple à Jérusalem, les a-t-il approchés en disant doucement : « Les amis, je vous aime, mais seriez-vous assez gentils pour fermer ces kiosques et libérer les

44. Barker Dan, *ibid.*

lieux ? » Pas vraiment. Le gars les a traités de tous les noms et les a attaqués avec un fouet !

> Est-ce possible d'aimer ses ennemis ? Est-ce qu'un être humain a déjà aimé ses ennemis ? Est-ce que Christ les a aimés, lui qui les a appelés sépulcres blanchis, hypocrites et vipères ? Nous ne pouvons pas aimer ceux qui nous haïssent. La haine dans le cœur des autres n'amène pas l'amour dans le nôtre. Ne pas résister au méchant est absurde ; aimer ses ennemis est impossible.[45]

En plus, comment réconcilier ce beau discours d'amour des ennemis avec cette parole de Jésus : « Celui qui n'est pas avec moi est contre moi. » (Mt 12, 31)

Mais si je suis contre toi, Jésus, et que malgré tout tu m'aimes, en quoi est-ce que je suis pénalisé de ne pas être dans ton équipe ?

« Que celui qui est sans péché lance la première pierre. »

Jn 8, 7

Quand les scribes et pharisiens présentent une femme adultère à Jésus et lui demandent quoi faire avec elle, Jésus aurait eu cette réplique formidable. C'est là une des plus belles choses qu'il ait dites, on le reconnaît volontiers.

Ce qui est dommage, c'est que cette phrase a été ajoutée par des copistes des siècles plus tard et n'a jamais été prononcée par le Christ.

---

45. INGERSOLL Robert, *ibid.*

> L'histoire de Jésus et de la femme adultère est peut-être l'histoire la plus connue de la Bible ; en tout cas, ce fut toujours une des préférées de Hollywood lorsqu'il s'est agi de tourner des films sur Jésus. La scène apparaît même dans La passion du Christ de Mel Gibson. Malgré sa popularité, ce passage n'apparaît que dans l'Évangile de Jean (...) De fait, l'histoire n'était pas à l'origine dans l'Évangile de Jean ni dans aucun Évangile. Ce fut ajouté ultérieurement par des scribes. Les experts travaillant sur ces manuscrits n'ont aucun doute quant à ce cas particulier.[46]

***

On constate tout de suite la faillite des grandes règles de Jésus. Personne ne veut vivre selon ces principes, car ils conduisent à la défaite et à l'auto-destruction.

En définitive, il serait plus sage de vivre en accord avec ceux de Yoda.

Le Maître des Jedi a prononcé de grandes paroles. Oui, de grandes paroles, le Maître a prononcées...

« N'essayez pas quelque chose. Faites-le ou ne le faites pas. Il n'y a pas d'essai. »

Une exhortation à cesser d'être passif et à toujours tenter de se dépasser, relever de nouveaux défis, une invitation à repousser ses limites, à être déterminé. Très positif.

---

46. Erhman Bart, *Misquoting Jesus : The Story Behind Who Changed the Bible and Why*. Harper one, New York, 2007 [2005], 266 p.

«La peur est la voie vers le côté sombre. La peur conduit à la colère. La colère conduit à la haine. La haine conduit à la souffrance.»

«Les peurs doivent être nommées avant de pouvoir être bannies.»

Nous sommes paralysés par des peurs de toutes sortes et c'est ce qui nous empêche souvent d'accéder à l'amour, au bonheur, au succès. Bien qu'elles aient leur utilité, les peurs devraient être nommées et contrôlées.

«Transmets toujours ce que tu as appris.»

L'humanité ira de mieux en mieux si les humains s'appliquent à transmettre à leurs semblables les fruits de leur expérience.

«Si tu commences à emprunter la voie du côté sombre, elle dominera ta destinée et te consumera.»

«Quand tu regardes le côté sombre, méfie-toi. Le côté sombre peut te regarder aussi.»

Le *Dark side*, le côté sombre de la Force de *Star Wars*: d'autres façons de nommer le Mal. Il faut s'en tenir loin si on ne veut pas en devenir le jouet.

«Plusieurs des vérités sur lesquelles on s'appuie sont une simple question de point de vue.»

Et cela se vérifie avec beaucoup de conviction quand on se met à lire les grandes vérités de la religion...!

Jésus ou Yoda? Faites votre choix.

(Aparté : plusieurs « religions » puisant leur enseignement dans des films existent maintenant à travers le monde. Mention spéciale au « Temple of the Jedi Order » ou « Église du Jediisme » ![47])

Mais allons plus loin que les macro-règles énoncées par Jésus et jetons un coup d'œil aux diverses règles de conduite qu'il transmet, à ses conseils, ses interdits. Survolons ses enseignements en scrutant ses opinions, ses valeurs, et en nous posant la question…

QU'EST-CE QUE JÉSUS AURAIT FAIT ?

Quand j'étais petit, mon idole était mon père. Dans ma tête d'enfant, il ne pouvait tout simplement pas commettre d'erreurs. Il s'est déjà trompé de sortie en revenant de Québec pour Sherbrooke et il a entraîné la famille jusqu'à Rivière-du-Loup avant qu'il réalise qu'on allait du mauvais bord : pas grave ! Il a dépensé 1 500 dollars pour le meilleur magnétoscope BÊTA disponible sur le marché, convaincu que c'était le futur : pas grave ! À mes yeux, l'infaillibilité de papa égalait celle du pape. Aussi, quand j'étais confronté à des dilemmes, à des situations compliquées où il me fallait utiliser mon jugement, je me posais la question : « qu'est-ce que papa aurait fait ? »

Pour la plupart d'entre nous, les parents sont à juste titre des modèles.

---

47. Pour en savoir plus, visiter leur site internet : www.templeofthejediorder.org

Cependant, au regard des croyants de la vaste chrétienté, Jésus est LE modèle parfait. Avant les parents. Le Messie ne peut se tromper. Il est LA boussole morale.

La rumeur veut que le Messie ait un jugement sans faille. Jamais besoin de reprise vidéo avec Jésus. Car enfin, il est divin : que demander de plus comme gage de sagesse ? Jésus doit être THE référence en toute situation, non ? Aussi, devant résoudre un dilemme moral, le bon chrétien aura le réflexe de se demander : « Qu'est-ce que Jésus aurait fait ? »

Bon. Pourquoi pas ?

Examinons donc, à travers des cas de conscience inspirés du quotidien, les conséquences d'une application à la lettre du principe : « Qu'est-ce que Jésus aurait fait ? »

Cas de conscience pratico-pratiques

Cas de conscience 1 :

Alors que je lui refuse une somme de 50 dollars pour qu'il s'achète un autre jeu pour sa DS, mon ado marmonne « T'es vraiment trop nul, p'pa ! ». Je ne sais trop comment réagir devant cette réplique impolie de Fiston. Spontanément, je serais porté à lui jeter un regard de reproche et à le gronder sans en mettre trop. Mais, en bon chrétien, je me pose la question :

« QU'EST-CE QUE JÉSUS AURAIT FAIT ? »

La réponse se retrouve au chapitre 7 de l'Évangile de Marc (de même que chez Mt 15, 4) quand Jésus rétorque aux pharisiens :

> Pourquoi vous-mêmes violez-vous le commandement de Dieu qui a dit « Honore ton père et ta mère,

que celui qui maudira son père ou sa mère soit puni de mort. »

Le tirant par l'oreille, je traîne mon ado au centre d'achats, distribue des pierres aux braves gens alentour et on lapide mon ado pour lui apprendre à honorer ses parents. Merci Jésus !

Cas de conscience 2 :

En vacances à Cancún, alors que je me prélasse à côté de la piscine, une grande brune aux courbes généreuses et sa compagne s'installent sur les chaises longues voisines de la mienne. Tandis qu'elles s'étendent de la crème solaire sur le corps en riant aux éclats, mon regard, bien malgré moi, se pose pendant un bref moment sur leurs contours mammaires. Encore contre mon gré, je suis victime d'un incontrôlable début d'érection que je m'empresse de dissimuler avec le dernier Michael Connely. Je me sens coupable d'avoir à cet instant de fugitives pensées lubriques. Et me demande…

« QU'EST-CE QUE JÉSUS AURAIT FAIT ? »

La réponse, limpide et pleine de sagesse, se retrouve chez plusieurs évangélistes, dont Matthieu, où Jésus dit :

> Quiconque regarde une femme avec convoitise a déjà commis l'adultère avec elle dans son cœur. Si donc ton œil droit t'incite à pécher, arrache-le et jette-le loin de toi, car il vaut mieux pour toi qu'un de tes membres périsse que ton corps tout entier soit jeté dans la Géhenne.
>
> Mt 5, 27

Hmmmm ! Douloureuse d'application, celle-là. Heureusement, avant de m'énucléer avec le couteau à citron emprunté au barman, je me pose la question : lequel de mes yeux s'est posé sur les filles ? Était-ce vraiment le droit ? Plus j'y pense, plus je suis certain que c'était le gauche. Oui, oui, j'en suis sûr maintenant : le droit regardait totalement ailleurs.

Ne se satisfaisant pas de si peu et dans un même élan enthousiaste, Jésus exprime sa pensée sur les sanctions appropriées en matière de luxure et dit un peu plus loin dans ce même passage :

> Si ta main droite t'incite à pécher, coupe-la, car il vaut mieux se présenter devant Dieu avec une seule main que brûler éternellement en enfer [...]
>
> Mt 5, 30

Thank God, je suis gaucher ! La masturbation ne me condamne donc pas aux flammes de l'enfer...

Cas de conscience 3 :

Ayant appris que ma vie se conforme au précepte du « Qu'est-ce que Jésus aurait fait ? », mon voisin d'en face cogne à ma porte et me demande de lui donner 2000 dollars en m'assurant qu'il ne me les rendra jamais. Avant que j'aie le temps de réagir, il prend les clés de ma voiture sur le crochet dans mon hall d'entrée et m'indique qu'il entend la prendre pour lui et la garder. Mon égoïsme de malheureux pécheur m'incite spontanément à expulser de ma maison ce voisin décidément trop plein de projets, mais, plutôt que d'écouter mes vils instincts matérialistes, j'ai le bon réflexe de me demander...

« QU'EST-CE QUE JÉSUS AURAIT FAIT ? »

Je l'apprends en lisant Luc, au chapitre 6, verset 30, où Jésus dit : « Donne à quiconque te demande et à qui te prend ton bien ne le réclame pas. »

Ouf ! Voilà ma conscience libérée d'une bien fâcheuse position ! Moi qui allais refuser mon argent et mon auto à mon voisin alors que la voie à suivre était tellement simple. Le lendemain, j'ai même accompagné mon voisin à la SAAQ. Comme on exigeait de lui la taxe provinciale sur mon auto même si je la lui donnais, vous devinez bien que j'ai insisté pour la payer ! C'est ce que Jésus aurait fait, j'en suis convaincu.

Cas de conscience 4:

Fait prisonnier par de cruels talibans lors d'un séjour en Afghanistan, je me vois offrir ce choix par les geôliers : ou je fais virer une somme de 10 000 dollars dans leur compte, ou je me fais tuer. Pour ce qui est de ma mort, on me donne le choix entre deux modes d'exécution : me faire mordre par un cobra ou boire un verre de cyanure. Alors, bien sûr, je me demande...

« QU'EST-CE QUE JÉSUS AURAIT FAIT ? »

Encore une fois, la lecture des Évangiles donne une réponse claire à ce dilemme. Marc nous rappelle en effet (chapitre 16, verset 15) ces paroles de Jésus à ses disciples :

> Allez par tout le monde, et prêchez la bonne nouvelle [...] Celui qui croira et qui sera baptisé sera sauvé, mais celui qui ne croira pas sera condamné. Voici les miracles qui accompagneront ceux qui auront cru : en mon nom, ils chasseront les démons ;

ils parleront de nouvelles langues ; ils saisiront des serpents ; s'ils boivent quelque breuvage mortel, il ne leur fera point de mal.

Je crois en Jésus, je suis baptisé : je passe le test ! Je peux donc me permettre d'envoyer promener ces ridicules talibans et leur rire au visage : « Ha ha ! pauvres idiots ! Je suis immunisé contre les serpents et le poison ! En plus, je peux parler couramment italien n'importe quand ! Gnagnagnagna ! »

***

Vous avez saisi le principe : quand vient le temps de trouver de bons conseils, pas souvent une bonne idée de puiser dans les enseignements de Jésus.

En fait, en revisitant les Évangiles, le lecteur est estomaqué de constater les opinions, les préjugés, les façons de voir de Jésus. Contrairement à ce que s'entêtent à croire les fidèles depuis deux mille ans, les discours de Jésus, dans leur ensemble, sont à la limite du haineux ou s'avèrent insensés. Le plus souvent, un mélange des deux.

Sur les différentes valeurs préconisées par Jésus, ce passage de Robert Ingersoll :

> Jésus n'a jamais dit un mot en faveur de l'éducation. Il n'a jamais seulement suggéré l'existence de n'importe quelle science. Il n'a jamais élevé la voix pour l'industrie, l'économie, ou n'importe quoi pour améliorer notre condition en ce monde. Il était l'ennemi du succès, de la santé. [...] Christ ne s'est intéressé ni à la peinture, ni à la sculpture, ni à la musique – à aucun

> art. Il n'a rien dit des devoirs de nation à nation, de roi à sujet ; rien au sujet des droits de l'homme [...]

Si les versets le montrant sous un mauvais jour ne sont que peu connus des chrétiens, c'est que l'Église a toujours pris soin de filtrer les passages des Évangiles les plus avantageux pour l'image du Christ.

Pas souvent qu'on va entendre l'archevêque de Montréal proclamer devant les caméras : « Oh, en passant, si vous avez dit quelque chose de pas gentil contre le Saint-Esprit, vous brûlerez en enfer et c'est sans pardon ! »

Jésus dit pourtant au chapitre 3 de Marc qu'on peut être pardonné de pas mal de péchés, MAIS « Si quelqu'un blasphème contre le Saint-Esprit, il n'aura jamais de pardon ; il est coupable d'un péché éternel. »

Menace aussi cruelle qu'inutile : enfin, qui songerait même à blasphémer le Saint-Esprit ? Il ne nous a rien fait, on n'a même pas idée de ce à quoi il ressemble, son nom ne figure même pas dans la liste officielle des sacres locaux.

Les bons chrétiens ne retiennent que quelques passages choisis des enseignements de Jésus. Jouant sur les émotions, les prêtres dorent la pilule et font paraître le Christ comme un modèle de sagesse. Là-dessus, l'auteur Yves Lever, commentant un débat télévisé complaisant auquel participaient des hommes d'Église, écrit :

> Évidemment, c'est facile de raconter des histoires où se côtoient merveilleux, miracles, belles intentions, espoirs en une vie nouvelle, maximes à prétention universelle. Ce sera toujours plus simple de provoquer des émotions fortes que de susciter la

réflexion. Ces leaders religieux savent-ils que leurs belles paroles sur l'amour du prochain ne sont au fond, tour à tour et tout à fois, que bribes de mythes, ramassis de philosophies simplistes, principes de civilité, d'urbanité ou de savoir-vivre banals que la sagesse populaire a lentement élaborés au cours des siècles ?[48]

***

Quelques thèmes majeurs et des citations de Jésus font ressortir de manière non équivoque le côté insupportable de ses positions…

POSITIONS DOUTEUSES DE JÉSUS

JÉSUS SUR LE DIVORCE ET L'INFIDÉLITÉ

Jésus exprime ainsi son opinion tranchée sur le divorce dans plusieurs Évangiles : « Quiconque répudie [entendre *divorce*] sa femme la rend adultère et quiconque épouse la femme répudiée [entendre *vilaine divorcée*] commet un adultère. »

Dit en termes plus terre-à-terre, le raisonnement revient à ceci : en divorçant d'avec ma femme, je m'autococufie *ipso facto* et, de surcroît, le type qui remarierait mon ex-femme plus tard la tromperait techniquement, et ce, dès le jour de la cérémonie.

48. LEVER Yves, *Petite critique de la déraison religieuse*. Éditions Liber, Montréal, 1998, 225 p.

On peut lire entre les lignes que, sur cette question du divorce, la position de Jésus penche plutôt du côté « contre ».

Puisqu'on est dans le couple, une chose en entraînant une autre, on est en droit de se demander : mais qu'est-ce que Jésus avait en tête pour les libertins qui sautent la clôture, qui commettent l'adultère ? Leur infliger une punition comme réciter un Notre Père ? Un chapelet ? Les forcer à monter à genoux les escaliers du temple ? Pour avoir la réponse, lisons d'abord cette déclaration de Jésus : « Je ne suis pas venu abroger la Loi ou les prophètes, mais perfectionner. » (Mt 5, 17)

En évoquant « la Loi », Jésus parle bien entendu de la Loi de Moïse, des règles de l'Ancien Testament. Or, au chapitre 20 du Lévitique, on peut lire ceci : « Si un homme commet un adultère avec une femme mariée, s'il commet un adultère avec la femme de son prochain, l'homme et la femme adultères seront punis de mort. »

(Se rappeler comme on l'a mentionné précédemment que le célèbre « Que celui qui n'a jamais péché lance la première pierre... » est une déclaration rajoutée après coup dans les Évangiles.)

Donc, si on lit ensemble les approches de Jésus concernant le divorce et l'adultère, seraient tous condamnés à la lapidation :

- la femme dont le mari a demandé le divorce ;
- le gars qui marie une femme divorcée (comment, au fait, pourrait-on épouser une femme divorcée alors qu'en principe, elle aurait dû être déjà mise à mort ?) ;
- celui qui couche avec une femme mariée ;

- la femme mariée qui couche avec un autre homme ;
- en gros, à peu près n'importe qui baisant avec n'importe qui.

Allant encore plus loin dans la répression des libertins, Jésus fait un *Big Brother* de lui-même en proposant de punir les simples crimes de pensée : « Mais moi, je vous dis que quiconque regarde une femme pour la convoiter a déjà commis un adultère avec elle dans son cœur. » (Mt 5, 28)

Certains diront qu'il faut remettre cela dans le contexte de l'époque où l'adultère était très stigmatisé.

Certains avanceront que si l'infidélité fait tant de peine à Jésus, c'est parce qu'il prône les valeurs familiales…

Ah oui ? Voyons donc ce qu'il dit sur la famille…

Jésus sur la famille

Jésus nous dit sur l'importance de la cellule familiale :

> Je suis venu séparer l'homme d'avec son père, la fille d'avec sa mère […] l'homme aura pour ennemis ceux de sa propre maison. Celui qui aime son père ou sa mère plus que moi n'est pas digne de moi. Celui qui aime son fils ou sa fille plus que moi n'est pas digne de moi […]
>
> Mt 10, 34

Moi moi moi moi moi. Variation sur le même thème dans Luc :

> Pensez-vous que je sois venu apporter la paix sur la terre ? Non, vous dis-je, mais la division. Car

> désormais cinq dans une maison seront divisés, trois contre deux, et deux contre trois ; le père contre le fils et le fils contre le père, la mère contre la fille et la fille contre la mère.
>
> Lc 12, 51

Jésus s'affiche d'un bout à l'autre des Évangiles comme un briseur de foyers, un égocentrique qui dit à ses disciples que, finalement, il vaut mille fois mieux que toute leur parenté. Au sujet de la figure paternelle, Jésus dit ceci : « N'appelez personne sur la terre votre père ; car un seul est votre Père, celui qui est dans les cieux. » (Mt 23, 9)

Il en rajoute en plus dans ce passage de Luc : « Si quelqu'un vient à moi et ne déteste pas son père, sa mère, sa femme, ses enfants, ses frères, ses sœurs et même sa propre vie, il ne peut être mon disciple. » (Lc 14, 26)

Vous aurez observé qu'on monte d'un cran : ça ne suffit pas de simplement « moins aimer » les membres de sa famille que le Suprême Jésus, il faut positivement les détester. Quand même, il fallait le faire : Jésus décrétait la haine de sa famille comme un prérequis pour devenir son apôtre. Ce n'était pas suffisant de balancer son emploi pour lui, de quitter son village et ses amis, d'être soumis aux risques du martyr, de se satisfaire d'un morceau de vêtement comme garde-robe, il fallait qu'en plus les apôtres haïssent officiellement leur parenté. Vient-il à croiser les membres de sa famille au cours de son ministère ? Jésus les ignore carrément et les traite comme du poisson pourri :

> La mère et les frères de Jésus vinrent le trouver ; mais ils ne purent l'aborder, à cause de la foule. On lui dit :

> « Ta mère et tes frères sont dehors, et ils désirent te voir. » Mais il répondit : « Ma mère et mes frères, ce sont ceux qui écoutent la parole de Dieu, et qui la mettent en pratique. »
>
> Lc 8, 19

Même les disciples, qui n'en demandaient pas tant, semblent surpris de voir qu'ils sont préférés à la propre mère du Christ.

Ailleurs, rencontrant sa maman, Jésus lui dit : « Femme, qu'ai-je à voir avec toi ? »

Jésus agit comme une vedette à la tête enflée qui ne reconnaît plus son monde.

Ce mépris manifeste pour la famille est désolant. Et diablement paradoxal quand on s'arrête à considérer que le même type qui crache sur les vertus familiales est devenu le prétexte officiel de la fête de Noël, soit LE moment de l'année où les familles se rassemblent ! « Oh oui ! Les enfants ! Célébrons tous dans la joie la naissance de ce grand homme qui nous dit qu'on est tous de la merde ! Youp laï laï ! »

Jésus sur la paix dans le monde

Quand on s'imagine un podium accueillant les plus grands chantres de la paix de l'histoire du monde, on place spontanément des grands comme Mandela, Martin Luther King ou John Lennon sur les deuxième et troisième marches et, sans même hésiter, Jésus-Christ sur la première marche. Ah ! Jésus ! Grand messager de paix !

Pourtant, dans plus d'un Évangile, Jésus fait des déclarations qui détonnent avec cette perception du monsieur « peace and love ». Entre autres : « Ne pensez pas que je sois venu apporter la paix sur terre : je ne suis pas venu apporter la paix, mais le glaive. » (Mt 10, 34)

Ailleurs, il en rajoute et nous manifeste sa fébrilité de voir le monde chaviré dans la violence et la destruction : « Je suis venu mettre le feu sur la terre, et combien voudrais-je que déjà il soit allumé. » (Lc 12, 49)

On entend déjà les apologistes défendre le Christ : « Ah, mais ce ne sont que des métaphores », etc. Si c'est le cas, des métaphores de quoi ? Et le choix des métaphores n'est-il pas mal indiqué, pour ne pas dire violent ?

Nous chercherions en vain des versets où Jésus dénonce les guerres ou prône la paix entre les peuples.

Sur le même thème, on trouve chez Luc un verset surprenant. En effet, après le dernier repas, alors que Jésus est sur le point d'être arrêté, il donne des consignes aux apôtres à qui il dit, entre autres choses : « Maintenant, que celui qui a une bourse la prenne et que celui qui a un sac le prenne également, que celui qui n'a point d'épée vende son vêtement et achète une épée. » (Lc 22, 36)

Oublions le fait que, dans leur grande humilité, les apôtres ne disposaient que d'une seule tunique, et qu'en la vendant pour acheter une épée, ils se retrouvaient tout nus… Ce qui atténue sensiblement le facteur dissuasif qu'un belligérant veut générer en se présentant devant un adversaire avec une épée au poing. Dur à prendre au sérieux, un escrimeur nudiste. Il reste que cette parole attribuée au Christ relève encore d'une fascination étrange pour les épées. Parole d'autant plus absurde que, lors de son arrestation, il ordonnera à Pierre de ranger la sienne. Il n'en demeure pas moins qu'on a là un autre exemple de déclaration belliqueuse qui, franchement, ne sied pas à un supposé messager d'amour et de fraternité.

JÉSUS SUR L'ARGENT

Vous ne voulez pas Jésus de Nazareth pour gérer vos placements. Il affiche un mépris constant pour l'argent et les richesses. On comprend que cette attitude découle d'une raison évidente: l'avènement du Royaume de Dieu sur terre est imminent. C'est sur le point de se produire. Aussi, à quoi bon prévoir quand on n'a pas de futur ? Et on est d'accord sur ce point: l'instauration du Royaume de Dieu ne s'annonce pas exactement une bonne nouvelle pour les gens d'affaires. Dans ce paradis sur terre, ça sera assez tranquille côté réunions de la Chambre de commerce.

Du coup, Jésus vocifère à la moindre occasion contre les méchants riches et tout ce qui est relié à l'argent. Des citations en vrac:

> Ne vous amassez pas de trésor sur la terre.
>
> Mt 6, 19
>
> Ne vous inquiétez donc pas pour le lendemain. Le lendemain s'inquiétera pour lui-même.
>
> Mt 6, 34
>
> Travaillez non pour la nourriture périssable, mais pour celle qui demeure jusque dans la vie éternelle.
>
> Jn 6, 27

> À qui te demande, donne et à qui veut te faire un emprunt, ne tourne pas le dos.
>
> Mt 5, 42

Que voilà de judicieux conseils pratiques. Économiser en prévision des temps difficiles ? Ahah ! Faire un budget familial ? Niaisage ! Travailler avec cœur pour nourrir sa famille ? Perte de temps ! Prêter 500 dollars au beau-frère pour ses *fix* d'héroïne ? Mais bien sûr !

Jésus ne parle pas contre la pauvreté, ne veut pas l'éliminer. En fait, il enseigne que le pauvre doit accepter son sort. Dans son déprimant discours sur la montagne (Mc 14, 3), il promet le Royaume aux pauvres, à ceux qui ont faim, aux « pauvres d'esprit », etc. Plus vous êtes gâtés par la vie, plus vous êtes brillants, plus vous travaillez fort pour procurer un bien-être matériel à votre famille, plus vous vous éloignez du paradis.

Durant son ministère, bien des riches s'adressent à Jésus, s'attendant à ce qu'il leur livre des perles de sagesse. Ainsi, à un riche, par ailleurs d'allure bonne et honnête, qui lui demande quoi faire pour avoir la vie éternelle, Jésus a cette réponse sans appel : « Va, vends tout ce que tu as, donne-le aux pauvres, et tu auras un trésor dans le ciel... »

Jésus prodigue à qui veut l'entendre ce conseil de la donation totale. En fait, dès qu'un riche sollicite ses lumières, Jésus lui suggère ce scénario embarrassant : donne-tout aux pauvres !

Sans prétendre être des spécialistes en sciences de l'économie, pourquoi a-t-on le vague sentiment que ce conseil est profondément n'importe quoi ? Disons que je dispose de dix millions et le distribue à dix pauvres.

Ceux-ci, étant devenus riches, le redistribuent pour obtenir la vie éternelle à d'autres pauvres qui, enrichis à leur tour, doivent se retourner et dénicher des pauvres à qui tout donner, et ainsi de suite dans un cycle sans fin d'appauvrissement et d'enrichissement instantanés. Mais enfin, l'argent ne disparaîtra pas : distribué, réparti, ventilé autrement, certes, mais encore et toujours là ! L'idée d'exiger des riches de tout donner aux pauvres relève d'une vision irréfléchie, enfantine et idiote de l'économie.

Vous êtes injustement traîné en cour par un créancier malhonnête qui vous réclame 5000 dollars ? Réglez hors cour en lui versant 10 000 dollars. Du moins, c'est ce que suggère cette autre parole du Christ : « Si quelqu'un veut plaider contre toi pour te prendre ta tunique, laisse-lui encore ton manteau. » (Mt 5, 39)

Tout le long des Évangiles, toujours cette moue de dédain devant l'aspiration devant l'aspiration de personnes de bonne foi d'accéder à un niveau de vie amélioré par l'accroissement de leur capital. S'il est exercé avec jugement, s'il n'est pas obsessif et n'empiète sur les libertés de personne, le désir de prospérité est sain et porteur de développement humain.

On connaît tous cette comparaison faussement sage de Jésus devenue un classique : « Il est plus facile pour un chameau de passer par le trou d'une aiguille qu'à un riche d'entrer dans le Royaume des cieux. » (Mc 10, 21)

Impossible de calculer les dommages que cette vision misérabiliste inoculée par les curés canadiens-français pendant des siècles à leurs bons chrétiens a pu causer à notre inconscient collectif, à notre confiance en nous et en nos moyens. Comme frein à notre prospérité, on ne peut trouver pire mantra que celui de Jésus qui condamne sans discernement toute personne ayant commis la faute de réussir dans la vie sur le plan financier.

(Pour la petite histoire, Notez que le sens de cette populaire maxime aurait vraisemblablement été détourné par une bête erreur de traduction. De fait, on a émis l'hypothèse qu'au lieu du mot *chameau*, Jésus aurait dit *corde*. Cela serait déjà un peu plus cohérent…

Bien sûr qu'on n'encouragera jamais assez la charité et le soutien aux plus démunis. Et on peut citer des exemples innombrables de riches qui ont dépensé des sommes astronomiques pour des œuvres caritatives de toutes sortes.

De Rockefeller à Paul Desmarais en passant par Warren Buffett, des hommes extrêmement fortunés ont pu se révéler à la fois de brillants stratèges financiers et de généreux philanthropes.

Il vaut la peine de mentionner le cas de Bill Gates. Tout le monde ne sait pas que le richissime père de Windows est un agnostique avoué (probablement un pur athée, en fait). Gates a déjà ouvertement déclaré en entrevue par rapport à son détachement de la religion : « En terme d'investissement de temps, la pratique religieuse n'est pas très rentable. J'ai autre chose de plus utile à faire de mes dimanches matins. »

Aux yeux des croyants bornés et, en tout cas, aux yeux de Jésus, Gates serait damné sans jugement et promis aux flammes de l'enfer. Or, par l'intermédiaire de la Fondation Bill-et-Melinda-Gates, le milliardaire de l'informatique a contribué d'une façon spectaculaire à aider le monde, en particulier sur le plan de la santé.

En 2006, Bill Gates a décidé de consacrer une partie de sa fortune contre l'analphabétisme et les maladies dans plusieurs pays en développement. Et quel est le pourcentage de cette fortune que Gates consacre à sa Fondation ? Pas 5 %, pas 20 %, mais bien 95 % ! Entre autres, sa Fondation a déjà dépensé plus de 9 milliards de dollars pour vacciner cinquante-cinq millions d'enfants. Voilà le genre de bien que procurent au genre humain des riches capables d'altruisme, des riches ayant parfois un capital de compassion qui vaut bien leur capital en dollars. Et voilà des gens que condamne Jésus sans nuance aucune.

JÉSUS SUR L'ESCLAVAGE

L'Ancien Testament n'étant qu'un recueil d'histoires de violences, de sang et d'injustice, et le Dieu méchant de ce livre étant ce qu'il est, cela semble dans l'ordre des choses qu'il prône l'esclavage.

Mais qu'en est-il de la position de Jésus ?

Malheureusement, par ailleurs libéral sur d'autres questions, il ne soulève pas l'ombre d'une critique à l'endroit de l'esclavage. Au contraire, il semble bien composer avec cette institution et multiplie les affirmations et les paraboles qui intègrent le plus naturellement du monde des exemples basés sur la condition de l'esclave. Dans les éditions plus récentes de la Bible, on a remplacé *esclave* par *serviteur*, mot ayant une connotation évidemment moins dure. Remettons les pendules à l'heure et utilisons le mot *esclave* qui, pendant des siècles, fut utilisé...

Entre autres, Jésus nous enseigne dans Luc :

> L'esclave qui, connaissant la volonté de son maître, n'aura rien préparé et n'aura pas agi selon cette volonté recevra de nombreux coups. Quant à celui qui, sans la connaître, aura par sa conduite mérité des coups, il n'en recevra qu'un petit nombre.
>
> Lc 12, 47

Mention spéciale pour la belle empathie de Jésus vis-à-vis du pauvre esclave qui n'a rien préparé pour son maître PARCE QU'IL N'AVAIT AUCUNE IDÉE DE CE QU'IL VOULAIT : le chanceux ne recevra « qu'un petit nombre de coups ! »

Comme on l'a vu dans un chapitre précédent, Jésus a opéré des guérisons sur des esclaves :

> Un centurion romain avait un esclave auquel il était très attaché, et qui se trouvait malade, sur le point de mourir. Ayant entendu parler de Jésus, il lui envoya quelques anciens des Juifs, pour le prier de venir guérir son esclave.
>
> Lc 7, 2

L'esclave fut guéri, mais jamais Jésus ne fit de commentaires au centurion au sujet de l'immoralité sous-jacente à cette situation.

Disons les choses telles qu'elles sont : si Jésus ne dénonce pas l'esclavage, c'est qu'il l'endosse. On se serait pourtant attendu à plus, d'un être divin.

> Le Temple de Jérusalem possédait des esclaves, de même que les Grands Prêtres, les riches juifs et la classe moyenne. Pourtant, Jésus n'a jamais directement attaqué cette pratique. S'il l'avait fait, il aurait

sûrement attiré de nombreux esclaves dans ses rangs, et on l'aurait su. Rien dans les Évangiles ne mentionne la possibilité de libération des esclaves, qui étaient nombreux et formaient sûrement la classe la plus défavorisée. Omission stratégique peut-être, mais indigne de sagesse divine. [49]

Poursuivant sur la lancée du Messie, le bon saint Paul encourage sans relâche les esclaves à se soumettre sans rouspéter aux volontés de leur propriétaire :

> Esclaves, obéissez en toutes choses à vos maîtres selon la chair, non pas seulement sous leurs yeux, comme pour plaire aux hommes, mais avec simplicité de cœur, dans la crainte du Seigneur.
>
> Col 3, 22
>
> Exhorte les esclaves à être soumis à leurs maîtres, à leur plaire en toutes choses, à n'être point contredisants, à ne rien dérober, mais à montrer toujours une parfaite fidélité, afin de faire honorer en tout la doctrine de Dieu notre Sauveur.
>
> Tt 2, 9

On argumentera que l'esclavage était tellement ancré dans la culture de leur temps que Jésus, Paul ou les auteurs de la Bible en général n'auraient pu, de toute façon, y changer quoi que ce soit.

Assez juste.

Mais que penser des autorités des Églises chrétiennes qui ont si longtemps encouragé ouvertement l'esclavage et ses abus ? À ce sujet, il est assez choquant

---

49. Dubé Louis, *Les enseignements de Jésus* (Le Québec sceptique, n° 65, printemps 2008, p. 4-5)

d'apprendre qu'au moment de l'émancipation des esclaves noirs aux États-Unis, nombre de prêtres et de gens d'Église haut placés ont vraiment tout fait, au fil de sermons enflammés, pour maintenir en place cette dégradante pratique. Robin Lane Fox :

> La soumission d'un esclave à son maître était un devoir religieux : cette moralité biblique fut un des grands handicaps du mouvement d'émancipation des noirs aux États-Unis. Comme l'avait déclaré un opposant à l'abolition en 1857 : *Slavery is of God!*

Permettons-nous d'emprunter à Louis Dubé ce passage qu'il cite du livre *Mémoires d'un esclave* de Frederick Douglass qui témoigne de l'usage éhonté de certains passages de la Bible pour justifier l'esclavage :

> J'affirme sans hésitation que la religion, dans le Sud, n'est qu'une couverture pour masquer les plus horribles crimes, une manière de justifier la plus épouvantable barbarie, une façon de sanctifier les messages les plus haineux et, enfin, un sombre abri derrière lequel les actes les plus noirs, les plus immondes et les plus ignobles des propriétaires d'esclaves trouvent leur protection la plus sûre.

Toujours sur l'esclavage, John Shelby Spong :

> L'institution de l'esclavage fut réaffirmée à travers l'histoire par des passages du Nouveau Testament. L'esclavage fut pratiqué des siècles durant dans le monde occidental par des chrétiens dévots qui lisaient la Bible et craignaient Dieu. Même les papes à diverses époques ont eu des esclaves. La région des États-Unis où on s'est battu avec le plus

d'acharnement pour maintenir cette odieuse institution est ce qu'on appelle la « Bible Belt » ; ce sont les ultra-religieux du Sud qui ont légalisé le lynchage et ont tout fait pour empêcher l'émancipation des noirs.[50]

On ne saurait trop recommander le visionnement du film *12 Years a Slave* de Steve McQueen. Le personnage interprété par Michael Fassbender est la parfaite incarnation de ce que nous évoquons ici.

LES CONTRADICTIONS DANS LES PAROLES DE JÉSUS

Ne se contentant pas de faire des déclarations à la moralité douteuse, Jésus se contredit à plusieurs reprises et il le fait parfois à l'intérieur du même Évangile. Il y a suffisamment de contradictions dans ses paroles pour remplir un livre. Nous n'en évoquerons que quelques-unes au hasard…

Par exemple, sur la notion de « rendre témoignage de lui », Jésus dit d'abord : « Si c'est moi qui rends témoignage de moi-même, mon témoignage n'est pas vrai. » (Jn 5, 31)

Puis quelques pages plus loin : « […] je rends témoignage de moi-même, et le Père qui m'a envoyé rend témoignage de moi. » (Jn 8, 18)

Donc, Jésus rend bel et bien témoignage de lui-même, mais il ne faut pas le croire.

---

50. Spong John Shelby, *Reclaiming the Bible for a Non-Religious World.* Harper One, New York, 2011, 414 p.

Jésus et Dieu le père : rapport d'égalité ou un des deux est plus puissant ? Pas moyen de le savoir à cause de ces autres paroles incompatibles de Jésus qui dit : « Moi et le Père nous sommes un. » (Jn 10, 30)

Et affirme un peu plus loin : « Si vous m'aimiez, vous vous réjouiriez de ce que je vais au Père ; car le Père est plus grand que moi. » (Jn 14, 28)

S'il est « un » avec le Père, ça implique une certaine fusion qui ne colle pas bien avec cette notion de « Père est plus grand que moi ».

Est-ce qu'on doit être discret quand on fait des bonnes actions ? Jésus dit que non : « Que votre lumière luise ainsi devant les hommes, afin qu'ils voient vos bonnes œuvres, et qu'ils glorifient votre Père qui est dans les cieux. » (Mt 5, 16)

Puis a l'air de changer d'idée un peu plus loin :

> Gardez-vous de pratiquer votre justice devant les hommes, pour en être vus ; autrement, vous n'aurez point de récompense auprès de votre Père qui est dans les cieux.
>
> Mt 6, 1

Son pouvoir est-il sans limites ou a-t-il des contraintes ? On a une réponse dans ce passage : « Jésus, s'étant approché, leur parla ainsi : Tout pouvoir m'a été donné dans le ciel et sur la terre. » (Mt 28, 18)

Ok. On est donc dans la ligue de Superman ou Docteur Manhattan. Jésus peut pas mal tout faire. Alors pourquoi lisait-on un peu avant dans le même Évangile : « Il ne put faire là aucun miracle, si ce n'est qu'il imposa les mains à quelques malades et les guérit. » (Mc 6, 5)

On se rappelle que Jésus avait voué à la mort un fils irrespectueux envers ses parents. Avec les enseignements de Jésus, c'est souvent comme ça : une chose et son contraire. Et tant pis pour les contradictions. Ça ne le dérange pas, dans un même souffle, de suggérer qu'un enfant impoli avec ses parents mérite la mort et, la minute d'après, nous reprocher d'aimer plus ses parents que de l'aimer, lui : « Pourquoi vous-mêmes violez-vous le commandement de Dieu qui a dit "Honore ton père et ta mère, dont celui qui maudira son père ou sa mère soit puni de mort". » Versus : « Si quelqu'un vient à moi et ne déteste pas son père, sa mère, sa femme, ses enfants, ses frères, ses sœurs et même sa propre vie, il ne peut être mon disciple. » (Lc 14, 26)

Quelle opinion a Jésus de son grand ami Jean le Baptiste ? Difficile de trancher en lisant ce passage : « Je vous le dis en vérité, parmi ceux qui sont nés de femmes, il n'en a point paru de plus grand que Jean Baptiste. Cependant, le plus petit dans le royaume des cieux est plus grand que lui. » (Mt 11, 11)

En plus d'être démotivante pour ce pauvre Jean (qui fait son possible pour aller au ciel en renonçant à tout bien terrestre et en se limitant à un régime de sauterelles), l'affirmation met la barre assez haut en termes de critères d'admissibilité au Royaume : Jean est le top chez les êtres humains, mais MÊME LUI est un trou du cul par rapport à ceux qui sont au Royaume ! Mais qu'ont donc pu faire les autres pour être admis ?

DES DISCOURS ABSURDES

On veut bien que Jésus ne soit pas allé longtemps à l'école et n'ait pas lu beaucoup. Mais, bon, du fils de Dieu devrait tout de même émaner un minimum de clairvoyance, de connaissance des choses de l'univers, d'intuition, de jugement.

Mais il ne cesse de nous surprendre par des paroles ou des miracles absurdes, ou alors carrément infantiles. C'est ça ou des contradictions majeures.

Oui, Jésus a dit des sottises. Et pas mal.

Des paroles qui n'ont aucun sens, des propos illogiques et absurdes : ce n'est pas ça qui manque dans les déclarations de Jésus.

Affichant les limites de son savoir ornithologique, Jésus a ainsi cette affirmation : « Regardez les oiseaux du ciel : ils ne sèment ni ne moissonnent, et ils n'amassent rien dans des greniers ; et votre Père céleste les nourrit. » (Mt 6, 26)

Ah oui ? Alors le Père céleste est négligent dans son boulot. Car la plupart des oiseaux meurent avant même de quitter le nid. Aussi récemment qu'à l'été 2013, on a retrouvé les corps de plus de 25 000 oiseaux morts de faim sur les côtes d'Australie. De par le monde, des millions de volatiles vont ainsi mourir faute de nourriture chaque année. Les autres doivent mener une lutte incessante pour survivre et trouver à se nourrir. Non, le bon Père céleste n'adoucit en aucune façon le sort cruellement difficile de sa faune ailée.

Parmi les autres grandes déclarations de sagesse douteuse exprimées par le Christ, il y a celle-ci, à caractère végétal, qui dénote un vibrant optimisme et transmet un beau message d'espoir à l'endroit, par exemple, des enfants de parents criminels, pervers ou déficients :

> Tout bon arbre porte de bons fruits, mais le mauvais arbre porte de mauvais fruits. Un bon arbre ne peut porter de mauvais fruits ni un mauvais arbre porter de bons fruits. Tout arbre qui ne porte pas de bons fruits est coupé et jeté au feu.
>
> Mt 7, 17

Ton père est un *loser* fini, un agresseur, un violent ? Désolé, « mauvais fruit », tu ne feras pas mieux que lui dans la vie. Tant pis pour toi.

Sur les règles élémentaires d'hospitalité et de vie sociale, quel conseiller avisé que Jésus qui suggère cette astucieuse règle de conduite pour un souper presque parfait :

> Lorsque tu donnes à dîner ou à souper, n'invite pas tes amis, ni tes frères, ni tes parents, ni des voisins riches, de peur qu'ils ne t'invitent à leur tour et qu'on ne te rende la pareille. Mais, lorsque tu donnes un festin, invite des pauvres, des estropiés, des boiteux, des aveugles. Et tu seras heureux de ce qu'ils ne peuvent pas te rendre la pareille ; car elle te sera rendue à la résurrection des justes.
>
> Lc 14, 12

On se résume… Tu prépares un gros repas ? Surtout, n'invite personne de ta parenté ou tes amis AU CAS OÙ ils ne t'invitent pas à leur tour par après. Déjà, ça part fort. Et puis le second volet du conseil qui nous achève : Jésus propose d'inviter plutôt à ta soirée des pauvres, des handicapés, aveugles, etc. Pourquoi ? Parce que tu ne te créeras pas de fausses attentes, car, c'est bien connu : LES HANDICAPÉS, AVEUGLES ET GENS DÉMUNIS N'ONT AUCUN SAVOIR-VIVRE ET AUCUNE GRATITUDE !

Venant de discourir sur les villes ingrates où il s'est épuisé à faire des miracles et où les habitants n'ont pas fait pénitence, Jésus leur promet une éternité en Enfer. Connaissant son côté rancunier, cela ne surprend personne. Par contre, on peut trouver étrange qu'il conclue sa promesse d'enfer avec cette phrase inusitée : « Je te loue, Père, Seigneur du ciel et de la terre, de ce que tu as caché ces choses aux sages et aux intelligents, et de ce que tu les as révélées aux enfants. » (Mt 11, 25)

Si on résume : Jésus n'en peut plus d'être content parce que l'information indiquant que des populations de villes entières vont brûler éternellement s'est bien rendue aux enfants. Pas convaincu, personnellement, qu'il serait opportun d'inclure ce type de contenu dans nos programmes éducatifs. D'autre part, cela dénote d'un mépris formidable pour les « sages et intelligents » qui, aux dernières nouvelles, ne s'efforcent pas nécessairement de développer leurs facultés mentales pour systématiquement faire le mal.

Dans Marc, des pharisiens demandent à Jésus un signe du ciel. Il répond en gémissant : « Pourquoi cette génération demande-t-elle un signe ? Vraiment, je vous le dis, il ne sera pas donné de signe à cette génération. »

Euh… vraiment ? Aucun signe, Jésus ? À part, détail en passant, TOUS CES MIRACLES QUE TU NE CESSES D'ACCOMPLIR À LA MOINDRE OCCASION !

Au chapitre des paroles incongrues du Messie, on se souvient de la réponse qu'il offre sur la croix à un des deux malfaiteurs crucifiés qui fait une conversion de dernière minute :

> Et il dit à Jésus : « Souviens-toi de moi, quand tu viendras dans ton règne. » Jésus lui répondit : « Je te le dis en vérité, aujourd'hui tu seras avec moi dans le paradis. »
>
> Lc 23, 42

Pourtant, comme c'est confirmé par le texte du Notre Père, Jésus est « mort sur la croix, descendu aux Enfers et ressuscité **le troisième jour** ». Il n'est donc pas monté au paradis le jour même. Il n'est même pas ressuscité au troisième jour, mais plutôt au deuxième. Ainsi, le Notre Père, LA prière parfaite, celle que le Christ lui-même a composée, contient des imprécisions chronologiques.

III. LES PARABOLES

Quiconque compare les paraboles dans les Évangiles avec celles provenant d'autres sources ne peut que conclure que Jésus était un maître du genre, probablement le plus grand auteur ayant existé. Encore aujourd'hui, ses paraboles comptent parmi les plus belles œuvres dans l'histoire de la littérature.

Madeleine Boucher,
spécialiste du Nouveau Testament,
professeure retraitée du Fordham University

Du grec *parabolê* (comparaison), une parabole est une figure de rhétorique, quelque chose s'approchant de la métaphore, s'inspirant fréquemment de petites choses du quotidien et qui, en théorie, a pour but de passer un message de manière « imagée ». Tout le monde en a entendu à la messe, vous avez une idée du ton.

Des chiffres. Il y a quelque chose comme 46 paraboles dans les Évangiles. Le maniaque des paraboles, c'est Luc. Il en fait raconter 37 par Jésus dont 18 en primeur. L'auteur de Matthieu fait état de 29 et Marc de seulement 10. Jean n'en raconte tout simplement pas.

Jésus n'a pas inventé le principe. On trouve plusieurs paraboles dans l'Ancien Testament. La spécialiste Madeleine Boucher, croyante endurcie et citée en exergue, nous apprend ceci :

> Quand Jésus prêchait avec tant d'impact en paraboles, il ne créait pas un nouveau genre littéraire. Il faisait plutôt un brillant usage d'un genre qui était déjà une longue tradition et qui était familier à travers tout le monde méditerranéen. En Grèce et à Rome, les paraboles étaient utilisées par les rhétoriciens, politiciens et philosophes.

On a toujours eu cette impression que c'est pour faire comprendre son message plus facilement que Jésus parlait en paraboles. En fait, c'est tout le contraire. Il parlait en paraboles pour ne pas être compris.

À un moment donné, Jésus se retrouve en privé avec ses apôtres après qu'il ait livré un discours public en paraboles incompréhensibles. La scène est ainsi décrite :

> Lorsqu'il fut en particulier, les douze l'interrogèrent sur les paraboles. Il leur dit : « C'est à vous qu'a été donné le mystère du Royaume de Dieu ; mais pour ceux qui sont dehors, tout se passe en paraboles, afin qu'en voyant ils voient et n'aperçoivent point, et qu'en entendant ils entendent et ne comprennent point, de peur qu'ils ne se convertissent, et que les péchés ne leur soient pardonnés. »
>
> Mc 4, 10

En gros, Jésus a la même approche que le mécanicien expliquant les détails d'une estimation de réparations à un client : on veut pas qu'il comprenne pour mieux le facturer.

Évidemment, comme ça arrive tout le temps, l'idée derrière cette directive bizarre est encore de faire se réaliser une vieille prophétie d'Ésaïe qui écrivait :

> Rends insensible le cœur de ce peuple, endurcis ses oreilles, et bouche-lui les yeux, pour qu'il ne voie point de ses yeux, n'entende point de ses oreilles, ne comprenne point de son cœur, ne se convertisse point et ne soit point guéri.
>
> Es 6, 9

À n'y rien comprendre. Jésus se sacrifie, donne sa vie pour faire entendre la Parole de Dieu. Mais ne veut pas que le public saisisse. En lisant les Évangiles, on voit ainsi souvent ce même scénario : Jésus parle à des foules en discours confus et alambiqués. Une fois seul avec ses apôtres, ceux-ci lui demandent d'expliquer ce qu'il voulait dire, il l'explique et… ce n'est pas vraiment plus clair.

L'approche est tout de même assez décourageante pour le peuple, convenons-en. Mais, si on en juge par les explications que Jésus fournit sur le « message secret » de ces paraboles, le public n'a pas manqué grand-chose.

On attribue une grande valeur spirituelle aux paraboles du Christ. Pourtant, dans l'ensemble, elles véhiculent beaucoup de messages immoraux, douteux, ambigus. Qui plus est, le choix des thèmes et le développement narratif sont le plus souvent non avenus et déplacés. Un ton de *joke* de mon oncle « malaisante ».

Tâchons d'y voir un peu plus clair et de gagner ainsi notre place au Royaume...

LES PARABOLES AGRICOLES

Il y a abondance de paraboles à caractère agricole dans les Évangiles. Si elles se tiennent assez bien individuellement, on multiplie les signaux croisés dès qu'on les lit l'une à la suite de l'autre. Commençons par la parabole du semeur, un des classiques de Jésus. Racontée dans Marc (4, 3) et reprise dans Matthieu et Luc. En gros, elle se résume ainsi :

1. Un semeur sème.
2. Une partie de la semence tombe le long du chemin et les oiseaux viennent la manger ;
3. D'autres graines tombent dans un endroit pierreux, sans terre : ça pousse, mais quand le soleil sort, la plante est brûlée et sèche, faute de racines ;
4. Des graines tombent parmi les épines : ça étouffe, ne donne pas de fruits ;

5. Et une partie de la semence tombe dans de la bonne terre. Elle donne du fruit, etc.

Comme toujours, les apôtres n'ayant pas allumé, Jésus, après les avoir traités d'imbéciles, explique ainsi la parabole :

1. La semence c'est la Parole ! Ha ha !
2. Il y a des gens le long du chemin où la Parole est semée : ils l'entendent et aussitôt Satan (représenté par les oiseaux) vient et leur enlève la Parole ;
3. D'autres personnes reçoivent la parole dans des endroits pierreux : ils sont d'abord contents, mais comme ils n'ont pas de racine et ne persistent pas, ils chutent ;
4. Des gens la reçoivent parmi les épines : à cause des séductions de l'argent et autres tentations, la Parole est étouffée ;
5. Enfin, ceux qui la reçoivent dans de la bonne terre porteront du fruit.

Au cas où on aurait compris, Jésus enchaîne tout de suite après avec une autre parabole de *semage* qui a pour but de nous mêler et qui va comme suit :

> Il en est du royaume de Dieu comme quand un homme jette de la semence en terre ; qu'il dorme ou qu'il veille, nuit et jour, la semence germe et croît sans qu'il sache comment. La terre produit d'elle-même, d'abord l'herbe, puis l'épi, puis le grain tout formé dans l'épi ; et, dès que le fruit est mûr, on y met la faucille, car la moisson est là.
>
> Mc 4, 27

Donc, si on se fie à la parabole précédente, une fois que la parole du Royaume a été semée en nous, on est censé travailler fort pour tenir le Diable à distance pour que ça pousse… mais, si on se fie à la seconde parabole, même si on dort, la semence fait ce qu'elle a à faire et va pousser quand même..!? Plus sûr de saisir.

Pour être bien certain qu'on soit perdus, Jésus y va de cette autre parabole qui mélange encore les cartes :

> À quoi comparerons-nous le Royaume de Dieu ? Il est semblable à un grain de sénevé, qui, lorsqu'on le sème en terre, est la plus petite de toutes les semences qui sont sur la terre ; mais, lorsqu'il a été semé, il monte, devient plus grand que tous les légumes, et poussent de grandes branches, de sorte que les oiseaux du ciel peuvent habiter sous son ombre.
>
> Mt 4, 30

Dans les paraboles vues précédemment, la graine ou la semence représentait la Parole ou la foi nécessaire pour accéder au Royaume… mais on lit ici que c'est le Royaume de Dieu lui-même qui est représenté par un grain ? Voilà qui ressemble à une erreur de logique où on confond cause et effet…

Terminons avec la parabole agricole la plus populaire qui demeure : *Le Bon Grain et l'Ivraie*. Pour ceux qui se demandent ce qu'est l'ivraie, Wiki nous apprend que c'est une plante dont une des variétés est toxique à forte dose et qui donne une impression d'ivresse à petite dose (d'où le nom « ivraie »). Dans la parabole, ça représente une mauvaise herbe, finalement.

Faisant toujours partie du répertoire de nos curés, cette touchante parabole va comme suit :

> Le Royaume des cieux est semblable à un homme qui a semé une bonne semence dans son champ. Mais, pendant que les gens dormaient, son ennemi vint, sema de l'ivraie parmi le blé, et s'en alla. Lorsque l'herbe eut poussé et donné du fruit, l'ivraie parut aussi. Les esclaves du maître de la maison vinrent lui dire : « Seigneur, n'as-tu pas semé une bonne semence dans ton champ ? D'où vient donc qu'il y a de l'ivraie ? » Il leur répondit : « C'est un ennemi qui a fait cela. » Et les esclaves lui dirent : « Veux-tu que nous allions l'arracher ? » « Non, dit-il, de peur qu'en arrachant l'ivraie, vous ne déraciniez en même temps le blé. Laissez croître ensemble l'un et l'autre jusqu'à la moisson, et, à l'époque de la moisson, je dirai aux moissonneurs : Arrachez d'abord l'ivraie, et liez-la en gerbes pour la brûler, mais amassez le blé dans mon grenier. »
>
> Mt 13, 24

L'ivraie représente les méchants, les incroyants, qui ne sont pas jugés dignes d'entrer au Royaume de Dieu. Ceux-là, on peut les jeter au feu. Voilà une autre parabole abondamment citée du temps de l'Inquisition Romaine. Des milliers de malheureux furent brûlés à cause de cette parabole. Littéralement.

LES PARABOLES AVEC DES IMAGES PAS TRÈS PERTINENTES

Après une épuisante séance d'exorcisme, Jésus est accusé par les scribes de chasser les démons avec l'aide…

du Démon ! Assez idiot, convenons-en, comme hypothèse de la part des scribes. Prompt à déceler l'idiotie, Jésus leur réplique avec justesse : « Comment Satan peut-il chasser Satan ? » Puis il explique que si Satan se révolte contre lui-même, il s'autodétruit. Un point pour Jésus ici. Et c'est alors qu'il conclut sa parabole avec cet exemple mal à propos :

> Personne ne peut entrer dans la maison d'un homme fort et piller ses biens, sans avoir auparavant lié cet homme fort ; alors il pillera sa maison.
>
> Mc 3, 27

Judicieux conseil à garder en tête lors de votre prochaine invasion de domicile : si votre victime est du type costaud, prendre soin de bien le ligoter avant de vider sa maison. Entre les lignes, on peut en déduire que si les victimes sont des petits vieux ou des flancs mous qui ne s'entraînent pas trop, on ne serait pas obligé de se compliquer la vie en les attachant.

De toutes les paraboles de Jésus, la plus vulgaire est ce qu'il est convenu d'appeler *La parabole de la défécation*. Le contexte : les pharisiens sont offusqués de constater que, au mépris de la tradition, Jésus et ses apôtres ne se lavent pas les mains avant de manger. Jésus y va alors de cette parabole à connotation gastrique :

> [...] Ne comprenez-vous pas que rien de ce qui du dehors entre dans l'homme ne peut le souiller ? Car cela n'entre pas dans son cœur, mais dans son ventre, puis s'en va dans les lieux secrets [...] Il dit encore : Ce qui sort de l'homme, c'est ce qui souille l'homme. Car c'est du dedans, c'est du cœur des hommes, que sortent les mauvaises pensées, les adultères, les

> impudicités, les meurtres, les vols, les cupidités, les méchancetés, la fraude, le dérèglement, le regard envieux, la calomnie, l'orgueil, la folie. Toutes ces choses mauvaises sortent du dedans, et souillent l'homme.
>
> Mc 7, 18

Dit plus simplement : ce qui entre dans votre bouche va finir dans les toilettes, inquiétez-vous plutôt de ce qui sort de votre bouche. On saisit l'idée.

Déplorable choix de thème, cependant. Mal exprimé, en plus. Parce que quand Jésus dit « ce qui sort de l'homme, c'est ce qui souille l'homme », il aurait dû être plus précis et dire « ce qui sort du cœur de l'homme ». Parce que le caca aussi « sort de l'homme ».

En fin de compte, Jésus aurait pu laisser tomber. Il échafaude une parabole dégoûtante et mal tournée simplement pour se justifier de ne pas se laver les mains avant de manger. Une mauvaise parabole au service d'un mauvais conseil d'hygiène. Beurk !

LES PARABOLES AUTOUR DE L'ARGENT

Jésus n'arrête pas de maudire les riches, de dénoncer le pouvoir de l'argent et de mépriser l'accumulation de richesses. Paradoxalement, il invente un paquet de paraboles basées sur… l'argent ! Prenons l'exemple de la parabole des dix drachmes :

> Quelle femme, si elle a dix drachmes, et qu'elle en perd une, n'allume une lampe, ne balaie la maison, et ne cherche avec soin, jusqu'à ce qu'elle la retrouve ?

> Lorsqu'elle l'a retrouvée, elle appelle ses amies et ses voisines, et dit : Réjouissez-vous avec moi, car j'ai retrouvé la drachme que j'avais perdue. De même, je vous le dis, il y a de la joie devant les anges de Dieu pour un seul pécheur qui se repent.
>
> Lc 15, 8

En bref, Jésus assimile la joie des anges devant un pécheur repenti à celle qu'on éprouve en retrouvant une pièce de monnaie qu'on aurait perdue. Pas sa meilleure. À part ça, c'est quoi cet excès de réaction de bonheur quasi hystérique de la femme qui alerte le quartier au complet : « Hey ! J'ai retrouvé mes deux dollars ! Yéééé !! Faisons la fête et dansons ! »

Toujours sur le thème de l'argent, on nous relate dans l'Évangile de Luc une parabole plutôt déconcertante. Toute l'histoire et la morale qui s'en dégagent semblent aller à contre-courant des positions anti-richesse de Jésus. Il s'agit de la parabole des mines (Lc 19, 11). Jésus y raconte l'histoire d'un seigneur qui part en voyage, mais qui, avant son départ, donne à ses esclaves un certain nombre de mines[51]. Au retour, le seigneur les rencontre un à un. Les deux premiers esclaves ont fait fructifier l'argent et le seigneur les récompense. Le troisième, quant à lui, a prudemment caché l'argent et le redonne au seigneur. Ce dernier l'engueule et lui reproche de ne pas avoir fait profiter son fric : « Pourquoi n'as-tu pas mis mon argent en banque afin qu'à mon retour je le retire avec l'intérêt ? » En plus d'engueuler le pauvre garçon, le seigneur lui

51. 1 mine vaut 100 drachmes

enlève son argent et le donne à un des deux autres serviteurs. Et le seigneur conclut avec cette morale : « À celui à qui a, on donnera, et à celui qui n'a pas, même ce qu'il a lui sera enlevé. Quant à mes ennemis, ceux qui ne voulaient pas que je règne sur eux, amenez-les ici et égorgez-les devant moi. »

Fin. Applaudissements de la foule, *stand-up ovation* !

LES PARABOLES CRUELLES

Dans une parabole ressemblant à une version de *La cigale et la fourmi*, mais qui aurait été rédigée par Edgar Allan Poe, Jésus passe le message que les pauvres auront un jour leur revanche sur les riches. C'est l'histoire de Lazare et du riche. Écoutons Jésus la raconter :

> Il y avait un homme riche [...] qui chaque jour menait joyeuse et brillante vie. Un pauvre, nommé Lazare, était couché à sa porte, couvert d'ulcères, et désireux de se rassasier des miettes qui tombaient de la table du riche ; et même les chiens venaient encore lécher ses ulcères.
>
> Le pauvre mourut, et il fut porté par les anges dans le sein d'Abraham. Le riche mourut aussi, et il fut enseveli. Dans le séjour des morts, il leva les yeux ; et, tandis qu'il était en proie aux tourments, il vit de loin Abraham, et Lazare dans son sein. Il s'écria : « Père Abraham, aie pitié de moi, et envoie Lazare, pour qu'il trempe le bout de son doigt dans l'eau et me rafraîchisse la langue ; car je souffre cruellement dans cette flamme. » Abraham répondit : « Mon enfant, souviens-toi que tu as reçu tes biens pendant

> ta vie, et que Lazare a eu les maux pendant la sienne ; maintenant, il est ici consolé, et toi, tu souffres. »
>
> Lc 16, 19

On ne donne pas beaucoup dans la nuance. À la fin de ta vie, des anges-vérificateurs-comptables consultent tes déclarations de revenus, examinent tes actifs, recensent tes biens : tu te classes « riche », direction l'enfer. Tu as été généreux de ta fortune, tu as inventé le remède au cancer, sauvé vingt-deux personnes d'un immeuble en flammes ? Rien à foutre : t'as de l'argent, tu vas en Enfer. Pour ajouter à l'inqualifiable méchanceté de cette rétribution divine, on a là en plus un Abraham, LE modèle de bonté par excellence, qui hausse les épaules, suprêmement indifférent devant les souffrances du malheureux qui meurt de soif : « Ah ! C'est comme ça, pauvre con ! Chacun son tour ! Brûle ! Ha ha ! » Cruel.

Quand il veut communiquer des messages pourtant simples, Jésus nous complique l'existence en brodant des paraboles élaborées et tout à fait indignes du Fils de Dieu. Par exemple, n'aurait-il pas été facile de dire à son public : « Au Royaume de Dieu, il y a beaucoup d'appelés, mais peu d'élus. Arrangez-vous avec ça » ? Mais non. Plutôt que de l'exprimer ainsi, il invente cette rocambolesque histoire de noces royales qui finit dans un bain de sang :

> Le Royaume des cieux est semblable à un roi qui fit des noces pour son fils. Il envoya ses serviteurs appeler ceux qui étaient invités aux noces ; mais ils ne voulurent pas venir. Il envoya encore d'autres serviteurs, en disant : Dites aux conviés : « Voici,

j'ai préparé mon festin [...] tout est prêt, venez aux noces. » Mais, sans s'inquiéter de l'invitation, ils s'en allèrent [...] et les autres se saisirent des serviteurs et les tuèrent. Le roi fut irrité ; il envoya ses troupes, fit périr ces meurtriers, et brûla leur ville. Alors il dit à ses serviteurs : « Les noces sont prêtes ; mais les conviés n'en étaient pas dignes. Allez donc dans les carrefours, et appelez aux noces tous ceux que vous trouverez. » Ces serviteurs allèrent dans les chemins, rassemblèrent tous ceux qu'ils trouvèrent, méchants et bons, et la salle des noces fut pleine de convives. Le roi entra pour voir ceux qui étaient à table, et il aperçut là un homme qui n'avait pas revêtu un habit de noces. Il lui dit : « Mon ami, comment es-tu entré ici sans avoir un habit de noces ? » Cet homme eut la bouche fermée. Alors le roi dit aux serviteurs : « Liez-lui les pieds et les mains, et jetez-le dans les ténèbres du dehors, où il y aura des pleurs et des grincements de dents. Car il y a beaucoup d'appelés, mais peu d'élus. »

Mt 22, 2

Rien ne se tient dans cette mauvaise parabole :

- pourquoi donc les gens initialement invités aux noces auraient-ils obstinément refusé l'invitation ?
- par quel caprice diabolique de l'esprit ont-ils choisi « d'outrager » et tuer les serviteurs du roi plutôt que de décliner poliment l'invitation ?
- brûler une ville au complet parce que quelques personnes seulement ont tué ses serviteurs n'est-il pas un brin exagéré comme représailles ?

- qu'est-ce que le roi essaie de prouver en invitant les premiers venus rencontrés au coin du chemin aux noces de son fils ?
- doit-on raisonnablement s'attendre à ce qu'un gars ramassé au hasard et traîné à la table du roi ait les moyens d'avoir un habit de noces ?
- plutôt que de le ligoter et de le foutre dehors, n'eût-il pas été plus humain pour le roi de lui prêter un habit de noces ?

On veut bien admettre que le message derrière l'histoire, c'est de se tenir prêts pour le jour où on voudra être admis au Royaume, etc. N'empêche que son contenu est navrant.

Puisqu'on est au chapitre des paraboles sadiques, que penser de la célèbre parabole de *L'esclave fidèle et le méchant esclave.* La voici, racontée par Jésus :

> Tenez-vous prêts, car le Fils de l'homme viendra à l'heure où vous n'y penserez pas. Quel est donc l'esclave fidèle et prudent, que son maître a établi sur ses gens, pour leur donner la nourriture au temps convenable ? Heureux cet esclave, que son maître, à son arrivée, trouvera faisant ainsi ! Je vous le dis en vérité, il l'établira sur tous ses biens. Mais, si c'est un méchant esclave, qui dise en lui-même : « Mon maître tarde à venir. » S'il se met à battre ses compagnons, s'il mange et boit avec les ivrognes, le maître de cet esclave viendra le jour où il ne s'y attend pas et à l'heure qu'il ne connaît pas, il le mettra en pièces, et lui donnera sa part avec les hypocrites.
>
> Mt 24, 44

Au moins vingt-huit objections quant au bien-fondé moral de cette parabole, mais nous en retiendrons surtout deux :

- Pas vraiment un signe de grande sagesse de la part de Jésus que d'utiliser, au service d'une parabole, l'image de l'esclave condamné à être maintenu dans un état de soumission aveugle ;
- Le Christ a quasiment l'air de sanctionner un châtiment dont on peut dire qu'il est légèrement disproportionné : être « taillé en pièces » pour avoir fait la fête au lieu d'attendre sagement son maître semble en effet un peu sévère.

Ne nous y trompons pas : les paraboles reflètent exactement la pensée et les positions de Jésus. Pour citer à nouveau la spécialiste Madeleine Boucher : « Probablement aucune partie des Évangiles n'est aussi en accord avec l'esprit de Jésus que les paraboles. »

LE ROYAUME DES CIEUX, C'EST…

Calquée sur les formules clichées de cartes de souhaits Hallmark dans le genre « Le bonheur, c'est… » ou « L'amour, c'est… », une bonne partie des paraboles obéit à la prémisse « Le Royaume des Cieux, c'est… ». Et on a tôt fait de réaliser que, finalement, ça pourrait être à peu près n'importe quelle réalité ou objet.

Le Royaume des cieux, c'est… l'océan… c'est une fenêtre… c'est un photocopieur… c'est un couteau à patates… c'est la p'tite peau dure autour de l'ongle du gros orteil, etc.

Jusqu'ici, on a vu que Jésus a établi une comparaison du Royaume avec un grain de sénevé. D'autres variations en vrac qu'on peut lire dans Matthieu au chapitre 13 :

> Le Royaume des cieux est semblable à un trésor caché dans un champ. L'homme qui l'a trouvé le cache ; et, dans sa joie, il va vendre tout ce qu'il a, et achète ce champ. (Verset 44)

Suggestion comme ça : l'homme n'a pas pensé à acheter le champ en utilisant le trésor plutôt que de tout vendre puis acheter le champ pour ensuite déterrer le trésor et, quoi, racheter tout ce qu'il avait vendu auparavant ?

Et pourquoi faire simple quand...

> Le Royaume des cieux est semblable à un marchand qui cherche de belles perles. Il a trouvé une perle de grand prix ; et il est allé vendre tout ce qu'il avait, et l'a achetée. (Versets 45-46)

Un autre exemple agaçant où on vend le concept du Royaume avec une parabole mercantile.

> Le Royaume des cieux est semblable à un filet jeté dans la mer et ramassant des poissons de toute espèce. Quand il est rempli, les pêcheurs le tirent ; et, après s'être assis sur le rivage, ils mettent dans des vases ce qui est bon, et ils jettent ce qui est mauvais. Il en sera de même à la fin du monde. Les anges viendront séparer les méchants d'avec les justes, et ils les jetteront dans la fournaise ardente, où il y aura des pleurs et des grincements de dents. (47-50)

Encore une fois, on accroche sur la tournure malhabile. Est-ce que le Royaume ne devrait pas être le vase dans lequel les bons poissons aboutissent ? Le filet contenant aussi bien de bons que de mauvais poissons, comment peut-on l'assimiler au Royaume de Dieu ? À part ça, n'est-ce pas à Jésus qu'est censée incomber la tâche de démêler les justes des méchants ? On a délégué le triage aux anges ?

PARABOLE DES VIERGES

L'idée du paradis des musulmans où les gars sont accueillis par soixante-dix vierges fait bien rigoler les chrétiens. Il est renversant de songer que cette promesse farfelue ne fut pas un facteur négligeable dans les motivations des martyrs qui ont écrasé des avions dans les tours du World Trade Center en 2001.

Dans nos sociétés occidentales modernes, le rapport des mâles avec la notion de filles vierges est à des années-lumière de ce que ça pouvait être il y a deux mille ans en Palestine. Au XXIe siècle, *fille vierge* sonne *adolescente* ou *préadolescente* et l'idée d'intimité avec un homme mature heurte, à juste titre, notre moralité sexuelle. Et non, ce n'est pas non plus du goût des mécréants et athées.

Jésus n'avait visiblement pas de distance sur le sujet et était pas mal en phase avec les mœurs du temps. L'édifiante Parabole des dix vierges le démontre assez bien :

> Alors le Royaume des cieux sera semblable à dix vierges qui, ayant pris leurs lampes, allèrent à la

> rencontre de l'époux. Cinq d'entre elles étaient folles, et cinq sages. Les folles, en prenant leurs lampes, ne prirent point d'huile avec elles ; mais les sages prirent, avec leurs lampes, de l'huile dans des vases. Comme l'époux tardait, toutes s'assoupirent et s'endormirent. Au milieu de la nuit, on cria : « Voici l'époux, allez à sa rencontre ! » Alors toutes ces vierges se réveillèrent, et préparèrent leurs lampes. Les folles dirent aux sages : « Donnez-nous de votre huile, car nos lampes s'éteignent. » Les sages répondirent : « Non ; il n'y en aurait pas assez pour nous et pour vous ; allez plutôt chez ceux qui en vendent, et achetez-en pour vous. » Pendant qu'elles allaient en acheter, l'époux arriva ; celles qui étaient prêtes entrèrent avec lui dans la salle des noces, et la porte fut fermée. Plus tard, les autres vierges vinrent, et dirent : « Seigneur, Seigneur, ouvre-nous. » Mais il répondit : « Je vous le dis en vérité, je ne vous connais pas. »
>
> Mt 25, 1

Voilà une autre parabole que les prêtres lisent moins souvent à la messe ces temps-ci. Qu'on la prenne comme on voudra, la moralité de l'histoire se résume implacablement à ceci : en raison de leur négligence, les cinq vierges folles subissent ce terrible châtiment de ne pas pouvoir participer à un immense gang bang impliquant dix filles et un gars : « si vous ne voulez pas que ça vous arrive, ayez foi en Dieu ! »

Un rappel de notre exergue en guise de mot de la fin :

Quiconque compare les paraboles dans les Évangiles avec celles provenant d'autres sources ne peut que conclure que Jésus était un maître du genre, probablement le plus grand auteur ayant existé. Encore aujourd'hui, ses paraboles comptent parmi les plus belles œuvres dans l'histoire de la littérature.

Si une experte le dit…

LA DERNIÈRE TENTATIVE DU CHRIST
(LE PROPHÈTE DE LA FIN DU MONDE)

Cette génération ne passera pas
que tout ne soit arrivé.
Jésus

Parmi les lectures de jeunesse qui me procurèrent le plus de bonheur, les aventures de Tintin ont une place privilégiée. Au chapitre des traditions annuelles du temps des fêtes, période bénie pendant laquelle on dispose enfin de temps vraiment libre, je me replonge chaque année dans des lectures de l'œuvre d'Hergé. « L'étoile mystérieuse » demeure un de mes albums préférés. La course à l'aérolithe, la tension dramatique, l'humour, les trouvailles graphiques, le gros champignon, c'est un album toujours captivant.

Un des personnages imaginés par l'auteur est un savant que l'approche de l'étoile a rendu fou. Philippilus le prophète déambule dans les rues en annonçant l'imminence de la fin du monde. Vêtu d'un drap et cognant un gong, il n'a pas manqué de frapper mon imaginaire d'enfant. L'impression qu'il m'a laissée est sans équivoque : quiconque proclame la fin du monde dans les rues fait un fou de lui.

J'étais loin de me douter que, dans la vraie vie, à travers l'histoire, on ne compte plus les prédictions apocalyptiques, les annonceurs du malheur cosmique, les sectes et mouvements proclamant l'arrivée de LA grande catastrophe, les *fuckés findumondistes.* Aussi loin qu'on remonte, on trouve des traces de cette obsession de la grande et terrible finale. Tant et tellement que des livres entiers y furent consacrés.

Siècle après siècle, des mouvements prédisent la fin du monde au sens biblique – entendre l'instauration du Royaume de Dieu sur Terre – et on dirait que les fidèles ne se découragent jamais.

À cet égard, la Bible porte une bonne part de responsabilité, en particulier son dernier livre : L'Apocalypse. Sur ce sujet, Christopher Hitchens rapporte les propos de l'auteur Ian McEwan dans *End of the World Blues* :

> L'Apocalypse de Jean a longtemps fasciné les croyants. Colomb, en découvrant les Bahamas, croyait avoir trouvé le paradis terrestre évoqué par Jean. Tiré du carnet de bord de Colomb : « Dieu m'a fait le messager du nouveau paradis et la nouvelle terre dont il parle dans l'Apocalypse de Jean. »[52]

Que des gens éduqués, informés, sensés, en ce XXIe siècle, persistent à croire à l'arrivée prochaine du Royaume de Dieu ici-bas en se basant sur des sermons de prédicateurs eux-mêmes basés sur des interprétations

52. Hitchens Christopher, *The Portable Atheist : Essential Readings for the Non-Believer.* De Capo Press/Perseus Books, Boston, 2007, 525 p.

de versets bibliques alambiqués et tordus, cela a de quoi nous jeter par terre.

Autour de nous, il faut aller du côté des mouvements fondamentalistes religieux, des évangéliques, des sectes, pour trouver cette espèce de croyants. Cela demeure marginal.

L'idée de la fin du monde, au sens biblique, se porte très bien aux États-Unis. Il est renversant d'apprendre que 44 % des Américains attendent le retour du Christ et son règne sur terre dans les cinquante prochaines années.

> En général, la croyance en une fin des temps proche et au retour du Christ est beaucoup plus forte aux États-Unis que dans le reste du monde ! Un sociologue connu, J.W.Nelson dit : « Les idées d'apocalypse sont aussi américaines que le hot-dog ! »[53]

Par rapport à ce livre des « Révélations » d'un certain Jean, il faut se rappeler qu'il fut écrit vers l'année 95. Ce n'est évidemment pas Jean le disciple qui l'a rédigé. L'idée du livre, dit-on, était de redonner espoir au peuple juif et aux premiers chrétiens qui vivaient une période très dure. Quelque vingt-cinq ans plus tôt, les Romains avaient en effet rasé le Temple à Jérusalem et commencé la dispersion du peuple juif. L'Apocalypse est une fantaisie, un *pep-talk,* franchement morbide, disons-le, visant à passer le message suivant aux fidèles : la misère achève et le royaume de Dieu approche. Vous serez vengés ! L'Apocalypse de Jean,

53. MCEWAN Ian, *ibid.*

c'est un gros scénario du type « Et si... ? », une espèce de *Inglorious Bastard,* mais inintéressant et illisible.

Quand on lit les paroles et l'enseignement de Jésus, la conclusion s'impose d'elle-même : tout ce qu'il nous a dit tournait autour de la fin des temps et visait pour l'essentiel à y préparer ses contemporains.

C'EST POUR BIENTÔT, MAÎTRE ?

Jésus était un prophète de l'Apocalypse. En cela, il n'est guère original et n'est pas le seul à prédire la fin de notre monde : d'autres prophètes de son temps donnent les mêmes types d'avertissements. La thématique captivait follement les auditoires dans cette période de l'histoire, surtout en Palestine.

Pour lui, le monde est déchiré entre deux forces opposées : le bien et le mal. Il considère que son époque est sous l'emprise des forces du mal. En définitive, la maladie, les catastrophes naturelles, la mort : tout est leur faute.

> Dieu interviendra bientôt dans cet univers du mal pour renverser les forces maléfiques et établir son royaume du bien, le royaume de Dieu, où il n'y aura ni douleur ni misère. Les fidèles de Jésus peuvent s'attendre à ce que ce royaume arrive bientôt ; en fait, il arrivera au cours de leur vie. Il sera instauré par un Juge céleste que Jésus appelle le fils de l'Homme. Quand le fils de l'Homme arrivera, ce sera l'heure du

jugement sur la terre où les mauvais seront anéantis, mais les justes récompensés.[54]

Le long terme n'existe pas : la fin est proche. Comme nous l'avons vu, ce franc optimisme explique entre autres son mépris des liens familiaux et sa conception de l'économie qui consiste à… encourager tout le monde à se foutre complètement de son budget.

Par ailleurs, contrairement à d'autres paroles ambiguës et au sens mystérieux, les déclarations du Christ sur la fin des temps sont on ne peut plus explicites. Noir sur blanc. Impossible pour les apologistes et théologiens d'invoquer les sempiternelles excuses : « Ah, mais il parle en métaphores, ce sont des symboles », etc. C'est clair dans la tête de Jésus : le Royaume de Dieu arrive dans les prochaines années. Et dans ce Royaume, Jésus va siéger à côté de Dieu durant mille ans. Ce règne est ainsi appelé « millenium ».

Examinons les prédictions de fin du monde de Jésus relayées par nos quatre évangélistes…

Marc :

Dès le premier chapitre de son Évangile, il annonce le thème. Jésus prononce déjà ces paroles inquiétantes : « Le temps est accompli et le règne de dieu est proche. Convertissez-vous et croyez à l'Évangile. » (1, 15)

Dire que « [c']est proche » a l'effet d'un puissant stimulant pour les apôtres. Ces derniers frétillent

54. Ehrman Bart, *ibid.*

visiblement d'impatience et ne cessent de relancer leur maître : « C'est pour quand ? Hein, hein, c'est pour quand ? »

Pour achever de les plonger dans une fébrilité sans nom, Jésus leur lance cette bombe au chapitre 9, verset 1 : « En vérité, parmi ceux qui sont ici, certains ne mourront pas avant de voir le règne de Dieu venu avec sa puissance. »

Les apôtres ne doutant pas un instant de sa parole, on peut à peine imaginer l'effet fulgurant qu'a pu produire sur eux cette promesse.

Loin de se dédire, au chapitre 13, verset 30, Jésus persiste et signe : « Cette génération ne passera pas que tout cela n'arrive. »

Matthieu et Luc:

Matthieu et Luc ayant copié de larges extraits de Marc, on ne sera pas surpris de lire les mêmes prédictions pour ainsi dire mot à mot dans leurs Évangiles.

Dans Matthieu, tout comme dans Marc, Jésus commence par une prédiction vague. On lit au chapitre 10 : « Allez prêcher en disant que le royaume des cieux est tout proche. »

Puis, au chapitre 24, Jésus précise sa promesse : « Vraiment, cette génération ne passera pas que tout cela n'arrive. »

Chez Luc, même recette. Au chapitre 10, Jésus dit : « Le royaume de Dieu est tout proche de vous »

Puis au chapitre 11, il précise l'époque : « Je vous le dis, il y en a quelques-uns de ceux qui sont ici présents qui ne goûteront pas la mort qu'ils n'aient vu le royaume de Dieu ».

Et revient enfin au chapitre 21 en ces termes : « Cette génération ne passera pas que tout ne soit arrivé. »

Entendant cela, les disciples furent sans doute excités comme des puces. Surtout que, à la manière d'un chef de parti politique, Jésus leur avait à tous garanti des postes de rêve dans le Royaume à venir. On peut lire en effet dans Matthieu (19, 28) et Luc (22, 28) : « Quand le fils de l'Homme siégera sur le trône de gloire, vous qui m'avez suivi, siégerez-vous aussi sur douze trônes pour juger les douze tribus d'Israël. »

Bon. Pas de quoi se scandaliser. En considérant que les apôtres risquent la torture, le martyre et toutes sortes d'affaires pas agréables en servant Jésus, on va facilement excuser ce népotisme. (En passant, on ne peut s'empêcher de se poser la question : est-ce que Judas va siéger sur un trône puisque Jésus parle des *douze* ?)

Ainsi, Marc, Matthieu et Luc s'entendent parfaitement : Jésus prédit pour très bientôt la fin des temps.

Du côté de Jean, on tient un discours tout à fait différent. Pourquoi le Jésus de son Évangile ne prévoit-il pas la fin des temps et la venue du Royaume sur terre ? Simplement parce que ce dernier Évangile fut rédigé vers les années 90-100, que tous les disciples étaient alors décédés et que la promesse de Jésus ne tenait plus ! Mais nous y reviendrons.

La réalité, c'est que, de leur vivant, les disciples sont convaincus qu'ils vont voir l'instauration du Royaume de Dieu dans notre monde.

Pour eux, le plan de match est clair : non seulement ils vont vivre éternellement, mais, en prime, Dieu va ressusciter les morts avec leur corps et va leur donner une récompense ou un châtiment pour l'éternité. Le Mal n'aura pas le dernier mot. Tous les morts reviendront à la vie, physiquement, pour vivre dans le Royaume.

Et qui seront les chanceux qui gagneront à la loterie du Royaume ? Saint Paul, en tout cas, élimine d'emblée plusieurs candidats :

> Ni impudiques, ni idolâtres, ni adultères, ni efféminés, ni gens de mœurs infâmes, ni voleurs, ni cupides, ni ivrognes, ni calomniateurs, ni fripons n'hériteront du Royaume de Dieu.
>
> 1Co 6, 9

Dans la liste des pécheurs de Paul, quelques catégories qui font sourciller... Être « efféminé » se situe au même niveau de gravité que « voleur » ? Et peut-on trouver terme plus inadéquat et vague que « fripon » ? Où commence et où s'arrête une friponnerie ?

En lisant seulement les Évangiles, la manière dont la transition dans le Royaume de Dieu doit concrètement se mettre en place reste un peu confuse. Disons qu'on a un manque flagrant côté logistique. Heureusement, on peut encore compter sur saint Paul, ce grand érudit, pour éclaircir tout ça.

Rappelons ici que Paul, à travers ses lettres, fut le premier à écrire au sujet de Jésus, et ce, même avant les évangélistes. Paul, lui aussi, croit de tout son cœur qu'il vivra personnellement la fin des temps et qu'il sera de la grosse fête dans le Royaume. Mais, se demandait-il, qu'arrivera-t-il à ceux qui meurent entre le moment où Jésus a promis la fin du monde et l'arrivée effective de cette fin ? À cette question légitime, Paul avance une réponse bien articulée se résumant à peu près à ceci : ceux qui croient en Jésus disposeront d'une sorte de corps temporaire qui leur sera attribué dans les cieux, mais il ne s'agira que d'une solution très provisoire, car ils reviendront sur terre dans le Royaume de Dieu avec leur corps permanent. Donc, pour Paul, la vie éternelle sera bel et bien vécue dans un corps, et non pas dans les cieux, mais ici-bas, là où nous sommes. Mais dans quel ordre joint-on le grand *get together* ? Les vivants en premier ? Les morts en premier ? Y aura-t-il un signal ? Toutes les réponses dans cette limpide explication de Paul :

> Car, si nous croyons que Jésus est mort et qu'il est ressuscité, croyons aussi que Dieu ramènera par Jésus et avec lui ceux qui sont morts. Voici, en effet, ce que nous vous déclarons : nous les vivants, restés pour l'avènement du Seigneur, nous ne devancerons pas ceux qui sont morts. Car le Seigneur lui-même, à un signal donné, à la voix d'un archange, et au son de la trompette de Dieu, descendra du ciel, et les morts en Christ ressusciteront premièrement. Ensuite, nous les vivants, qui seront restés, nous serons tous ensemble enlevés avec eux sur des nuées, à la rencontre du Seigneur dans les airs, et ainsi nous serons toujours avec le Seigneur.
>
> 1Th 4, 13

C'est tout juste si Paul ne précise pas qui préparera les sandwichs et la salade de poulet. Sans qu'on ne sache trop d'où il tient ces informations, monsieur Paul semble vraiment au courant des détails de la fin des temps. De fait, il semble l'être plus que Jésus lui-même. Si on le résume :

- Signal donné par un archange : un son de trompette ;
- Jésus descend d'en haut ;
- Les morts commencent leur montée ;
- Une nuée (faite avec de la glace sèche, probablement) vient chercher les vivants et on monte en compagnie des morts.

Bien entendu, il se trouvera des esprits pointilleux qui poseront des colles dans le genre : « Mais, Paul, disposerons-nous du même corps dans ce royaume ? » Loin d'être pris de court, Paul, s'appuyant visiblement sur de bonnes sources, fournit l'explication suivante :

> Voici, je vous dis un mystère : nous ne mourrons pas tous, mais tous nous serons changés, en un instant, en un clin d'œil, à la dernière trompette. La trompette sonnera, et les morts ressusciteront incorruptibles, et nous, nous serons changés. Car il faut que ce corps corruptible revête l'incorruptibilité, et que ce corps mortel revête l'immortalité.
>
> 1Co 15, 50

C'est tellement simple quand c'est bien expliqué. Donc, à ne pas oublier : c'est seulement à la dernière trompette que les morts se lèvent, pas avant.

Mais pourquoi Jésus croyait-il la fin du monde toute proche ? Dans son bouquin *The Jesus Dynasty*, l'auteur James Tabor offre une explication. Selon lui (et bien d'autres spécialistes), quand Jésus dit que la fin des temps est proche, il ne sort pas cette déclaration de nulle part, mais se réfère tout simplement à un décompte prophétique. On parle ici de la célèbre Prophéties des Soixante-Dix semaines du prophète Daniel. Ce dernier donne le compte à rebours précis qui nous mènera à la fin des temps. L'ami Daniel écrit donc que la fin arrivera après que soixante-dix semaines d'années (ou 70 x 7 jours) se seront écoulées depuis la promulgation d'un certain décret en vue de restaurer et reconstruire Jérusalem à la suite de sa destruction au VIe siècle av. J.-C. On parle donc de 490 ans. En partant de l'année 457 av. J.-C., quand Ezra revient à Jérusalem et en entreprend la restauration après la captivité à Babylone et en comptant soixante-neuf semaines prophétiques (483 ans), on arrive précisément à l'an 26-27 de notre ère avec une dernière « semaine » jusqu'au dénouement. Les années 26-27 sont précisément celles du ministère public de Jésus. Fort probable que notre Messie ait calculé en s'appuyant sur Daniel. Dans son esprit, il restait donc plus ou moins sept ans avant la fin du monde.

FIN DES TEMPS : LES SIGNES AVANT-COUREURS

Le Royaume de Dieu ne s'installera pas du jour au lendemain sur la terre. Avant, il faut que ça aille plutôt mal pendant un bout de temps. Jésus nous promet donc une série de signes pas très joyeux :

> Il y aura en ces jours une détresse telle qu'il n'y en a pas eu de semblable depuis qu'à l'origine Dieu a créé le monde [...] et comme il n'y en aura jamais. Le soleil s'obscurcira et la lune ne donnera plus sa

> lumière ; les astres se mettront à tomber du ciel et les puissances dans les cieux seront ébranlées.
>
> Mc 13, 19 et 24

Paraphrasant Marc, Matthieu fait dire à Jésus :

> Il y aura alors une grande détresse telle qu'il n'y en a pas eu de pareille depuis le commencement du monde. [...] Aussitôt, après ces jours de détresse, le soleil s'obscurcira, la lune ne donnera plus sa lumière, les astres tomberont du ciel et les puissances des cieux seront ébranlées... Alors paraîtra dans le ciel le signe du fils de l'homme.
>
> Mt 24, 21 et 29-30

Chez Luc, Jésus prédit à ses semblables les pires horreurs avec la destruction complète de Jérusalem en prime. Parmi les signes à venir, Jésus dit :

> Il y aura de grands tremblements de terre et des pestes et famines et des prodiges effrayants et des signes venant du ciel [...] Il y aura des signes dans le soleil, la lune et les étoiles. Les hommes mourront de frayeur [...] alors on verra le fils de l'homme venant dans une nuée avec grande puissance et gloire.
>
> Lc 21

Toutes ces belles prophéties non réalisées de Jésus nous permettent d'établir que son score en tant que devin avoisine le zéro. Pas son plus grand talent et il devrait rester là où il est bon, les paraboles.

De fait, rien n'arrive de ce qu'il a annoncé. Non seulement l'avènement du Royaume ne s'est pas produit, il n'y eut pas de chutes d'étoiles ou d'éclipse de Lune, on n'enregistra pas des épidémies de « morts par frayeur », la région de la Palestine eut même le bonheur d'être exemptée de peste, de famine ou de séisme naturel pendant toutes les années qui ont suivi la mort de Jésus alors que ce genre de fléaux n'était pas rare à cette époque.

La seule prophétie de Jésus, relayée par tous les évangélistes, qui se soit jamais avérée exacte est celle concernant la destruction du Temple à Jérusalem : « Il ne sera pas laissé pierre sur pierre qui ne soit renversée. »

Les chrétiens s'extasieront ici devant la clairvoyance du Christ : « Ah ! Vous voyez bien qu'il est fils de Dieu, il a prédit la destruction du Temple ! Ah ! »

En effet, il l'a prédit… comme tous les prophètes avant lui et comme à peu près tous les observateurs de son temps. Sous occupation romaine et multipliant les actes de rébellion et de violence envers l'autorité de Rome, les Juifs couraient après depuis fort longtemps et ce n'était qu'une question de temps avant que ce genre de représailles ne leur soit infligé. En fait, la montée de violence en Palestine au Ier siècle appelait une répression énergique et, ce qui aurait été le plus étonnant, c'est que Rome ne touche pas au Temple, le symbole le plus cher aux yeux du peuple juif.

Une autre hypothèse bien plus terre-à-terre : l'Évangile a été rédigé APRÈS l'année 70.

Finalement, les promesses de Jésus sont lamentablement tombées à plat. Mais ses prophéties ont la vie dure. Et rejoignent encore un vaste public. Tant et si bien qu'une multitude de croyants s'entêtent toujours à donner aveuglément du crédit à sa prédiction de l'avènement du Royaume de mille ans de Dieu sur terre. Ce sont les millénaristes.

LE RETOUR DU CHRIST : ON N'A PAS HÂTE

Jouons le jeu des millénaristes et, pendant un moment, passons en revue les festivités au programme lors du grand retour de Jésus.

Où trouver ces détails croustillants ? Dans les paroles du Fils de l'homme, bien sûr.

Dans tous les Évangiles, le Christ exprime crûment sa position et dépeint le sort qui attend ceux qui ne croiront pas en lui. Ce sort est terrifiant : quand Jésus sera revenu et qu'arrivera le jour du Jugement, les villes n'ayant pas cru en lui seront tout simplement détruites.

Rappelons-nous que, quand il envoie ses apôtres porter la bonne nouvelle, Jésus leur indique bien que le sort réservé aux villes récalcitrantes sera pire que celui que Dieu fit subir à Sodome et Gomorrhe (Mt 10, 14). La même promesse de vengeance est réitérée dans Luc.

Musclé comme traitement. Pendant qu'angoisseront les impies, les habitants des villes pieuses pourront jouer aux fanfarons : « Gnagnagnagna ! Nous, on sera sauvés et pas vous ! Gnagnagnagna ! »

Malheureusement pour ces citoyens dédiés à Jésus, rien n'est garanti, car l'ampleur de la colère divine au jour du Jugement semble imprévisible. En effet, si on lit Matthieu un peu plus loin (24, 37), on croit comprendre qu'un Déluge mondial nous guette : « Ce qui arriva du temps de Noé arrivera de même à l'avènement du Fils de l'homme. »

Est-ce à dire que les pauvres idiots des villes qui ont décidé de jouer *safe* seront inondés comme les méchants ? Et, pendant qu'on y est, Dieu n'avait-il pas promis de ne plus jamais provoquer de déluge quand il disait : « Je ne maudirai plus la terre, à cause de l'homme, parce que les pensées du cœur de l'homme sont mauvaises dès sa jeunesse ; et je ne frapperai plus tout ce qui est vivant, comme je l'ai fait. » (Gn 8, 21)

Une autre idée du programme est révélée par Jésus dans Matthieu :

> Comme on ramasse l'ivraie et qu'on la brûle dans le feu, ainsi en sera-t-il à la fin du monde. Le Fils de l'homme enverra ses anges ; ils enlèveront de son Royaume tous les fauteurs de scandales et d'iniquité, et ils les jetteront dans la fournaise du feu. Là seront les pleurs et les grincements de dents.
>
> Mt 13, 40

Et si ce qui nous attend au Jugement dernier était révélé ailleurs dans la Bible ? Voyons ce qu'on peut lire dans la deuxième épître de Pierre (3, 7) : « [...] les cieux et la terre d'à présent sont gardés et réservés pour le feu, pour le jour du jugement et de la ruine des hommes impies. »

Les choses semblent s'embrouiller ici. On évoque deux éléments qui s'annulent l'un l'autre : l'eau et le feu. Tout ça semble un brin confus.

Pour dépêtrer le vrai du faux et s'appuyer sur des informations solides, pourquoi ne pas chercher dans le livre qui est LA référence des millénaristes : l'Apocalypse de Jean.

Après tout, Jean est censé être le spécialiste en ce qui concerne le retour du Christ et le Jugement dernier. Or, que nous révèle-t-il sur ce qui nous attend ?

Des éléments d'information se retrouvent déjà au chapitre 6, verset 8, où Jean nous apprend que Dieu enverra la Mort pour détruire le quart de la planète :

> Je regardai, et voici, parut un cheval d'une couleur pâle. Celui qui le montait se nommait la mort, et le séjour des morts l'accompagnait. Le pouvoir leur fut donné sur le quart de la terre, pour faire périr les hommes par l'épée, par la famine, par la mortalité, et par les bêtes sauvages de la terre.

Un bon début. Mais comme ce n'est pas suffisant, Jean en ajoute un peu plus loin (8, 6-7) :

> Et les sept anges qui avaient les sept trompettes se préparèrent à en sonner. Le premier sonna de la trompette. Et il y eut de la grêle et du feu mêlés de sang, qui furent jetés sur la terre ; et le tiers de la terre fut brûlé.

Sortons nos calculatrices avant de nous égarer. On a d'abord exterminé le quart de la population de la planète puis on en a brûlé le tiers : cela totalise 7/12e. Donc, un peu plus de la moitié du monde *scrapé*. Ça va bien.

Mais, direz-vous, une simple mort, n'est-ce pas trop doux pour ceux qui ne croient pas en Dieu ? En effet, et Jean y a pensé. Ainsi, au jour du Jugement dernier, on prévoit des séances de tortures avec, accrochez-vous, des sauterelles génétiquement modifiées :

> De la fumée sortit des sauterelles, qui se répandirent sur la terre ; et il leur fut donné un pouvoir comme le pouvoir qu'ont les scorpions de la terre. Il leur fut dit de ne point faire de mal à l'herbe de la terre, ni à aucune verdure, ni à aucun arbre, mais seulement

> aux hommes qui n'avaient pas le sceau de Dieu sur le front. Il leur fut donné, non de les tuer, mais de les tourmenter pendant cinq mois ; et le tourment qu'elles causaient était comme le tourment que cause le scorpion, quand il pique un homme.
> En ces jours-là, les hommes chercheront la mort, et ils ne la trouveront pas ; ils désireront mourir, et la mort fuira loin d'eux.
>
> Ap 9, 3

Cinq mois à être torturés par des sauterelles-scorpions ! Ouch ! Horrible. Cauchemardesque. À côté de ça, la série des films *Décadence*, c'est quasiment *La mélodie du bonheur*.

Et dites-vous bien que ça, c'est seulement la première partie du spectacle. C'est ce qui nous attend sur la terre. Après la mort, nous serons éternellement brûlés.

On lit dans les Évangiles ces paroles de Jésus :

> Le Fils de l'homme enverra ses anges, qui arracheront de son royaume tous les scandales et ceux qui commettent l'iniquité : et ils les jetteront dans la fournaise ardente, où il y aura des pleurs et des grincements de dents.
>
> Mt 13, 42

***

En dehors des mouvements fondamentalistes, on ne croit plus depuis longtemps à ce retour sur terre du Christ et à toutes ces atrocités de l'Apocalypse.

On continue cependant à accepter la divinité de Jésus. Et ce qui est à l'origine de cette croyance est un des exploits les plus retentissants du Christ : sa résurrection.

Jésus est-il vraiment ressuscité d'entre les morts ?

RENCONTRE DU 3E JOUR
(LA RÉSURRECTION)

Si Jésus est revenu des morts, on doit accepter tout ce qu'il a dit ; sinon, pourquoi se préoccuper de quoi que ce soit qu'il ait pu dire ? Le point le plus important, ce n'est pas de savoir si on aime ou pas ses enseignements, mais c'est de savoir s'il a ou s'il n'est pas ressuscité.
Timothy Keller,
The Reason for God : Belief in an Age of Skepticism

On ne peut arriver à mesurer l'impact phénoménal qu'a eu la résurrection alléguée de Jésus. Il est incontestable que, sans ce stupéfiant exploit, sans cette manifestation spectaculaire du surnaturel, la marque Jésus-Christ n'aurait pas passé la rampe. Trop de sectes compétitionnaient à l'époque et ça jouait dur en matière de recrutement. Pour se démarquer, une secte devait compter sur une prouesse qui frappait l'imagination populaire.

Avec un retentissement qu'on devine énorme, assurément plus fort que tous ses miracles et ses enseignements, la résurrection de Jésus, c'est LE gros hit de sa carrière, l'achèvement qui arrivera à convaincre les plus sceptiques de le prendre au sérieux. Nos efforts à trouver un événement qui aura modifié à ce point le cours de l'histoire humaine seraient vains.

Si on peut juger acceptable d'observer de folles contradictions d'un Évangile à l'autre sur les circonstances de la naissance de Jésus, sur ses itinéraires de voyages, le contenu précis de ses discours, le détail de ses miracles, etc., il devrait être plus difficile de tolérer des errements majeurs quand il s'agit du récit de la résurrection de Jésus. C'est LE punch de l'histoire, et le jour J, le « Sgt. Pepper's » du Messie. S'il y a un chapitre du Nouveau Testament où l'on devrait s'attendre à ce que les versions concordent, s'il y a un chapitre où l'on devrait s'autoriser à placer la barre plus haut en termes de preuve, c'est bien celui-ci.

Or, peu de passages des Évangiles offrent autant d'incohérences et de contradictions que les circonstances de la résurrection. Incompatibilités atteignant de nouveaux sommets quand il s'agit du récit des allées et venues du Jésus post-ressuscité.

Et si, dans la littérature athée, des points de vue se confrontent quant à l'existence historique du personnage de Jésus, aux grandes lignes de son parcours, à sa mort sur la croix, on est unanime à rejeter la validité de cette histoire de retour du monde des morts. Sur le sujet, quantité d'explications et de théories.

On ne peut pas passer sous silence, bien sûr, la thèse de Gérald Messadié qui, dans *L'homme qui devint Dieu*, livre-choc qui fit pas mal de bruit à sa sortie en 1988, soutient que Jésus n'est tout simplement pas mort sur la croix. Pour résumer très brièvement : Messadié considère qu'avec les connaissances qu'on possède maintenant sur les réalités physiques et médicales entourant la crucifixion, supplice lent s'étirant généralement sur des dizaines d'heures, voire jusqu'à dix jours, Jésus ne peut raisonnablement avoir succombé après un passage aussi bref sur la croix (trois à six heures). Selon cette théorie, Joseph D'Arimathie et Nicodème, les sympathisants du Christ, personnages haut placés qui ont transporté le corps de Jésus, inconscient mais vivant, dans un tombeau, seraient allés le chercher la nuit suivante et l'auraient soigné et aidé à fuir Jérusalem. De formation scientifique, Messadié fournit quantité de détails fascinants dans ce livre très documenté d'une lecture facile. Bien que l'auteur prenne certaines libertés et romance passablement, cela reste un livre intriguant. Nous y reviendrons plus loin.

Dans *Atheism and the Case Against Christ,* où il procède à une démolition en règle de l'historicité de la résurrection de Jésus, Matthew S. McCormick fait ressortir à quel point on n'exige pas un degré de preuve aussi élevé qu'on le devrait par rapport à cette résurrection. Ainsi, il établit ce parallèle intéressant avec la preuve en matière criminelle :

> Supposez que vous êtes accusé d'un meurtre commis il y a plusieurs dizaines d'années. Il n'y a pas de preuve directe vous connectant au meurtre, à part les témoignages de quatre personnes. Votre avocat les fait témoigner. Aucun des quatre ne peut affirmer qu'il a vu le meurtre. Ils ne vous ont jamais vu personnellement. Mais chacun d'eux a entendu des histoires d'autres personnes affirmant que vous avez commis le meurtre. On ne peut affirmer que

> ces personnes ont elles-mêmes été témoins directs du meurtre. Aucun des quatre témoins ne peut dire avec certitude combien de fois l'histoire a été répétée avant qu'elle ne leur arrive. Ils ont entendu dire que bien des gens avaient été témoins du meurtre, mais ces gens ne sont pas disponibles. Et on ignore qui c'est. En plus, mes témoins 2 et 3 s'appuient sur l'histoire du témoin 1. Et des détails importants diffèrent d'un témoin à l'autre. Ça serait injuste et irrationnel de condamner quelqu'un sur une preuve aussi faible.

On ne manque pas d'être surpris d'apprendre qu'une part significative de gens d'Église ne croit même pas à la résurrection.

> Plusieurs experts de la Bible et environ un tiers des membres du clergé anglais croient que Jésus n'est pas ressuscité physiquement. Plusieurs experts s'entendent aujourd'hui pour dire que c'est une légende. Dans les soixante à soixante-dix ans que ça a pris pour écrire les Évangiles, on est partis d'une histoire originale du genre « grand-maman est morte et est montée au ciel » qui s'est terminée par une version qui incluait tremblement de terre, anges, éclipse, résurrection généralisée, etc. Les premiers chrétiens croyaient en fait à une « résurrection spirituelle » de Jésus. L'histoire s'est transformée pour arriver à une résurrection du corps.[55]

---

55. Barker Dan, *ibid.*

On compte au moins six sources écrites pour la résurrection.

La résurrection et les apparitions subséquentes de Jésus sont en effet rapportées dans les quatre Évangiles canoniques (Marc, Matthieu, Luc et Jean), dans l'Évangile de Pierre et dans les lettres de Paul. Une lecture comparée de divers extraits de ces livres permet de se faire rapidement une idée de l'étendue des contradictions.

Vous avez ni l'envie ni le temps de lire ces ennuyeux versets ? Le chien a mangé votre Bible ? Très bien. Nous vous proposerons donc, en guise d'avant-propos, une distrayante lecture qui vous familiarisera sans douleur aux contradictions de base des évangélistes sur le récit de la résurrection. En particulier sur les événements du matin de Pâques.

Permettons-nous donc d'imaginer un instant qu'un policier-enquêteur du SPVJ (Service de Police de la Ville de Jérusalem), affecté aux *cold cases* (les vieux dossiers non résolus), rouvre une enquête au sujet de la mystérieuse disparition d'un corps. Il procède donc à l'interrogatoire de quatre témoins (prénommés Matthieu, Marc, Luc et Jean).

Voyons à quoi ressemblerait un compte-rendu de cette interro :

DOSSIER 30-0012 : YOSHUA BEN JOSEF (DISPARITION DU CORPS)

Compte-rendu d'interrogatoire/Jérusalem Central station (07/12/100)

ENQUÊTEUR
Messieurs, je remarque au dossier que vous avez produit tous les quatre des déclarations écrites assez élaborées sur les événements ?...

Les quatre témoins hochent de la tête.

ENQUÊTEUR
Aux fins de l'enregistrement, les quatre témoins confirment. Bon, d'abord, la date de commission de l'infraction serait le ou vers le 5 avril de l'an 30. Donc, ça ferait un peu plus de soixante-dix ans. Est-ce qu'un d'entre vous a été un témoin direct ?

Les quatre témoins s'interrogent mutuellement du regard.

MARC, *levant la main*
Euh... J'étais pas là là, mais c'est quasiment comme si.

ENQUÊTEUR
Pouvez-vous préciser, Marc ?

MARC, *sur un ton de confidence*
Figurez-vous que je tiens l'histoire d'un aubergiste à qui sa femme l'a racontée ; elle-même la tenait de son cousin qui vit à Jérusalem et qui l'avait entendue de son père qui a un chum qui connaissait personnellement le coiffeur d'une des femmes qui serait allée au tombeau ce matin-là. Je peux vous le confirmer : c'est pas un vol de sépulture, Jésus est ressuscité, monsieur !

ENQUÊTEUR
Hum, cela commence à ressembler à du ouï-dire. *(soupirant)* Vous, Matthieu, avez-vous une aussi bonne source ?

MATTHIEU
Oui et non. En réalité, la moitié de ma déclaration, je l'ai copiée sur Marc, et l'autre moitié, ce sont des rumeurs que j'ai entendues de gens qui m'ont juré que ceux qui leur avaient dit étaient très très fiables : Jésus est ressuscité !

LUC
De toute façon, ça se dit dans les synagogues depuis longtemps.

ENQUÊTEUR, *feuilletant son dossier*
On va refaire la chronologie des événements. Ce Joshua, ou Jésus, est crucifié le matin ou l'après-midi du vendredi de Pâques... ou la journée avant, c'est pas clair... On dépose son corps dans un tombeau, on roule une pierre devant, on aurait peut-être posté des gardes. Et trois jours plus tard, des gens se rendent au dit tombeau... Et il arrive quoi ce matin-là ? Jean ?

JEAN
Marie a vu que la pierre à l'entrée avait été déplacée. Ensuite...

ENQUÊTEUR
Un instant. On parle de Marie qui ?

JEAN
Marie de Magdala.

ENQUÊTEUR
Elle était seule ?

JEAN
Oui.

MARC
Mais non, elle était avec l'autre Marie.

ENQUÊTEUR
Quelle autre Marie, Marc ?

MARC
La mère de Jacques.

MATTHIEU
Ben non, l'autre c'est la mère de Jésus.

ENQUÊTEUR
C'est qui la mère de Jésus, Matthieu ?

MATTHIEU
Marie.

ENQUÊTEUR
Marie de Magdala ?

MATTHIEU
Non, l'autre.

MARC
Marie, c'est la mère de Jacques. Y avait Salomé aussi.

Les quatre témoins s'obstinent énergiquement.

ENQUÊTEUR
SILENCE ! On reprend du début. Donc, disons qu'il y a une ou quelques Marie qui se pointent au tombeau ce matin-là. Il arrive quoi ensuite ?

LUC
En voyant la pierre roulée, elles sont entrées dans le tombeau et elles ont vu deux hommes aux vêtements brillants.

MARC
Ils n'étaient pas deux, mais un.

MATTHIEU
Les gars, vous êtes dans le champ. La pierre n'était pas déplacée quand les femmes sont arrivées. D'abord, y a eu un gros tremblement de terre. Un ange est descendu du ciel, a roulé la pierre et s'est assis dessus et…

LUC, MARC, JEAN, *indignés*
C'est n'importe quoi… *Come on*, Matthieu !

Les quatre argumentent violemment.

ENQUÊTEUR
WOH ! C'EST ASSEZ ! TOUT LE MONDE DEHORS ! ON REFERME LE DOSSIER !

LE MATIN DU TROISIÈME JOUR : UNE PROGRESSION DANS LE FANTASTIQUE

L'auteur Dan Barker suggère qu'avec la résurrection et les apparitions aux apôtres, nous sommes de plain-pied dans le domaine de la légende. Barker ne croit pas un instant à l'historicité de l'affaire :

> Une légende se construit sur une histoire de base (vraie ou fausse) qui grossit et devient quelque chose d'embelli et exagéré avec les années. Quand on lit les documents, on voit que les premiers récits sont plus simples et les récits suivants sont plus complexes et fantastiques.

Quand, en effet, on relit les récits de la résurrection dans leur ordre chronologique, cela saute aux yeux. En ce qui concerne cette chronologie, on s'entend chez pratiquement tous les experts contemporains quant aux époques où furent rédigés les six documents relatant la résurrection. On parle des premières épîtres de Paul, de l'Évangile de Pierre (non retenu dans le canon officiel, néanmoins *authentique*) et des quatre Évangiles officiels qui furent écrits dans cet ordre :

ÉCRITS SUR LA RÉSURRECTION	ANNÉE APPROXIMATIVE D'ÉCRITURE
Épîtres de Paul	50-55
Évangile selon Marc	70
Évangile selon Matthieu	80
Évangile selon Luc	85
Évangile de Pierre	85-90
Évangile selon Jean	90-95

Une lecture des passages pertinents de ces écrits dégage un constat évident : au fur et à mesure qu'on avance dans le temps, les rédacteurs multiplient les détails extraordinaires.

Pour tout dire, il y a un monde entre le premier et le dernier récit de la résurrection. On passe des apparitions, où l'on est dans le domaine des résurrections spirituelles, à des histoires où Jésus est résolument revenu avec son corps.

Voyons dans les grandes lignes ce qu'on raconte chez chacun de ces auteurs…

Le premier Évangile, rédigé pour ainsi dire quarante ans après les faits, est bien entendu celui de Marc…

Marc (16, 1-8)

La version de Marc de ce qui se serait passé ce célèbre matin du troisième jour suivant la crucifixion, se résume ainsi dans ses grandes lignes :

- Marie de Magdala, Marie (mère de Jacques) et une certaine Salomé se pointent au tombeau avec des huiles parfumées pour embaumer le corps de Jésus ;
- arrivant sur les lieux, elles constatent que la grosse pierre a été roulée ;
- elles entrent dans le tombeau et y voient un jeune homme vêtu d'une robe blanche ;
- les femmes ont peur, mais l'ange (car c'est un ange) les rassure et leur annonce que Jésus est revenu de la mort à la vie, mais qu'il n'est pas là ;
- l'ange leur demande de faire un message aux apôtres : qu'ils aillent rejoindre Jésus en Galilée ;
- les femmes se sauvent, apeurées, et ne disent rien à personne.

Et ça finit ainsi. Pas de résurrection, pas de Jésus avec les mains trouées, pas même de vision céleste. À l'origine, l'Évangile de Marc ne va pas plus loin que la constatation que le tombeau est vide : on n'évoque aucune apparition physique ni même simplement visuelle ou auditive de Jésus. Et si l'Évangile de Marc, dans sa version actuelle, se conclut bel et bien sur quelques paragraphes faisant état d'apparitions du Christ aux apôtres, c'est que ces passages ont été tout simplement ajoutés par un copiste des dizaines d'années plus tard. Tous les théologiens le reconnaissent depuis longtemps, ce n'est même pas discuté. Est-ce que cet ajout tardif a été fait pour que Marc s'accorde aux récits d'apparitions qui seront écrits dans les autres Évangiles et qui circulent dans l'église naissante ? Poser la question, c'est y répondre.

Pour nous amuser, lisons quand même les quelques versets que le copiste de Marc a ajoutés :

> Jésus, étant ressuscité le matin du premier jour de la semaine, apparut d'abord à Marie de Magdala, de laquelle il avait chassé sept démons. Elle alla en porter la nouvelle à ceux qui avaient été avec lui, et qui s'affligeaient et pleuraient. Quand ils entendirent qu'il vivait, et qu'elle l'avait vu, ils ne le crurent point.
>
> Mc 16, 9

On peut aisément comprendre le scepticisme des apôtres. Car enfin, quelle crédibilité peut bien avoir auprès de ce groupe de mâles supérieurs une fille comme Marie-Madeleine, une tentatrice tellement « facile » que Satan l'a possédée SEPT fois !? S'il voulait être certain que personne ne croit à son retour, Jésus n'aurait pu choisir meilleure façon.

De toute façon, interpréter ces versets rajoutés est tout à fait inutile. Ce qu'il faut retenir, c'est que Marc ne mentionne jamais que quiconque a vu Jésus ressuscité, ni en version « spirituelle » ni en chair et en os.

Matthieu (28, 1-10)

Avec Matthieu, on tombe dans le film-catastrophe et les effets spéciaux. En effet, quand Jésus meurt sur la croix, voici ce qui, selon Matthieu, arrive :

- le rideau du temple se déchire de haut en bas ;

- la terre tremble, les rochers se fendent ;
- les tombeaux s'ouvrent et les corps de nombreux saints ressuscitent, déambulent dans la ville et apparaissent à un grand nombre…

C'est *The Walking Dead*, c'est *Les zombies à Jérusalem.* On a compris que Matthieu voulait impressionner ses lecteurs et que de tels événements ne se sont jamais produits. Si cela avait été le cas, il est inconcevable que d'autres auteurs de l'époque n'en aient fait mention nulle part.

Revenons au troisième jour. Voici donc ce qui se passe, selon le très imaginatif Matthieu ce dimanche de Pâques où Marie de Magdala et l'autre Marie arrivent au tombeau :

- il y a un fort tremblement de terre ;
- un ange du Seigneur descend du ciel ;
- l'ange fait un Louis Cyr de lui-même et roule la grosse pierre devant le tombeau puis s'assoit dessus ;
- cet ange a l'aspect « d'un éclair » ;
- les gardes ont tellement peur qu'ils tremblent et deviennent « comme morts » ;
- l'ange rassure les femmes et leur apprend que Jésus est revenu de la mort à la vie ;
- les femmes quittent l'endroit et courent porter la nouvelle aux disciples ;
- tout à coup, Jésus vient à leur rencontre et leur dit : « Je vous salue ! » ;
- elles lui saisissent les pieds et l'adorent ;
- Jésus leur dit de ne pas avoir peur et de faire le message aux apôtres de le rejoindre en Galilée.

Matthieu va donc plus loin que Marc avant lui et franchit résolument le pas : Jésus est ressuscité physiquement. Il parle aux femmes et ces dernières le touchent. De plus, brisant le suspense, il se montre le jour même de la Pâque.

Enfin, il vaut la peine de mentionner ici que le récit de la résurrection de Matthieu se conclut sur des versets plutôt suspects où l'auteur, résolument dans un contexte d'antagonisme avec les Juifs de son temps, invente une anecdote sans queue ni tête pour tenter de discréditer la rumeur, par ailleurs légitimement fondée, voulant que des proches de Jésus soient venus récupérer son corps :

> Pendant que les femmes étaient en chemin, quelques hommes de la garde entrèrent dans la ville, et annoncèrent aux principaux sacrificateurs tout ce qui était arrivé. Ceux-ci, après s'être assemblés avec les anciens et avoir tenu conseil, donnèrent aux soldats une forte somme d'argent, en disant : « Dites : ses disciples sont venus de nuit le dérober, pendant que nous dormions. Et si le gouverneur l'apprend, nous l'apaiserons, et nous vous tirerons de peine. » Les soldats prirent l'argent, et suivirent les instructions qui leur furent données. Et ce bruit s'est répandu parmi les Juifs, jusqu'à ce jour.
>
> Mt 28, 11

Les invraisemblances folles de ce passage abondent :

- pourquoi diable des gardes romains iraient-ils trouver des prêtres juifs qui n'ont pas l'ombre d'une autorité sur eux ?

- s'ils avaient vraiment vu les anges et étaient « devenus comme morts », pourquoi les gardes auraient-ils voulu taire ces événements extraordinaires ?
- des pots-de-vin étant par nature versés dans la plus grande discrétion, comment l'auteur de Matthieu, quelque cinquante ans plus tard, aurait-il pu connaître l'épisode en détail ?
- s'il y avait un fond de vérité à la chose, pourquoi Matthieu serait-il le seul à le savoir ?

Luc (24, 1-12)

Luc cherche moins à impressionner avec des effets saisissants. Quand les femmes arrivent ce matin-là, la pierre est déjà roulée. Elles constatent l'absence du corps de Jésus et deux « hommes en habits resplendissants » (Lc 24, 4) apparaissent. Plutôt bavards, ces deux anges leur disent :

> Pourquoi cherchez-vous parmi les morts celui qui est vivant ? Il n'est point ici, mais il est ressuscité. Souvenez-vous de quelle manière il vous a parlé, lorsqu'il était encore en Galilée, et qu'il disait : Il faut que le Fils de l'homme soit livré entre les mains des pécheurs, qu'il soit crucifié, et qu'il ressuscite le troisième jour.
>
> Lc 24, 5

Un peu négligées dans la version de Luc, les femmes n'ont pas droit à la primeur de l'apparition de Jésus revenu des morts. Quittant les lieux, elles vont donc tout raconter aux apôtres qui, quelle surprise, ne croient pas un mot de ce qu'elles racontent !

Aux yeux des hommes de cette époque, la femme n'avait guère de crédibilité, on le conçoit. Cependant, on ne peut s'empêcher de trouver étrange cette sotte incrédulité des bons apôtres si on considère que Jésus passait son temps à leur répéter de toutes les manières qu'il allait revenir des morts le troisième jour…

Donc, tous les apôtres prennent les femmes pour des folles. Tous SAUF devinez qui ?

> Mais Pierre se leva, et courut au sépulcre. S'étant baissé, il ne vit que les linges qui étaient à terre ; puis il s'en alla chez lui, dans l'étonnement de ce qui était arrivé.
>
> Lc 24, 12

Bien entendu, Pierre a bien des choses à se faire pardonner après l'épisode du triple reniement avant que le coq n'ait chanté. On comprend qu'il ne coure pas de risque.

Finalement, les premiers disciples verront leur maître sur la route d'Emmaüs… On en reparle plus loin.

Évangile de Pierre :

On a retrouvé des fragments d'un Évangile de l'apôtre Pierre, fort probablement rédigé avant celui de Jean, et probablement très populaire chez les premiers chrétiens. Même s'il ne fut pas retenu dans le canon officiel du Nouveau Testament, l'authenticité des documents trouvés et étudiés ne fait pas de doute.

On peut penser qu'un des facteurs ayant incité les Pères de l'Église à le mettre de côté est le caractère un tantinet psychédélique de son récit de la résurrection. Selon Pierre, cela se serait ainsi passé le matin de Pâques :

- les soldats romains auraient vu une grande lumière resplendissante puis deux anges qui descendent du ciel et entrèrent dans la tombe ;
- deux hommes dont « les têtes atteignaient le ciel » sortent du tombeau puis un troisième homme en sort, il est encore plus grand et est suivi par une croix ;
- une voix du ciel demande : « As-tu prêché à ceux qui dorment ? » ;
- la croix répond : « Oui ! » ;
- quelqu'un d'autre entre dans la tombe ;
- les femmes trouvent un jeune homme à l'intérieur de la tombe qui leur dit que Jésus est revenu à la vie.

Des têtes qui atteignent le ciel ? Une croix qui parle ? Sérieusement...

Jean (20, 1-18)

Si les versions de Matthieu et Pierre ont des relents de fantastiques, avec Jean, on est plutôt dans le théâtre d'été tant on assiste à des rebondissements et des quiproquos. Voici l'enchaînement des actions le matin du troisième jour :

- Marie de Magdala se rend au tombeau tôt le matin, voit que la pierre a été enlevée ;

- elle court trouver les apôtres Pierre et Jean et leur dit qu'on a enlevé Jésus ;
- Pierre et Jean se mettent à courir ;
- Jean court plus vite et arrive avant Pierre : il voit des bandelettes de lins posées à terre, mais n'entre pas dans le tombeau ;
- Pierre, une fois arrivé, entre dans le tombeau et Jean le suit : ils ne voient pas le corps de Jésus, voient les bandelettes et le linge qu'on avait mis sur la tête de Jésus pliés dans un coin ;
- nos deux hommes retournent bredouilles à la maison ;
- Marie reste seule et pleure, elle regarde dans le tombeau et voit deux anges ;
- les anges lui demandent pourquoi elle pleure, elle se retourne alors et voit Jésus ;
- elle ne reconnaît pas Jésus et le prend pour le jardinier, mais quand il lui parle, elle le reconnaît ;
- Jésus lui demande de ne pas le retenir, car il n'est pas encore monté vers son Père, il lui dit de dire à ses frères qu'il monte vers le Père.

Il semble que tous les protagonistes ont ici des réactions louches et incongrues. Pierre et Jean constatent que le corps de Jésus a disparu et... retournent tout bonnement à la maison ! Les anges ont jugé préférable d'attendre que les deux apôtres les plus proches de Jésus soient partis pour apparaître aux femmes ? Et pourquoi confondent-elles Jésus avec un jardinier ? Aurait-il changé de visage ? Sont-elles frappées d'amnésie ?

LES APPARITIONS AUX APÔTRES

Si les contradictions pullulent quand on compare les différentes versions de la crucifixion et des événements du matin de Pâques, ce n'est rien en comparaison des différences entre les récits autour des apparitions de Jésus après cette soi-disant résurrection.

D'abord, après être apparu aux femmes, à qui apparaîtra Jésus ?

Selon qu'on lise tel ou tel évangéliste, Jésus apparut d'abord à deux disciples à Emmaüs puis aux autres disciples… ou alors il apparut aux onze disciples en premier ou bien à seulement dix disciples… Selon Paul, il apparut d'abord à Pierre puis aux douze (les apôtres ayant entre-temps remplacé Judas par on ne sait qui…) puis à cinq cents personnes, etc.

On peut accepter sans trop de mal un tel flottement. Et, au fond, ces détails restent un peu secondaires.

Par contre, sur la question de savoir où Jésus apparut aux disciples et ce qui se produisit lors de ces apparitions, on accroît sérieusement les incohérences et on rend les versions irréconciliables.

À la façon des récits de résurrection où chaque auteur relance le précédent en ajoutant un paquet de nouvelles informations, les détails des apparitions se multiplient à mesure qu'on avance dans le temps. Enfin, la durée du séjour de Jésus varie considérablement, allant d'une seule journée à plus de quarante jours dans les Actes des Apôtres.

Premier auteur à écrire au sujet de la résurrection de Jésus, Paul, s'il ne mentionne rien sur les événements du matin de Pâques, raconte :

> Je vous ai enseigné [...] que Christ est mort pour nos péchés, selon les Écritures ; qu'il a été enseveli, et qu'il est ressuscité le troisième jour, selon les Écritures ; et qu'il est apparu à Céphas (Pierre), puis aux douze. Ensuite, il est apparu à plus de cinq cents frères à la fois, dont la plupart sont encore vivants, et dont quelques-uns sont morts. Ensuite, il est apparu à Jacques, puis à tous les apôtres. Après eux tous, il m'est aussi apparu à moi.
>
> 1Co 15, 3-8

Au fait, qui sont les cinq cents ? Comment se fait-il que personne parmi eux n'ait rien écrit et pourquoi personne d'autre n'en parle ?

Cela fut écrit, rappelons-le, plus ou moins vingt ans après les faits. Et une quinzaine d'années avant le premier Évangile. Paul devrait être la source la plus fiable, pourtant...

Bien que plus proche des événements, Paul n'a aucune idée de ce qui s'est passé le matin de la résurrection. Il ne fait pas davantage allusion aux blessures aux mains de Jésus, à des repas avec les disciples, etc. Il ne semble au courant d'aucun détail concernant la crucifixion ou la résurrection. Il est clair que Paul n'évoque pas une résurrection physique en parlant des apparitions de Jésus.

La célèbre rencontre personnelle de Paul avec le Messie sur le chemin de Damas est ainsi racontée :

> Comme Saul [ancien nom de Paul] approchait de Damas, une lumière venant du ciel resplendit soudain autour de lui. Tombant à terre, il entendit une voix qui lui disait « Saul, pourquoi me persécutes-tu ? »

> Il répondit « Qui es-tu ? » Et lui : « Je suis Jésus. » [...] ses compagnons de route s'étaient arrêtés, stupéfaits, entendant bien la voix, mais ne voyant personne. Saul se releva de terre et, bien qu'il eût les yeux ouverts, il ne voyait rien.
>
> Ac 9, 3

(Précisons qu'il existe une deuxième version contradictoire de cette à Ac 22, 9 où l'on dit que seul Paul entendit la voix.)

Cette apparition serait survenue plusieurs années après que Jésus soit monté au ciel. C'est troublant et nous amène à poser la question suivante : où était-il donc tout ce temps ?

Quand on s'arrête à des considérations purement linguistiques, il n'est plus permis de douter que ces apparitions doivent être vues comme des expériences spirituelles et non pas comme des rencontres physiques.

On a déjà vu, en effet, que des glissements de sens importants sont survenus dans l'élaboration des nombreuses traductions des textes de la Bible. On part parfois de l'hébreu vers le grec, puis vers le latin, etc. Ici, on n'a pas besoin d'aller loin pour déjà modifier la connotation des propos de Paul. Par exemple dans la Bible en français, on utilise le mot *ressuscité,* en anglais on dit plutôt *raised.* Oups ! Déjà plus équivoque. Ajoutons que ce *raised-ressuscité* vient du mot grec *egeiro* qui signifie *se réveiller* ou *venir à.* Paul n'a pas utilisé *anastasis* qui signifie vraiment *ressusciter,* mot disponible à son époque et davantage approprié s'il avait voulu parler d'une authentique résurrection du corps.

En réalité, *egeiro* est même utilisé souvent dans le Nouveau Testament pour des choses bien plus concrètes et terre-à-terre. Par exemple, Matthieu utilise *egeiro* dans un verset où il dit : « Une tempête se réveilla, se souleva. »

Paul ne pouvait pas vouloir dire que le corps physique de Jésus a ressuscité et est sorti du tombeau. C'est d'ailleurs en accord avec la théologie chrétienne des premiers croyants qui considéraient que c'est l'esprit de Jésus qui s'est réveillé et manifesté.

Notons aussi que, quand Paul dit que Jésus est apparu, il emploie le terme *ophthe*, utilisé aussi bien pour des visions physiques que spirituelles.

Le contexte religieux de l'époque nous force aussi à admettre cette évidence : quand Paul parle de ressuscité, il veut dire transformé pour être élevé dans la gloire de Dieu. Dans la tradition juive du temps, on recense bien d'autres cas où des hommes exceptionnels triomphaient de la mort et étaient en quelque sorte transformés en étant élevés jusqu'à Dieu. Les trois cas de transformations connus sont ceux de Énoch (Gn 5, 24), Moïse et surtout Élie le prophète. Dans son cas, Dieu a sorti le gros arsenal : Élie fut en effet transporté au ciel dans un tourbillon sur un chariot de feu magique tiré par des chevaux de feu. Jamais les juifs, incluant Paul, n'ont pensé que ces hommes étaient ressuscités au sens physique.

Après Paul, l'auteur suivant à avoir personnellement écrit sur les apparitions post-mortem de Jésus est Matthieu, qui écrit : « Les onze disciples allèrent en Galilée, sur la montagne que Jésus leur avait désignée. » (28, 16)

Une fois qu'il leur est apparu, Jésus leur livre un bref *pep-talk*. Et l'histoire finit abruptement : pas de montée au ciel, pas de grand discours, rien. Notons la disparité géographique : chez Matthieu, le rendez-vous à la montagne en Galilée nous place de 100 à 150 km de Jérusalem alors que, selon l'auteur qui a retouché Marc, on serait tous restés bien tranquilles à la maison.

Chez Luc, les manifestations du Jésus ressuscité sont plus élaborées et, pour des raisons demeurées inexpliquées, Jésus semble encore avoir modifié son apparence, car on persiste à ne pas le reconnaître. Il aborde deux apôtres qui marchent vers Emmaüs (à environ 10 km seulement de Jérusalem) et discute avec eux, mais ces derniers, décidément peu physionomistes, ne le reconnaissent pas. Or, les disciples parlent justement des rumeurs de résurrection de Jésus. Ce dernier les sermonne, bien sûr, et leur reproche leur manque d'intelligence. Malgré cette déferlante d'indices verbaux (le timbre de voix, le ton, le débit, etc.), les deux disciples, dénués de tout sens de l'observation, ne parviennent pas encore à identifier le type avec qui ils viennent de passer trois années de leur vie. Mais ils l'invitent tout de même à souper. Ce ne sera qu'au moment où Jésus rompit le pain et rendit grâce que « leurs yeux s'ouvrirent ». Et alors, à la façon d'un illusionniste de Vegas, « Jésus disparut de devant eux. » (Lc 24, 31)

Le lendemain, les deux disciples vont retrouver les onze (ils étaient donc treize ??) et leur racontent l'aventure. Au même moment : bang ! Jésus apparaît au groupe. Les disciples croyant voir un esprit, Jésus entend bien leur prouver qu'il n'est pas un fantôme : il les prie de le toucher, il va jusqu'à manger du poisson et du miel !

On est donc passés d'une simple vision (Paul) à des apparitions brèves et seulement ponctuées de quelques bonnes paroles (Marc et Matthieu), puis à une apparition où Jésus demande à être touché et mange avec ses disciples pour bien montrer qu'il est non seulement réel extérieurement, mais qu'il vient avec un système digestif.

Puis arrive la version de Jean. Ici, ce n'est plus une apparition, c'est une télésérie dans le mode contes et légendes. Le soir même du troisième jour, Jésus apparaît aux apôtres. Étrangement, Jean se sent obligé de spécifier « qu'il se présenta au milieu d'eux » alors que les disciples se trouvaient, précise-t-il, dans un endroit dont « les portes étaient fermées » (Jn 20, 19). Première chose que fait Jésus : il leur montre ses mains et sa blessure au côté pour prouver qu'il est bien lui et qu'il est bien là en chair et en os.

Trois questions :

- Pourquoi Jean suggère-t-il que Jésus est un esprit qui passe à travers les murs en spécifiant que les portes étaient fermées s'il veut démontrer le contraire dans la phrase suivante ?
- Comment se fait-il, encore une fois, que personne ne le reconnaisse et qu'il doive établir son identité en exhibant ses blessures ?
- Admettons que ce Jésus 2.0 possède une espèce de corps hybride avec des pouvoirs surnaturels lui permettant de le dématérialiser pour passer à travers les murs, pourquoi a-t-il eu besoin de

rouler la pierre qui obstruait l'entrée de son tombeau pour en sortir ?

Jean nous dit ensuite que Jésus communiqua le Saint-Esprit aux apôtres en « soufflant sur eux » (Jn 20, 22). Jésus semble ensuite s'en aller on ne sait où ni pourquoi.

Puis, sans crier gare, Jésus réapparaît huit jours plus tard dans la maison où sont les disciples et où, insiste-t-on encore absurdement, « les portes étaient fermées ». (Jn 20, 26)

Survient alors le classique épisode de l'incrédule Thomas qui demande à toucher aux plaies de Jésus pour être convaincu. Ne voulant pas ennuyer son lecteur en étirant, Jean indique ensuite sur un ton laconique et un brin prétentieux : « Jésus a fait encore, en présence de ses disciples, beaucoup d'autres miracles, qui ne sont pas écrits dans ce livre. » (20, 30)

Cela a un petit côté suffisant du genre « Non, mais on s'entend que notre Maître n'a plus rien à prouver, hein ? » Agaçant.

Puis Jean décide de finir fort avec une ultime anecdote de pêche remplie de détails croustillants. Jean nous raconte donc que, quelques jours plus tard, Jésus apparaît encore aux apôtres alors que ceux-ci reviennent bredouilles d'une partie de pêche à la mer de Tibériade. En gros, Jésus leur demande s'ils ont quelque chose à manger et leur suggère de lancer leurs filets de pêche à droite de leur barque. On nous précise qu'à ce stade-ci, pour une raison incompréhensible, les apôtres ne reconnaissent pas leur maître Jésus. Et même s'ils le prennent pour un parfait étranger, ils écoutent son conseil inopiné, lancent leur filet de l'autre côté et font une pêche miraculeuse ! Juste après, les gars le reconnaissent enfin. Et ici intervient un divertissant élément sexuel. En effet, quand un des disciples dit à Pierre qu'il s'agit de Jésus, notre cher Pierre, sans faire ni une ni deux, « mit son vêtement et sa ceinture, car il était nu, et se jeta dans la mer. » (Jn 21, 7) Pierre pêchait tout nu ?

Finalement, Jésus partage une dernière fois un repas avec les apôtres et a une longue conversation avec Pierre. À noter : Jean ne mentionne pas d'ascension au ciel. Il termine sur une autre phrase qui sonne quelque peu évangéliste-au-dessus-de-ses-affaires :

> Jésus a fait encore beaucoup d'autres choses ; si on les écrivait en détail, je ne pense pas que le monde même pût contenir les livres qu'on écrirait.
>
> 21, 25

Dans les Actes des Apôtres, Jésus demeure ici-bas assez longtemps :

> Après qu'il eut souffert, il leur apparut vivant, et leur en donna plusieurs preuves, se montrant à eux pendant quarante jours, et parlant des choses qui concernent le royaume de Dieu.
>
> Ac 1, 3

Sur cette belle progression au plan de l'investissement personnel de Jésus dans sa carrière post-résurrection :

> À l'époque où les Évangiles furent écrits, l'idée de la « physicalité » de la résurrection de Jésus se renforça un peu plus chaque année. Le portrait du Jésus ressuscité dans les derniers Évangiles, Luc et Jean

(écrits tardivement, entre les années 85 et 100), est celui d'un corps ressuscité chez lequel le processus de décomposition a miraculeusement été renversé. Ce Jésus demande à manger pour démontrer que son système gastrique est bel et bien fonctionnel (Lc 24 : 4). Il est dépeint comme étant un homme qui marche et parle, prouvant ainsi qu'il est doté d'un squelette et que ses cordes vocales et son larynx sont fonctionnels (Lc 24, 13) [...] Il précise qu'il n'est pas un fantôme et demande aux disciples de le toucher pour leur prouver qu'il est en chair et en os (Lc 24, 40). Dans Jean, il invite même Thomas à examiner ses blessures (Jn 20, 27).[56]

Si on résume, donc, les versions des apparitions de notre Jésus revenu à la vie :

MARC	• pas un mot sur la résurrection ; • dernière apparition : lieu indéfini en campagne
MATTHIEU	• Jésus n'est aperçu qu'une fois le jour de la Pâque ; • ne monte pas au ciel ; • lieu de la dernière apparition : montagne en Galilée
LUC	• Jésus demeure une journée après la Pâque ; • il partage un repas ; • il monte au ciel ; • apparaît pour la dernière fois à Béthanie (en Judée)

56. SPONG John Shelby, *ibid.*

JEAN	• Jésus séjourne huit jours (forfait avec repas et partie de pêche en haute mer) ; • pas de montée au ciel ; • sa dernière apparition : sur le lac de Galilée
ACTES DES APÔTRES (Luc)	• Jésus prolonge son séjour post-résurrection de quarante jours

Des contradictions, en voulez-vous ?

N'OUBLIEZ PAS D'ÉTEINDRE LES RONDS DE POÊLE !

Avant de monter au ciel, Jésus laissera des directives aux apôtres. Lui qui se présentait comme un discoureur intarissable de son vivant devient soudain laconique. Les derniers conseils sont décevants, on dirait que Jésus n'a plus le feu sacré. On sent que le coach a tout donné.

Quelles sont ces dernières paroles de sagesse laissées par Jésus et, puisqu'on y est, comment s'effectua le décollage du sol terrestre vers le paradis céleste ? Dans le passage (ajouté au moins un siècle plus tard, comme on l'a vu) qui clôt l'Évangile de Marc, on peut lire :

> Puis il leur dit : Allez par tout le monde, et prêchez la bonne nouvelle à toute la création. Celui qui croira et qui sera baptisé sera sauvé, mais celui qui ne croira pas sera condamné. Voici les miracles qui accompagneront ceux qui auront cru : en mon nom, ils chasseront les démons ; ils parleront de nouvelles langues ; ils saisiront des serpents, s'ils boivent quelque

> breuvage mortel, ils ne leur feront point de mal ; ils imposeront les mains aux malades, et les malades, seront guéris. Le Seigneur, après leur avoir parlé, fut enlevé au ciel, et il s'assit à la droite de Dieu.
>
> Mc 16, 15

Pas le passage le plus crédible concernant Jésus qui, à la façon d'un Stan Lee biblique, attribue, en plus du don de guérison, toutes sortes de superpouvoirs à ses disciples :

- chasseurs de démons ;
- faculté de parler d'autres langues sans étudier ;
- capacité de saisir sans danger des serpents ;
- invincibilité aux poisons.

Et ce petit bout de phrase fatiguant selon lequel « [...] celui qui ne croit pas sera condamné ».

Peu de détails, enfin, sur les modalités de l'enlèvement au ciel et les particularités esthétiques de la chaise à la droite de Dieu où Jésus prit place.

Il faut visionner une courte vidéo sur YouTube intitulée *Snake Handlers at Jolo, West Virginia*[57] où l'on voit des cinglés d'une Église Pentecôtiste qui, se croyant investis des pouvoirs invoqués dans le passage de Marc cité plus haut, célèbrent le Seigneur en manipulant des serpents. Depuis 1922, on estime à plus de soixante-et-onze le nombre de décès attribuables à cette pratique religieuse d'une stupidité sans nom.[58]

Les dernières paroles de Jésus chez Matthieu :

> Tout pouvoir m'a été donné dans le ciel et sur la terre. Allez, faites de toutes les nations des disciples,

57. *Snake Handlers at Jolo, West Virginia* : https://youtu.be/iUdc5h10zTo

58. *Snake handling* : en.wikipedia.org/wiki/Snake_handling#Risks

> les baptisant au nom du Père, du Fils et du Saint-Esprit, et enseignez-leur à observer tout ce que je vous ai prescrit. Et voici, je suis avec vous tous les jours, jusqu'à la fin du monde.
>
> Mt 28, 18

Point. Considérant que Matthieu déborde en général dans les extravagances les plus folles, surprenant de constater que son Jésus se fait avare de grandes déclarations pour sa sortie finale. Pas non plus d'élévation au ciel, pas de siège VIP à la droite de Dieu... Chez Luc :

> Et il leur dit : « Ainsi il est écrit que le Christ souffrirait, et qu'il ressusciterait des morts le troisième jour, et que la repentance et le pardon des péchés seraient prêchés en son nom à toutes les nations, à commencer par Jérusalem. Vous êtes témoins de ces choses. Et voici, j'enverrai sur vous ce que mon Père a promis ; mais vous, restez dans la ville jusqu'à ce que vous soyez revêtus de la puissance d'en haut. » Il les conduisit jusque vers Béthanie, et, ayant levé les mains, il les bénit. Pendant qu'il les bénissait, il se sépara d'eux, et fut enlevé au ciel.
>
> Lc 24, 46

À part cette injonction aux apôtres de ne pas quitter la ville, rien de bien original. Dans les Actes des Apôtres (que d'aucuns appellent L'Évangile de Luc, la suite), Luc a fait de plus nobles efforts de mise en scène et a créé une belle tension dramatique dans la montée au ciel. Jésus dit donc à ses apôtres réunis :

> « [...] Vous recevrez une puissance, le Saint-Esprit survenant sur vous, et vous serez mes témoins à

> Jérusalem, dans toute la Judée, dans la Samarie, et jusqu'aux extrémités de la terre. » Après avoir dit cela, il fut élevé pendant qu'ils le regardaient, et une nuée le déroba à leurs yeux. Et comme ils avaient les regards fixés vers le ciel pendant qu'il s'en allait, voici, deux hommes vêtus de blanc leur apparurent, et dirent : « Hommes galiléens, pourquoi vous arrêtez-vous à regarder au ciel ? Ce Jésus, qui a été enlevé au ciel du milieu de vous, viendra de la même manière que vous l'avez vu allant au ciel. »
>
> Ac 1, 9

Impressionnant. Précisons que le concept de la « nuée [qui] le déroba à leurs yeux » a été volé à l'Ancien Testament où quelques prophètes disparaissent en utilisant le même stratagème. Un point pour le flash des anges, une exclusivité.

> S'il fut vraiment enlevé au ciel, pourquoi ne l'a-t-il pas fait en public, en présence de ses accusateurs ? Pourquoi ceci, le plus grand des miracles, aurait-il dû être fait en secret, dans un coin ? C'était un miracle qui aurait pu être vu par une vaste multitude – un miracle qui ne pouvait pas être simulé – un miracle qui aurait convaincu des dizaines de milliers. Après l'histoire de la résurrection, l'Ascension devint une nécessité. Il leur fallait se débarrasser du corps.[59]

Récapitulatif sur le moment de la « montée au ciel » :

59. INGERSOLL Robert, *ibid.*

- selon Luc et Marc : le jour même de la résurrection ;
- selon Jean : au moins huit jours plus tard ;
- selon les Actes (Luc !) : quarante jours plus tard.
- Matthieu : il ne parle jamais d'ascension.

Enfin, et pour conclure sur une note scientifique, la simple idée de Jésus qui se met à monter dans les airs pour accéder au paradis est d'une incohérence absolue. Cette fable n'est qu'une autre criante manifestation de l'ignorance profonde dans laquelle vivaient les auteurs du temps du Christ en matière de sciences et en particulier de cosmologie.

À ce sujet, l'expert biblique John Shelby Spong :

> L'histoire de l'Ascension, telle que racontée par Luc dans les Actes des Apôtres, s'appuie sur la présomption que la Terre est plate et recouverte d'un dôme au-delà duquel le paradis existe avec Dieu qui y trône. Jésus monte au ciel pour passer par un trou de serrure céleste et entrer dans le Royaume pour s'asseoir à la droite du Père. Mais à l'ère spatiale, s'élever du sol dans le ciel n'a pas pour résultat de nous conduire au paradis. En fait, ça ne pourrait avoir comme résultat que de nous mettre en orbite. L'image de Jésus en orbite éternelle avec sa tunique blanche ne contribue en rien à ma compréhension spirituelle.[60]

Il en ajoute avec cette observation pratique non dénuée d'humour :

60. Spong John Shelby, *Rescuing the Bible from Fundamentalism: A Bishop Rethinks the Meaning of Scripture*. Harper One, New York, 1991, 288 p.

Sous l'influence du populaire astrophysicien Carl Sagan, on peut maintenant envisager l'Ascension dans un nouveau contexte physiologique qui révèle bien l'illogisme d'une interprétation littérale de la Bible. Si Jésus montait physiquement dans le ciel et si, ce faisant, il atteignait la vitesse de la lumière (186 000 milles à la seconde !), il n'aurait même pas atteint, au moment où on se parle, les limites de notre propre galaxie. Or, il y a plus d'étoiles dans notre seule galaxie qu'il n'y a eu d'humains qui ont vécu sur notre planète dans toute son histoire. Et il y a plus de galaxies dans notre univers qu'il n'y a d'étoiles dans notre galaxie. Notre galaxie en est une parmi des milliards et des milliards.

DES APPROCHES DE LA RÉSURRECTION ET DES APPARITIONS

GÉRALD MESSADIÉ

Nous avons mentionné et cité à quelques reprises *L'homme qui devint Dieu* de Messadié. Persuadé que le Christ n'a pu mourir du court supplice qu'on lui a infligé sur la croix, cet auteur croit plutôt à une espèce de « grande mission de sauvetage » savamment organisée. Messadié croit donc que Jésus fut rescapé par des sympathisants haut placés qui l'ont soigné et l'ont fait s'enfuir discrètement de Jérusalem : le Christ aurait établi un dernier contact avec ses proches pour ensuite disparaître et écouler des jours tranquilles dans l'anonymat. Avec une approche relevant tantôt du policier-enquêteur, tantôt du scientifique, Messadié porte l'attention du lecteur sur quelques détails troublants des récits post-résurrection.

Il avance ainsi : « Un des points les plus énigmatiques et les moins expliqués des Évangiles est que ses familiers ne le reconnaissent pas après sa réapparition. »

Ses disciples, les hommes qui ont partagé son quotidien jour après jour durant probablement trois longues années, auraient de la difficulté à reconnaître leur maître ?

Mais comment cela serait-il possible, hormis s'il y a eu transformation physique de Jésus ?

Et force est d'admettre que cette transformation doit être avérée puisque tous les évangélistes, à part Matthieu, en parlent.

Du côté de Marc, l'allusion est minimale et l'auteur (ou plutôt les copistes qui ont ajouté ce passage) se limite à dire que Jésus apparut sous une forme différente à deux disciples.

Déjà, Luc va un peu plus loin. On a vu précédemment sa version : Jésus apparaît à deux disciples sur la route d'Emmaüs et ces deux derniers ne le reconnaissent carrément pas. Ils ne vont le reconnaître qu'en le voyant rompre du pain à table. L'aspect physique a donc changé et on l'identifie à des gestes familiers qu'il a accomplis sans doute des centaines de fois en présence de ses disciples.

C'est Jean qui offre le plus de détails sur la transformation. Et c'est lui qui donne l'éclairage permettant d'avance une explication logique au phénomène.

On se souviendra que, chez Jean, Marie de Magdala rencontre Jésus le jour même de Pâques et ne le reconnaît pas. Elle le prend d'abord pour le jardinier. Ce n'est que lorsque Jésus parle qu'elle le reconnaîtra enfin.

Quand Jésus apparaît aux disciples au lac de Tibériade, ces derniers ne le reconnaissent pas sur le rivage.

En résumé : si Jésus semble physiquement méconnaissable par ses proches, sa voix, ses gestes et sa stature sont restés les mêmes. C'est donc son visage qui a été le siège de la transformation.

> Ce qui induit à conclure d'abord que [...] si Jésus a, dans un dessein obscur, volontairement changé de visage, il a conservé sa voix et ses gestes, ensuite que, puisque c'est seulement son visage qui a changé, c'est que le phénomène présente des caractères de nature essentiellement terrestre.[61]

Et, non, il n'y avait pas de chirurgie esthétique du temps du Christ. Par ailleurs, son sens de l'humour n'étant pas des plus développés, on peut douter qu'il se soit affublé d'un faux nez pour confondre ses ennemis.

Mais un indice-clé, selon Messadié, nous est offert, indice qui explique tout : Marie prend Jésus pour le jardinier. (Savoir que le terme, à l'époque, est indifférencié de maraîcher). Pourquoi diable le confondrait-elle avec un homme de ce corps de métier ? Parce que Jésus lui apparaît avec une bêche à la main ? Sûrement pas.

Seule explication possible : parce que les jardiniers ont un aspect physique différent, aspect qu'a emprunté Jésus. Messadié nous apprend que, dans le temps, chez

---

61. MESSADIÉ Gérald, *ibid.*

les Juifs, certaines professions étaient méprisées. Par exemple, les maraîchers jouaient dans le fumier et étaient mal vus. Le mépris qui s'associait à ce métier entraînait la privation de droits civiques. Ceux qui pratiquaient ce genre de métiers étaient ainsi tenus de se raser, à l'instar des Romains et à la différence des autres Juifs. Question de se soustraire à une seconde arrestation et éviter d'être identifié par ses nombreux ennemis, Jésus se serait donc rasé.

> Trois indices majeurs, puisés exclusivement dans les Évangiles canoniques, concourent donc à indiquer que Jésus n'est pas mort sur la croix : le comportement extraordinaire de Joseph d'Arimathie et Nicodème, le soudarion plié dans le sépulcre et l'incapacité de ses familiers à le reconnaître.[62]

Matthew McCormick

Présumons que certains disciples de Jésus aient vu ou cru voir quelque chose d'inexplicable, qu'ils aient entendu des voix, qu'ils aient vu Jésus après sa mort, qu'ils aient eu une vision…

Les limites de notre compréhension en ce qui concerne les fonctions et capacités du cerveau humain jouent un rôle dans le fait que 70 à 80 % des Américains croient encore aujourd'hui aux fantômes.

Quand une personne vit un événement à haute charge émotionnelle et traumatique, cela a un effet dramatique sur le cerveau. Quand quelqu'un perd une

---

62. Messadié Gérald, *ibid.*

personne qu'elle aime, il est très commun qu'elle ait des visions de cette personne sous diverses formes. Le phénomène est très documenté et est connu sous le terme de *bereavement hallucination* (hallucination du deuil). Dans une étude, un taux remarquable de 80 % de veufs ou veuves d'âge avancé ont raconté avoir eu des hallucinations (visuelles ou auditives) jusqu'à un mois suivant le décès de leur conjoint. La neurochimie du deuil jouerait un rôle actif sur des systèmes cérébraux rattachés aux représentations visuelles et auditives.

Ça va même jusqu'à des cas où les gens ont des conversations avec l'être disparu.

Si ce qu'on raconte dans les Évangiles est vrai, aucun doute que l'exécution de Jésus ait eu un gros impact émotif sur ses disciples. Émettons l'hypothèse qu'il y eut un cercle d'une vingtaine de personnes très proches de Jésus. En étant conservateurs, on peut évaluer qu'au moins la moitié d'entre eux auraient très probablement eu des expériences du type hallucination du deuil. De fait, la probabilité qu'aucun de ses proches n'ait eu ce type d'hallucination est très faible.

Et si Jésus est apparu à plusieurs disciples à la fois ? Ils ne peuvent avoir eu une hallucination collective ? Vrai. Mais les informations que nous avons à ce sujet sont des ouï-dire rapportés à d'autres personnes qui les ont relayés au premier auteur des Évangiles. Se rappeler que c'est Marc et que sa finale (les apparitions du Christ) a été rajoutée cent ans plus tard !

Que quelques disciples aient eu une hallucination de Jésus chacun de leur côté et s'en soient parlé, que la rumeur se soit répandue, qu'elle se soit transformée, qu'elle soit arrivée finalement à l'auteur d'un Évangile avec des embellissements, rien de plus normal.

Gardons à l'esprit que les Évangiles se contredisent par ailleurs sur une foule de détails importants.

LE CARACTÈRE DIVIN DE JÉSUS

Demandez à n'importe quel chrétien, même le plus tiède, s'il croit que Jésus est littéralement le Fils de Dieu, il n'hésitera pas un instant à vous répondre par l'affirmative. Or, l'idée ne tient pas la route.

Embellie, exagérée, déformée, polie depuis deux mille ans, cette fausse perception n'est que l'aboutissement de malentendus et d'interprétations littéraires. D'abord, noter que jamais Jésus lui-même n'a prétendu sans ambiguïté être de nature divine. Il l'a même nié à la moindre occasion. Jamais ses propres disciples n'ont davantage cru que leur maître était d'une manière ou d'une autre le fils biologique de Dieu le Père.

Le concept est fascinant, il faut l'admettre. C'est comme les fantômes ou les extra-terrestres : on veut tellement y croire ! On sait que les mythologies païennes regorgent de héros que l'on considère être des fils de dieu. Par exemple, Héraclès dans la mythologie grecque a un statut de demi-dieu. On sait aussi que l'essence divine était supposée chez certains empereurs romains, chez les Pharaons, chez divers chefs d'État à différentes époques. On comprend maintenant que ça tenait du délire.

Et pourtant, trois des quatre Évangiles n'identifient pas Jésus comme Dieu.

Selon les experts, certains discours des apôtres du livre des Actes rendent compte des idées qui avaient cours parmi les premiers disciples du Christ. Or, aucune de ces déclarations dans les Actes n'évoque la nature divine de l'homme de Nazareth. En gros, elles expriment l'idée que Dieu aurait conféré un statut particulier à Jésus, et ce, seulement au moment de la résurrection.

Pour tous les conteurs chrétiens de la tradition orale, il est un homme comme les autres jusqu'à ce que Dieu le ressuscite et lui confère un caractère divin.

En fait, au début, on le voyait comme un homme à qui Dieu avait donné les pouvoirs de faire de grandes choses. Il est exécuté : Dieu le venge en le relevant d'entre les morts et en lui conférant une essence surnaturelle.

Certains disciples en tirent rapidement cette conclusion : il faut qu'il soit le fils de Dieu. Et s'il l'est, il devrait l'être depuis le début, soit depuis son baptême.

Le plus ancien des Évangiles, celui de Marc, s'ouvre sur le baptême par Jean. Quand Jésus sort de l'eau, les cieux se déchirent, l'Esprit descend sur lui sous la forme d'une colombe et une voix vient d'en haut et dit « Tu es mon fils bien-aimé ! » (Mc 1, 11)

Se rappeler que, pour les juifs anciens, être le Fils de Dieu, ça ne veut pas dire être de nature divine. Pratico-pratique, ça peut se rapporter à plein de gens ou de groupes...

Fils de dieu, ça veut dire être représentant de Dieu sur terre. Pour Marc, Jésus est le Fils de Dieu parce que Dieu l'a choisi pour être le Messie. Mais il n'y a pas un traître mot dans Marc sur le fait qu'il est de nature divine.

Des années plus tard, Luc publie son Évangile. Ici, Jésus est Dieu toute sa vie. Il est même né d'une vierge : c'est dès la conception que Jésus devient fils de Dieu.

Jean va encore plus loin : Jésus existait avant sa conception ! Il a existé avec Dieu depuis le commencement, avant la création du monde. C'est cette idée qui est devenue ultimement le standard chez les chrétiens : le Christ est le « Verbe de Dieu devenu chair ». Pour ce que ça veut dire...

Jean a écrit soixante ans après les faits. Rappelons-nous que les disciples n'ont jamais pensé ça de Jésus. L'idée que leur maître soit Dieu est une extrapolation théologique qu'on retrouve uniquement dans l'Évangile de Jean.

À ceux qui prennent pour une évidence que Jésus est de nature divine : ne jamais oublier que les premiers chrétiens ont été longtemps partagés entre ceux qui croyaient qu'il n'était qu'un homme avec des dons particuliers, ceux qui croyaient que Jésus devint Dieu à la résurrection et d'autres qui croyaient enfin qu'il était Dieu depuis son baptême.

PARTIE III

NE DITES PAS À MÈRE QUE JE SUIS ATHÉE…

VOL AU-DESSUS D'UN NID DE CURÉS (LE LANGAGE ÉSOTÉRIQUE DES THÉOLOGIENS)

Il est grand le mystère de la foi...
Prions en Église

En décembre 2013, les bons catholiques de Québec s'excitaient sans bon sens lors du dévoilement de la première « Porte sainte » à être installée sur une bâtisse religieuse en dehors du territoire européen. Désormais, les chanceux qui pénétreront à l'intérieur de la Basilique-Cathédrale Notre-Dame de Québec franchiront donc celle qu'on appelle déjà la Porte sainte en Amérique.

Les articles rapportant l'événement grandiose, soit dit en passant, évoquaient davantage les retombées économiques de la Porte qui allait insuffler une énergie nouvelle au lucratif tourisme religieux. Le ministre Maka Kotto, présent à la cérémonie, l'a bien souligné : « C'est bon pour l'économie. » Le maire Labeaume de renchérir : « C'est un tourisme très important et cela est sous-estimé comme impact touristique. ». Jésus aurait sans doute été fier de Maka et Régis.

Bien entendu, les esprits plus subtils et au-dessus de ces considérations bassement matérielles se sont aussi fait entendre. Ainsi, le gérant de la place, Monseigneur Cyprien Lavoie (devenu depuis le Cardinal Lavoie, nos félicitations) n'a pas manqué d'exprimer sa fierté et a dit ce que signifiait cette Porte qu'il a déjà baptisée affectueusement sa « Porte des brebis ». Cyprien nous explique : « Passer par la Porte sainte, c'est un signe de renouveau, un grand signe d'espérance. » Voilà, c'est tout simple. Quand vous passez le cadre de la porte, vous êtes… renouvelés. Et pour ceux qui ont soif d'explications plus précises, Herman Giguère, père au Petit Séminaire de Québec, a ajouté cet éclairage à celui du Monseigneur : « La Porte sainte représente une ouverture, quelque chose qui nous permet, si on la franchit, de nous rendre disponibles à quelque chose de nouveau. »

Aaaah ! On comprend tellement mieux : cette porte accroît notre disponibilité à… une affaire… de quelque chose de… qui est nouveau… et… on sait pas c'est quoi vraiment, mais c'est ouvert…

Aparté pratico-pratique pour les contribuables athées que l'entreprise pourrait titiller : sachez que nos taxes n'ont pas eu à payer quoi que ce soit, car la Porte sainte est un cadeau du Vatican pour le 350e anniversaire de la paroisse Notre-Dame de Québec, la plus vieille paroisse d'Amérique du Nord. La Porte, cela dit, venait en *package* avec les Pentures saintes, les Poignées saintes, le Cadre de Porte saint et du Vernis saint pour la protéger.

Saviez-vous que de simples montages de matériaux pouvaient aspirer à la sainteté ? Un peu frustrant pour ces humbles hommes et femmes qui, sacrifiant leur vie sexuelle et toute forme de plaisir terrestre leur vie durant dans l'espoir d'accéder au statut de saint, sont mis en face de cet affligeant constat : le Vatican canonise des portes !

Mais l'aspect que l'on souhaite souligner à travers l'anecdote, c'est qu'en lisant ici les efforts d'explications de Cyprien et de Herman sur la finalité spirituelle de la porte, on a cette impression de déjà entendu dans des églises : des discours vagues et obscurs d'hommes en robe qui, en fin de compte, disent n'importe quoi.

Pour peu qu'on lise ou qu'on écoute des théologiens, on réalise que, dans l'ensemble, leurs théories, leurs longues phrases alambiquées, ne sont que des paroles creuses, faussement profondes, habillées d'une aura de mystère inexistant.

Il y a de prestigieuses chaires de théologie dans nos universités où l'on inculque à des étudiants des notions surréalistes et un métalangage qu'ils seront les seuls à comprendre. S'il y a quelque chose à comprendre. Drapés dans leur dignité d'universitaires diplômés, les théologiens affichent une assurance hautaine devant les représentants des sciences exactes. Aux biologistes, aux généticiens, aux astrophysiciens, les théologiens auront cette réplique condescendante : « Vous, hommes de science, vous occupez de répondre au "comment", tandis que nous, théologiens, répondons au "pourquoi". » Comme s'ils détenaient l'exclusivité d'un savoir qui leur permettrait d'offrir des réponses à des questions telles que : pourquoi est-on sur Terre ? Quel est notre but ?

> Le cliché voulant que, quand quelque chose n'est plus dans le domaine des scientifiques, ça tombe dans le domaine des théologiens est insupportable. C'est quoi le domaine d'expertise des théologiens ? Quelles compétences ont-ils à apporter aux profondes questions cosmologiques ?[63]

Ils n'en ont pas, tout simplement. Gigantesque fumisterie.

On est envahis de ce même sentiment de « n'importe quoi » en lisant à peu près la moitié de ce qui est écrit dans la Bible. Essayez de comprendre quelque chose aux livres des prophètes, à l'Apocalypse de Jean, à des grands bouts des lettres de Paul ou de certains discours de Jésus. Pur charabia.

Comme si le contenu de la Bible n'était pas assez opaque, des générations de théologiens en ont scruté à la loupe tous les versets, y allant d'interprétations divergentes et d'extrapolations philosophiques indéchiffrables. Chaque théologien échafaudant de nouvelles thèses en s'appuyant sur les travaux de ses prédécesseurs, on assista à une expansion frénétique du glossaire théologique et à la publication de livres qui nous font sombrer dans des élucubrations confinant au délire intellectuel.

> Le langage des théologiens est délibérément compliqué et obscur pour créer une façade de respectabilité intellectuelle. Au fond, leur argument revient toujours à : on sait que la Bible dit vrai parce que c'est la Bible. Rien dans la logique ou la science ne confirme

63. DAWKINS Richard, *ibid.*

les dogmes chrétiens. C'est seulement une affaire d'émotions.[64]

Une expression populaire a été créée pour signifier qu'une discussion est vaine et improductive : « Débattre du sexe des anges ». Pas sortie de nulle part, cette expression. Durant le Moyen Âge, un débat a vraiment fait rage sur la question. Sont-ils masculins ? Féminins ? Unisexes ? Des tonnes de salive furent gaspillées, des discours enflammés furent débités au sujet de cette énigme, on a écrit des traités, des livres, on en est venus aux coups pour avoir raison dans cette querelle d'une stupidité sans limites.

> Il fut un temps où les théologiens se disputaient sur des propositions aussi futiles que la longueur des ailes des anges ou combien de ces créatures mythiques pouvaient danser sur la pointe d'une épingle.[65]

La théologie n'est pas une science, elle ne nous apprend rien qui puisse nous être utile.

Depuis deux mille ans, la théologie n'aura servi qu'à noircir du papier, noircir des esprits, noircir l'humanité au complet.

On a ce bonheur de vivre à une époque où on peut se permettre d'en rire ouvertement. Ne nous gênons surtout pas.

Au fil de son histoire, l'Église catholique romaine s'est surpassée en créativité quand il s'est agi d'inventer des concepts abracadabrants.

---

64. MILLS David, *ibid.*

65. HITCHENS Christopher, *ibid.*

Un second regard sur quelques-uns des plus célèbres d'entre eux...

LA SAINTE TRINITÉ

Jamais on ne parle de cette fabulation métaphysique qu'est la Sainte-Trinité dans le Nouveau Testament. Nulle part. Pas un mot. Quand l'Église chrétienne commence à grandir, avec elle s'imposent des penseurs un peu trop intelligents et avec un peu trop de temps à leur disposition. Prêtres, théologiens, philosophes débattent à n'en plus finir sur le statut divin de Jésus, on s'obstine sur l'essence de Dieu, sur la nature profonde du Saint-Esprit, etc.

Des écoles de pensées s'affrontent, s'engueulent à qui mieux mieux sur quantité d'enjeux aussi ésotériques qu'inutiles. Finalement, à partir du célèbre concile de Nicée, en l'an 325, où sont réunis les plus grands cerveaux de la chrétienté, on pose la première pierre de ce qui deviendra le sulfureux concept de la Sainte-Trinité en déclarant le Fils (Jésus) consubstantiel au Père. Un peu plus tard, en 381, au concile de Constantinople, on achève le travail en décrétant officiellement la divinité du Saint-Esprit.

Le sort en est jeté et on arrive à la formule : P + F + SE = ST ou 1 + 1 + 1 = 3.

Exprimé en mots simples, qu'est-ce que la Sainte-Trinité ?

L'auteur Richard Dawkins cite cette passionnante définition de la Trinité proposée par la *Catholic Encyclopedia* :

> Dans l'unité de Dieu, il y a trois personnes, le père, le fils et le Saint-Esprit, ces trois personnes étant vraiment distinctes les unes des autres. Ainsi, selon les termes du Credo d'Athanase, « le Père est Dieu, le Fils est Dieu et le Saint-Esprit est Dieu, cependant il n'y a pas trois dieux, mais un seul Dieu. »

Au cas où des lecteurs un peu lents ne saisissent pas tout de suite, cette précision de saint Grégoire le Thaumaturge, un théologien inspiré :

> Ainsi, aucun n'a été créé, aucun n'est soumis à un autre dans la Trinité : et rien n'y a été ajouté comme si, sans avoir existé auparavant, c'était arrivé ensuite ; ainsi donc, le père n'a jamais été sans le fils ni le fils sans l'Esprit ; et cette même Trinité est immuable et inaltérable à jamais.

Bon sang, mais c'est bien sûr !

Ok, soyons bons joueurs : ce texte date de plusieurs siècles et on a sûrement vulgarisé le concept depuis le temps. Et si on se référait à une définition plus récente ? Peut-être cela sera-t-il plus limpide ? Regardons alors comment on explique la Sainte-Trinité dans le Catéchisme de l'Église catholique publié en 1992 :

> Les personnes divines sont relatives les unes aux autres. Parce qu'elle ne divise pas l'unité divine, la distinction réelle des personnes entre elles réside uniquement dans les relations qui les réfèrent les unes aux autres : « Dans les noms relatifs des personnes, le Père est référé au Fils, le Fils au Père, le Saint-Esprit aux deux ; quand on parle de ces trois personnes en considérant les relations, on croit cependant en

une seule nature ou substance». En effet, «tout est un (en eux) là où l'on ne rencontre pas l'opposition de relation.» «À cause de cette unité, le Père est tout entier dans le Fils, tout entier dans le Saint-Esprit ; le Fils est tout entier dans le Père, tout entier dans le Saint-Esprit ; le Saint-Esprit tout entier dans le Père, tout entier dans le Fils.»

LA TRANSSUBSTANTIATION

Pendant des siècles, les théologiens se sont affrontés en discussions sans fin sur la question de savoir si, au moment où on communie, on mange la substance du Christ ou non. Deux théories au nom prétentieux s'opposaient : la transsubstantiation et la consubstantiation.

Définitions wikipédiennes...

La transsubstantiation : «c'est, littéralement, la transformation d'une substance en une autre. [...] Sur le plan religieux, [c'est] pour expliquer que, dans l'Eucharistie, le pain et le vin, par la consécration de la Messe, sont "réellement, vraiment et substantiellement" transformés ou convertis en Corps et Sang du Christ, tout en conservant leurs caractéristiques physiques ou espèces (texture, goût, odeur : les *apparences*) initiales.» Cette doctrine, établie au Concile de Latran, prend le nom de transsubstantiation au concile de Trente (1551) où elle est officiellement proclamée par l'Église catholique.

La consubstantiation «est la doctrine protestante luthérienne par laquelle, lors de la Cène, le pain et le vin conservent leurs substances propres avec lesquelles coexistent les substances du corps et du sang du Christ.»

Les protestants, donc, croient à la consubstantiation et cela déplaît au plus haut point aux autorités catholiques. En raison de ce genre de divergences sur des spéculations fumantes, protestants et catholiques se sont détestés pendant des siècles, créant des tensions qui dégénérèrent en une multitude de batailles et guerres sanglantes. Parlez-en aux Irlandais qui le vivent encore.

Un des « effets collatéraux » de ces concepts aberrants : à la belle époque gothique, des pauvres gens furent tués par milliers pour avoir supposément cassé des hosties ! Longtemps, l'Église condamna en effet avec la dernière des vigueurs le crime de *host desecration* (profanation de l'hôte). Comme si une personne saine d'esprit, aussi athée soit-elle, pouvait éprouver une forme de plaisir quelconque à casser en deux ces petites rondelles insignifiantes. Bien sûr, ce crime absurde fut plus souvent un simple prétexte pour persécuter les Juifs.

> La doctrine de la transsubstantiation fut établie au 4e Concile de Latran en 1252 et devint la pièce maîtresse de la foi catholique. L'idée : l'hôte de la communion (le communiant) est transformé durant la messe en devenant le corps vivant du Christ. À partir de là, pour l'Église, les hosties devenaient objets sacrés, des « mini-Jésus » qui demandaient un respect total. Or, sur des simples rumeurs que certains avaient brisé ou détruit ces craquelins divins, plus de trois mille juifs furent mis à mort. Ce crime fut puni durant des siècles.[66]

66. HARRIS Sam, *ibid.*

L'IMMACULÉE CONCEPTION

On a prétendu dans nos Évangiles que la mère de Jésus était vierge.

Mais le niveau de pureté de Marie n'était pas encore assez élevé aux yeux de quelques théologiens obsédés qui, à force de rebrasser la question dans leur tête, se heurtaient sans cesse à cette réalité implacable : si la Vierge Marie avait elle-même été conçue par le truchement d'une vulgaire relation sexuelle, elle était fatalement marquée par la tache du péché originel. Horreur ! Le pape Pie IX avait de la misère à vivre avec ça, semble-t-il. Cela l'empêchait sans doute assez de dormir pour qu'il convoque les évêques catholiques et leur soumette le concept génial de l'Immaculée Conception. Conquis par la clairvoyance et l'opportunité de ce nouveau dogme, les évêques l'adoptèrent à la majorité le 8 décembre 1854.

D'une clarté inégalée, la bulle papale nous dit :

> Nous déclarons, prononçons et définissons que la doctrine, qui tient que la bienheureuse Vierge Marie a été, au premier instant de sa conception par une grâce et une faveur singulière du Dieu tout-puissant, en vue des mérites de Jésus-Christ, Sauveur du genre humain, préservée intacte de toute souillure du péché originel, est une doctrine révélée de Dieu, et qu'ainsi elle doit être crue fermement, et constamment par tous les fidèles.[67]

---

67. Constitution Apostolique *Ineffabilis Deus* : www.icrsp.org/Saints-Patrons/Christ-Roi-Immaculee-Conception/Ineffabilis_Deus_Pie_IX.htm

Mais comme c'était trop facile à saisir, on a revu et augmenté le concept aussi récemment qu'en 1964 dans le *Lumen Gentium*, une constitution dogmatique de Vatican II où on nous dit que Marie a été « rachetée de façon éminente en considération des mérites de son Fils » et que « indemne de toute tache de péché, ayant été pétrie par l'Esprit saint, elle a été formée comme une nouvelle créature. »

Ainsi, il aura fallu un peu plus d'un siècle aux forces vives du département Recherche et Développement du Vatican pour découvrir que ce qui rendit la Vierge Marie vraiment et totalement immaculée, c'est une opération de pétrissage par l'Esprit saint.

Ne s'arrêtant pas en si bon chemin, les éminences grises du Vatican ont créé le dogme de L'Assomption de Marie pour bien faire le tour de la question et s'assurer que Sa Sainteté n'était attaquable sous aucun angle possible. Selon cette théorie datant de 1950, la mère de Jésus alla directement au ciel après sa mort... euh pardon, elle n'est pas vraiment morte, non... on peut dire que sa vie terrestre « connut un terme ». En fin de compte, elle ne s'est pas décomposée comme nous, pauvres humains ordinaires.

En mots simples, la constitution apostolique *Munificentissimus Deus* du bon pape Pie XII décréta ainsi le dogme :

> En l'autorité de Notre-Seigneur Jésus-Christ, des bienheureux Apôtres Pierre et Paul, et par notre propre autorité, nous prononçons, déclarons, et définissons comme un dogme divinement révélé que l'Immaculée mère de Dieu, la Vierge Marie,

après avoir achevé le cours de sa vie terrestre, fut élevée corps et âme à la gloire céleste.

L'ESPRIT SAINT

Quand on lit les Évangiles, on saisit jusqu'à un certain point qui est Jésus et on arrive à s'en fabriquer une image mentale. Nourris des représentations qu'en ont faites les peintres et sculpteurs pendant des siècles, les gens continuent, bien plus qu'ils ne sont prêts à l'admettre, à entretenir une vision anthropomorphique de Dieu le Père. Grand barbu en tunique, un peu bedonnant, des traits virils, cheveux longs, grisonnants, etc. Un mélange de Gandalf et du Odin incarné par Anthony Hopkins dans *Thor*. Avec un minimum d'effort, on pourrait donc faire des portraits-robots des deux premiers membres de la Trinité.

Mais l'Esprit saint, lui, est entouré d'un flou complet. Du trio divin, c'est le plus mystérieux, le profil bas. Le Maurice Gibb du groupe.

Les pauvres prêtres eux-mêmes sont pris au dépourvu quand il s'agit de parler du concept de L'Esprit saint. Ils doivent supporter le poids du lourd bagage des Écritures saintes en plus des réinterprétations conflictuelles héritées de générations de théologiens.

Or, on ne peut prendre à la légère l'Esprit saint si on se rappelle que Jésus a déjà déclaré que tous les péchés peuvent être pardonnés à un homme SAUF celui de blasphémer l'Esprit saint. Cela fait peur. Et encore plus dans sa version anglaise, où il est coiffé du nom terrifiant de *Holy Ghost*.

Au concile de Nicée, évoqué plus haut, on décréta que l'Esprit saint était la troisième hypostase – terme prétentieux de théologien pour dire *personne* –, distinct du Père et du Fils, MAIS consubstantiel, c'est-à-dire partageant la même essence.

N'essayons pas de comprendre où il n'y a rien à comprendre.

Puisqu'on y est, à quoi sert notre ami l'Esprit saint ? Eh bien, entre autres tâches ô combien fastidieuses, sachez qu'il participerait à la transmission de la révélation divine. Avant que ce soit reconnu de façon officielle, il aura fallu attendre jusqu'à 1965, année où fut promulgué par le concile Vatican II le populaire *Dei Verbum*, une constitution qui traite de long en large cette question de la révélation divine.

Pour mieux juger de l'impénétrabilité du jargon des grands théologiens dans l'histoire de l'Église, jetons un bref regard à quelques-uns des écrits de deux célébrités du domaine : saint Thomas d'Aquin et saint Augustin...

SAINT THOMAS D'AQUIN

Mieux que tous les somnifères, les réflexions de saint Thomas d'Aquin assurent un sommeil rapide et profond. Au panthéon des fins esprits de la chrétienté, saint Thomas d'Aquin figure dans le Top 5. Une étoile au firmament des théologiens. On lui prête une grande profondeur et une intelligence rare des choses religieuses. Ce moine, qui a vécu au XIIIe siècle, a laissé un ouvrage considéré comme son chef d'œuvre qui s'intitule *Somme théologique*.

Divisé en quatre grandes parties, le livre se décline en questions dont plusieurs sont elles-mêmes divisées en sous-questions. Ces articles ont ceci en commun d'être incompréhensibles pour 99.94 % des lecteurs d'origine terrienne. La pierre de Rosette : un rébus de niveau primaire à côté des passages corsés de saint Thomas.

Afin de se donner une chance de décrypter sa pensée, prenons une question dont le thème suggère que ça sera un extrait plus facile à comprendre puisqu'elle est coiffée d'un titre rassurant : *La simplicité de Dieu.*

On est en droit de s'attendre à un développement bébé fafa, à un langage accessible…

Mais quand on lit les huit sous-questions, voilà que nos sourcils se froncent déjà malgré eux :

1. Dieu est-il un corps, c'est-à-dire : y a-t-il en lui composition de parties quantitatives ?
2. Y a-t-il en lui composition de matière et de forme ?
3. Y a-t-il en Dieu composition d'essence ou de nature, et de sujet ?
4. Y a-t-il en Dieu composition de l'essence et de l'existence ?
5. Y a-t-il en Dieu composition de genre et de différence ?
6. Y a-t-il en Dieu composition de sujet et d'accident ?
7. Dieu est-il composé de quelque manière, ou absolument simple ?
8. Dieu entre-t-il en composition avec les autres choses ?

Décidément, on ne veut pas nommer saint Thomas responsable des sujets de dissertation pour les examens du ministère.

Mais ne nous laissons pas décourager trop vite et poussons un peu plus loin. Peut-être les réponses deviennent-elles éclairantes ? Lisons donc une partie de la réponse à l'article 3 ainsi formulé : « Y a-t-il en Dieu composition d'essence ou de nature, et de sujet ? »

Le docte saint Thomas fournit cette réponse :

> Il semble que Dieu ne s'identifie pas avec son essence ou sa nature. Car rien n'est à proprement parler en soi-même ; or, on dit, de l'essence ou nature de Dieu, qui est la déité, qu'elle est en Dieu : elle est donc distincte de lui [...] L'effet ressemble à sa cause ; car tout agent assimile à lui son effet. Or, dans les choses créées, le suppôt n'est pas identique à sa nature ; ainsi l'homme n'est pas identique à son humanité. Donc, Dieu non plus n'est pas identique à sa déité. En sens contraire, il est dit de Dieu qu'il est la vie, et non pas seulement qu'il est vivant.

Tout à coup, la conclusion de *Lost* paraît moins incompréhensible...

Esprit volontiers terre-à-terre, saint Thomas d'Aquin ne répugne pas à s'attaquer parfois à des sujets bien pratiques.

Ainsi, un problème qui a toujours fasciné les théologiens est celui de la résurrection des corps. Comme on le sait, nous allons tous revenir à la vie après notre mort pour comparaître devant le tribunal de Dieu. Cette résurrection sera physique, ce qui implique que, par sa toute-puissance, le Bon Dieu va restaurer nos corps pour qu'on soit présentable lors de la comparution.

L'hypothèse soulève un ou deux millions de problèmes de logique, mais saint Thomas d'Aquin, donnant dans la métaphore *gore*, a choisi de réfléchir au dilemme moral présenté par les cas tellement fréquents de cannibalisme. Appuyé sur une solide prémisse, notre homme s'interroge en effet sur le sort *post-mortem* d'un cannibale qui n'aurait jamais rien mangé d'autre que de la chair humaine pendant toute sa vie et dont les parents avaient toujours eu le même régime alimentaire. Chaque particule du corps de ce cannibale appartient ultimement à d'autres humains qui, à leur propre résurrection, verront leurs corps reconstitués. Mais quand Dieu aura procédé à cette opération, ne restera-t-il rien de notre pauvre cannibale ? Comment pourra-t-on le reconstruire afin de le faire brûler en enfer comme il le mérite si toutes les parties de son corps ont été restituées à leurs propriétaires originaux ?

Est-ce qu'on en avait du temps à perdre dans les monastères au XIIIe siècle ?

SAINT AUGUSTIN

Considéré comme l'un des penseurs chrétiens les plus inspirés, saint Augustin a traversé l'histoire et, 1600 ans plus tard, il est toujours publié et lu. On a pour lui une perception teintée d'admiration et de respect. Sans l'avoir étudié, sur les échos de sa réputation, on a le réflexe de lui attribuer une grande clairvoyance et un style admirable, d'autant plus que, il n'y a pas si longtemps, le comédien Gérard Depardieu – homme au jugement sûr s'il en est..! – a même fait une tournée de lectures des *Confessions* de saint Augustin.

Puisqu'on en parle, essayez de les lire, ces *Confessions,* et d'y comprendre quelque chose. Un exemple de message que saint Augustin adresse à Dieu :

> Nous voyons toutes ces choses que vous avez créées parce qu'elles sont. Et au contraire, mon Dieu, c'est parce que vous les voyez, qu'elles sont. Nous voyons au-dehors ce qu'elles sont, et au-dedans qu'elles sont bonnes. Mais vous, vous les voyez dans vous–même lorsqu'elles sont faites, comme c'est dans vous-même que vous avez vu qu'il était à propos de les faire.

Aux lecteurs soucieux d'enrichir leur quête spirituelle, les innombrables citations de saint Augustin abondent en phrases bien tournées ayant toutes les apparences de la subtilité des grands esprits de l'histoire humaine.

Les conseils de moralité d'Augustin, et cela est drôlement décevant, sont souvent formulés avec l'utilisation de cette insupportable figure de style qu'est le chiasme. (Un exemple de chiasme : « Il faut manger pour vivre et non vivre pour manger. » Vous voyez le genre...) Autant que je sois concerné, le chiasme est un cousin de la contrepèterie et s'il arrive qu'il en ressorte une pensée brillante, c'est purement accidentel. Des pensées de biscuits chinois.

Butinant d'un thème à l'autre, saint Augustin parle de l'amour. Voici quelques exemples de ses citations que nous vous invitons à dire dans votre tête en imaginant un doux air de balade et la voix de Nicolas Ciccone, ou Garou selon votre préférence...

« La mesure de l'amour, c'est d'aimer sans mesure... »

« Celui qui se perd dans sa passion perd moins que celui qui perd sa passion. »

« Lorsqu'on aime, ou bien l'on a point de peine, ou bien l'on aime jusqu'à sa peine. »

N'est-ce pas que, pour un moment, vous vous seriez cru à l'écoute de Rouge FM ?..

À la façon d'un Forest Gump qui lance des traits de fausse sagesse, saint Augustin propose une pléthore de réflexions au sens… pas accessible aux esprits superficiels… Par exemple :

« Cherchons comme cherchent ceux qui doivent trouver et trouvons comme trouvent ceux qui doivent chercher encore… »

« Si je me trompe, je suis. Car celui qui n'est pas ne peut être trompé. »

« Est vrai ce qui est. »

« Il est honteux d'être sans honte. »

« Lorsqu'on se tue, c'est un homme qu'on tue. »

« Un fou qui sait qu'il est fou est pas mal moins fou qu'un fou qui ne sait pas qu'il est fou. »

Bon, ok, la dernière est de moi.

90 CRÉDITS EN THÉOLOGIE

Surfant sur un zèle sans limite en rédigeant ce livre, j'ai poussé mes démarches jusqu'à m'inscrire à deux cours à distance du programme de Sciences des religions de l'Université Laval. Les contenus de ces cours touchaient les dimensions historique et sociologique des religions et, à cet égard, les lectures étaient vraiment intéressantes. Je persiste à penser que, en tant que phénomène historique et culturel, les religions sont des sujets fascinants.

Quand on a affaire au département de théologie, ça devient autre chose. Un coup d'œil rapide aux descriptifs de quelques cours a un effet instantané de lourdeur sur nos paupières et laisse penser que ces cours s'adressent surtout aux croyants. On peut y déceler par ailleurs des relents évidents de prosélytisme.

Des exemples de descriptions de cours du 1er cycle en théologie à l'Université Laval :

THL-1226 : La vie liturgique I : l'eucharistie.

L'eucharistie comme centre de la vie de l'Église, sa structure liturgique comme reflet de la théologie orthodoxe, l'expérience du salut comme fait historique et espérance eschatologique [...] les dimensions pastorales et catéchétiques de la vie liturgique.

THL-1003 : Spiritualités chrétiennes.

Le spirituel : un monde complexe et un concept polysémique [...] vie spirituelle et dynamique relationnelle ; concept paulinien d'homme spirituel et sequela Christi. Dimension herméneutique de l'expérience spirituelle et éléments structurants [...] dimension éthique de l'expérience contemplative.

THL-1002 : Éthique chrétienne.

Élucidation des rapports entre éthique, morale, déontologie et droit. [...] la conscience, la loi naturelle, les vertus morales et théologales, le péché et la question du mal, etc.

Tout ça donne déjà le vertige.

***

Dans l'excellent film *Ridicule* (1996) de Patrice Leconte, Bernard Giraudeau joue l'abbé de Vilecourt, un abject personnage. D'une prétention écœurante, ce curé multiplie les intrigues pour garder sa place parmi les favoris du Roi Louis XVI. Dans une scène extraordinaire, l'abbé livre avec enthousiasme un discours à caractère théologique devant la Cour et le Roi en personne :

> Je suis tout ce qui est, tout ce qui a été, tout ce qui sera. Les Égyptiens qui gravèrent ces mots sur le fronton de leurs temples croyaient qu'il n'y a qu'un effet dont on puisse demander quelle est sa cause. Or, l'univers ne se présentait à ces païens que sous l'aspect d'une cause très puissante. [...] La cause première de toute chose doit être nécessaire, absolue, parfaite. Donc, il ne peut y avoir deux êtres infiniment parfaits, car deux ne feraient pas plus qu'un. L'être parfait ne peut être divisé. Celui qui est par lui-même ne peut changer. Or, le temps est la mesure du changement, l'infiniment parfait ne change pas. Unité, immutabilité, éternité. C'est Lui, c'est Dieu ! *Causas sui*, sa propre cause !

Bien que les membres de l'auditoire accueillent avec perplexité cet exposé, le Roi est conquis, se lève et applaudit l'abbé. Toute la Cour se met alors debout et imite l'ovation royale. Emporté par ce triomphe inespéré, débordant de sa suffisance, l'abbé s'incline devant Louis XVI et laisse alors échapper cette phrase de trop : « Ce n'est rien : j'ai démontré ce soir l'existence de Dieu. Mais je pourrais tout aussi bien démontrer le contraire quand il plaira à Sa Majesté. »

Outré, le Roi lui lance un regard de mépris et quitte précipitamment les lieux. L'abbé vient de détruire sa carrière. Le personnage de Jean Rochefort a alors cette phrase magnifique : « Dommage. Échouer si près du but... »

L'abbé de Vilecourt est un prototype de théologien. Capable de prouver l'existence de Dieu, capable de prouver le contraire. Des mots, des mots, des mots...

***

Je ferai certainement preuve de simplisme en répétant cet argument que d'autres ont déjà formulé avant moi : si Dieu avait vraiment inspiré la Bible afin de transmettre un message au genre humain, il aurait trouvé le moyen de la rendre compréhensible à tous sans qu'on ait besoin des théologiens.

L'ARNAQUE
(L'IMPOSTURE RELIGIEUSE)

I. LES RELIQUES

Hey, tit gars, remets ça dans le bocal !
Les Cyniques,
La visite à l'Oratoire

En novembre 2013, en présence d'une foule émue de 60 000 personnes, le pape François s'est incliné devant un reliquaire de bronze dans lequel reposaient des fragments d'ossements provenant, dit-on, de l'apôtre saint Pierre en personne.

Oui, saint Pierre, cet apôtre qui était tellement copain-copain avec Jésus que celui-ci lui a confié les clés du paradis. C'est donc ce privilégié qui a hérité de la tâche d'ouvrir la porte céleste aux gens ayant vécu loin du péché lors de leur passage sur terre.

Pour revenir à la cérémonie papale, il s'agissait en l'occurrence de la première sortie publique des célèbres os qui avaient été trouvés à la suite de fouilles entreprises sous la basilique Saint-Pierre en 1940 du temps du règne de Pie XII.

Comme on n'est déjà pas vraiment certains que le Pierre en question ait bel et bien été crucifié à l'endroit précis où fut érigée la basilique portant son nom, comme on a par ailleurs déterré quantité d'autres ossements d'humains et d'animaux lors des fouilles, on peut avoir une idée de l'amplitude de la marge d'erreur quant à l'identité du saint squelette. Probablement pour ça qu'aucun pape n'est allé jusqu'à authentifier officiellement les ossements. Les autorités vaticanes se limitent à affirmer qu'il y a une forte probabilité que ce soient effectivement les restes du grand ami de Jésus. Du côté des scientifiques et experts, on débat encore de la question et la tendance est au scepticisme. Cela peut se comprendre, surtout quand on considère qu'il y a en circulation deux têtes de saint Pierre estampillées authentiques !

Bienvenue dans le monde de la relique sainte.

Il y a assez de reliques dans les édifices religieux de par le monde pour remplir un Costco. Un inventaire surtout formé d'une infinité d'échantillons physiques ou d'objets personnels de différents saints et saintes. Les sandales d'untel, les cheveux d'unetelle, les ongles d'orteils d'un autre, etc.

Au chapitre local de la relique sainte, on peut s'enorgueillir d'avoir le cœur du Frère André, une relique dénotant un bon goût sûr et conservée dans un bocal à l'Oratoire St-Joseph. Pour la petite histoire, ce bocal et son saint contenu organique furent volés en 1974 : les malfaiteurs exigeaient pour son retour une rançon de 50 000 dollars. Probablement grâce à l'intervention divine, le cœur fut finalement récupéré.

Mais depuis le tragique kidnapping cardiaque, l'organe saint, à notre grande tristesse, n'est plus exposé au public. Le bonheur de fou dont tous les enfants des groupes scolaires en visite à l'Oratoire sont injustement privés à cause de deux ravisseurs crapuleux. *Shame on you, vilains !*

À tout seigneur, tout honneur : dans l'univers des reliques, les plus prestigieuses sont celles de Jésus-Christ. Car oui, nous possédons de ses affaires personnelles. Beaucoup. Et en plusieurs copies. Un nombre significatif touche de près ou de loin sa crucifixion. Vénérés de siècle en siècle, ces objets archisacrés font, vous le comprendrez, l'objet d'attentions toutes particulières.

Ce qui nous amène aux staurothèques (écrivit-il, exhibant la formidable étendue de son vocabulaire religieux...). Depuis des siècles, donc, un certain nombre d'églises sont fières d'exhiber de précieux reliquaires où sont conservés de rarissimes fragments de bois provenant apparemment de la croix sur laquelle mourut Jésus. Ce sont ces reliquaires qu'on a coiffés du nom prétentieux de staurothèques. Performants en termes de chiffre d'affaires, ils se sont mis à proliférer. Un calcul sommaire permet d'extrapoler qu'en accumulant les fragments allégués de la croix de Jésus, on aurait suffisamment de bois pour construire un bungalow ainsi qu'un ensemble de patio pour six personnes. Sur certains sites internet, le chrétien motivé et en moyens peut même se monter une staurothèque personnelle en achetant pour à peu près 1000 dollars des microscopiques éclisses de bois authentifiées provenant de la croix de Jésus. On ne dit pas jusqu'où le prix monte si elles sont en plus dédicacées.

Dans la même veine des reliques de la croix, Hélène, la mère dévote de l'empereur romain Constantin, aurait, au IVe siècle, rapporté de son pèlerinage en Terre sainte les clous qui auraient servi à crucifier Jésus. Sitôt exposés, ces clous sont l'objet d'adoration et le sont toujours aujourd'hui. Cela dit, on aurait répertorié jusqu'ici plus d'une trentaine de ces saints clous dont on jure tous qu'ils sont *the real thing*. De deux choses l'une : ou ce sont des faux, ou le pauvre Jésus s'est fait planter un ratio de clous plus élevé qu'un dos d'étagère Ikea.

La relique la plus célèbre reste bien entendu le suaire de Turin. Analysé au carbone 14 en 1988 par trois labos indépendants, le linge portant supposément l'empreinte du visage de Jésus, a-t-on appris (avec tellement de surprise), daterait du Moyen Âge.

Même la multiplication de suaires en circulation n'a pas soulevé un semblant de scepticisme prudent chez nombre de dévots persistant à croire à l'authenticité du Saint-Suaire.

Parmi les autres suaires connus, mention spéciale au suaire d'Oviedo conservé dans la cathédrale de la ville du même nom en Espagne. Cette toile de lin est censée être le tissu qui entourait la tête de Jésus dans le tombeau et dont parle Jean dans son Évangile.

Il fallait bien qu'on le retrouve tôt ou tard. En fait, dès qu'un verset d'Évangile fait état d'un objet quelconque ayant été en contact avec Jésus, on peut être certain que ledit objet rebondira miraculeusement quelque part. Et, en général, en plusieurs exemplaires.

Autre exemple de relique : le voile de Véronique, ce linge qui aurait essuyé la sueur du front de Jésus pendant le chemin de croix. Encore une fois, quatre ou cinq églises revendiquent l'original. Des églises vont encore plus loin et prétendent posséder une relique rarissime : des saintes larmes ! On fait référence à du liquide lacrymal que Jésus aurait versé en apprenant la mort de Lazare. Une note de A+ pour l'initiative de cet apôtre qui eut la présence d'esprit de recueillir subrepticement ces saintes larmes dans une sainte éprouvette au moment de la sainte peine de Jésus.

Sur le même thème, et affichant un goût plus que douteux, des églises prétendent avoir du lait provenant de la Vierge Marie ! Oui, Marie allaitait.

Plus spectaculaire encore dans le domaine de la relique : la couronne d'épines qui fut déposée sur la tête du Christ pendant son supplice. Figurez-vous qu'elle coule des jours paisibles dans une chapelle de Notre-Dame de Paris. Son authenticité, dit-on, n'a jamais été officiellement établie. Quelqu'un est surpris ?

Bien entendu, plusieurs saints calices ont été vénérés dans l'histoire. On parle ici de la coupe dans laquelle Jésus aurait bu à son dernier repas. Mes lectures m'amènent à conclure que le scientifique le plus crédible ayant été en contact avec cette relique serait un certain Indiana Jones.

Pour nous achever, voyons en vrac quelques autres reliques qui ne sont probablement pas à la veille d'être certifiées officiellement :

- des reliques des cadeaux des rois mages (conservées au monastère de St-Paul) ;

- des langes que l'Enfant-Jésus portait (à la cathédrale de Dubrovnik) ;
- le saint Prépuce (oui, oui, et en plusieurs versions) ;
- le saint Ombilic (comme dans *cordon*, vénéré en trois endroits) ;
- des saintes dents (rendu là, on peut se passer de commentaires).

Les croyants, jusqu'au Moyen Âge, étaient des superstitieux finis d'une crédulité désarmante. Industrie florissante, le pèlerinage se nourrissait de ce genre de reliques. Normal, donc, qu'on en ait tant vu apparaître.

Le temps où l'on découvrait des reliques de Jésus toutes les deux semaines semble bel et bien révolu. Sauf...

Sauf la stupéfiante et récente découverte du tombeau de Jésus ! Oui, on aurait dernièrement retrouvé son tombeau en Palestine. Pour ceux que ça pourrait intéresser de perdre quatre-vingt-dix minutes de vie, vous pouvez visionner *The Lost Tomb of Jesus* et vous aurez tous les détails. On parle ici d'un téléfilm documentaire américain annoncé à grand renfort de promotion lors d'une conférence de presse le 26 février 2007 et diffusé sur la chaîne généralement crédible Discovery Channel. Des types prétendent avoir retrouvé la tombe du Christ... parce qu'on a déterré en Palestine un tombeau avec les noms Jésus et Joseph inscrits dessus. Mis à part le fait que ce sont là deux des prénoms les plus répandus de l'époque, par quelle gymnastique intellectuelle peuvent-ils bien espérer nous convaincre que leurs dépouilles ont pu être ensevelies ensemble ?

Ne reculant devant rien, les documentaristes exhibent même des ossements appartenant pêle-mêle aux membres de la famille de Jésus, ossements dont certains seraient infailliblement ceux du Christ lui-même. Étonnamment, le grand James Cameron a été associé à la production de ce documentaire dont la diffusion est une tache au dossier de Discovery Channel qui s'est abaissé à le diffuser. La prochaine fois, ça sera quoi : on va retrouver le cœur de la pomme mangée par Ève au jardin d'Éden ? De la concurrence pour le Frère André !

En conclusion, tous les objets dont on prétend qu'ils seraient des reliques du Christ se sont révélés soit des fraudes consommées ou, dans le meilleur des cas, des artefacts éminemment suspicieux. L'entêtement fou des fidèles à vénérer ces objets n'est qu'une autre manifestation de l'illogisme inhérent à la religion.

II. SAINT GRILLED-CHEESE ET COMPAGNIE

Nommez-moi un peuple chez lequel il ne se soit pas opéré des prodiges incroyables, surtout dans les temps où l'on savait à peine lire et écrire.
Voltaire

C'est fou comme, à l'époque où il n'existait aucun moyen technique de capter quoi que ce soit en image ou en sons, les miracles étaient monnaie courante. En lisant la Bible, on est frappés de voir à quel point Dieu était proactif. La mer Rouge séparée, les pluies de grenouilles, les femmes changées en statues de sel, les résurrections, les pains multipliés. Vraiment, Dieu et son fils ne chômaient pas.

Puis, du jour au lendemain, plus rien. Dieu serait-il bipolaire et traverserait depuis deux mille ans sa phase dépressive ?

Il est aussi intrigant de constater que Dieu se manifestait toujours dans des régions reculées, de préférence désertiques, à des gens peu instruits et archi-crédules.

De toutes les manifestations miraculeuses, souvent spectaculaires, répertoriées dans les deux testaments, aucune n'est mentionnée en dehors de la Bible. Que ce soit Josué qui fait tomber les murs de Jéricho, le massacre des Innocents par Hérode, la vague de morts qui ressuscitent à la crucifixion de Jésus, personne n'a jugé ces détails assez importants pour les coucher par écrit quelque part.

On chercherait en vain un événement s'approchant d'un miracle d'envergure biblique qui se serait déroulé dans les cent dernières années et qui passerait le test de la crédibilité. Un miracle filmé ou enregistré, un miracle vu par des milliers de personnes impartiales en même temps, un miracle solide. Et c'est facile à expliquer : la récurrence des miracles diminue proportionnellement à l'accroissement des connaissances humaines, au développement de notre sens critique, de notre jugement.

Pourtant, c'est plus fort qu'eux, les croyants s'entêtent encore et toujours à donner du crédit à l'idée de miracles. Ils veulent tellement, tellement y croire.

Étonnamment, la vaste majorité des gens, encore en ce XXIe siècle, continue à juger pour certaine l'intervention d'agents surnaturels dans leurs vies. On estime que plus de quarante millions d'Américains accordent du crédit à l'horoscope tandis que vingt millions sont persuadés qu'on peut communiquer avec les morts.

À vrai dire, la propension à croire aux miracles n'est pas enracinée que chez les pratiquants. Elle l'est même chez les croyants tièdes et, à la limite, chez les sceptiques. L'ère des prophètes et messies est loin derrière nous, mais en dépit de toute logique on est toujours aux aguets d'un hypothétique miracle. Comme on aimerait tous secrètement que E.T. débarque dans notre cour pour qu'on puisse faire du vélo avec lui !

Aparté sémantique ici... Le terme *miraculeux* et les variantes de sa grande famille ont connu au fil du temps une sérieuse dérive de sens. Et les gens, pourrait-on dire, ne sont pas tous synchronisés à la même étape de ce glissement du signifiant. Les athées eux-mêmes vont parfois utiliser miracle, mais comme un simple synonyme de chance, coïncidence ou hasard. Pour les croyants mous, il faudra un événement frappant fort l'imagination pour qu'ils croient assister à un miracle. Enfin, pour les croyants les plus fervents, le moindre événement qui semble un tant soit peu défier les statistiques révèle l'empreinte de Dieu.

Pas pour mal faire, mais les médias galvaudent allègrement le terme. Ainsi, admettons que 248 personnes périssent dans l'écrasement d'un avion et que deux passagers survivent, on va immanquablement titrer « Écrasement d'un Boeing : deux personnes survivent par miracle ! ». Pour l'athée, la cause est entendue : ces deux veinards ont eu le bonheur de choisir les sièges situés dans la zone de l'avion qui s'adonna être la plus épargnée. Pour les religieux, c'est la main de Dieu qui les a épargnés, ça s'explique par l'intervention de leur dieu omnipotent.

En plus d'être d'une naïveté décourageante, de tels raisonnements, quand on y pense, démontrent un manque d'empathie complet envers les victimes. Ceux qui raisonnent ainsi oublient de voir l'affligeante alternative qu'implique leur conclusion : ou bien les passagers morts étaient tout simplement indignes de vivre, ou bien leur dieu est cruel et insensible. Comme pour le train qu'Il aurait pu stopper à Lac-Mégantic, ça aurait représenté quoi comme effort supplémentaire à notre Tout-Puissant de simplement poser le Boeing et sauver les 248 victimes ?

Ou sadique ou paresseux, dans les deux cas, pas fiable.

Pourquoi des gens survivent-ils par miracle à des tornades, des incendies, des accidents de la route ? Réunion de facteurs impliqués, dont la chance. Bête comme ça. Une chose dont on est cependant sûrs : en matière de survie, quand frappent des catastrophes, les statistiques n'ont jamais favorisé les croyants devant les athées et, au bilan des tragédies, les méchants s'en tirent aussi bien que les bonnes personnes.

Une autre particularité amusante des miracles au sens religieux du terme, c'est qu'ils sont toujours associés à des événements positifs : guérisons, survie dans des accidents graves, gain à la loterie, etc. Dès lors qu'une série de coïncidences déplorables semble défier la logique ou les lois de la nature, le concept de miracle va se cacher en dessous du lit. Par exemple, quand on songe à l'extraordinaire chance qu'a eue Hitler d'échapper à plus de quarante tentatives d'assassinats (dont plusieurs savamment planifiées), il ne passera jamais par l'esprit d'un chrétien de suggérer que son Bon Dieu veillait sur Adolf. Imaginez un instant avec quelle hystérie on aurait crié au miracle si Martin Luther King avait eu la même veine...

Comme le dit si bien Christopher Hitchens dans *Dieu n'est pas grand* : « Le désir humain de créditer les bonnes choses au miraculeux et de débiter un autre compte des mauvaises choses est apparemment universel. »

À travers l'histoire, le miracle à caractère religieux s'est décliné de toutes les façons, allant de l'édifiant au poétique, de l'inspirant au ridicule. Apparitions de la Vierge par ici, statues qui suintent par-là, stigmates, visions en tous genres, guérisons, etc.

En faire une revue exigerait plusieurs volumes et des milliers de pages.

Arrêtons-nous à quelques manifestations ayant le mérite d'être divertissantes...

TOASTS, TORTILLAS ET VITRES SALES

On ne compte plus les cas d'apparitions miraculeuses des faces de Jésus ou Marie sur des objets banals du quotidien, de préférence de la nourriture. À ce chapitre, mention spéciale à une dame au Nouveau-Mexique qui conserve avec piété une tortilla brûlée dans laquelle on verrait clairement le visage du Christ. (On a même exhibé la divine tortilla à l'émission de Oprah à la télé.)

Dans la même catégorie, on a identifié des portraits de la Vierge Marie sur les taches d'un plancher de salle de bains d'un garage au Texas et la face de Jésus dessinée par les taches de rouille d'un réservoir d'huile en Ohio. Ça nous en dit long sur l'élasticité du concept de miracles et sur l'imagination chrétienne. On peut voir sur internet quantité de ces dessins des faces de la sainte famille sur toutes sortes d'objets et surfaces. Le classique demeure ce *toast* brûlé où l'on est censé reconnaître le visage de Jésus. Force est d'admettre que ça ressemble à une forme de visage avec une barbe. Ou un pur hasard, ou un trucage pur et simple. Cela dit, calmons-nous : si on peut y voir Jésus, on peut tout autant y reconnaître Ben Laden ou un ailier des Canadiens avec sa barbe des séries. Comme, en plus, on n'a pas de photos de Jésus pour comparer…

Un autre cas connu est le *grilled chessus* apparu au début des années 1990. Vous avez deviné : un grilled-cheese où l'on voit le visage du Christ. C'est à une certaine Mme Duyser qu'incomba l'honneur de jouir de ce miracle. Pas dédaigneuse pour un sou de la bouffe périmée, cette dame conserva le grilled-cheese sur sa table de nuit durant une dizaine d'années. L'objet étant devenu célèbre, il finit par être vendu au Golden Palace Casino à Vegas pour la somme de 28 000 dollars. Ce sandwich grillé est si connu, semble-t-il, qu'on en a même ri dans un épisode de la populaire téléserie Glee. Une entreprise a même commercialisé des gaufriers spéciaux reproduisant le visage de Jésus sur vos grilled-cheese.

Dans leur quête d'idioties toujours plus captivantes, les chrétiens des États-Unis ont opté, en octobre 2003, pour une apparition originale et inédite. La Vierge Marie a choisi d'impressionner les crédules dans une souche d'arbre. Pourquoi pas ? L'idée a été judicieuse puisque les pèlerins ont afflué dans ce quartier mal famé de Paissac, dans le New Jersey. Bougies, fleurs et prières ont pieusement orné une souche soudain émue de tant d'attention.

À n'en pas douter, il s'agit d'un signe évident pour ce quartier pauvre. La Vierge, comme toujours, est apparue coiffée d'un hidjab pudique, la tête penchée pour mieux témoigner de la réserve imposée aux femmes par les religions. Les curés locaux, naturellement experts en miracles, ne se sont toutefois pas prononcés immédiatement sur le phénomène, sachant que la hâte est mauvaise conseillère en matière de surnaturel. Un événement similaire était apparu cinq ans auparavant, dans une commune proche, sur la porte réfrigérée d'un supermarché : la Vierge Marie avait été contemplée au rayon des surgelés pendant quatre jours…

L'hôpital Milton de Boston a été le théâtre d'une illustration ahurissante de la crédulité humaine : l'apparition d'une forme vague sur une vitre sale a vu l'afflux de 25 000 personnes en quelques jours en juin 2003. Les croyants ont en effet reconnu dans cette tache une autre apparition de la Vierge Marie qui, décidément, a un *fun* noir à nous surprendre en apparaissant aux endroits où on l'attend le moins. Le phénomène, pour ceux que ça intéresse, s'expliquait ainsi : le joint qui entourait la fenêtre avait été rompu quelques années plus tôt et, du fait de la perte d'étanchéité, une infiltration d'eau avait donné lieu à l'apparition de moisissures. Celles-ci se développèrent en une forme qui, avec un brin d'imagination, pouvait s'apparenter à celle d'une femme qui pouvait se rapprocher de… pourquoi pas Marie, tiens ?

La face de Jésus déborde même les États-Unis et les territoires conquis par la chrétienté.

Par exemple, le 13 novembre 2002 à Bangalore, en Inde, une femme qui faisait cuire ses chapatis eut la révélation de sa vie : sur l'un des pains sortis du four, elle eut la surprise de voir un dessin ressemblant à l'image que se font les chrétiens de l'hypothétique Jésus-Christ. Réactions instantanées dans le quartier : « C'est ben Jésus, pas de doute ! La madame est une élue de Dieu ! Miracle ! Louange au chapati ! » Le curé de l'église voisine, subjugué par la ressemblance décidément trop forte avec la face de Jésus, expose aussitôt le divin chapati. La nouvelle se répand immédiatement et en trois jours pas moins de vingt mille personnes se sont rendues à l'église pour vénérer le prodige qui contribua, paraît-il, à équilibrer le budget de l'église locale qui en avait bien besoin.

En plus d'être infantiles, dans leur hystérie autour de soi-disant apparitions des visages saints sur les objets les plus divers, les croyants oublient de se poser cette question élémentaire : pourquoi Dieu s'amuserait-il à opérer des miracles aussi insignifiants ? Sérieusement, ça donnerait quoi exactement à Jésus ou à la Vierge de montrer leurs faces sur des tranches de pain ou des troncs d'arbre ?

Après l'écroulement des tours du World Trade Center en 2001, il s'est trouvé des illuminés pour crier au miracle au vu de deux poutrelles croisées parmi les décombres. Ils voyaient là la croix du Christ et concluaient à un signe miraculeux. Ainsi que le souligne avec justesse Christopher Hitchens, ce qui aurait été vraiment extraordinaire, c'est que sur les milliers de poutrelles d'acier entrecroisées qui formaient la structure du building, il ne s'en trouve pas deux qui gardent leur position originale. Dans le même ordre d'idées, des gens ont vu le visage du Diable dans la fumée au-dessus des tours.

Des enfants de cinq ans voient des lapins dans les nuages, on le comprend. Des adultes sains d'esprit voient le Diable dans la fumée des tours du WTC ? *Come on* !

APPARITIONS, VISIONS, HALLUCINATIONS

Le philosophe David Hume a proposé le test de la pythie, des plus intéressants pour juger de la fiabilité des miracles :

> [...] quand quelqu'un vous dit avoir assisté à un miracle, il sera toujours hautement plus probable qu'il s'est trompé, qu'il ment ou qu'il est confus. Il faudrait qu'il soit plus improbable que le témoignage puisse être inexact que le miracle soit vraiment arrivé pour qu'on puisse raisonnablement conclure au miracle.

Dit autrement : aucun témoignage ne suffit pour établir un miracle sauf s'il est d'une telle fiabilité que sa fausseté serait encore plus miraculeuse que le fait qu'il essaie d'établir. Par exemple, un inconnu vous aborde sur la rue et vous affirme qu'il a vu un orignal survoler sa maison la nuit précédente. Qu'est-ce qui est le plus plausible ? Qu'un orignal volant existe ou que le type déconne ?

L'immense majorité des miracles rapportés l'ont été par des gens qui ont soit eu une hallucination à caractère mystique, soit trouvé là un moyen de se rendre intéressants, soit trouvé là un moyen de faire de l'argent. Et un mélange des trois n'est pas écarté.

Parmi les miracles célèbres rapportés au XXe siècle, on a fait grand état des apparitions de la Vierge Marie à Fatima, Medjugorje et Cornyers. De ces trois cas, seule la supposée apparition à Fatima en 1917 est toujours déclarée « authentique » par la grande Église catholique romaine.

Les faits : trois enfants auraient eu une apparition de la Vierge Marie qui leur a confié trois grands secrets[68]. Précisons qu'une seule des trois enfants obtint le privilège d'avoir une conversation avec la mère de Jésus. Les deux autres : rien entendu. Il faut savoir que la jeune élue, Lucia de Jesus dos Santos, dix ans, s'est toujours distinguée par une imagination fertile, voyant fréquemment des anges et ayant une ligne directe avec la célèbre Notre-Dame de Fatima en personne. Mentionnons qu'aux dires de sa propre mère, Lucia n'était rien d'autre « qu'une petite menteuse qui mène tout le monde en bateau ». De fait, Lucia a multiplié les visions d'anges et de saintes entre 1915 et 1930. Voulait-elle attirer l'attention sur elle et, faute de pouvoir s'inscrire à *Occupation Double*, inventait ces histoires de révélations divines ? Possible. Était-elle férocement croyante

68. Pour connaître la teneur de ces secrets, nous vous référons à ce lien : fr.wikipedia.org/wiki/Secrets_de_Fàtima

et sujette à des hallucinations extatiques ? Probable. D'autant plus qu'elle est entrée au couvent à l'âge de quatorze ans et a passé sa vie entière chez les bonnes sœurs. Ça fait un sacré bail à prier, considérant qu'elle est morte en 2005 à l'âge de 98 ans.

Reste que le culte à Notre-Dame de Fatima ne dérougit pas et elle compte toujours sur une *fan base* importante. Une des saintes préférées du regretté pape Jean-Paul II, entre autres.

D'ailleurs, quand il a survécu à une tentative d'assassinat, le bon Jean-Paul a attribué sa survie à une intervention miraculeuse de son amie Fatty. Richard Dawkins commente avec humour :

> Quand il fut la cible d'un attentat en 1981 Jean-Paul II a attribué sa survie à l'intervention de Notre-dame-de-Fatima : « Une main maternelle a guidé la balle. » On peut se demander pourquoi elle ne l'avait pas guidée pour qu'elle le manque complètement ! On peut aussi penser que les chirurgiens qui ont opéré le pape pendant six heures méritent une part de crédit.

Admirateur avoué de NDDF, Jean-Paul II est allé à Fatima en personne en mai 2000. On a alors révélé le mystérieux troisième secret. Il s'agissait d'une prophétie où l'on prédisait que... Jean-Paul serait victime d'une tentative d'assassinat en 1981 ! Une prédiction du passé ! Wow...

Quand un athée invoque l'hypothèse de l'hallucination ou de l'invention à propos des apparitions, des croyants au fait de l'histoire des grands miracles modernes vont rétorquer que le 13 octobre 1917, au

Portugal, plus de 70 000 personnes jurent avoir vu le soleil danser. Comment est-il possible qu'autant de personnes mentent ou aient eu une hallucination collective ? Les faits : ce jour-là, le ciel était nuageux. Lorsque se dissipèrent les nuages, la petite Lucia pointa le soleil et tous les pèlerins se mirent alors à le regarder. Selon les témoignages rapportés, le soleil se mit alors à bouger et à faire des mouvements de rotation.

Petit problème : aucun astronome n'enregistra quoi que ce soit d'anormal ce jour-là tout comme les millions d'êtres humains qui vivaient dans le même fuseau horaire que le Portugal et n'auraient pas manqué de remarquer des contorsions soudaines du soleil ! L'explication toute simple est qu'il s'agit d'un effet d'optique. L'œil ne peut se focaliser plusieurs secondes sur un objet dégageant autant de lumière sans qu'un effet de mouvement se produise. Des « miracles du soleil » furent encore reportés dans une époque assez récente. On pense au miracle de Medjugorge dans l'ex-Yougoslavie en 1981 ou à Conyers en Géorgie en 1990. Ce qui est malheureux, c'est que plusieurs pèlerins, à trop s'entêter à fixer le soleil dans un espoir de miracle, ont subi de sérieux dommages à la rétine. Depuis, dans les sites touristiques religieux, un peu comme on le ferait avec de jeunes enfants insouciants, on avise les fidèles d'éviter de regarder trop longtemps le soleil ! Non, ça ne s'invente pas.

La prospérité de la ville de Lourdes, en France, repose en grande partie sur le tourisme religieux. En effet, les pèlerins y accourent par millions dans l'espoir d'être guéris par les eaux miraculeuses. La frénésie a commencé quand, en 1858, une fillette de 14 ans,

Bernadette Soubirous (devenue depuis sainte Bernadette), a prétendu avoir eu une apparition de la Vierge Marie dans une grotte près de Lourdes. Notez ici la réticence de Dieu le père ou de Jésus à s'offrir en spectacle : toujours la Vierge Marie qui se met en scène...

Malgré que le prêtre de la paroisse qualifiât luimême l'événement de fraude, Bernadette persévéra et prétendit avoir maintes autres apparitions qui finirent par la conduire à une source souterraine dans la grotte, source dont les eaux auraient eu des propriétés miraculeuses. La nouvelle fit boule de neige et les pèlerins déferlèrent à Lourdes pour profiter des miracles hydrauliques, gracieuseté de la Sainte Vierge. Ici et là, sur la multitude de visiteurs, on aurait répertorié quelques cas de guérisons médicalement inexplicables. Des enquêteurs indépendants et des médecins ayant étudié ces cas arrivèrent à la conclusion que pratiquement toutes les conditions ou maladies où il y eut amélioration se classaient dans des catégories de cas qui étaient susceptibles d'être guéris par des influences psychosomatiques ou de connaître des rémissions spontanées. Ironiquement, la grande élue, Bernadette, loin d'être privilégiée par la Sainte Vierge, souffrit de nombreuses années de tuberculose et mourut à l'âge de trente-cinq ans.

Un survol des événements à caractère miraculeux nous ramène toujours à cette conclusion : qui dit apparition divine dit invariablement autosuggestion, hallucination, mensonge ou fraude.

Parmi les innombrables cas recensés de statues de la Vierge qui suintent, qui pleurent ou qui saignent, tous ceux qui furent sérieusement examinés se sont avérés des impostures. De telles arnaques religieuses ont cours depuis toujours. Les administrateurs des cathédrales et monastères ont d'ailleurs compris depuis longtemps le filon commercial sans limites des reliques ou des statues qui dégoulinent.

Suggestion télé sur le sujet des miracles : l'excellente série *Miracles Decoded* à History Channel.

LES GUÉRISSEURS DE DIEU

Le brillant enquêteur du paranormal, Joe Nickell, écrit ce qui suit par rapport aux *faith healers* :

> L'ambiguïté est la caractéristique commune à tous les cas de *faith-healing*. Des guérisons se produisent de façon naturelle dans le corps humain et une estimation de 75 % des patients verraient leur état de santé amélioré sans traitement médical. Cette donnée ajoutée aux cas de rémissions spontanées, maladies incorrectement diagnostiquées ou mal rapportées, et d'autres facteurs incluant les maladies psychosomatiques et les cas de fraude pure et simple expliquent le succès apparent de tant de pseudo-guérisseurs. Souvent, ce succès sera de courte durée et de nombreux fidèles soi-disant guéris vont éventuellement avouer que leur condition et leurs symptômes sont réapparus.[69]

Dans les années 1980, un certain Peter Popoff, guérisseur de Dieu d'origine allemande, atteignit une

---

69. Nickell Joe, *Examining Miracle Claims* (Deolog, mars 1996)

immense popularité. Il avait son spectacle télé diffusé sur une chaîne nationale. Il reçut une véritable fortune en dons, alléguant que l'argent allait servir à faire littéralement pleuvoir des bibles en Union soviétique, et ce, par le truchement de montgolfières ! Popoff le guérisseur devint une célébrité dans son pays. Il prétendait posséder un don exceptionnel de divination. Ainsi, pendant ses spectacles, il arrivait à révéler des détails personnels sur divers participants du public. Le truc a marché jusqu'à ce que James Randi, un démasqueur de fraudes spirituelles, se présente à un de ses spectacles avec un récepteur radio qui lui permit d'entendre la voix de la femme de Popoff qui lui communiquait à l'oreille toutes les informations personnelles qu'elle avait préalablement recueillies du public. La fraude fut révélée publiquement et, quelques années plus tard, Popoff déclarait faillite. Il a relancé sa carrière aux États-Unis où le succès lui a souri à nouveau. Tant et si bien qu'en 2007, il aurait acheté une propriété de 4,5 millions de dollars en Californie.

Des histoires de guérisseurs donnent froid dans le dos. On pense au cas de Hobart Freeman. En 1951, ce professeur de théologie eut une attaque cardiaque et survécut. Cela changea dramatiquement sa vie. Il devint alors le leader des Faith Assembly qui réunissaient des croyants auxquels Freeman répétait sans cesse ce message : oubliez la médecine, la foi peut tout guérir ! Dans la congrégation, des gens malades laissèrent ainsi leur condition se détériorer : entre autres, des diabétiques arrêtèrent du jour au lendemain de prendre leur insuline avec les conséquences qu'on peut imaginer. Selon Freeman, la prière avait aussi le pouvoir de ressusciter les morts. Dans les réunions de son assemblée, il plaçait des corps de bébés décédés à côté de bébés vivants, croyant que ces derniers allaient transmettre la vie aux morts. *Creepy.*

Finalement, il y eut tant de plaintes portées à l'endroit de Freeman que celui-ci fut traduit en justice sous un chef de négligence criminelle ayant entraîné la mort. On estime à environ quatre-vingt-dix le nombre de victimes dans la congrégation.

Encore aujourd'hui, en ce XXIe siècle, de nombreux prédicateurs accumulent des fortunes en prétendant guérir des croyants naïfs. Nous y reviendrons.

PÈLERINAGES

Le miracle est une industrie payante. Très payante. Car qui dit miracle dit pèlerinage. Et qui dit pèlerin dit dollars. Le succès des lieux de pèlerinage à travers le monde est une illustration éloquente de l'aveuglement de la piété religieuse et de l'obsession du miracle.

À titre d'exemple, prenons le cas précité de Lourdes en France, haut lieu de la foi où l'on prétend que les miracles s'accomplissent à la pelle... En fait, depuis 1858, époque à laquelle Bernadette Soubirous prétendit avoir eu une apparition de la Vierge Marie, on se précipite à Lourdes pour toucher à l'eau miraculeuse de la source.

On estime qu'environ 80 000 pèlerins par année s'y rendent depuis plus d'un siècle et demi. On parle donc de plus de 12 millions de personnes. Mais ces chiffres sont conservateurs : certains estiment plutôt à 200 millions le nombre de visiteurs à Lourdes depuis l'apparition de la Vierge. Peu importe. Les chiffres donnent le vertige et ont de quoi faire saliver tout propriétaire de centre d'attraction.

Parmi ces millions de pèlerins, plusieurs prétendent évidemment avoir bénéficié d'une guérison miraculeuse. Beaucoup d'autres se limitent à affirmer avoir vécu une expérience spirituelle quelconque. Bon nombre de guérisons furent soumises à une enquête officielle de l'Église catholique romaine. Sur les milliers de cas examinés, on a retenu un grand total de soixante-sept cas de miracles avérés. On conçoit bien, en plus, que les enquêteurs du Vatican, pas les plus objectifs qu'on puisse imaginer, peuvent avoir quelque peu orienté les résultats en faveur de la Vierge de Lourdes. Mais jouons le jeu et admettons qu'il y aurait bel et bien eu soixante-sept miracles. En regard du nombre astronomique de pèlerins qui se chiffre dans les millions, le taux de réussite de Lourdes est de l'ordre du 0,0001 % ! En tenant en compte les facteurs psychologiques incontournables (autosuggestion, hallucinations émotives, effet placebo, etc.), on peut pour ainsi dire qu'aucun véritable miracle n'est survenu à Lourdes, faisant de cette destination une gigantesque imposture touristique.

Pourtant, les fidèles continuent et continueront longtemps à y affluer. Et il y en aura encore pour jurer que le rétablissement de leur santé est une faveur obtenue de la Vierge Marie.

> N'importe quel directeur d'hôpital de n'importe quel pays vous dira qu'il y a parfois des guérisons surprenantes (de même que parfois des gens en santé tombent sans raison très malades). Ceux qui veulent

croire aux miracles peuvent préférer déclarer que ces guérisons n'ont pas d'explication « naturelle ». Mais ça ne veut pas dire que ça soit surnaturel.[70]

Parlons maintenant gros chiffres.

Si les pèlerinages religieux constituent toujours une bonne source de revenus dans le monde des voyageurs chrétiens, rien ne peut cependant se comparer avec la formidable machine à dollars que représente La Mecque. Étourdissant.

Sainte-Anne-de-Beaupré à côté de La Mecque, c'est une Kia à côté d'une Bugatti.

Tous les musulmans sont obligés par le Coran à effectuer un pèlerinage à la Mecque dans leur vie. S'ils en ont les moyens, bien sûr. Paraît que, quand ils n'en ont pas les moyens, ils s'arrangent pour les avoir. Dire que ce petit périple saint fait le bonheur des agences de voyages, commerçants et hôteliers saoudiens est un doux euphémisme. Avec plus de trois millions de visiteurs qui se rendent chaque année en Arabie Saoudite pour le seul pèlerinage, le *hadj*, le plus grand pays du golfe Persique est la première destination touristique du monde arabe. Le déclin du *business* n'est pas une option et les projections sur un horizon de vingt ans sont de l'ordre du quatre ou cinq millions de pèlerins annuellement. On n'a pas idée de l'ampleur titanesque des revenus en dollars générés par ce pèlerinage que Mahomet a décrété il y a 1400 ans. Savoir que la ville sur la planète où le terrain est le plus cher au pied carré, c'est la Mecque. Devant Paris, Londres, New York.

---

70. Hitchens Christopher, *ibid.*

Suffit de googler des photos pour juger du développement ahurissant que connaît l'endroit.

Par exemple, on a construit un complexe de plusieurs tours, les Abraj Al Bait Towers. La plus haute d'entre elles, la Makkah Clock Royal Tower, fait 601 mètres de haut, ce qui en fait la deuxième plus haute tour au monde. Inauguré en 2010, l'hôtel de cette tour est surmonté d'une horloge six fois plus grande que celle de Big Ben, à Londres. L'horloge a quatre cadrans de 46 mètres de diamètre lacérés d'or et décorés de 98 millions de pièces de mosaïque. L'édifice est doté de deux millions d'ampoules électriques éclairant l'inscription « Au nom d'Allah », présente sur chaque cadran de l'horloge. Pour appeler les fidèles à prier, vingt-et-un mille luminaires vert et blanc décorant le sommet de la tour s'illuminent cinq fois par jour. L'agrandissement récent de la Grande Mosquée aura coûté plus de 10,6 milliards de dollars. Un investissement vite amorti au regard des 50 milliards de dollars que génère chaque année l'industrie du tourisme culturel en Arabie Saoudite. Un montant déjà astronomique et qui, dit-on, devrait doubler d'ici 2020.

Tout ça pour un verset dans le Coran qui demande d'aller à La Mecque, lieu de naissance du Prophète. Surréaliste.

Parlant du pèlerinage à La Mecque, si on cherche une preuve éclatante que Dieu n'existe pas (ou que, s'il existe, il se fout bien de nous), c'est la multiplication ahurissante des tragédies mortelles qui surviennent en ce lieu prétendument plus saint que tout autre lieu au monde.

Selon l'édition du 25 octobre 2015 du Huffington Post, le pèlerinage catastrophique qui s'était tenu un mois plus tôt à La Mecque avait fait 2236 victimes ! Imaginez un peu. Mine de rien, cela s'approche du nombre des victimes du 11 septembre 2001. Et cette tragédie était la Xième à survenir à La Mecque. De fait, difficile d'identifier un endroit sur la planète où autant d'innocents ont péri inutilement en dehors d'une situation de conflit armé.

Un bref bilan…

En 1990, pas moins de 1426 pèlerins musulmans connaissaient une mort affreuse par asphyxie dans le tunnel Al-Ma'aisim lors de leur Hajj à La Mecque. En 1994, une autre bousculade provoquait la mort de 270 pèlerins au cours du rituel de lapidation de Satan. En 1998, c'est un nombre de 118 pèlerins musulmans qui étaient piétinés à mort. En 2001, encore une fois durant la lapidation de Satan à La Mecque, un total de 35 pèlerins furent cruellement piétinés. Au cours du même rituel en 2003, on enregistra 14 morts. En 2004, on rapporte 251 morts et en 2006, on parle de 346 pèlerins victimes d'un autre stampede.

Et ce ne sont là que les mortalités attribuables aux mouvements de foules. Quant aux victimes de malaises directement liés aux conditions parfois extrêmes du pèlerinage, elles sont difficiles à évaluer. On sait cependant qu'en 2006, par exemple, 243 pèlerins seraient morts en raison de problèmes cardiaques, de déshydratation ou d'autres causes médicales diverses.

Ajoutons ici qu'une explosion de gaz en 1975 avait entraîné dans la mort plus de 200 pèlerins musulmans. En 1997, c'est l'incendie d'une tente qui avait causé 343 autres décès chez ces mêmes pèlerins. Le 11 septembre dernier, dix jours avant le Hajj, une grue s'est effondrée à La Mecque, écrasant 118 malheureux.

Venant souvent de régions fort éloignées de l'Arabie saoudite, des pèlerins accomplissant le Hajj se déplacent par voie aérienne. En 1973, un Boeing 707 de la Royal Jordanian Airlines s'écrasait au Nigéria : 176 musulmans qui revenaient du pèlerinage à La Mecque périrent. En 1974, un avion de Martinair se crashe au Sri Lanka : parmi les 191 victimes, on dénombre 182 Indonésiens qui se rendaient à La Mecque. D'autres tragédies aériennes majeures survinrent en 1978, 1979 et 1991 où, chaque fois, la quasi-totalité des victimes se rendaient ou revenaient de La Mecque pour le Hajj.

Où était Dieu ? Où était Allah ?

LE SALE LIEU DE LA PEUR
(SÉJOUR EN ENFER)

You won't burn in hell. But be nice anyway.
« Vous ne brûlerez pas en Enfer.
Mais soyez quand même gentils.»
Ricky Gervais

Sur le site internet chrétien Trinité 1, dont la page d'accueil au graphisme inquiétant fait soupçonner qu'on a affaire à des fondamentalistes assez dérangés, on élabore le plus sérieusement du monde sur la question suivante : où est l'enfer ?

Attention : on entend ici le « où est l'enfer » au sens géographique.

Interrogation qui, même aux yeux du croyant moyen, relève du délire.

En réponse à cette question, on peut lire cette donnée étonnante qui en dit long sur les connaissances des auteurs de la Bible et des rédacteurs de Trinité 1 en matière de géologie :

> Si l'on prend à la lettre divers passages des Écritures et si l'on s'arrête au sentiment général des

> théologiens, le centre de la Terre est le lieu où sont détenus les réprouvés et où, après la Résurrection, ils habiteront avec les démons.[71]

Si la déduction apparaît aujourd'hui du plus comique, elle était tout ce qu'il y a de cohérent il y a mille ou deux mille ans. Les gens pensaient du temps de Jésus que le Royaume de Dieu était littéralement au ciel. À contrario, l'enfer était à l'opposé : dans les profondeurs de la terre. Il convient, de toute façon, que l'endroit où souffrent les méchants soit à la distance la plus éloignée possible du Royaume des cieux.

Confirmant cette théorie, les Évangiles parlent souvent de l'abîme. Quand Jésus exorcisait un possédé, les démons « priaient instamment Jésus de ne pas leur ordonner d'aller dans l'abîme. » (Lc 8) Dans l'Apocalypse, Jean dit : « L'ange enferma le Diable dans les profondeurs de l'abîme. » (20, 2)

Affichant un savoir confondant et surtout une implacable logique, le docte saint Thomas d'Aquin lui-même élabore ainsi sur la localisation physique de l'enfer :

> Les morts damnés se sont perdus par l'amour déréglé des plaisirs charnels, il est donc juste que le même sort échu à leurs corps échoit aussi à leur âme. Les corps ont été enfouis sous la terre, il est donc juste que l'âme soit aussi enfermée dans les profondeurs de la Terre.

Rappelons, encore une fois, que saint Thomas d'Aquin reste LA référence pour les théologiens.

---

71. Trinite1-Free : http://trinite.1.free.fr

Dans l'inconscient collectif des croyants, le concept de châtiment éternel pour les méchants tient une place beaucoup plus importante qu'on pense. Les croyants, il faut le dire, ont de quoi entretenir l'idée en lisant les Évangiles qui insistent beaucoup sur les périls de l'enfer. Encore aujourd'hui, pas moins de 71 % des Américains sont convaincus qu'il existe. En ce qui concerne Satan, 60 % des Américains jugent qu'il n'est pas réel, mais qu'il est davantage un symbole tandis que plus ou moins 35 % croient qu'il existe physiquement. Sur le même thème, une majorité de chrétiens américains (64 %) estime qu'une personne peut subir l'influence de forces spirituelles tels que les démons.

Un peu la faute à Jésus qui parle sans répit de l'enfer. Il en parle en l'entourant d'un parfum de mystère, en faisant peur à son auditoire et en utilisant une panoplie de synonymes effrayants. C'est « l'endroit où l'on brûle éternellement », la « Géhenne », la « Fournaise », « l'Abîme », etc. Jésus évoque par ailleurs sans arrêt, et nommément, le gérant de la place : monsieur le Diable.

Il émet ici et là les critères d'admission. C'est là qu'iront ceux qui ont des pensées lubriques :

> Si ta main t'incite à pécher, coupe là ; il vaut mieux que tu entres manchot dans la vie que d'aller avec tes deux mains dans la Géhenne, dans le feu qui ne s'éteint pas.
>
> Mc 9, 43

L'enfer attend ceux qui n'ont pas cru en lui :

> Alors Jésus commença à reprocher aux villes où il avait opéré le plus de miracles de n'avoir pas fait

pénitence [...] « Capharnaüm, tu seras précipitée jusqu'aux Enfers ! »

Mt 11, 20-23

En enfer, également, ceux qui crient des noms. Mais pas n'importe quels noms :

Mais moi, je vous dis que quiconque se met en colère contre son frère mérite d'être puni par les juges ; que celui qui dira à son frère : Raca ! Mérite d'être puni par le sanhédrin ; et que celui qui lui dira : Insensé ! Mérite d'être puni par le feu de la géhenne.

Mt 5, 22

À garder en mémoire quand vous engueulerez quelqu'un : évitez à tout prix de le traiter d'« insensé ». Mais, en tenant compte de l'absence de conséquences possibles du sanhédrin aujourd'hui disparu, vous pouvez impunément le traiter de « Raca ». Mais bon, opter pour des valeurs sûres du répertoire moderne d'insultes telles que : « trou du cul », « moron » ou « *douchebag* » présente assurément une meilleure efficacité vis-à-vis du destinataire que « raca » qui, avouons-le, a perdu de sa charge insultante.

Jésus va jusqu'à aborder l'aspect logistique et précise que les anges seront mis à contribution pour le transport vers l'enfer :

Le Fils de l'homme enverra ses anges, qui arracheront de son Royaume tous les scandales et ceux qui commettent l'iniquité : et ils les jetteront dans la fournaise ardente, où il y aura des pleurs et des grincements de dents.

Mt 13, 41

Le Christ parle aussi du rôle de Dieu lui-même qui verra au triage :

> Ensuite Il dira à ceux qui seront à sa gauche : Retirez-vous de moi, maudits ; allez dans le feu éternel qui a été préparé pour le diable et pour ses anges.
>
> Mt 25, 41

Jésus nous prévient que les puissances terrestres ne sont rien en comparaison des forces célestes :

> Ne craignez pas ceux qui tuent le corps et qui ne peuvent tuer l'âme ; craignez plutôt celui qui peut faire périr l'âme et le corps dans la géhenne.
>
> Mt 10, 28

(Note historique : on affirme dans le Je crois en Dieu que, après sa mort sur la croix, Jésus est « descendu aux Enfers ». Il importe ici de distinguer les mots *enfer* et *Enfers*. Au début de l'Église chrétienne, c'était déjà deux notions bien différentes. L'enfer tout court est le lieu de la damnation tel qu'on l'entend aujourd'hui. Mais les Enfers, c'était le séjour des morts, de ceux qui étaient décédés avant la venue de Jésus. Quand ce dernier est donc descendu là-bas, c'était apparemment pour libérer ceux qui avaient été de bonnes personnes dans leur vie. Aujourd'hui, l'Enfer est chrétien, les Enfers renvoient aux religions polythéistes.)

On peut dire que si Jésus n'a pas inventé le concept de châtiment éternel, l'idée de l'enfer de la doctrine chrétienne est bel et bien née avec lui.

> Ce n'est que dans les remarques attribuées à Jésus que l'on trouve mention de l'enfer et du châtiment

> éternel. Le dieu de Moïse exigeait brusquement que certaines tribus, y compris sa préférée, subissent les massacres, les fléaux, et même la destruction totale, mais, lorsque la tombe se refermait sur les victimes, c'en était terminé pour elles [...] Il faut attendre l'avènement du Prince de la Paix pour entendre parler de la punition et de la torture des morts. [...] Le fils de dieu se révèle comme celui qui condamne les distraits au feu éternel si ses paroles les plus bénignes ne sont pas acceptées immédiatement.[72]

Pendant près de deux mille ans, tout l'Occident a vécu dans la crainte de l'enfer. En particulier au Moyen Âge et durant la Renaissance, l'image qu'on s'en faisait était fortement ancrée dans la tête des gens. Sur ce thème des génies ont laissé des chefs d'œuvre. Dante l'a décrit, Bosch l'a peint, Rimbaud l'a rêvé. Jusqu'au milieu du XXe siècle, cet endroit effroyable avait la cote. La grande majorité des chrétiens y croyaient fermement.

Mais pour la plupart des prêtres de notre époque, c'est l'éléphant dans la pièce. Un sujet embarrassant. Et bien que, dans un petit recoin de leur esprit, les fidèles entretiennent toujours cette croyance, le concept a été mis de côté par les pasteurs. Les consommateurs de nourriture spirituelle ont décidé que le « Yâbe » n'était plus au goût du jour. Les prédicateurs ne veulent pas risquer de perdre de la clientèle avec un thème devenu impopulaire.

Les terrifiants sermons de nos curés d'antan brandissant la menace de la grande punition qui attendait

---

72. Hitchens Christopher, *ibid.*

les pécheurs – entendre : les paroissiens qui avaient une quelconque forme de vie sexuelle en dehors du mariage – sont relégués au grenier du folklore et pourraient être lus intégralement dans des galas Juste pour rire tellement ils sont ridicules.

Non, l'enfer et son gérant, s'ils ressurgissent sans discontinuer sur les écrans des salles de cinéma, n'ont plus cours dans les églises. David Mills :

> Les prêcheurs évangélistes modernes sont embarrassés par le contenu de leur propre Bible. En dépit d'innombrables références au « diable », les prêcheurs d'aujourd'hui n'utilisent pas le terme en public parce qu'ils en sont gênés. Bien que des chapitres entiers de la Bible décrivent les tourments de l'enfer qui attendent les non-croyants, les prêcheurs ne parlent plus du « lac de feu » parce que le diable et l'enfer entrent en conflit avec le but qu'ils se sont fixés d'être en phase avec un monde urbain et rationnel.

Quand on demande directement aux prêtres s'ils croient à la réalité de l'enfer, ils se défilent avec des phrases creuses du genre « ce n'est pas à nous de juger », etc.

Depuis quelque temps, l'Église Catholique Romaine a pris ses distances et nuance le concept. En 1999, Jean Paul II a fait les manchettes en disant que l'enfer ne devait pas être vu comme un monde de feu éternel, mais comme « l'état de ceux qui se sont séparés de Dieu, la source de vie et de joie ». Peut-on être plus vague, s'il vous plait ?

Le pape François aurait aussi déclaré dans un de ses discours-chocs qu'il fallait plutôt voir dans l'enfer une métaphore. Apparemment, le message ne s'est pas fait entendre dans les grands médias américains où les télévangélistes continuent de brandir la menace avec enthousiasme.

Aparté ici pour mentionner que d'autres religions ont leur version de l'enfer. Et les autres enfers ne donnent pas non plus dans les sentences clémentes. Celui des hindous, par exemple, était limité dans le temps. Enfin, quand on dit limité, c'est relatif... Par exemple, un pécheur pouvait être condamné à tant d'années en enfer où chaque jour valait 6400 années humaines. S'il avait tué un prêtre, par exemple, il écopait de 149 504 000 000 années humaines. Après, il jouissait d'un nirvana. C'est tout de même assez long, surtout si s'ajoute à la détention le petit inconfort additionnel des flammes sur son corps.

Ce qui rend le sujet encore plus délicat pour le clergé, c'est que la notion est indissociable de celle du paradis. C'est l'ultime 2 pour 1 : on achète le paradis, l'enfer vient avec. Réfuter l'enfer, c'est réfuter une longue liste de discours de Jésus.

> J'estime que toute cette idée de l'enfer comme châtiment pour nos péchés est une doctrine cruelle. Cette doctrine s'est ajoutée à la cruauté dans notre monde et a enfanté des générations de tortionnaires. Et le Christ des Évangiles, si on le prend tel que dépeint par les évangélistes, porte certainement une bonne part de responsabilité dans cet état de choses.[73]

---

73. Russell Bertrand, *Why I Am Not a Christian and Other Essays on Religion and Related Subjects.* Touchstone Books, New York, 1967 [1927], 266 p.

En cette matière, comme on doit s'y attendre, les contradictions bibliques nous attendent encore au détour. Autant on peut recenser des dizaines de versets promettant les tourments de l'enfer après la mort, autant on peut en trouver qui indiquent le sort réservé aux impies refusés au Royaume : c'est la mort définitive, sans souffrance, sans conscience d'exister. La vraie mort. C'est ce que croient, entre autres, les Témoins de Jéhova. Un des rares bons points qu'on peut leur donner.

UN SÉJOUR EN ENFER

Le feu n'est pas une option en enfer, ça vient avec. Ce n'est pas comme le condo qu'on peut louer à Tremblant en disant : « Ah, le foyer, pas nécessaire, on s'en sert jamais... » Les termes du contrat avec le Diable sont non-négociables : on brûle pour une durée indéfinie.

Avare de détails, Jésus ne donne pas d'information suggérant qu'on peut ajuster le niveau des flammes à Low ou à Med pour atténuer nos souffrances. On brûle à intensité maximale. Imaginez la grosseur de la hotte dont Satan a dû équiper l'endroit...

Comme Jésus n'explique pas comment il se fait que notre corps ne se consume pas bien que nous brûlions sans arrêt, nous nous permettrons ici d'avancer cette hypothèse purement personnelle : en enfer, ça devrait se passer comme pour Johny Storm, la Torche humaine des *Fantastic Four*. Oui, après notre mort on sera des *Human torch,* c'est la seule explication possible. Cependant, j'ai tendance à croire qu'il est à peu près sûr qu'on ne pourra pas voler comme il le fait, pas plus qu'on ne pourra lancer des *nova burst* ou écrire notre nom en lettres de feu dans les airs, car ce serait trop cool et qu'il n'est pas envisageable qu'on puisse faire des choses cools ou amusantes en Enfer. Sinon, tout le monde voudrait y aller, ce qui viendrait contrecarrer l'objectif visé par la création de l'endroit : nous faire peur.

Sur l'allure des quartiers généraux de Satan, la colorée Apocalypse de Pierre fournit moult informations passionnantes. Il importe de savoir que, dans certains milieux, ce livre dit « apocryphe » faisait partie du canon officiel et fut très populaire au début du christianisme. Cette Apocalypse l est fascinante à plusieurs égards. N'ayant rien à envier aux Guides du routard, elle décrit dans le détail ce qui attend les visiteurs au Ciel et en enfer. Sur le Ciel, rien de bien excitant et de nature à promouvoir le tourisme. Sur l'enfer, par contre, on constate que l'auteur a fait ses devoirs.

En effet, notre homme décrit avec une rare précision les supplices qui nous attendent. Ainsi, les pécheurs qui subiront la torture pour l'éternité connaîtront un châtiment reflétant les caractéristiques du péché qu'ils ont commis de leur vivant. Les menteurs seront pendus par la langue au-dessus du feu éternel ; les femmes qui se sont fait des tresses pour plaire aux hommes et les séduire seront quant à elles pendues par les cheveux au-dessus des flammes ; et les faibles hommes qui ont cédé à cette séduction seront pendus par le... la... le... Bon, vous avez saisi !

De subtils penseurs de l'Église ont aussi écrit de savantes théories sur les tourments de l'enfer. Ainsi, saint Grégoire le Grand parle du séjour en enfer qu'il compare à une seconde mort : « [...] une mort qui ne sera jamais consommée, une fin, toujours suivie d'un nouveau commencement, une déconsistance qui n'amènera jamais aucun dépérissement. »

Sans vraiment savoir comment s'articule le procédé de « déconsistance », on imagine que c'est moins plaisant qu'un week-end dans le Maine. Le bon saint Augustin en ajoute :

> On ne peut pas dire qu'il y aura en enfer la vie de l'âme, puisque l'âme ne participera en aucune manière à la vie surnaturelle de Dieu ; on ne peut pas dire qu'il y aura la vie du corps, puisque le corps y sera en proie à toutes sortes de douleurs. Par là même, cette seconde mort sera plus cruelle, parce que la mort ne pourra y mettre fin.[74]

Non, ça ne s'annonce pas bien.

On peut par ailleurs lire dans les Évangiles ce passage où Jésus, évoquant les modalités peu invitantes de la Géhenne, mentionne que ce sera un lieu : « [...] où leur ver ne meurt point, et où le feu ne s'éteint point. Car tout homme sera salé de feu [...] » (Mc 9, 47)

On sera « salé de feu » ? Ouf. Sordide. Maniaque. En plus d'être tourmenté par « un ver qui ne peut pas mourir » ? Et puis d'abord, qu'est-ce que c'est que cet inquiétant lombric ?

Bon. Par les temps qui courent, on est d'accord pour dire que la dernière coupe du monde de foot ou le plus récent clip de Lady Gaga alimentent davantage les conversations que l'évaluation de la nature ou de la longueur de ce mystérieux ver. Mais vous vous rappelez

74. Saint-Augustin, *Confessions.* Éditions Gallimard, Paris, 1993, 599 p.

qu'aux temps médiévaux, nos bons théologiens en avaient du temps à perdre. Ayant donc mis à profit ses neurones de théologien sur la question, notre ami saint Augustin a observé que si on peut discuter de la nature de ce ver, ce qui est absolument à l'abri de toute controverse, c'est que les ardeurs du feu de l'enfer ne seront jamais tempérées et que les tortures du ver « n'iront jamais en s'amoindrissant ».

Génial.

POURQUOI L'ENFER ?

Si on décode bien les paroles de Jésus, quand on est dirigé en enfer, c'est avec un billet aller seulement. Pas de rédemption possible. Sans appel, définitif. La Miséricorde en est exclue. Les damnés ne peuvent pas se repentir. Trop tard. « Vous chantiez ? Eh bien, brûlez maintenant ! »

Fou à dire mais, pendant des siècles, on a retourné de tous les côtés les mots de Jésus et on s'est obstiné sur cette épineuse question de la durée du séjour. Vraiment éternel ? Deux mille ans moins un jour ? Vingt-cinq ans fermes ? Dépendant de sa bonne conduite ? Un certain Origène, théologien célèbre vivant au IIIe siècle, avait une approche nuancée qui pouvait rappeler les modalités sentencielles de notre droit criminel. La durée du châtiment serait proportionnelle à l'importance de nos péchés. Le but étant de purifier le pensionnaire, il finissait justement par obtenir des droits de sortie ou une libération. Mais en l'an 553, au deuxième concile de

Constantinople, on trancha une fois pour toutes sur la question : on y va pour l'éternité, fin de la discussion.

Les croyants aveuglés par leur foi semblent ne jamais se poser cette question pourtant fondamentale : pourquoi donc Dieu créerait-il un enfer ? Dans son livre *Atheist Universe*, l'auteur David Mills réfléchit longuement sur le sujet et suggère que le simple bon sens nous dit que Dieu ne créerait l'enfer que s'il avait une raison valable de le faire. Dieu ne peut avoir l'avoir créé pour le simple plaisir de torturer des humains, sinon cela ferait de lui un sadique. Quelle en serait alors l'utilité pratique ?

Selon lui, il y a seulement trois explications possibles :

1. Dieu avait une raison de le créer et l'a donc créé ;
2. Dieu n'avait pas de raison de le créer, mais l'a fait par pur sadisme ;
3. Dieu n'avait pas de motif et ne l'a donc pas créé.

La raison officielle justifiant la création de l'enfer, on la connaît bien : punir les humains qui ont péché et qui rejettent Dieu. On nous le dit sans cesse dans les Évangiles.

Ce qui amène Mills à faire un parallèle et à se pencher sur la notion de punition, ou sentence, comme dans la réalité sociale des organisations humaines. En général, il y a trois motivations justifiant qu'un individu soit puni par les autorités (l'école, le tribunal, etc.) :

1. Créer un effet de dissuasion individuelle et/ou générale (afin d'éviter une récidive et envoyer un message pour éviter que d'autres ne commettent l'acte reproché) ;

2. Tenir le coupable à l'écart des victimes ou du reste de la société ;
3. Réhabiliter le coupable pour son bénéfice à lui et au reste de la société.

Prenons maintenant un exemple simple démontrant les bénéfices d'une punition. Si, par exemple, mon fils casse la vitre du voisin, je vais le punir. Pour quelle raison ? Parce qu'il a brisé la vitre ? Ou bien pour le dissuader d'en briser d'autres ? Bien sûr, c'est pour le dissuader de recommencer. La vitre brisée restera brisée, on ne peut revenir en arrière. Le but de la punition, c'est de donner une leçon, pas d'exercer une vengeance malsaine.

La durée de la sentence en enfer, l'éternité sans possibilité de libération conditionnelle, est incompatible avec la notion de réhabilitation. Par ailleurs, la récidive étant impossible, le facteur dissuasion individuelle perd toute pertinence. Enfin, l'autre raison justifiant une sentence privative de liberté, soit l'isolement du coupable du reste de la société, est atteinte de toute façon par la mort du coupable sans qu'il soit nécessaire de lui infliger davantage de tourments.

Dieu n'aurait de toute évidence aucune raison intelligente et utile d'avoir créé l'enfer.

À moins que Dieu l'ait créé pour nous faire tellement peur que ça nous force à l'adorer ? Ça ferait de lui un être semblable aux pires dictateurs qu'a connus l'histoire humaine. Croire qu'il ne peut y avoir d'ordre moral sur terre sans cette crainte d'un enfer relève par ailleurs d'une absence de confiance absolue en l'humain.

> La religion joue un rôle important en matière de moralité en plaçant les gens devant ce choix : si vous êtes bons, vous irez au paradis, sinon, en enfer. Sans cette carotte et ce bâton, pensent les croyants, les gens se conduiraient tous comme des bêtes sauvages. Cela dénote une vision dégradante de la nature humaine.[75]

L'Église, enfin, ne tient pas compte du principe de la proportionnalité de la sentence. Est-ce que la punition est raisonnable eu égard à l'infraction ? Bien sûr que non.

Se rappeler que, selon la Bible, ne pas aller à l'église, jurer, convoiter la femme du voisin, ce sont tous des péchés qui nous envoient en enfer.

À peu près toutes les constitutions dans le monde prohibent l'utilisation de châtiments cruels ou de tortures, même pour les agresseurs d'enfants et tueurs en série. Dieu, lui, nous ferait brûler éternellement pour des peccadilles ?

Ou Dieu est sadique, ou il n'a jamais créé l'enfer. Ce sont donc les hommes, Jésus en tête, qui l'ont inventé.

Tout comme ils ont créé le paradis. Un autre concept dont on peut bien se passer...

***

Si les gens croient de moins en moins à l'enfer, ils sont apparemment plus réticents à abandonner l'idée qu'un paradis existe. Commentant la chose avec

---

75. DENETT Daniel, *Breaking the Spell : Religion as a Natural Phenomenon.* Viking Books, New York, 2006, 464 p.

humour, le brillant philosophe André Comte-Sponville écrit : « L'enfer ne serait qu'une métaphore ; le paradis seul serait à prendre au pied de la lettre. On n'arrête pas le progrès. »[76]

76. Comte-Sponville André, *L'esprit de l'athéisme.* Albin Michel, Paris, 2006

LES *ENFANTEURS* DU PARADIS

J'ai été mort des millions d'années avant de naître
et ça ne me dérangeait pas du tout.
Mark Twain

Revenons à Jésus et à ses prédictions concernant l'arrivée imminente du royaume de Dieu sur terre...

Transportons-nous donc vers le milieu du Ier siècle. Jésus est mort depuis près de vingt ans. Sachant la fin proche, les disciples se jettent à corps perdu dans le prosélytisme le plus ardent : on prêche, on répète les enseignements du Christ, on répand la nouvelle de l'imminence de cette fin du monde, on fait peur au peuple...

Qu'arrive-t-il, pensez-vous, quand les années passent et que la fin attendue n'arrive pas ? Quand la résurrection des morts est toujours remise à plus tard, que les signes sont toujours différés et que la crédibilité des premiers chrétiens qui crient aux loups se met à fondre comme neige au soleil ?

D'abord, beaucoup doivent se fendre la gueule et trouver ça éminemment drôle. Pour les disciples vieillissants, pour l'Église encore fragile de la fin du Ier siècle, pour ces fidèles de bonne foi qui annoncent ce retour de Jésus depuis maintenant deux ou trois générations, c'est de plus en plus embarrassant.

Chaque soir, ils doivent scruter le ciel pour y voir les signes promis par le Maître : « *God*, les étoiles vont-elles finir par tomber ? »

Alors les leaders de la nouvelle chrétienté doivent renouveler le message. « Minute, les amis ! On a sûrement mal interprété le message de Jésus quelque part. Et si la notion du temps pour Dieu était différente ? Le temps, pour le Tout-Puissant, n'a rien à voir avec notre temps tel que nous le considérons, nous, pauvres humains... »

Dans la deuxième épître de Pierre, l'apôtre chouchou avance cette théorie qui s'avérera fort utile pour sortir son groupe de l'embarras :

> Quand Dieu promet quelque chose pour bientôt, il se réfère au calendrier divin et non pas à celui des humains [...] Pour le Seigneur, un seul jour est comme mille ans et mille ans comme un jour.
>
> 2P 3, 8

Ouf ! Mine de rien, on vient de s'accorder un ou deux millénaires de répit.

De toute façon, l'idée de la fin du monde physique tel qu'on le connaît sera mise au rancart. Il y aura un réalignement dans les concepts.

Comme on l'a constaté, Jésus a abondamment parlé de l'enfer. Mais comme il aurait aussi utilisé l'image des cieux pour parler de la demeure de son paternel divin, on avait là une ouverture à une réinterprétation en règle de la prophétie apocalyptique. Bart Ehrman a cette explication sur ce qui s'est alors produit :

> On va donc passer d'un enseignement évoquant une future résurrection du corps dans laquelle les bons seront récompensés et les méchants punis, sur terre, à un message sur le paradis et l'enfer, où le jugement arrive non pas à la fin des temps, mais à la fin de la vie de chacun. Les âmes se retrouveront dans l'un ou l'autre.

Voyant que la fin n'est pas venue, soumet Ehrman, les penseurs chrétiens révisent pour ainsi dire la ligne du temps et la font pivoter sur son axe pour que la fin n'implique pas un dualisme horizontal, mais vertical. On ne parle plus de deux âges (celui qu'on vit et celui à venir), mais de deux sphères (celle du monde terrestre et celle d'en haut).

Inutile de chercher des passages dans les Évangiles où Jésus dit que les âmes des bons monteront au ciel et que nous vivrons tous éternellement, bercés par le chant des anges et les mélodies des joueurs de harpes au paradis. Il n'y en a pas.

Ce ne sera que dans les écrits postérieurs des chrétiens qu'on va élaborer cette vision de la vie après la mort.

En gros, le concept de la résurrection du corps sur terre s'est planté : on effectue un virage à 180° et on fait la promotion de cette formule améliorée qui est celle de l'immortalité de l'âme au paradis.

Les penseurs de l'église chrétienne primitive doivent encore se pincer, abasourdis de s'en être tiré à si bon compte, stupéfaits de voir que le truc a marché !

Depuis, les bons chrétiens vivent leur vie en fonction du sort qui les attend dans l'au-delà : le paradis ou l'enfer.

Mais les choses étant ce qu'elles sont, c'est beaucoup plus nuancé que ça.

Disons que si, dans l'ensemble, les chrétiens ont avalé le concept du paradis, il reste quantité de millénaristes pour qui l'avènement du règne de Dieu sur Terre est imminent, comme on en a discuté dans le chapitre sur l'Apocalypse.

TOUT LE MONDE VEUT ALLER AU CIEL...

Sur un site web athée fort divertissant *God is Imaginery: 50 simple proofs*, on commente avec beaucoup d'humour la notion de paradis. L'auteur démolit l'idée avec des arguments aussi élémentaires que persuasifs.

Il souligne, par exemple, l'absurdité fondamentale suivante : si vous demandez à dix croyants la vision qu'ils en ont, vous en aurez dix complètement différentes. Pour certains, ça évoque des nuages, des anges, de la musique d'ascenseur, pour d'autres, un contingent de vierges à son service exclusif, alors que plusieurs estiment qu'on est transportés là-bas avec son corps, des croyants prévoient que seule leur âme voyagera, etc.

Dans l'Apocalypse de Jean, on donne une espèce de description de ces Terre et ville nouvelles où vivront les hommes avec Dieu pour l'éternité. On précise même les dimensions physiques de cette nouvelle Jérusalem :

> La ville avait la forme d'un carré, et sa longueur était égale à sa largeur. Il mesura la ville avec le roseau, et trouva douze mille stades ; la longueur, la largeur et la hauteur en étaient égales.
>
> Ap 21, 16

L'auteur Terry Pratchett ironise ainsi à ce sujet :

> Peu de religions sont précises en ce qui a trait à la dimension du paradis, mais, selon l'Apocalypse de Jean, nous vivrons tous sur une nouvelle Terre et une nouvelle ville. Dans le livre de l'Apocalypse 21, 16, Jean décrit cette nouvelle Jérusalem comme un parfait carré ayant douze mille stades par côté. Cela approche une superficie égale à 500 000 000 000 000 000 000 pieds carrés ! Même en assumant que Dieu et les services essentiels au paradis occupent les deux tiers de l'espace, cela laisse environ un million de pieds cubes d'espace pour chaque être humain. Et c'est en présumant que tous les humains sont admis et que la population humaine en vient à être mille fois plus grande qu'aujourd'hui. C'est un espace tellement généreux que cela suggère qu'on a prévu de l'espace pour des races d'autres planètes ou, si l'on est chanceux, aux animaux de compagnie.[77]

Toujours concernant les détails techniques autour du paradis, Jean établit qui sera admis là-haut en donnant des chiffres précis :

---

77. PRATCHETT Terry, *The Last Hero, a Discworld Fable*. Transworld Publishers, Londres, 2001, 176 p.

> Je regardai, et voici, l'agneau se tenait sur la montagne de Sion, et avec lui cent quarante-quatre mille personnes, qui avaient son nom et le nom de son Père écrits sur leurs fronts. [...] Ce sont ceux qui ne se sont pas souillés avec des femmes, car ils sont vierges.
>
> Ap 14, 1

Les versets sont sans équivoque : 144 000 hommes vierges seront admis au paradis.

Cela a évidemment de quoi attrister toutes ces femmes Témoins de Jéhovah qui prennent l'affirmation au pied de la lettre. Les pauvres ne seront pas admises près de Jéhova. Mais elles peuvent se consoler : leur conjoint non plus car, ayant couché avec elles, ils sont souillés et *ipso facto* interdits d'accès. Elles devront donc se satisfaire de vivre ici-bas éternellement avec leur souillon.

Dans un pamphlet antireligieux, l'écrivain Mark Twain tourne Dieu et la Bible au ridicule. Réfléchissant au paradis, il le dépeint avec un humour corrosif comme un endroit impossible où l'humain n'aurait pas envie de séjourner :

> Je porte d'abord à votre attention un fait extraordinaire : l'être humain place les relations sexuelles très au-dessus de toutes les autres sources de joie. Pourtant, le sexe est exclu du paradis. [...] De leur jeunesse jusqu'à leur maturité, les hommes et femmes mettent la sexualité au-dessus de tous les autres plaisirs réunis et ce n'est pas dans leur paradis : c'est remplacé par la prière [...] Dans le paradis, tout le monde chante ! Le gars qui ne pouvait pas chanter

> juste sur terre arrivera à bien chanter là-haut. Le chant universel au paradis n'est pas occasionnel, ne prévoit pas d'intervalles, ça n'arrête pas, à longueur de journée, des « stretchs » de douze heures. Et, alors que sur terre le public serait parti après deux heures, au paradis tout le monde reste ! [...] En plus, tout le monde joue de la harpe. Des millions de joueurs de harpe. Alors que, sur terre, pas plus de vingt personnes sur mille arrivent à jouer d'un instrument.[78]

Pour en revenir au site web *God is Imaginary: 50 simple proofs,* l'auteur imagine un dialogue fort amusant entre un athée et une croyante endurcie. Les arguments et réponses de cette croyante recoupent l'essentiel de ce qui se dégage des réponses vraiment fournies par des croyants en regard de l'image qu'ils se font du paradis. Nous proposons ici une traduction (légèrement adaptée...) où l'on baptise la croyante Sonia et où l'on recrute le talentueux Michel Drucker comme intervieweur...

Entrevue de Michel Drucker avec Sonia X sur le thème du paradis

DRUCKER
Bon, alors, résumez-nous ça, Sonia, pour le public avide de savoir à la maison : comment ça fonctionne, votre histoire de paradis ?

SONIA
Jésus transcende la mort et promet la vie éternelle à ceux qui croient en Lui.

78. Twain Mark, *Letters from the Earth : Uncensored Writings.* Harper Perennial Modern Classics, New York, 2004, 336 p.

DRUCKER, *faussement touché*
C'est formidable. Et comment il arrive à faire ce... ce truc, votre ami Jésus?

SONIA
Avez-vous lu *Left behind*?

DRUCKER
Euh, malheureusement, je ne lis pas en anglais... à moins que ce soit traduit en français, bien sûr.

SONIA
Le livre dit comment ça va se passer. Un jour, Jésus rappelle à Lui ses enfants et ils sont transportés directement au paradis. C'est dans la Bible. Alors, là, les avions s'écraseront parce que les pilotes ont disparu. Les voitures vont entrer dans les poteaux de téléphone parce que les conducteurs ont disparu. Les bateaux échouent parce que...

DRUCKER
Parce que les capitaines ont disparu?

SONIA
Oh! que vous êtes fort.

DRUCKER
C'est le métier, jeune fille. Mais, dites-moi, Sonia, les gens brûlent de savoir: quand on disparaîtra pour monter au paradis, est-ce que nos vêtements nous suivront?

SONIA
Non, les vêtements, les bijoux, c'est laissé ici.

DRUCKER, *bras écartés, regardant le public d'un air taquin*
Donc, on est transportés au ciel tout nus? Ohlala! *(Rires polis de l'audience.)* C'est dire que la technologie de Dieu serait moins avancée que sur l'Enterprise dans *Star Trek*!

Parce que le capitaine Kirk, lui, ils le téléportent avec sa garde-robe ! Ha ha ! *(Mimique impassible de Sonia.)* Ok... Donc, vous me dites que les sept milliards de terriens seront...

SONIA
Non, non : seulement ceux qui croient en Jésus seront transportés.

DRUCKER
D'accord. Et tout ce beau monde se ramasse au paradis. Qui se trouve où, exactement..?

SONIA
Mais voyons : dans une autre dimension, là où Dieu vit.

DRUCKER
Et, concrètement, comment les corps se rendent là-bas ? Ils flottent dans les airs ou ils passent par une espèce de vacuum espace-temps ?

SONIA
Mais non, Michel, gros bêta ! Ils sont dématérialisés et rematerialisés une fois au paradis.

DRUCKER
Sapristi ! Comme c'est bien pensé ! Et ce procédé-là, la dématérialisation, vous dites que ça va trier le corps des gens et les séparer de leurs fringues, leurs bijoux, et cetera, et cetera ? Vous êtes bien sûre ?

SONIA
Oh ! que oui.

DRUCKER
Il arrive quoi aux gens qui ont un pacemaker ? Des hanches artificielles ? Des prothèses ? Ça les suit au paradis ?

SONIA, *après une hésitation de 23 secondes*
Noooooooon.

DRUCKER
Et y a des rampes d'accès pour handicapés dans votre paradis ?

SONIA
La Bible n'en parle pas directement, mais... Dieu va tout arranger ça.

DRUCKER
Les vieux de 98 ans, ils vont passer l'éternité avec leur vieux corps ?

SONIA
Oh non ! Dieu leur donne un nouveau corps, jeune et beau.

DRUCKER
Et à quelle étape ? Est-ce que leur vieille carcasse toute plissée est rematérialisée une fois au paradis ou avant ?

SONIA
Euh... peut-être ?

DRUCKER
Tant qu'à nous donner un nouveau corps, il me semble qu'il se serait épargné du travail en laissant les vieux corps au cimetière, non ?

SONIA
Dieu a ses raisons qu'on ne peut pas comprendre.

DRUCKER
En plus, si mon vieux de 98 ans a été incinéré, ça rajoute une étape au processus. Ce qui voudrait dire que Dieu le dématérialise et il le rematérialise dans sa vieille enveloppe puis, vlan, le balance dans un nouveau corps. Méchant boulot !

SONIA
Pfff ! Ce n'est rien pour la puissance de Dieu.

DRUCKER
Et là, il arrive quoi au paradis ? On fait quoi de nos journées ? On regarde des concerts de harpe ?

SONIA
On vit dans la paix et l'harmonie pour l'éternité. On retrouve nos amis et les membres de notre famille qui étaient morts. On rencontre nos ancêtres ! En plus, tu peux même parler avec Dieu ou Jésus. J'ai tellement hâte !

DRUCKER
Le décor a l'air de quoi ?

SONIA
Les rues sont pavées en or, c'est écrit dans la Bible. Et tout le monde a une grosse maison et on peut manger ce qu'on veut sans grossir. Tout le monde est toujours heureux.

DRUCKER
Finalement, votre paradis, c'est ni plus ni moins qu'un tout inclus, mais gratuit, qui dure tout le temps et avec des morts ?

SONIA
Euh...

DRUCKER
Eh bien, merci Sonia. Après la pause, je reçois Charles, un transsexuel qui aurait eu une liaison avec le yéti...

Non, on n'a pas idée du décor du paradis. On sait seulement qu'on y vivrait éternellement. Mais a-t-on envie d'éternité ?

Notre modeste notion du temps ne nous permet même pas d'imaginer ce que représente l'éternité. Probablement parce que c'est bien trop long.

Vivre au paradis, vivre sans impôts, sans maladie, sans ponts bloqués, sans agents d'assurance pendant vingt ans, ok...

Pour deux cents ans ? À la limite, ça va, mais on peut finir par trouver le temps long… Deux mille ans de paradis ? Non, ça ne tient pas la route. Deux mille ans avec le même partenaire alors qu'on consulte en général après douze ans ? Impossible !

Et deux mille ans, ce n'est que le début de l'éternité… Qui veut ça ?

Dans un *Wolverine*, le méchant proposait de délivrer Logan de son fardeau, comprendre son immortalité. Le fourbe, mal intentionné bien sûr, avait quand même de bons arguments : l'humain est programmé pour vivre une certaine période de temps, et la perspective qu'il n'y ait pas de fin à notre existence a de quoi faire angoisser. À juste titre, la proposition du méchant a troublé Logan.

Le paradis n'existe pas. Et existerait-il qu'on n'en voudrait pas…

SEXE, MENSONGE ET RELIGION

C'est une juste rétribution pour
des pratiques sexuelles immorales.
Mère Teresa au sujet du sida

La Westboro Baptist Church (WBC) est une organisation religieuse basée au Kansas. On en a entendu parler en 2013 alors que des journalistes avaient rencontré deux de ses militantes qui avaient déserté et étaient de passage à Montréal. Leur témoignage au sujet des activités de ce groupe donnait froid dans le dos.

Fondée par un certain Fred Phelps, un pasteur avec de très sérieux problèmes psychiatriques, la WBC est très connue aux États-Unis en raison de manifestations provocantes à travers le pays contre l'homosexualité. C'est déjà absurde de protester simplement contre les gais, comme si ça pouvait être un objet de manifestation ! Le slogan de la WBC, d'une rare subtilité, est *God Hates Fags.* C'est d'ailleurs le nom attribué à leur site web. Phelps et ses disciples soutiennent que Dieu hait les homosexuels plus que toute autre sorte de pécheur et on devrait appliquer la peine capitale aux gais.

Dépendamment de la source qu'on consulte, les rangs de la WBC compteraient entre soixante-dix et cent cinquante adeptes. Pour une organisation avec si peu d'effectifs, la WBC n'en est pas moins un vecteur de haine dérangeant et proactif.

Animés par des sentiments de pur rejet envers non seulement les homosexuels, mais aussi les musulmans, juifs et athées, les membres de ce groupuscule haineux ne reculent devant rien pour propager leurs doctrines minables. S'abaissant au quinzième sous-sol sur le plan de la décence humaine, ils ont multiplié les piquets de protestation aux abords des cimetières durant les cérémonies d'enterrements de soldats américains tués en Afghanistan. Leur logique : c'est la faute au gouvernement des États-Unis si les mœurs sont si relâchées au pays et la mort de ces soldats est la conséquence directe d'une vengeance divine. Eh ben.

Peut-on imaginer le sentiment de profonde indignation des familles éplorées qui, alors qu'elles pleurent leur proche mort au combat, subissent en plus cette agressivité malsaine ? L'horreur. De fait, n'en pouvant plus de ces protestations immondes, des gens ont entamé des procédures judiciaires pour les faire cesser. Dans l'arrêt Snyder vs Phelps (mars 2011), la Cour Suprême des États-Unis a tranché en faveur de la WBC qui a toujours le droit de tenir ces manifestations odieuses. La liberté d'expression est-elle un concept assez élastique aux États-Unis ?

Fort de ce jugement favorable et repoussant encore ses limites, la WBC, au lendemain de l'horrible tuerie à l'école primaire Sandy Hook en décembre 2012, publiait sur Twitter une invitation à manifester devant l'école pour « glorifier le jugement de Dieu et son œuvre ». Selon eux, c'est Dieu qui avait envoyé le tueur à l'école.

Si la Westboro Baptist Church demeure un club religieux marginal, il existe malheureusement d'autres groupes fondamentalistes dont les objectifs sont sensiblement les mêmes que ces tarés finis, mais qui ont une envergure nationale et une réelle influence politique et sociale.

Par exemple, l'American Family Association (AFA) est une de ces organisations tentaculaires qui s'appuie sur une solide base de 180 000 membres payants à la grandeur du territoire américain. Le Q.G. est au Mississippi et son chiffre d'affaires en 2011 était de près de 18 millions de dollars. On ne parle plus de vingt-deux énergumènes aux yeux fous qui se réunissent dans un sous-sol de bungalow. Big.

Les trois cibles préférées de l'AFA : les homosexuels, la pornographie et l'avortement. Côté effectifs, le groupe compte sur pas moins de 192 employés et 175 volontaires à temps plein qui mènent un combat acharné et quotidien pour nuire le plus possible, entre autres, aux avancées des droits des gais et des efforts des prochoix. Leur mission avouée est de promouvoir l'éthique biblique et la décence aux États-Unis. Cela se traduit par beaucoup de lobbying, beaucoup d'interventions dans les médias (radio, télé, médias sociaux) et des mouvements de boycotts à outrance.

Malgré qu'elle soit étiquetée « groupe haineux » par des organismes sociaux majeurs, l'AFA, loin d'être marginalisée, possède deux cents stations de radio dans trente-trois États en plus d'une station de télé.

La liste des entreprises contre lesquelles ils ont exercé des boycotts est longue comme ça. Des exemples parmi les plus idiots :

- La chaîne de dépanneurs 7 – Eleven, pendant deux ans dans les années 1980 parce qu'on y vendait les magazines Playboy et Penthouse ;
- Pepsico, car cette compagnie a sponsorisé Madonna dont le vidéo *Like a Prayer* constitue, à leurs yeux, un sacrilège ;
- Walt Disney pendant neuf ans parce que l'entreprise a accordé à ses employés gais les mêmes droits qu'aux autres ;
- Ford, car la compagnie a placé de la pub dans un magazine gai ;
- les *Archie Comics* quand ils ont publié une édition où l'on assistait à un mariage gai.

Quand une association s'engage dans un boycott de *Archie*, les membres de la direction commencent peut-être à avoir de sérieux problèmes mentaux.

Si vous doutez encore du déséquilibre psychologique profond des militants de l'AFA, sachez qu'en avril 2007, à la suite du terrible massacre d'étudiants à la Virginia Tech par un tireur fou, l'association a lancé une vidéo dégoûtante intitulée *The Day They Kicked God Out Of The Schools* où les réalisateurs, décidément inspirés, mettent en scène un jeune qui se fait dire par Dieu en personne que les étudiants furent tués à Virginia parce qu'on ne l'admet plus dans les écoles et qu'on a cessé de lui adresser des prières. Non, on ne veut pas le directeur de l'AFA comme voisin.

***

On croit que, sur le plan de l'éthique, des principes moraux, il y a un monde entre les croyants (modérés, s'entend) et les athées. Le fossé est moins grand qu'on peut le penser.

Les athées et les croyants s'entendent sur probablement 95 % des questions de morale. Tous sont d'accord pour dire que des actes qui empiètent les droits individuels et collectifs, et infligent du mal à autrui, doivent être réprimés. Vols, agressions sexuelles, meurtres, fraudes, etc. : on s'entend tous pour condamner ces crimes qui, par ailleurs, sont pratiquement tous prévus dans nos codes criminels.

Là où les visions s'affrontent, c'est presque toujours quand il s'agit de sexualité. Pour la plupart des athées, tout acte sexuel est permis aux conditions suivantes :

- entre adultes consentants, mariés ou pas ;
- entre ados consentants et sensiblement du même âge ;
- la santé, la sécurité ou la vie des participants n'est pas menacée ;
- des mesures raisonnables de prévention des MTS sont prises ;
- le bruit des ébats ne réveille pas les voisins surtout s'ils ont payé pour une chambre d'hôtel.

Les croyants semblent penser que les athées prennent l'adultère à la légère comme si ça n'était qu'une niaiserie. Faux. La grande majorité des athées sait trop bien que l'adultère est générateur de sérieux conflits, de ruptures, de drames familiaux. Pas génial, pas souhaité, non. Rien d'innocent là-dedans, vraiment.

Un non-croyant sera généralement indifférent à ce qui se passe dans les autres chambres à coucher que la sienne. À moins qu'il ait connaissance d'un adultère impliquant son propre partenaire, sa famille immédiate ou des amis très proches, l'athée moyen ne s'empêchera pas de dormir avec la chose.

> Pourquoi quelqu'un voudrait-il punir des gens ayant une conduite qui ne pose aucun risque pour les autres ou pour ces gens eux-mêmes ? Les crimes « sans victimes » ne devraient pas en être. Les religions veulent toutes s'immiscer dans les libertés individuelles surtout dans le domaine privé. Cela correspond à la logique religieuse : l'idée du « privé » est incompatible avec l'existence de Dieu. Comme il voit tout, sait tout et semble scandalisé par certains comportements sexuels que des gens font en privé, la chose devient d'intérêt public pour les religieux.[79]

Pour conclure sur le sujet : si la fidélité en couple est gage du succès d'un mariage, il vaut la peine de mentionner que le taux de divorce chez les athées américains est sensiblement plus bas que chez les croyants. On pouvait lire récemment sur un site d'informations en ligne tenu par la New-York Times Company[80] que le taux de divorce chez les athées comptent parmi les plus bas aux États-Unis. Ainsi, alors que 29 % des Baptistes, 25 % des Protestants et 25 % des Mormons ont divorcé, le taux s'établit à 21 % chez les athées. L'article précise même que la région avec le plus haut taux de divorce est le Bible belt !

---

79. Harris Sam, *ibid.*

80. Cline Austin, *Atheism and Divorce : Divorce Rates Atheists are Among the Lowest in America.* (About Religion [atheism. about.com/od/atheistfamiliesmarriage/a/AtheistsDivorce.htm])

LE MYTHE DE LA DÉPENDANCE AU SEXE

Les âmes bien pensantes ont souvent cette perception que, tandis que les vilains athées consomment frénétiquement de la pornographie, les croyants s'en abstiennent étant donné qu'ils se savent sous le regard de Dieu. Cela est évidemment faux et toutes les études indiquent que les mâles humains, aussi bien religieux qu'athées, donnent dans le XXX virtuel, et ce, dans des proportions semblables. Croire en un dieu ne prévient d'aucune façon les pulsions sexuelles. L'attrait pour l'interdit viendrait même les exacerber. Une étude a révélé, entre autres, qu'au palmarès des endroits où l'on visite le plus de sites internet à contenu sexuel, la grande majorité sont des pays musulmans où, c'est connu, sévit une grande rigidité en matière de règles sexuelles. Bande de petits hypocrites, va !

Les statistiques[81] sont étourdissantes. Sur le site d'un certain Mike Genung, un expert autoproclamé en traitement de la dépendance au sexe, on fait état de chiffres impressionnants :

- *Pornhub,* le portail internet le plus important au monde, a enregistré plus de 18 milliards de visites pour 78,9 milliards de visionnements de vidéos X ;
- 30 % du trafic internet est lié à la pornographie ;
- 64 % des Américains regardent du porno sur le net au moins une fois par mois (le pourcentage est sensiblement le même pour les mâles chrétiens). Ce pourcentage grimpe à 79 % chez les 18-30 ans ;

81. The Rode to Grace : www.roadtograce.net

- des sites à caractère sexuel sont visités par 40 % des garçons canadiens (entre la 4e et la 11e année) ;
- 50 % des pasteurs regardent de la pornographie sur internet.

Mettons les choses au clair : la seule différence entre un athée et un bon chrétien qui se masturbent devant les derniers modèles de MILF 40+ ou de Voluptuous Vixens, c'est le sentiment de culpabilité habitant le croyant qui est un corolaire de ce bon vieux concept de péché.

Il ne faut jamais oublier qu'une des fonctions des religions est d'entretenir sans relâche la culpabilité en matière sexuelle. Penser au sexe est mal, stimuler ses fantasmes en zieutant des filles nues procède d'un dérèglement moral, se toucher en regardant des actes sexuels revient à pactiser avec le Diable. Cette culpabilité, voilà une des forces des différentes Églises qui s'offrent comme la solution à l'homme qui veut en être libéré.

Misant sur le développement exponentiel de la consommation de porno stimulé par l'apparition de l'internet, une cohorte de spécialistes patentés allant des psychologues aux coachs de vie en passant par les intervenants religieux de toutes sortes a créé cette notion de la « dépendance au sexe ». Et qui dit dépendance dit traitements. Et gros sous.

Deux réputés psychologues américains, les docteurs Darrel Ray et David J. Ley tiennent pour certain que toute cette histoire de dépendance au sexe n'est qu'un mythe. En réalité, la *sex addiction* ne s'appuierait sur aucune étude sérieuse : cette soi-disant condition psychiatrique ne serait qu'un concept créé de toutes pièces, une idée basée sur des jugements moraux et, encore une fois, sur ce sentiment de culpabilité à connotation religieuse. Dans *The Myth of Sex Addiction*, le Dr Ley suggère qu'accoler l'étiquette *sex addict* à un homme vient le stigmatiser en plus de le décharger de ses responsabilités personnelles.

Pour approfondir le sujet, nous recommandons aussi *Sex and God : How Religion Distorts Sexuality* du Dr Ray (IPC Press, 2012).

Dans un article publié en 2011 dans *Psychology Today* (« The Profit in Sex Addiction »), le Dr Ley dénonce le *business* de la dépendance au sexe. Il nous apprend que les cliniques américaines font des affaires en or. Certains traitements peuvent entraîner des coûts dépassant les 37 000 dollars pour un mois. Les organisations religieuses tirent leur épingle du jeu en exploitant ce filon inespéré. Par exemple, nous apprend le Dr Ley, le New Life Ministries de Laguna Beach en Californie propose des séminaires de trois jours au tarif de 1400 dollars aux hommes dont la dépendance au sexe menace le mariage. On devine que l'inscription de la grande majorité des participants survient après que leur femme les ait surpris une fois de trop en flagrant délit « d'autopelotonnage » devant leur écran d'ordinateur !

Il est évident qu'un gars consacrant dix heures par jour à surfer d'un site porno à l'autre et négligeant sa famille et son emploi a un grave problème. Il va de soi qu'un sérieux changement d'attitude, un dialogue et une prise de responsabilités s'imposent. Une thérapie peut ultimement s'avérer nécessaire. Mais faire intervenir Dieu et le mot *péché* dans l'équation ? C'est là que ça ne marche plus.

Le sexe dans les livres saints

Pour les croyants, le sexe hors-mariage ou hors-norme a toujours, à divers degrés, un caractère immoral. Le péché n'est jamais loin. Pour tous les chrétiens, musulmans ou juifs un peu plus portés sur l'orthodoxie, la pratique du sexe doit être étroitement encadrée. Le problème commence à devenir critique quand les référents moraux de ces personnes sont puisés dans la Bible ou le Coran. Les deux livres rivalisent de dégoût pour la sexualité.

Le corps humain et le sexe sont tellement mal considérés dans la Bible qu'on a le réflexe de croire que les gens qui vivaient à l'époque biblique affichaient tous une pudeur maladive. Rien n'est plus faux. On n'a qu'à citer la culture grecque où l'on avait coutume bien avant Jésus-Christ de pratiquer les sports dans la nudité la plus complète. Le mot *gymnase* provient d'ailleurs du grec *gymnasium,* c'est-à-dire *le lieu où l'on s'exerce nu* (*gumnos* signifiant *nu*). Les Juifs du temps ? Hmmm, moins olé olé.

> Plusieurs religions de l'Antiquité établissaient un lien entre le sacré et la nudité. Ce n'était pas le cas des Israélites qui allaient jusqu'à décrire le type de caleçons que les prêtres devaient porter pour qu'ils soient bien couverts lors des sacrifices et des prières.[82]

Comme on le sait, les auteurs de la Bible mettent la table dès le début : en s'apercevant qu'ils sont nus,

---

82. Doane Sébastien, *Lexique sympathique de la Bible.* Novalis, Montréal, 2013, 280 p.

Adam et Ève, horrifiés, s'empressent de chercher du feuillage pour cacher leurs parties intimes. Nu = péché.

Dans l'Ancien Testament, voir quelqu'un de sa parenté nu est un délit grave. On l'a évoqué précédemment : après que Noé, saoul raide, soit tombé inconscient, flambant nu, un de ses fils entrevoit sans le faire exprès ses organes : une malédiction est aussitôt prononcée contre lui par son père.

Nous avons pu constater dans le chapitre consacré au Lévitique et au Deutéronome que la lecture des interdits sexuels décrétés par Dieu est un exercice déconcertant : tout est pour ainsi dire prohibé.

L'homosexualité est tout particulièrement condamnée dans les saints Écrits. Passible de la peine de mort, cela va de soi. Dans le Talmud des juifs, on range l'homosexualité avec l'idolâtrie et l'homicide, des fautes capitales qui justifient la lapidation. À noter que la Bible n'évoque pas les rapports lesbiens, ils ne seraient donc passibles que de la flagellation.

Mais, diront les bons chrétiens, l'Église moderne est tout à fait ouverte !

Faux. Faux. Faux.

Aussi récemment qu'en 2008, le pape Benoît XVI s'est montré ouvertement hostile à l'homosexualité. C'est à cette même époque qu'un appel fut lancé par soixante-six pays pour la dépénalisation universelle de l'homosexualité, appel qu'a refusé d'entendre le Vatican. Cela ne manqua pas de créer une vague d'indignation.

La position officielle de l'Église catholique en ce moment est toujours la suivante vis-à-vis l'homosexualité : il s'agit d'un « désordre objectif », c'est toujours perçu comme un « comportement fondamentalement orienté vers le mal » !

MAIS, bonne nouvelle, ce n'est plus considéré comme un péché. Belle avancée.

Bien que ne menaçant pas de mort les gais, le mouvement bouddhiste n'est pas blanc comme neige lui non plus en matière d'ouverture. Le grand dalaï-lama s'attira ainsi une mauvaise publicité quand il fit en 2001 cette déclaration :

> L'homosexualité fait partie de ce que nous appelons « une mauvaise conduite sexuelle ». Les organes ont été créés pour la reproduction entre l'élément masculin et l'élément féminin, et tout ce qui en dévie n'est pas acceptable d'un point de vue bouddhiste.

On pourrait emplir des pages de citations de pasteurs américains célèbres ayant multiplié les déclarations homophobes les plus dégradantes. Le populaire Jerry Falwell, fondateur de la Liberty University, a déjà déclaré : « Le sida n'est pas seulement le châtiment que Dieu réserve aux homosexuels ; c'est le châtiment que Dieu réserve à la société qui les tolère. »

Le président des Catholics for Christian Political Action, Gery Potter : « Quand la majorité chrétienne aura le dessus dans ce pays, il n'y aura pas d'églises sataniques, plus de distribution gratuite d'ouvrages pornographiques, plus de discussions sur les droits des homosexuels. »

Du côté des islamistes, c'est encore pire.

> En Afghanistan sous les talibans, l'homosexualité était officiellement punie de la peine de mort, par

> cette méthode raffinée qui consiste à enterrer la victime vivante sous un mur de briques que l'on fait tomber sur elle.[83]

L'exaspérante association de la moralité à la religion perpétue des préjugés homophobes insupportables.

> L'homosexualité [...] est peut-être un problème théologique (c'est ce que suggère, dans la Genèse, la destruction de Sodome et Gomorrhe). Elle n'est pas – ou plus – un problème moral, ou elle ne l'est, aujourd'hui encore, que pour ceux qui confondent la morale et la religion.[84]

Des saints qui lavent plus blanc

Le rapport tordu à la sexualité demeure ce qui décourage le plus les athées quand ils examinent les règles et comportements des croyants de toutes les religions majeures. En ce qui a trait aux chrétiens, le problème ne vient pas tant de Jésus que des fondateurs de l'Église.

> Jésus ne parle pas tellement de sexe. Il est contre le divorce et considère l'adultère comme un vice. Dans l'Évangile de Jean, Jésus dit qu'il faut avoir une attitude de pardon vis-à-vis les erreurs à caractère sexuel. Problème : l'Église chrétienne n'a pas retenu ce passage-là... ! [...] C'est la tradition chrétienne qui

83. Dawkins Richard, *ibid.*
84. Comte-Sponville André, *ibid.*

> a ajouté à l'enseignement du Christ des éléments tels que l'hostilité au sexe.[85]

Celui qui a véritablement permis la diffusion du christianisme, saint Paul, avait une répulsion maladive du sexe et des femmes. Même chose pour saint Augustin. Les écrits méprisants envers la femme, cet objet de tentation maudit, abondent dans l'œuvre des grands théologiens et auraient de quoi combler plusieurs rayons de bibliothèque.

Quand on repense aux horreurs dans l'histoire de l'Église, aux atrocités imposées à des malheureuses par des prêtres frustrés sexuellement, il y a de quoi pleurer. L'humoriste Bill Maher exprime crûment une théorie personnelle sur la question :

> Les religions sont menées par des hommes qui ne parviennent pas à avoir de conquêtes sexuelles. Or, le sexe est le plus grand plaisir humain. Alors, si tu ne peux pas l'obtenir, le pouvoir est un succédané intéressant. Et c'est ce que la religion donne à ces hommes. Du pouvoir. Le pouvoir religieux est le sexe pour des hommes qui ne peuvent pas avoir de sexe, ou n'en veulent pas, ou sont parfaitement inaptes dans ce domaine.

Depuis près de deux mille ans, toute personne admise dans les ordres religieux fait vœu de chasteté. Certains ont pris ça à cœur plus que d'autres. Évoquant la pudeur insensée des religieuses, Bertrand Russell écrivait :

---

85. Mackie J.L., *ibid.*

> Certains ordres religieux poussent leur piété à des extrêmes étonnants. Ainsi, certaines religieuses ne prennent jamais leur bain nues mais gardent sur elles une robe de chambre. Quand on indique à ces bonnes sœurs qu'aucun homme n'est de toute façon en mesure de les voir dans leur bain, elles rétorquent : « Ah, mais vous oubliez le Bon Dieu ! » C'est dire que les bonnes religieuses conçoivent Dieu comme une espèce de petit voyeur pervers dont l'omnipotence permet de voir, bien sûr, à travers les murs. Question : qu'est-ce qui l'empêche alors de voir à travers... la robe de chambre ?

Et toujours cette inévitable association de la chasteté avec la sainteté. Lisez la vie de n'importe quel saint – et surtout sainte – : on met l'emphase sur ses vertus de chasteté qu'on assimile à la pureté. On ne peut pas imaginer une sainte qui aurait eu une vie sexuelle bien ordonnée avec un bon mari. Non, les saintes, ça ne baise pas. Depuis la Vierge Marie, on a une obsession du sexe sans cesse entretenue. Le sexe est péché, on n'en sort pas.

À cet égard, on assiste depuis quelques années à un nouveau phénomène religieux à la fois bizarre et à la limite quasiment pervers : les bals de pureté. Cette étrange pratique est en pleine croissance chez nos voisins américains. En gros, il s'agit de prétentieuses cérémonies pouvant réunir quarante, cinquante, soixante pères chrétiens avec leurs jeunes filles de douze ans. Les mamans sont exclues. L'idée : les jeunes filles, évidemment vierges, y arrivent habillées en blanc au bras de leur paternel. Elles promettent solennellement de vivre dans l'abstinence totale jusqu'à leur mariage. Quand on dit « totale », ça inclut les baisers au petit copain éventuel. Les pères passent un anneau de pureté au doigt de leur jeune fille en prononçant cette formule plutôt embarrassante : « Tu es maintenant mariée au Seigneur et papa est ton *boyfriend* ! » (Que celui qui n'a pas pensé « incestueux » lève la main...) Après ce passage de l'anneau, la jeune fille dépose une rose blanche au pied d'une croix avant de danser avec son *boyfriend* de père. Les bals de pureté ont cours dans dix-sept pays et seraient arrivés aux États-Unis vers le milieu des années 2000. À quand ces bals dans notre province ?

Encore une fois, n'en déplaise aux puritains chrétiens, le Christ ne s'est pas tellement étendu sur les questions de sexe. À bien y penser, sa seule vraie compagne était une prostituée. Le sujet ne semble pas l'inspirer, pour tout dire. Mais l'enthousiaste saint Paul n'a jamais été avare de commentaires sur le thème et accole péché et sexualité aussi souvent que possible : « Ni impudiques, ni idolâtres, ni adultères, ni efféminés, ni gens de mœurs infâmes, ni voleurs, ni cupides, ni ivrognes, ni calomniateurs, ni fripons n'hériteront du Royaume de Dieu. » (1Co 6, 9)

L'auteur Jean Forest trace implacablement le parcours de la chrétienté. L'histoire de l'Église catholique romaine est jonchée de victimes de l'intolérance sexuelle et de la moralité froide et rigide d'un clergé par ailleurs décadent. Quelques exemples en vrac :

> Valentinien, empereur chrétien de la fin du IVe siècle, punit par décret l'homosexualité de mort sur le bûcher et assimilait à des pratiques homosexuelles tout acte conjugal faisant obstacle à la procréation [...] Au

> XVIe siècle, le pape Sixte fit encore brûler un prêtre et un jeune garçon coupables de sodomie [...] Le pape Sixte rend l'adultère passible de pendaison [...] Au XVIIe siècle, la femme adultère est « envoyée dans un couvent où elle commence par demeurer en habits séculiers pendant deux ans au cours desquels le mari peut la visiter et décider de la reprendre ; après quoi, si l'époux offensé n'a pas pardonné, elle est rasée, voilée, vêtue d'habits religieux et définitivement recluse [...] Le grand penseur saint Thomas d'Aquin, docteur de l'Église, affirmait de la masturbation qu'elle est plus grave que l'inceste avec sa propre mère.[86]

Bien qu'il y ait plusieurs péchés officiellement reconnus, dont sept seraient mortels, le terrain de prédilection de Satan demeure le sexe. La doctrine de l'Église catholique sur le sujet se retrouve dans saint Paul, saint Augustin et saint Thomas d'Aquin. En gros :

- mieux vaut rester célibataire, mais ceux qui n'ont pas le don de la continence peuvent se marier ;
- le sexe dans le mariage n'est pas péché à condition d'être pratiqué aux fins de procréation ;
- toute relation hors mariage est péché ;
- une relation dans le mariage est péché si des mesures anticonceptionnelles sont prises ;
- l'avortement est péché même si, selon un médecin, c'est le seul moyen de sauver la vie de la mère (la raison de cette règle est simple : un médecin peut se tromper alors que Dieu a toujours le pouvoir de sauver la vie de la mère s'il le juge opportun).

86. Forest Jean, *La terreur à l'occidentale.* Triptyque, Montréal, 2005, 269 p.

De grands penseurs de l'Église se sont exprimés sur le sexe au fil des siècles et y sont allés de conseils pratiques. Sur le site internet rationalisme.org, on recense quelques passages savoureux tirés de livres ou discours de ces religieux. On nous assure que tous les textes sont authentiques. Certains sont anonymes, d'autres signés. Garder à l'esprit que ces conseillers en sexualité étaient des membres respectés du clergé qui ont étudié la théologie et n'ont probablement jamais eu de relations intimes de leur vie. Un CV qui leur confère, comme on le constate, une expertise pour le moins suspecte.

En vrac, quelques-uns des meilleurs conseils auxquels nous nous permettons de joindre nos commentaires…

QUAND LES THÉOLOGIENS SE FONT SEXOLOGUES :

1. « On ne commet pas de péché si les époux réalisent l'acte sexuel sans éprouver de plaisir »

On imagine déjà des femmes, sourire en coin, se tourner vers leur conjoint et leur dire ironiquement : « Wow ! Avec toi, je suis certaine de toujours rester loin du péché ! Haha ! »

2. « Si durant le coït un des deux époux désire ardemment l'autre, celui-ci commet un péché mortel. » (Saint Jérôme – théologien)

Donc, selon les statistiques, après vingt ans de mariage, on serait en général à l'abri du péché mortel… (Pitoupaf ! 3 h 00, on ferme !)

3. « Les attouchements qui précèdent le coït, qui doivent être considérés comme péché véniel s'ils se limitent à de simples caresses, sont d'une gravité mortelle s'ils sont effectués avec des baisers sur les organes génitaux et sur la bouche. Et surtout s'il y a introduction de la langue.» (Debreyne – théologien)

Pas la moindre idée du comment un théologien peut savoir quoi que ce soit au sujet du cunnilingus... à part que le mot est d'origine latine...

4. « Le coït entre mari et femme ne doit pas être pratiqué plus de quatre fois par mois.» (Sanchez – théologien)

Les risques d'enfreindre la limite permise diminuent substantiellement après que l'homme ait atteint la cinquantaine.

5. « Étant donné que l'homme s'affaiblit avant, la femme commet péché si elle prétend à deux prestations consécutives.» (Zacchie – théologien)

Euh... bien d'accord avec vous, Zacchie. Calmez-vous, les filles !

6. « Parmi les actes préliminaires du coït sont considérées comme vénielles la pénétration du pénis dans la bouche et l'introduction d'un doigt dans l'anus de la femme.» (Code ecclésiastique)

Ce n'est considéré que comme « véniel » et pas « mortel » ? Soulagement...

7. « Commet un grave péché mortel l'homme qui mesure la longueur de son pénis.» (Monsabré – théologien)

C'est quoi ce classement incongru dans la catégorie de « grave péché mortel » de la simple mesure de son pénis ? Monsabré présume sans doute qu'on commet infailliblement un péché d'orgueil en ce que ça implique qu'après la prise de mesure, le gars se vantera partout dans le genre : « Hey, la gang, j'en ai une de vingt centimètres ! Haha ! » Et si un type ne se mesure pas le zizi et se vante quand même en disant : « Gang, je suis sacrément équipé sans que je puisse toutefois vous fournir la dimension précise de mon pénis en centimètres », il ne commettrait alors aucun péché !? Mal fait comme règlement.

8. «La masturbation féminine, considérée vénielle si effectuée sur la partie externe du vagin, devient péché mortel si elle est pratiquée avec l'introduction des doigts ou de n'importe quel autre instrument.» (Debreyne – théologien)

9. «Étant donné que se coucher sur le dos est contre nature, afin de ne pas commettre péché la femme doit effectuer le coït en montrant à l'homme sa partie postérieure.»

Contre nature être sur le dos ? Parce que, dans la nature, les animaux le font par-derrière ? Ah bon ! Ainsi, l'humain devrait s'abaisser au niveau de la bête parce que c'est ce que présuppose la sexualité ? Édifiant.

10. «Quand une femme dit avoir été violée par le Démon, afin de pouvoir en vérifier les effets, on doit effectuer une analyse approfondie sur elle en lui observant minutieusement le vagin et l'anus.»

Oui, on imagine cette belle époque du Moyen Âge où une jolie femme se présentait au monastère local en prétendant avoir été agressée par le Démon et toutes ces mains de moines lubriques qui se levaient fébrilement pour se porter volontaire à l'examen : « Moi, moi, moi, moi ! »

11. « Le coït anal ne constitue pas péché mortel s'il est conclu dans le vagin. » (Sanchez – théologien)

Oooooook... Et... le contraire, c'est péché ou... ?

12. « Contrairement à la pollution involontaire qui ne génère pas de faute, il faut considérer péché très grave la masturbation, car celle-ci, selon à qui s'adresse la pensée, correspond à l'adultère, à l'inceste et au viol. La masturbation devient ensuite un horrible sacrilège si l'objet du désir est la Sainte Vierge Marie. » (Sanchez – théologien)

Peut-on imaginer un type quelque part, aussi pervers et en manque soit-il, qui puisse envisager se masturber en se faisant des images mentales des seins de la Sainte Vierge ?

Le genre de rapports que les religieux entretinrent avec la femme et la sexualité durant de très longs siècles. C'est terrifiant.

Ce sont là des exemples de puritanisme confinant à la morbidité. Mais les manifestations de puritanisme le sont toujours et continuent à se décliner de toutes les manières imaginables.

Près de nous, le dévot Jean Tremblay, maire de Saguenay, s'est exprimé à Radio-Canada sur la question du sexe, en particulier sur l'idée de pénétration. Possible d'entendre l'extrait audio sur internet. Nous le retranscrivons ici, car c'est tellement riche en enseignement :

> C'est merveilleux l'acte sexuel, que deux êtres humains qui se pénètrent... Le mot, la pénétration, c'est tellement significatif. R'garde quand on mange, par exemple, tu vas prendre une pomme. Plus elle est belle, plus tu veux la manger... Plus c'est beau, plus

> tu veux la manger. C'est la même chose pour l'eucharistie, tu veux mettre Dieu dans toi, c'est ça, faut qu'a pénètre… Si y'a rien qui pénètre dans toi, tu meurs.

Et ça gère une ville, cet homme-là. Renversant. Vous n'avez qu'à *googler* « Jean Tremblay pénétration » pour l'entendre.

L'Église catholique romaine a ainsi exprimé sa position sur le sexe et l'utilisation des condoms sur Catholic Online News en avril 2006 :

> Les Évêques Catholiques d'Afrique du Sud, du Botswana et du Swaziland considèrent la prolifération et la promotion des condoms immorales et pensent qu'il s'agit d'une arme inefficace dans la lutte contre le VIH pour les raisons suivantes… L'usage des condoms va à l'encontre de la dignité humaine. Les condoms transforment la beauté de l'acte d'amour en une recherche égoïste de plaisir et un rejet de ses responsabilités. Les condoms ne garantissent pas une protection contre le VIH. Ils peuvent même être considérés comme une des raisons principales de la propagation du VIH.

Christopher Hitchens :

> Dans plusieurs pays, de hauts dignitaires de l'Église (le Cardinal Obando y Bravo au Nicaragua, le cardinal Wamala en Ouganda…) ont raconté à leurs ouailles que les condoms transmettaient le sida. Le cardinal Wamala estime même que les femmes qui meurent du sida au lieu de se protéger avec des préservatifs devraient être considérées comme des martyres.

LES POSITIONS DU BON PAPE FRANÇOIS

Wow ! Il est cool, *man* !

Nouvelle idole des catholiques tout pâmés d'admiration et qui le jugent tellement « moderne » et ouvert aux réalités de la vie d'aujourd'hui, le pape François a multiplié les prises de position aberrantes sur des sujets d'importance comme l'euthanasie, l'avortement, la place des femmes dans l'Église et les droits des homosexuels. Cool, le pape ?

On peut lire sur le site de Radio-Vatican que le pape François a mis en garde le corps médical contre la « tentation de jouer avec la vie ». Faisant allusion au suicide assisté ou à l'avortement, le pape déclare : « Il s'agit d'un péché contre Dieu Créateur. ».

Qu'on soit croyant ou athée, il va de soi qu'une procédure d'avortement ne doit pas être prise à la légère et comporte des implications d'ordre moral. Cela étant dit, le pape François s'oppose en toutes circonstances à l'avortement, même en cas de viol de la mère. Lorsqu'il opérait toujours sous le nom de Jorge Mario Bergoglio et était archevêque de Buenos Aires, le saint-père avait mené une croisade contre le gouvernement qui avait autorisé l'avortement d'une fillette violée par son beau-père. Déjà douteux comme réaction. En plus, notre homme s'est permis une incursion dans le domaine scientifique et a justifié en ces termes son refus catégorique de permettre l'avortement : « La femme enceinte ne porte pas en elle une brosse à dents ni une tumeur. La science enseigne que dès le moment de sa conception le nouvel être possède tout son code génétique. C'est impressionnant. » (Cette déclaration et d'autres sont disponibles sur la page Wikipédia du pape François...)

M. Bergoglio estime donc que, dès le moment de la conception, on a affaire à un être humain. Du coup, on aurait une personne avec une âme, des sentiments, etc. N'importe qui un tant soit peu informé sait bien que la grossesse ne commence réellement qu'à la fécondation, ce moment où le spermatozoïde du père entre à l'intérieur de l'ovule de madame. Or, la fécondation survient la troisième semaine suivant la conception. Ajoutons que, plus d'un mois après cette fécondation, l'embryon ne mesure que cinq millimètres et ce ne sera qu'à cette étape que le cœur, microscopique, commencera à battre. Considérer qu'on est en présence d'un être humain dès la conception, cela revient à dire qu'on commet un meurtre en prenant la pilule du lendemain. Position extrême, vous dites ?

La bonne nouvelle, cependant, pour les pécheresses qui ont avorté dans le passé, c'est qu'à l'occasion du merveilleux Jubilé de la Miséricorde (décembre 2015 à novembre 2016), ces impies ainsi que les personnes qui les ont aidées peuvent obtenir une absolution de l'Église catholique. Dans un article du Huffington Post (13 août 2015), on apprenait que, selon le droit canon, l'avortement est une faute particulièrement grave punie d'excommunication automatique. Cela montre à quel point les femmes avortées doivent saisir cette extraordinaire occasion de réintégrer le sein de l'Église en se présentant au Jubilé. Mais attention, les autorités du Vatican sont claires à l'effet que les femmes qui recherchent l'absolution papale devront exprimer « un vrai repentir ». Les malhonnêtes, restez chez vous !

Quant aux homosexuels, tous se rappellent cette célèbre phrase du bon pape François : « Qui suis-je pour les juger ? » Peut-être avait-il été pris au dépourvu le jour de cette déclaration. Son entourage lui a sans doute expliqué les vraies affaires. Depuis, le pape s'est montré plutôt silencieux sur le sujet. Il importe de savoir que, dans une lettre que le cardinal Bergoglio avait rédigée le 22 juin 2010 où il exprimait sa vive opposition à un projet de loi sur le mariage gai, le futur pape avait alors prétendu vouloir « défendre l'identité et la survie de la famille contre le dessein du Démon, responsable du péché en ce monde ». Oui, le mariage entre conjoints du même sexe : l'aboutissement d'un projet machiavélique de Satan.

Voilà un discours qui n'aurait pas détonné à la belle époque de l'Inquisition.

Ce serait quoi si le pape n'était pas cool ?

LA MAMAN ET LA PUTE
(LA RELIGION ET LES FEMMES)

À partir d'un texte barbare de l'âge de bronze connu sous le nom d'Ancien Testament ont évolué trois religions antihumaines : le judaïsme, le christianisme et l'islam. Elles sont patriarcales (Dieu est le père tout-puissant), ce qui explique le mépris dont souffrent les femmes depuis deux mille ans dans les pays soumis à la férule de ce dieu du ciel et de ses délégués masculins sur la terre.

Gore Vidal

Dans un article publié dans *L'Express* en mars 2000, on pouvait lire ceci :

> Dieu aurait-il une dent contre les femmes ? [...] L'Église catholique écossaise a avoué en octobre avoir payé les parents d'une gamine de douze ans pour que celle-ci n'avorte pas. Au Koweït, le Parlement – en majorité islamiste – vient de rejeter un décret-loi de l'émir accordant aux femmes le droit de vote et d'éligibilité. Depuis novembre, les juives ultra-orthodoxes de Jérusalem ne doivent plus utiliser leur téléphone portable en public, car, selon quatre

> rabbins, cela « porte gravement atteinte aux règles de la pudeur ». En mai 1999, le Vatican a condamné la distribution par l'ONU de pilules abortives aux femmes kosovares violées par la soldatesque serbe. En novembre dernier, une veuve indienne acclamée par la foule s'est jetée dans les flammes du bûcher funéraire de son mari selon la tradition hindoue du sati. En septembre, Chérine, une Jordanienne de 20 ans, a été abattue de trois balles et massacrée à coups de couteau par son cousin. Comme une vingtaine de femmes chaque année, Chérine a été victime d'un « crime d'honneur », absous par les religieux islamistes et un article du Code pénal jordanien, qui assure l'impunité à tout homme châtiant l'une de ses proches soupçonnée d'adultère.[87]

Les religions où les femmes sont l'égale de l'homme sont rares. Si elles ont des divergences dogmatiques à bien des égards, les trois grandes religions monothéistes qui nous sont familières (christianisme, islam et judaïsme) adoptent vis-à-vis de la classe féminine une position qui peut se résumer en gros à : « Femmes, vos gueules, s'il vous plait ! »

> Une preuve que la religion est anthropomorphique, c'est qu'elle est généralement élaborée par l'homme, au sens masculin du mot. Le livre saint le plus ancien (Le Talmud) ordonne au pratiquant de remercier chaque jour son créateur de n'être pas né femme. [...] D'un bout à l'autre des textes religieux, il y a la

87. Festraëts Marion, Angevin Patrick, Ghazi Siavosh, Lagarde Dominique, *Dieu est-il misogyne ?*. (L'Express, 9 mars 2000)

> crainte primitive que les femmes soient souillées et impures, tout en représentant une irrésistible tentation de péché. [...] Cela explique peut-être le culte hystérique de la Vierge.[88]

Une femme avec un peu d'estime de soi et de solidarité envers la sororité ne peut pas parcourir les versets de la Bible sans lancer le livre au bout de ses bras après douze pages. Quant au Coran, en dépit de son épouvantable misogynie, nous ne suggérons à personne, pour des questions de sécurité personnelle, de le lancer ou de lui infliger un quelconque mauvais traitement...

Dès le début, les femmes de la Bible sont louches. Pas fiables, nounounes, conspiratrices. Dieu prend la peine d'enlever une côte d'Adam pour créer Ève qui, comble de l'ingratitude, remercie son Créateur en croquant le fruit défendu de l'arbre de la connaissance. La femme introduit ainsi le péché dans le monde. On le lui rappelle depuis à la moindre occasion.

On se souvient qu'un peu plus loin dans le livre de la Genèse, Dieu conclut ce *deal* prépucien avec tous les mâles de la planète : « C'est ici mon alliance, que vous garderez entre moi et vous, et ta postérité après toi : tout mâle parmi vous sera circoncis. Vous vous circoncirez ; et ce sera un signe d'alliance entre moi et vous. » (Gn 17, 10-11)

C'est ainsi qu'on devient membre du club divin. Le signe de l'alliance de Dieu avec l'homme, c'est donc la circoncision. Plus douloureux qu'adhérer aux Chevaliers de Colomb, mais bon, quand Dieu en personne

---

88. HITCHENS Christopher, *ibid.*

vous offre un partenariat, on peut bien endurer un sac de glace sur les parties pendant quelques jours.

Et le signe d'alliance avec la femme ? Euh... ce n'est dit nulle part. Il n'y en a pas, inutile de chercher. Pas question de pactiser avec ces choses imparfaites et hypocrites. En clair, Dieu ne veut pas vous prendre dans son équipe. Gnagnagnagna !

L'historien des religions Odon Vallet fait remarquer que, dans les religions anciennes, on retrouvait quantité de déesses. Puis les dieux guerriers virèrent les déesses. La place des femmes diminua comme peau de chagrin avec le Livre saint des chrétiens :

> La Bible est le premier livre sacré à n'avoir pas de dieu nommé au féminin [...] Dans l'Ancien Testament, deux livres sur quarante-six sont consacrés à des femmes, et plus de 80 % des personnages sont des hommes [...] Place donc à un seul Dieu, masculin, qui ne va s'adresser qu'à des hommes et n'être enseigné que par des hommes.[89]

L'Ancien Testament enchaîne les récits où les femmes trompent leur conjoint, manipulent leur entourage, sont médisantes, cupides, irréfléchies. Toutes mauvaises ou soumises. Ou des prostituées, ou des vierges, ou des servantes. Saintes ou malpropres. Pas beaucoup de modèles féminins dans la Bible hébraïque. La femme de Lot : désobéissante et trop curieuse... Ses deux filles : de fieffées salopes et incestueuses en plus... Dalila : une traîtresse et une menteuse... Dans le Nouveau Testament, on rencontre Salomé, une envoûteuse

89. VALLET Odon, *Femmes et religions : Déesses ou servantes de Dieu ?* Gallimard, Paris, 1994, 160 p.

cruelle comme sa mère, on met en vedette deux Marie, une vierge plus que parfaite versus une prostituée.

Tout un ou tout l'autre avec les femmes.

Dans les Écrits saints, une femme qui ne jette qu'un bref regard à un homme autre que son mari fait figure de débauchée finie. Et les hommes, eux ? *Party time* ! Ainsi, parmi les personnages masculins les plus célèbres de la Bible, il y a le grand roi Salomon, cité comme un exemple de sagesse. Or, le décidément viril Salomon avait sept cents femmes et trois cents maîtresses. Le Hugh Hefner de la Terre Promise. Le roi David ? Pas vraiment un meilleur exemple au chapitre des conquêtes féminines. Ainsi, quand David désire une femme, il s'arrange pour que le mari de cette dernière se fasse tuer au front dans une bataille et ainsi le chemin est libre vers le lit de la jolie dame. Du début à la fin de l'Ancien Testament, les auteurs règlent leurs comptes avec la femme. Et ça ne s'améliorera pas dans le Nouveau.

Pour se faire une idée du mépris quand même assez absolu qu'on voue à la femme dans notre Bible, cela vaut la peine de prendre une minute pour lire la touchante histoire de la création des douze tribus d'Israël telle que racontée dans le Livre des Juges. On y découvre une grande appréciation des descendantes d'Ève. L'épisode commence par un vieillard qui accueille chez lui pour la nuit un voyageur épuisé et sa compagne. C'est alors que les événements se bousculent :

> Pendant qu'ils étaient à se réjouir, voici, les hommes de la ville, gens pervers, entourèrent la maison, frappèrent à la porte, et dirent au vieillard : « Fais sortir l'homme qui est entré chez toi, pour que nous

le connaissions. » [Comprendre : le prenions de toutes les manières !] Le maître de la maison leur dit : « Non, mes frères, ne faites pas le mal, je vous prie ; puisque cet homme est entré dans ma maison, ne commettez pas cette infamie. Voici, j'ai une fille vierge, et cet homme a une concubine ; je vous les amènerai dehors ; vous les déshonorerez, et vous leur ferez ce qu'il vous plaira. Mais ne commettez pas sur cet homme une action aussi infâme. »
Ces gens ne voulurent point l'écouter. Alors l'homme prit sa concubine, et la leur amena dehors. Ils la connurent, et ils abusèrent d'elle toute la nuit jusqu'au matin ; puis ils la renvoyèrent au lever de l'aurore. Vers le matin, cette femme alla tomber à l'entrée de la maison de l'homme chez qui était son mari, et elle resta là jusqu'au jour.
Et le matin, son mari se leva, ouvrit la porte de la maison, et sortit pour continuer son chemin. Mais voici, la femme, sa concubine, était étendue à l'entrée de la maison, les mains sur le seuil. Il lui dit : « Lève-toi, et allons-nous-en. » Elle ne répondit pas. Alors le mari la mit sur un âne, et partit pour aller dans sa demeure. Arrivé chez lui, il prit un couteau, saisit sa concubine, et la coupa membre par membre en douze morceaux, qu'il envoya dans tout le territoire d'Israël.

Jg 19, 22

Oui, le personnage principal de ce beau conte, cet antipathique émule de Dexter qui s'amuse à démembrer sa conjointe, serait à l'origine de la création des tribus d'Israël. Et les auteurs ont jugé utile et de bon goût de coucher cette histoire morbide par écrit, de l'immortaliser à jamais comme s'ils étaient fiers de leur trouvaille. Encore une fois, de la grande poésie biblique. Riche en moralité. Quel enseignement pratique tente-t-on ici de nous transmettre ? Que, dans l'hypothèse où une meute de pervers cognerait à notre porte et souhaite entuber un visiteur de passage, on doit respecter son invité et livrer plutôt notre fille vierge et la compagne de l'invité aux abus de ces dégénérés ??

Ce genre de récit où les femmes sont ramenées à un statut d'objet abonde dans l'Ancien Testament.

Et la femme dans les Évangiles ? Meilleur traitement ? Pas tout à fait. Dans le Nouveau Testament, l'homme demeure toujours privilégié aux yeux du Tout-Puissant. À preuve ce verset éloquent : « Tout mâle premier-né sera consacré au Seigneur » (Lc 2, 23)

Les femelles premières-nées ? Beurrrrrk !

Jésus lui-même ne s'étend pas beaucoup sur le délicat sujet de la condition féminine. Pas son thème préféré. Les femmes de son temps vivaient dans un état de soumission totale à leur mari et le Christ, pas réactionnaire une seconde, semble à l'aise avec ça. On aurait pourtant été en droit d'espérer que, du haut de sa sagesse divine, il prenne un peu de recul et pave la voie au féminisme. Il ne le fait pas.

Disons-le tel que c'est : Jésus était plutôt macho. Toutes les fois qu'il rencontre sa mère, Jésus la traite comme une moins que rien et lui lance des remarques déplaisantes du genre : « En quoi ai-je affaire à toi, femme ? » Il a tout le temps l'air de l'ado gêné de la présence de sa mère devant ses potes.

En plus, il demandera à tous ceux qui croient en lui d'abandonner sans hésiter leur femme. Bofff... pas grave...

La position du Christ sur les veuves ne se distingue pas par son avant-gardisme. On peut lire dans Marc (12, 19) qu'il ne rejette pas la prise de position du bon Moïse qui s'était jadis exprimé ainsi sur le sujet :

> Lorsque des frères demeureront ensemble, et que l'un d'eux mourra sans laisser de fils, la femme du défunt ne se mariera point au-dehors avec un étranger, mais son beau-frère ira vers elle, la prendra pour femme, et l'épousera comme beau-frère.
>
> Dt 25, 5

Vous saisissez bien, messieurs ? Vous cohabitez avec votre frère et ce dernier meurt ? Pas le choix de prendre votre ex-belle-sœur (dans la position qui vous plaît...) pour ensuite l'épouser. Cela dans le but, évidemment, d'assurer une progéniture mâle à la famille. Car, on doit bien le noter, si votre frère a laissé un fils, cela vous délie de cette embarrassante obligation d'épouser la belle-sœur. Obligation qui, en plus d'être légèrement envahissante sur le plan des libertés individuelles, a pour conséquence potentielle d'installer une ambiance déplaisante au prochain *party* de Noël.

L'HOMME QUI N'AIMAIT PAS LES FEMMES

Depuis deux mille ans, l'Église chrétienne a entretenu une image avilissante de la femme. Ce n'est pas tant Jésus le responsable que le père fondateur de l'institution : saint Paul. Monsieur Saul de Tarse, rappelons-le, est LE type qui a permis au christianisme de naître et de se développer. Il est le premier à avoir écrit au sujet du Christ et de ses enseignements. L'impact de cet infatigable prêcheur est donc immense. Or, notre homme était un beau cas de psychiatrie. Beaucoup beaucoup de complexes non traités et de refoulements sexuels chez Paul. Il est le prototype du misogyne absolu. Il a un dédain des femmes et de la sexualité qui fait presque peur.

Des extraits en vrac de ses lettres :

> Il est bon pour l'homme de s'abstenir de la femme. [...] La femme ne peut pas disposer de son corps ; il est à son mari. [...] Ne vous refusez pas l'un à l'autre, si ce n'est d'un commun accord pour un temps et afin de vaquer à la prière.
>
> 1Co 7, 1

> Le corps n'est pas fait pour la fornication ; il est pour le Seigneur.
>
> 1Co 6, 13

> Ne savez-vous pas que vos corps sont des membres du Christ ? Vais-je donc prendre les membres du Christ pour en faire les membres d'une prostituée ? Cela, jamais ! Ne savez-vous pas non plus que celui qui s'unit à la prostituée ne fait qu'un corps avec elle ?
>
> 1Co 6, 15

> Ce que Dieu veut, c'est que chacun de vous sache garder son corps dans la sainteté et le respect.
>
> 1Th 4, 3

On s'entendra sur ce point : au poste de G.O. dans un Club Med dans les années 1970, saint Paul eut été malheureux.

Sur le site internet *The Atheist Conservative,* la journaliste Jillian Becker décrit de façon non complaisante ce saint Paul hargneux, frustré, déplaisant. Elle nous fait réaliser le formidable retentissement de ses écrits, des lettres lancinantes qui déforment le vrai message de Jésus :

> Ce que Paul enseignait était sa propre conception de la façon dont les humains devaient vivre et se conduire les uns avec les autres. Il voulait que les gens qu'il convertissait croient que c'était là ce que Jésus demandait d'eux, insinuant dans ses lettres que c'était effectivement la réalité. Mais ce sont bien ses propres enseignements moraux à lui, saint Paul, qui ont fondé et formé la plus grande partie de ce qui devint la « morale chrétienne ».[90]

Dans sa première épître à Timothée, au chapitre 2, le sympathique Paul nous exprime sa position sur la place de la femme et, une fois parti, y va de conseils mode :

> Je veux aussi que les femmes, vêtues d'une manière décente, avec pudeur et modestie, ne se parent ni de tresses, ni d'or, ni de perles, ni d'habits somptueux, mais qu'elles se parent de bonnes œuvres, comme il convient à des femmes qui font profession de servir Dieu. Que la femme écoute l'instruction en silence, avec une entière soumission ;
> Je ne permets pas à la femme d'enseigner ni de prendre de l'autorité sur l'homme ; mais elle doit

90. BECKER Jillian, *Tread on me : the making of Christian morality.* (The Atheist Conservative : theatheistconservative.com)

> demeurer dans le silence. Car Adam a été formé le premier, Ève ensuite ;
> Et ce n'est pas Adam qui a été séduit, c'est la femme qui, séduite, s'est rendue coupable de transgression.
> Elle sera néanmoins sauvée en devenant mère, si elle persévère avec modestie dans la foi, dans la charité, et dans la sainteté.

Avez-vous compris, les filles ? Je vous résume en simplifiant, car, avec votre intelligence quand même inférieure aux gars, vous n'avez probablement pas tout saisi :

1. Habillez-vous décemment (pas de tresses, de bijoux, ni de linge trop chic) ;
2. À la messe, écoutez en silence, soyez soumise à votre homme ;
3. Pas question d'enseigner ou d'avoir de l'autorité sur l'homme ;
4. En général, taisez-vous donc.

Et surtout, vilaines, n'allez pas rechigner, car si c'est ainsi, c'est entièrement de votre faute parce que la trop influençable Ève a été séduite par le serpent. Adam, l'homme, responsable, sensé, n'a rien fait, lui : c'est toute sa faute à ELLE ! Vous avez couru après, mesdames, ne venez pas vous plaindre en plus.

Revenons à cet attachant saint Paul qui, dans un élan de magnanimité pour le faible sexe, offre une chance aux femmes de se racheter en ayant des enfants, en restant modestes et en vivant dans la sainteté.

Ouvrant les bras aux femmes, Paul leur permet même d'aller à la messe. Ce n'est pas rien, comme privilège. Oui, on vous permet d'assister aux offices religieux avec les hommes, MAIS évidemment à certaines conditions. Le bon Paul nous les précise dans sa première épître aux Corinthiens, chapitre 14 :

> Comme dans toutes les Églises des saints, que les femmes se taisent dans les assemblées, car il ne leur est pas permis d'y parler ; mais qu'elles sont soumises, selon que le dit aussi la loi. Si elles veulent s'instruire sur quelque chose, qu'elles interrogent leur mari à la maison ; car il est malséant à une femme de parler dans l'Église.

Avouons, messieurs, que la nature féminine n'a pas changé depuis Paul et que ses sages conseils sont toujours d'actualité. Non mais est-ce assez insupportable que ce babillage féminin incessant durant les offices ? Est-ce assez irritant que ces dames qui, dans une espèce de bizarre quête de connaissance, posent des questions à leurs maris dans l'église ? Est-ce si difficile d'attendre d'être à la maison, impatientes jacasseuses ?

Dans une autre de ses lettres, saint Paul exprime son opinion bien arrêtée sur les homosexuels. Étonnamment, d'ordinaire si ouvert d'esprit, il est réfractaire aux gais. Qui l'eût cru ? Livrant sa vision de la chose, il en profite pour nous rappeler en termes élégants à quoi sert la femme :

> [...] et de même les hommes, abandonnant l'usage naturel de la femme, se sont enflammés dans leurs désirs les uns pour les autres, commettant homme avec homme des choses infâmes.
>
> Rm 1, 27

La femme est donc l'objet d'« un usage naturel » pour nous, hommes. Une notion toute simple qu'on a trop souvent tendance à oublier...

Comme cette autre notion sur la place de la femme que nous a rappelée le grand saint Augustin quand il écrivit : « Homme, tu es le maître, la femme est ton esclave. »

LE VOILE

Inspiré comme pas un, saint Paul, s'imposant en arbitre du bon goût en matière capillaire, nous révèle dans une autre de ses lettres la raison pour laquelle les femmes ont des cheveux :

> Je veux cependant que vous sachiez que Christ est le chef de tout homme, que l'homme est le chef de la femme, et que Dieu est le chef de Christ. Tout homme qui prie ou qui prophétise, la tête couverte, déshonore son chef. Toute femme, au contraire, qui prie ou qui prophétise, la tête non voilée, déshonore son chef : c'est comme si elle était rasée. Car si une femme n'est pas voilée, qu'elle se coupe aussi les cheveux. Or, s'il est honteux pour une femme d'avoir les cheveux coupés ou d'être rasée, qu'elle se voile. L'homme ne doit pas se couvrir la tête, puisqu'il est l'image et la gloire de Dieu, tandis que la femme est la gloire de l'homme [...] C'est pourquoi la femme, à cause des anges, doit avoir sur la tête une marque de l'autorité dont elle dépend.
>
> 1Co 11

Pouvez-vous croire qu'il y avait déjà des débats sur le port du voile à l'époque de Paul ? Et que le meilleur argument que notre homme ait pu trouver pour justifier le voile, c'est que les femmes doivent le porter « à cause des anges » ?

Deux millénaires à gérer des voiles. Pour la religion. Il faut le faire.

Observez les peintures classiques où l'on représente des scènes bibliques. Sainte Marie est toujours montrée avec un voile bleu sur la tête. La prostituée Madeleine, quant à elle, exhibe honteusement sa chevelure. Des cheveux au vent, c'est l'apanage des filles cochonnes, des allumeuses.

Les religieuses portent le voile depuis toujours. Cela représente, dit-on, un symbole de noces mystiques avec Dieu. Pour ce que ça veut dire… Jusqu'au milieu du XXe siècle, en Europe aussi bien qu'au Québec, les femmes se couvraient la tête dans les églises. Heureusement, cette tradition a été mise de côté… en même temps que la fréquentation de l'église elle-même.

Parmi les malheureuses qui sont encore victimes de cette obsession idiote des cheveux, il y a les femmes musulmanes. Il y a surtout les femmes juives orthodoxes qui doivent toujours se couvrir la tête. Le voile, dans leur cas, a été souvent remplacé par une perruque déposée, comble du sadisme, sur un crâne rasé. La raison pratico-pratique invoquée pour justifier le remplacement du foulard par une perruque : un foulard peut être ôté plus facilement qu'une perruque ! Wow.

Comme si un homme cinglé quelque part, tapi dans l'ombre, guettait sans relâche le passage des femmes juives afin, dans un élan fantasmatique absurde, de leur sauter dessus pour dévoiler leur si excitante chevelure ! Comme si la charge de sensualité et de beauté que dégage le visage savamment maquillé et soigné d'une jolie musulmane se trouvait soudain anéantie par la dissimulation de sa chevelure. Comme si, de l'attitude de respect qu'il porte à ses congénères féminines, un homme civilisé passait à un mode agressif à la vue de simples cheveux qui auraient ce pouvoir incompréhensible de le métamorphoser en prédateur sexuel.

Le voile, l'obsession des cheveux : fou à lier. Pas une raison pour l'interdire, en ce qui me concerne. Les femmes voilées méritent davantage notre sympathie que notre mépris.

LE CÉLIBAT DES PRÊTRES

Pendant plus de mille ans, les prêtres pouvaient se marier dans l'Église catholique. En gros, la norme de conduite, c'était quand même de garder les femmes le plus loin possible. Par exemple, les moines n'ont jamais pu se marier. Les prêtres séculiers le pouvaient, mais on les encourageait fortement au célibat. Pour tout dire, à la suite des Conciles d'Elvire et de Nicée au IVe siècle, la règle, c'était de permettre le mariage des prêtres, mais de leur interdire d'avoir des rapports intimes avec leurs femmes. Tournant élégamment la prescription, le pape St-Grégoire, au VIIe siècle, exigeait que : « du jour de leur ordination, les prêtres n'aiment plus leur femme que comme leur sœur et se gardent d'elle comme d'un ennemi ».

C'est un pape, devenu saint, qui parlait ainsi.

Si un prêtre en couple monte dans la compagnie, en devenant évêque par exemple, cela n'est pas une bonne nouvelle pour madame. En effet, le Concile de Constantinople en 691 se penche sur la question de savoir ce qu'il doit alors faire de son épouse. Conclusion : « Si un prêtre est sacré évêque, sa femme devra se retirer dans un monastère relativement éloigné. »

Ce sera finalement au deuxième concile de Latran, en 1139, que le mariage des prêtres devient interdit. Plus le temps avance, plus la femme recule.

> À une époque, on interdira même aux prêtres d'avoir des cuisinières, on interdit aux femmes d'habiter dans un périmètre de sécurité établi autour des églises [...]
> Pour St-Ambroise comme pour St-Jean-Chrysostome, les femmes doivent être voilées dans la rue [...] L'Église interdit aux femmes de monter sur scène, de faire du théâtre.[91]

On ne peut se faire une idée de l'ampleur de la ferveur religieuse au Moyen Âge. Les prières, c'était les textos du temps. Du matin au soir, 24/7. Des SMS au Bon Dieu à cœur de jour. Et des religieux tant et tant qu'on s'enfargeait dedans. Parmi les nombreux ordres religieux du temps, il faut mentionner les influents moines bénédictins. Dédiés à la contemplation et résolument célibataires, les bénédictins fondèrent la célèbre Abbaye de Cluny. Cet endroit fut un centre religieux

91. Forest Jean, *ibid.*

important qui forma plusieurs penseurs de la théologie chrétienne. Des misogynes finis, il va sans dire.

> L'œuvre de Cluny sera immense, mais au prix du sacrifice de la femme. Chaste, le moine bénédictin ne l'est pas toujours en pensée, puisqu'il prend la femme en horreur et en fascination. Un siècle plus tard, la réforme cistercienne se veut plus radicale encore. Les écrits sur les femmes, non seulement misogynes mais morbides, traduisent à l'évidence les frustrations de moines qui répriment leur sexualité. Malgré cela, le succès des ordres monastiques est tel qu'au XIe siècle le pape Grégoire VII décide d'organiser l'Église occidentale comme un grand monastère. Désormais, évêques et curés sont sommés de renvoyer leurs épouses et de vivre en communauté.[92]

Au sein du clergé, le chemin parcouru depuis cette époque lointaine n'est somme toute pas si grand. Aujourd'hui encore, quand un prêtre catholique est ordonné, il fait une promesse de célibat qui est liée avec ses vœux d'obéissance à l'évêque, de pauvreté et, bien entendu, de chasteté.

Voici ce qu'édicte le Code de droit canonique de 1983 – toujours en vigueur – sur la chasteté des prêtres :

> Les clercs (dont les prêtres) sont tenus par l'obligation de garder la « continence parfaite et perpétuelle » à cause du Royaume des Cieux, et sont donc astreints au célibat, don particulier de Dieu par lequel les ministres sacrés peuvent s'unir plus facilement au

---

92. SCHWARZ Jennifer, *Une histoire du refoulement chrétien.* (Le monde des religions, 7 juillet 2009)

> Christ avec un cœur sans partage et s'adonner plus librement au service de Dieu et des hommes.

Le célibat, un « don particulier de Dieu » ? Exceller au violon ou au tennis, ça entre dans le champ des dons, soit. Mais une vie de célibat ? Par quel raisonnement abscons en arrive-t-on à cette affirmation ?

Plus près de nous, le pape Benoît XVI a écrit :

> Le fait que le Christ lui-même, prêtre pour l'éternité, ait vécu sa mission jusqu'au Sacrifice de la croix dans l'état de virginité constitue le point de référence sûr pour recueillir le sens de la tradition de l'Église latine sur cette question. Il n'est donc pas suffisant de comprendre le célibat sacerdotal en termes purement fonctionnels. En réalité, il est une conformation particulière au style de vie du Christ lui-même.

C'est pour faire comme Jésus, en fin de compte, qu'on demeure chaste.

Perçu comme un gars tellement ouvert d'esprit, le pape François 1er a une position tiède sur la question du célibat des prêtres : pas farouchement contre, mais... hmmmm... En fait, l'idée que des prêtres catholiques se marient dans un avenir prévisible est encore inimaginable. Cela dit, et considérant que les aspirants à la prêtrise ont en général une peur bleue des femmes, ce n'est pas demain la veille qu'on assistera à des manifs de ces hommes en robe autour du sujet.

LA VIRGINITÉ

La mère de Jésus résume à elle seule l'image que les gens d'Église entretiennent de la femme idéale : pieuse, bonne maman et surtout, surtout vierge. On a déjà vu que Matthieu et Luc ont inventé de toutes pièces des récits de la Nativité de Jésus. Ne s'entendant sur à peu près rien, ils sont toutefois d'accord sur ceci : la mère de Jésus est restée vierge.

> Dans le christianisme, Marie réunit tous les rôles attribués dans l'Antiquité aux déesses : mère, vierge, guerrière dominant les plantes et les animaux. Mais elle seule possède une virginité perpétuelle et une impeccabilité absolue. En effet, pour les Pères de l'Église, la femme est la cause de la Chute, la tentatrice, que l'on range aux côtés de Satan. D'où l'impératif des premiers siècles de la chrétienté d'exempter la mère du Christ d'une sexualité abhorrée et d'affirmer sa pureté virginale. Le fils du Père ne peut être né que d'une matrice pure.[93]

Hantés par l'idée que, de près ou de loin, quelque chose se rapprochant d'un semblant de début de sexualité ait pu intervenir dans la trajectoire terrestre de Marie, les grands penseurs de l'Église ont élaboré successivement deux théories ésotériques pour battre le sexe en brèche. Que ça ait survécu et que les fidèles purs et durs y accordent encore du crédit me dépasse.

---

93. Quentin Florence, *L'obsession de la virginité.* (Le monde des religions, 1er juillet 2009)

D'abord, les Pères de l'Église se sont appliqués assez tôt à résoudre l'épineux problème des frères et sœurs de Jésus. Ces fâcheux personnages étant mentionnés et nommés à plusieurs reprises dans les Évangiles et les Actes, impossible de feindre l'ignorance. L'évidence est là : Marie a accouché d'au moins trois ou quatre autres après Jésus. Mais comment purent bien être fabriqués ces enfants ? Par une pénétration de Joseph ? *My God, no way* ! Inconcevable ! Aussi a-t-on créé le concept de la virginité perpétuelle de Marie. Cette doctrine a été proclamée officiellement au deuxième concile de Constantinople en 553. (Bien que les catholiques et orthodoxes aient admis l'idée, les protestants l'ont toujours repoussée.) En gros, cela établit que Marie est non seulement restée vierge pour Jésus, mais également pour tous ses frères et sœurs.

Et on avait un problème de réglé.

Problème suivant : Marie peut-elle être née elle-même d'une vulgaire et déshonorante relation sexuelle ? Peut-on supporter cette ignoble idée qu'en amont de la naissance du fils de Dieu, les parents de la Vierge Marie aient copulé comme des animaux en rut ? Image trop répugnante pour être tolérée ! Comme nous l'avons évoqué dans le chapitre sur le langage des théologiens, ce problème fut résolu par l'élaboration du lumineux concept de « L'Immaculée Conception ». Ce dogme catholique nous dit que Marie fut elle-même conçue sans être marquée par la vilaine tache du péché originel. Autrement dit, la mère de Marie ne s'est jamais abaissée à coucher avec un homme. Chose sûre, après avoir consulté ses évêques qui se montrèrent à l'aise avec l'idée, le pape Pie IX approuva la doctrine de l'Immaculée Conception le 8 décembre 1854. En avait-on, de gros dossiers, dans ce temps-là ?

LE DÉGOÛT DU CORPS DE LA FEMME

À l'évidence traumatisés et en général parfaitement ignorants sur le plan sexuel, les membres du clergé catholique manifestent depuis toujours une répulsion pour le corps de la femme. Cet objet irrésistible de leurs désirs secrets qu'ils étouffent, faute de pouvoir le conquérir.

C'est encore vrai. Du temps où la religion avait du pouvoir, le dégoût de la femme atteignait des sommets :

> À la fois putain, infernale et idiote pendant des siècles, les plus brillants cerveaux du christianisme vont rivaliser de zèle fielleux pour éreinter la femme. Et c'est la surenchère. Odon de Cluny écrit au Xe siècle : « Nous qui répugnons à toucher du vomi et du fumier, comment pouvons-nous désirer serrer dans nos bras ce sac de fientes ? »[94]

Quelques déclarations de hauts dignitaires de l'Église catholique permettent de saisir l'état d'esprit de tous ces vieux frustrés en robe qui nichent au Vatican. Ainsi, en 1938, s'avançant sur le terrain de la mode féminine, Son Éminence le Cardinal Pompili, Vicaire de Rome, avait ces mots :

> Nous rappelons que l'on ne peut considérer comme étant décent un vêtement dont le décolletage

94. Festraëts Marion, Angevin Patrick, Ghazi Siavosh et Lagarde Dominique, *ibid.*

> dépasse la largeur de deux doigts au-dessous de la naissance du cou, un vêtement dont les manches ne descendent pas au moins jusqu'au coude et qui descend à peine au-dessous des genoux. Indécents sont également les habits d'étoffe transparente.

S'exprimant sur le sujet, Sa Sainteté le pape Pie XII allait plus loin :

> L'homme lui-même n'échappe pas au goût de l'exhibition de sa chair : on va le torse nu en public, on porte un pantalon ou un maillot collant trop abrégé. On commet par là des infractions à la vertu de modestie, quand on n'est pas occasion de péché, en pensée ou en désir, pour le prochain. Quant à cette exaltation de la sexualité, du plaisir charnel, nous sommes bien ici en pleine doctrine conciliaire, et c'est répugnant.

À ne pas inviter sur la Côte d'Azur ou au défilé de la fierté gaie.

L'AVORTEMENT

Que les membres du clergé aient en général de sérieuses conditions psychologiques à traiter quand il s'agit de leur rapport à la femme, passe encore. Le poids et le restant d'autorité de l'Église dans certains pays deviennent toutefois gênants et sources de malheurs quand on aborde des questions graves comme l'avortement et le droit des femmes de disposer de leur corps. Le journaliste Sanal Edamaruku écrit :

> Quand Mère Teresa a reçu le Prix Nobel de la Paix, elle a profité de l'occasion que lui offrait son discours prononcé à Oslo et diffusé par les télévisions du monde entier pour déclarer que l'avortement était le mal le plus grand au monde, et elle a lancé un appel enflammé contre la régulation des naissances. Elle a reconnu que son œuvre de charité n'était qu'une partie du grand combat contre l'avortement et la régulation des naissances. Cette position fondamentaliste est une gifle envers l'Inde et les autres pays du Tiers Monde, pour lesquels la régulation des naissances est l'un des leviers les plus importants du développement et des transformations sociales.[95]

Ghyslain Parent évoque le scandale qui a secoué le Brésil il y a quelques années et dont nous avions entendu parler jusqu'ici :

> [...] plusieurs se souviennent d'un événement qui a marqué l'Église catholique en 2009 et qui a été rapporté par de nombreux journaux. Au Brésil, une enfant de neuf ans, violée par son beau-père et enceinte de jumeaux, a dû avorter. Les médecins avaient déclaré : « Nous ne pouvions pas faire courir de risques à une enfant de neuf ans, dont les organes ne sont pas encore formés ». Au Brésil, la loi interdit encore l'avortement, mais il est permis en cas de viol et si la vie de la mère est en danger. Insensible aux arguments médicaux, ignorant le sens commun et la compassion la plus élémentaire, l'archevêque de Recife, Mgr José Cardoso Sobrinho, excommunie la

95. Edamaruku Sanal, *India has no reason to be grateful to Mother Teresa :* https://mukto-mona.com/Articles/mother_teresa/sanal_ed.htm

> mère de l'enfant et l'enfant, ainsi que toute l'équipe médicale. Pour cet archevêque : « La loi de Dieu est au-dessus de celle des hommes. » Pour le conjoint de la mère, le violeur ? Il a droit à une réprimande de Monseigneur Sobrinho qui se permettra de commenter ainsi son geste : « Certes ce qu'il a fait est horrible, mais il y a tant de péchés graves, et le plus grave est l'élimination d'une vie innocente. » Bref, l'avortement est plus grave que le viol.

Plus près de chez nous, il y a les grandes marches pour la vie qui nous reviennent chaque printemps. Avec la Coalition nationale pour la vie, son pendant ontarien, le groupe Campagne Québec-Vie organise chaque année cette grande manifestation antiavortement qui attire des milliers de pro-vie à Ottawa.

Le moins qu'on puisse dire, c'est que les membres de ces deux mouvements ne font pas dans la nuance. Ne faisant aucune espèce de compromis, ils s'opposent systématiquement à toute interruption de grossesse. Point. Non négociable. Qu'une femme soit à vingt-huit semaines, vingt-huit jours ou vingt-huit minutes ne fait aucune différence. Comme le disait le brillant Bill Maher : « Pour les pro-vie, le gars n'a pas fini de prendre sa douche qu'il y a déjà trois personnes dans la chambre du motel ! »

Que la femme ait été violée à répétition par un dépravé ne justifie même pas un avortement pour les fidèles de Campagne Québec-Vie. Poussant la protection du bébé encore plus en amont, ces croyants sont, par-dessus le marché, contre toute forme de contraception. Obsession de la chose sexuelle, vous dites ?

Pour qui douterait que ce mouvement soit strictement motivé par des considérations religieuses, on apprend sur leur site internet qu'au chapitre de leurs activités publiques, Campagne Québec-Vie tient deux fois par an quarante jours de « vigile de prière ».

Si on a publié quelque part les résultats tangibles de ces interminables vigiles, j'aimerais qu'on m'en informe.

Prétendant marcher pour la vie, ces milliers de dévots marchent bien plutôt contre la liberté. Personne n'a le droit de dicter quoi que ce soit à une femme vivant une grossesse non désirée. Et surtout pas au nom de la moralité. Et encore moins au nom d'une morale religieuse.

Dieu ne devrait jamais, au grand jamais, s'inviter dans le débat public. Dès que des croyants purs et durs prennent ainsi la parole et assaillent notre Parlement avec leurs pancartes, la raison cède à l'irrationnel, l'ouverture d'esprit à l'intolérance aveugle.

Enfin, comme l'a écrit si justement l'auteur Sam Harris en soulignant que près de 20 % des grossesses se soldent par des fausses couches : « Si Dieu existe vraiment, il est alors le plus grand avorteur de l'histoire ! »

ÉPILOGUE
IMAGINE NO RELIGION...

Les personnes bonnes font de bonnes actions et les mauvaises personnes de mauvaises actions. Mais pour que de bonnes personnes fassent de mauvaises actions, ça prend la religion.
Steven Weinberg

S'il vous arrive de discuter religion avec un croyant et que la conversation vous amène sur le terrain de la moralité, il y a toutes les chances que votre interlocuteur vous sorte le classique : « Ah, mais s'il n'y a pas de dieu, alors on peut commettre des viols et des meurtres tant qu'on veut ! » Ce à quoi vous pouvez lui retourner cette question : « As-tu vraiment d'irrésistibles pulsions de meurtres et de viols que seule la pensée de Dieu t'empêche de mettre à exécution ? »

Si, en effet, c'est seulement la crainte d'un châtiment divin qui retient quelqu'un de s'adonner aux pires atrocités, c'est que ce quelqu'un a de très inquiétantes pulsions et que vous devez le tenir éloigné de votre tiroir à couteaux.

Rien n'est plus malicieusement interprété que cette phrase malheureuse de Dostoievsky : « Dieu n'existe pas, alors tout est permis. » Il est beaucoup plus juste de dire : « Dieu existe, alors tout est permis. » Sont permises les attaques du 11 septembre 2001, sont permis les attentats terroristes islamiques sur une base devenue presque quotidienne, sont permis les crimes d'honneur, sont permises les lapidations d'homosexuels, sont permis Boko Haram et les Shebab, sont permis les prêtres pédophiles, sont permises les excisions, les abus de Lev Tahor, l'Ordre du Temple solaire, l'organisation de l'État islamique…

Tant et tant de cruautés au nom d'entités surnaturelles dont on n'a aucune preuve.

> On ne s'entre-tue pas pour les mathématiques, ni pour aucune science, ni même pour une vérité de fait, lorsqu'elle est bien établie. On ne s'entre-tue que pour ce qu'on ignore ou qu'on est incapable de prouver. Les guerres de religion font pour cela un formidable argument contre tout dogmatisme religieux.[96]

Beaucoup de croyants pensent à tort que la religion est ce qui les porte à être bons. Que la religion les tient dans le droit chemin. La plupart s'imaginent que, durent-ils soudain abandonner leurs croyances, ils cesseraient du jour au lendemain d'aimer leurs enfants, leurs parents, qu'ils ne se soucieraient plus d'agir avec honnêteté, qu'ils n'éprouveraient plus de compassion

96. Comte-Sponville André, *ibid.*

devant les drames humains, qu'ils sombreraient dans les abîmes du vice, que le mal grandirait en eux comme de la mauvaise herbe.

La réalité, c'est que leur conversion à l'athéisme ne changerait pour ainsi dire rien à leur vie de tous les jours. Au bout du compte, ils seraient probablement plus dynamiques, ouverts et auraient envie d'en profiter davantage. Chose certaine, ils ne seraient pas moins moraux.

Dan Barker a été pasteur de nombreuses années avant de douter et de devenir un athée pur et dur. Parlant de la moralité, il écrit :

> En fait, dans le quotidien, il n'y a pas de grand mystère à la moralité. C'est une simple affaire de respect, de gentillesse, de bon sens. Dans des situations exceptionnelles où l'on est confronté à un dilemme (intervenir en voyant un homme frapper sa femme, aider une personne en détresse, etc.), la foi ne change rien. La moralité naturelle consiste à éviter et minimiser autant que possible le mal qu'on peut causer aux autres. La moralité est dans notre conscience, notre raison est dans notre conscience. On parle ici de « conscience » comme d'une fonction de notre cerveau, de notre intelligence. Si votre seule motivation à aider les autres, c'est la promesse du paradis, ça montre à quel point vous n'avez pas une haute estime des autres.

Les croyants sont-ils plus « moraux » que les athées ? Ont-ils moins tendance à mal tourner, à commettre des crimes, par exemple ? Non. Au contraire, si ça se trouve.

GOD IS AN AMERICAN

Dans *Letter to a Christian Nation*, l'auteur américain Sam Harris observe que dans les États rouges (républicains) où l'on est beaucoup plus religieux que dans les États bleus (démocrates), on s'attendrait à ce que ce clivage fasse apparaître des différences frappantes pour ce qui est de la criminalité. Et c'est le cas. Mais pas dans le sens qu'on aurait cru ! En fait, les chiffres disent ceci :

- sur les 25 villes américaines où les taux de crimes violents sont les plus faibles, 62 % sont dans des États bleus (moins religieux) ;
- sur les 25 villes les plus dangereuses, 76 % sont dans des États rouges (3 des 5 villes les plus dangereuses des États-Unis se trouvent dans l'état archipieux du Texas) ;
- les 12 États qui ont les taux de cambriolage les plus élevés sont rouges ;
- sur les 22 États qui ont les taux de meurtres les plus élevés, 17 sont rouges.

Ça saute aux yeux qu'il y a, aux États-Unis, une corrélation entre pratique religieuse et criminalité. D'ailleurs, au prorata de leur nombre, les athées composent un pourcentage de la population carcérale infiniment plus petit que les croyants. Ainsi, 75 % des Américains sont chrétiens et 75 % des détenus en prison sont chrétiens. D'un autre côté, environ 10 % des Américains sont athées, mais seulement 0,2 % des détenus sont athées.

Combien de fois avons-nous entendu parler de ces cas de meurtriers qui jurent avoir commis leurs crimes odieux en suivant les ordres que la voix de Dieu ou du

Christ leur avait donnés ? Un journaliste a mené une étude sur le profil des auteurs de meurtres en série aux États-Unis. Sur les douze cas de tueries qu'il a choisis de façon aléatoire, onze avaient ce dénominateur commun : le tueur avait eu une éducation fortement religieuse dans son enfance et/ou il croyait à l'existence des démons. La majorité transportaient une Bible avec eux partout où ils allaient.

Jamais on n'a pu répertorier un cas où un individu a commis des meurtres en série, motivé par le fait qu'il ne croyait pas à des forces surnaturelles comme Dieu ou le Diable et se croyait par conséquent tout permis.

Les États du Bible Belt, là où vivent les Américains les plus conservateurs au plan religieux, sont, pour plusieurs, ceux où la peine de mort est la plus rigoureusement appliquée. Sélectifs en matière de versets bibliques, ces braves croyants ont privilégié le passage « Œil pour œil » (Ex 21, 23-25) au détriment de « Tu ne tueras point ».

La constitution américaine fut rédigée par des hommes ouvertement sceptiques et affichant une méfiance se confinant au mépris pour la religion. Entre autres, c'est Thomas Jefferson qui a déjà déclaré : « Le christianisme est le système le plus perverti qui ait jamais terni l'homme. » Benjamin Franklin, quant à lui, a eu ce mot d'esprit qui en dit long sur son appréciation des curés : « Les phares sont plus utiles que les églises. »

Les pères de la nation américaine seraient anéantis de constater que le pays de liberté dont ils ont rêvé est devenu le royaume des télévangélistes, des lobbys de chrétiens de droite, des sectes en tous genres. Il faut savoir que c'est seulement au moment de la Guerre de

Sécession (1861-1865), époque trouble où le sentiment religieux était très fort, que le célèbre *In God We Trust* devint officiellement la devise américaine. Et ce ne sera qu'en 1957 qu'il apparaîtra sur les billets de banque.

En ce début de XXIe siècle, il y a aux États-Unis, seulement pour la confession chrétienne, plus de 34 000 dénominations différentes. C'est donc plus de 34 000 Églises se distinguant les unes des autres par des visions, des interprétations divergentes de la Bible.

S'il est possible, comme le veut l'expression, de *se retourner dans sa tombe*, les fondateurs de la nation américaine auraient sans doute *spinné* 3000 tours/minute en entendant les discours hystérico-religieux du président Georges W. Bush. Deux citations au hasard de ce grand pécheur repenti :

> Je ne crois pas que les athées devraient être considérés comme des citoyens américains ou comme des patriotes. Ce pays est sous la loi de Dieu.
>
> Dieu m'a dit de frapper Al-Qaeda et je l'ai fait. Il m'a dit de frapper Saddam Hussein et je l'ai fait.

Bush, un des hommes les plus puissants de la planète à une époque, jurait recevoir des messages de Dieu. Gageons que l'affirmation passerait moins bien venant de la bouche des chefs d'État d'autres pays occidentaux comme la France, l'Angleterre ou l'Allemagne, pour ne nommer que ceux-là.

Suspectes aux États Unis à l'origine, l'appartenance et la pratique affichées à une confession religieuse sont devenues des prérequis à toute réussite politique et il est presque inconcevable qu'un politicien ouvertement athée puisse prétendre à de hautes fonctions telles que sénateur ou gouverneur. Un président athée ? Jamais de la vie.

Qu'un autre fêlé de Dieu comme W. soit éventuellement élu président des États-Unis ? Fort plausible. Après tout, Mitt Romney, un mormon, a bien failli renverser Obama en 2012. Oui, Romney est un fier représentant de l'Église de Jésus-Christ des saints des derniers jours. Étonnamment, durant sa campagne, les médias ont fait leurs gorges chaudes d'une déclaration maladroite de Romney qui a laissé échapper des propos vaguement méprisants pour la classe défavorisée. Le verdict a été sans appel : le candidat républicain n'avait pas le droit de penser de telles choses des pauvres. Scandaleux ! Mais que ce même Romney se revendique d'une secte où les gars portent des caleçons sacrés censés posséder des vertus qui éloignent le Mal, une secte où l'on n'a pas le droit de boire du café, une secte misogyne et raciste dont les adeptes croient que c'est au Missouri que Jésus effectuera son grand retour et qui évitent la baignade parce que Satan aurait le contrôle de tous les points d'eau de la planète, tout ça n'est jamais questionné par les médias. « *In God We Trust* », qu'on vous dit.

Oui, nos voisins américains sont très croyants. Meilleurs pour autant par rapport aux autres ? Loin de là.

> Les États-Unis sont le pays le plus religieux au monde et aussi le pays avec le plus haut taux de crimes. Dans certains pays d'Europe où la pratique religieuse est à peine à 10 %, on a des taux de criminalité infiniment plus bas.[97]

---

97. Mills David, *ibid.*

On pourrait montrer ici les résultats éloquents de nombreuses études qui furent effectuées à répétition à l'échelle mondiale : les pays où l'indice de bonheur est le plus élevé et où les taux de crime sont les plus bas sont les pays les moins religieux.

LE BÂTON ET LA CAROTTE

Les croyants conservateurs voient les athées comme des dévergondés, des libidineux, incapables de fidélité, indignes de confiance. Pourtant, ceux-ci présentent, on l'a vu, un moins grand taux de divorce que les pratiquants de la plupart des religions. Au prorata, ils ont par ailleurs un moins grand taux de maladies transmises sexuellement et subissent moins d'avortements.

Absolument rien n'indique que les athées ont une conduite moins morale que les individus qui souscrivent à une doctrine religieuse. La plupart, d'ailleurs, adhèrent tout bonnement à un système de croyances qui font la promotion des valeurs humaines sans allusion à un quelconque credo biblique. Ils sont, en général, des gens honnêtes et responsables, fonctionnant très bien en société et ayant le sens du bien et du mal.

Les athées sont les premiers à concéder qu'à toutes les époques des religieux et religieuses ont accompli des choses extraordinaires et ont démontré des trésors de générosité et d'amour pour leurs semblables. Il faut reconnaître que des gens d'Église ont réellement contribué au bien de l'humanité et ont consacré leur vie à aider les démunis. Ils le faisaient au nom de Dieu. Ils auraient tout aussi bien pu le faire au nom de l'Homme. Sans rien attendre comme récompense.

> Croire que la morale est commandée par Dieu vient corrompre notre moralité. Ça remplace nos motifs moraux profonds (sens du devoir et de la justice, sentiment de générosité, d'empathie, etc.) par un égoïste calcul de la personne qui agit bien dans le but d'obtenir une récompense divine et d'éviter une punition.[98]

Aux débuts des civilisations, l'humain a dû créer des règles de conduite pour rendre possible la cohésion sociale. Le concept d'une « autorité surnaturelle » qui surveillait nos faits et gestes et sanctionnait nos mauvaises actions s'imposait alors pour avoir un meilleur contrôle sur les gens. Résumant une réflexion de Nietzsche, l'auteur H.L. Mencken écrit :

1. Chaque système de moralité trouve son origine dans une expérience utilitaire. Un peuple, réalisant que certaines actions accroissent sa sécurité et son bien-être, qualifie ces actions de « bonnes » ; et réalisant que certaines autres actions le mettent en péril, qualifient ces actions de « mauvaises ». Une fois établies, ces qualifications semblent permanentes.
2. La menace de chaque système moral réside dans le fait que, en raison de l'autorité supernaturelle qui se cache derrière, le système tend à demeurer inchangé longtemps après que les conditions qui ont mené à sa création aient été supplantées par

98. MACKIE J.L. , *ibid.*

> des conditions différentes et souvent totalement antagonistes.

Si les dieux ont déjà été utilitaires, ils ne le sont plus.

Créateur d'un important site internet pour les sceptiques, conférencier populaire, Michael Shermer a une explication simple et convaincante quant à l'origine des religions. Shermer nous dit que, quand les groupes humains se sont mis à prendre de l'ampleur, quand on est passés de petites sociétés de cinquante ou deux cents membres à des groupements de cinquante mille et plus, il a fallu pour maintenir une cohésion sociale et éviter le chaos mettre en place des renforcements, édicter des règles et placer des gens en autorité pour les appliquer. Le gouvernement, les forces de l'ordre sont apparus. Mais pour ces citoyens particulièrement réfractaires à toutes les formes d'autorité, la religion est intervenue en ajoutant une seconde figure autoritaire, non visible mais investie d'un pouvoir encore plus grand : il y a un œil dans le ciel qui vous surveille sans arrêt et vous serez punis plus tard si vous vous comportez mal dans cette vie.

Les croyants (les théistes, du moins) ont tous cette conviction que le regard d'un *Big Brother* surnaturel est sans cesse posé sur eux. Et cela conditionne leur vie et exerce sur eux un énorme pouvoir psychologique. Surtout, comme c'est le cas la plupart du temps, s'ils ont été endoctrinés à un très jeune âge.

Des expériences furent menées avec des enfants afin d'évaluer la force que peut avoir sur eux l'idée d'un être imaginaire. Ainsi, on plaçait de jeunes enfants dans une salle de jeu. On donnait à chacun une balle en velcro qu'il devait lancer sur une cible en velcro assez difficile à atteindre. Dès que l'adulte supervisant le test sortait de la salle et s'absentait quelques minutes, la plupart des enfants trichaient en allant porter la balle pour la coller sur la cible. L'adulte responsable de l'étude dit ensuite aux enfants qu'il devait s'absenter quelques minutes, mais qu'une Princesse magique et invisible qui s'appelait Anne était assise sur une chaise juste là et qu'elle les surveillerait. Plus aucun enfant ne tricha. Les enfants élevés dans la religion vont croire tout ce qu'on leur dit. Et continueront à penser plus tard qu'ils ne peuvent être de bonnes personnes sans la religion.

L'homme n'a pas besoin de la religion pour être moral.

> Sincèrement, est-ce que vous avez besoin de croire en Dieu pour penser que la sincérité vaut mieux que le mensonge, que le courage vaut mieux que la lâcheté, que la générosité vaut mieux que l'égoïsme, que la douceur et la compassion valent mieux que la violence et la cruauté, que la justice vaut mieux que l'injustice, que l'amour vaut mieux que la haine ? Bien sûr que non ![99]

Sa lente et longue évolution a inscrit chez l'humain un sens moral que l'éducation et la vie en société viennent raffiner et développer. D'ailleurs, si les grandes vérités morales se trouvaient dans la religion, comment expliquer qu'elles diffèrent d'une l'autre ?

> Les humains savent que ce qui est « bon » est ce qui améliore la vie et « mal » ce qui la menace ou lui nuit.

---

99. Comte-Sponville André, *ibid.*

> Pas besoin d'un dieu pour savoir qu'il est mauvais de tuer, mentir, voler. La morale varie d'ailleurs d'une religion à une autre. Des religions permettent des choses telles que la polygamie, les sacrifices, la torture, l'excision, le sexisme, l'amputation, etc. N'importe quel conseil moral de la Bible qui est pertinent ne l'est que parce qu'il s'accorde aux valeurs humaines et passe le test.[100]

Encore une fois, il serait inconvenant de nier que la religion a produit des êtres exceptionnels. Générations après générations, des hommes et femmes mus par une foi réelle ont amélioré le monde. Plusieurs saints et saintes n'ont pas volé leur titre honorifique et ont été des modèles d'altruisme et de dévouement. Mais cela prouve-t-il qu'il y a un dieu ?

> Reconnaissons qu'il y a davantage de saints chez les croyants que chez les athées ; cela ne prouve rien quant à l'existence de Dieu, mais interdit de mépriser la religion.[101]

Un autre problème est que la croyance en une divinité peut justifier autant les gestes de bonté que les gestes de haine.

Le brillant philosophe Daniel Dennett a beaucoup réfléchi à ces questions et offre une opinion très éclairée :

> La religion joue un rôle important en matière de moralité en plaçant les gens devant ce choix : si vous êtes bons, vous irez au paradis, sinon en enfer. Sans cette carotte et ce bâton, pensent les croyants,

100. Barker Dan, *ibid.*

101. Comte-Sponville André, *ibid.*

> les gens se conduiraient tous comme des bêtes sauvages. Cela témoigne d'une vision dégradante de la nature humaine.
>
> S'il y a un quelconque lien entre la moralité et la pratique religieuse, il reste à découvrir. [...] Plutôt que de produire des gens équilibrés, la croyance à un paradis éternel conduit des fanatiques à commettre des actes monstrueux. Attentats-suicides, attaques contre des innocents, etc. [...] Il n'y a tout simplement aucune raison pour laquelle l'incroyance dans l'immatérialité ou l'immortalité de l'âme ferait d'une personne quelqu'un de moins moral, moins bon, moins soucieux du bien-être de ses semblables.

LE MYTHE DES DICTATURES ATHÉES

Dans la grande balance de l'histoire, les maux engendrés par la religion n'ont aucune mesure avec ceux qu'aurait pu provoquer l'athéisme. Pour tout dire, il est difficile d'identifier sans équivoque des tragédies d'envergure, des génocides, des guerres motivés par une doctrine athée.

D'aucuns parmi les croyants férus d'histoire avanceront le bon vieux: « Ah, mais Staline et Hitler ! Ah ah ! Les deux pires monstres du XXe siècle ! Des athées ! Ah ah ! »

Réglons d'abord le cas de Hitler...

Loin d'être athée, le Führer invoquait allègrement le nom de Dieu. Par exemple, se référant à son destin fabuleux, il écrivait dans *Mein Kampf*: «Je suis convaincu que j'agis en tant que l'outil de notre Créateur. En combattant les juifs je fais l'œuvre de notre Seigneur. »

Il a même fait cette profession de foi non équivoque en 1941 : « Je resterai toujours catholique. »

On martèle tant et tant dans les Évangiles que les Juifs sont responsables de la mort du Christ, doit-on se surprendre qu'un esprit dément et antisémite comme Hitler se voit comme celui qui va « finir le travail » ? Si on a encore un doute, il suffit de prendre connaissance de cet extrait d'un discours de Hitler qui affirmait en 1926 : « Le Christ a été le plus grand combattant de l'ennemi mondial que sont les Juifs. Le travail que le Christ a commencé, moi, je le finirai. »

Par ailleurs, si on en croit les propos qui suivent, le patron des nazis n'aurait probablement pas endossé un projet de charte de la laïcité :

> Les écoles laïques ne peuvent être tolérées parce que de telles écoles n'ont pas d'instructions religieuses et une instruction morale sans fondements religieux ne repose sur rien. Conséquemment toute éducation doit être basée sur la foi, nous avons besoin de croyants.
>
> Discours durant la négociation
> du concordat nazi-Vatican, 26 avril 1933

Et ces autres extraits de discours hitlériens, on en conviendra, ne ressemblent pas davantage à de la propagande athée :

> Je crois que c'était la volonté de Dieu qu'un jeune garçon soit envoyé au Reich et devienne le chef d'une nation.
>
> 9 avril 1938, Vienne

> Dieu a créé ce peuple et il a grandi selon sa volonté.
> Et selon notre volonté il perdurera et sera éternel.
> 31 juillet 1937, Breslau
> Nous prions Dieu qu'il mène nos soldats sur le bon chemin et qu'il les bénisse. L'ordre du jour d'Hitler.
> 6 avril 1941, Berlin

Hitler demandait à tous les enfants allemands de commencer leur journée en faisant une prière au petit Jésus. Non seulement le Führer n'était pas un incroyant, mais il détestait les athées qu'il envoyait dans les camps de concentration. Dans un discours en 1933, il a affirmé :

> Nous étions convaincus que les gens ont besoin de cette foi et qu'ils la veulent. Nous avons donc entrepris de lutter contre le mouvement athée, et cela pas simplement à l'aide de quelques déclarations théoriques : nous l'avons éliminé.

Rappeler, enfin, qu'on pouvait lire sur les boucles de ceinture des soldats de la Wermacht la formule *Got mint uns* qui signifie *Dieu est avec nous.* Aux yeux de ces crapules comme aux yeux de leur chef, l'extermination des Juifs s'apparentait à une macabre mission divine.

Considérant la complaisance et l'inaction du Vatican devant les horreurs du nazisme, le slogan n'était pas totalement inapproprié.

Et les autres grands dictateurs ? Les Staline, Mao, Pol Pot ? Est-ce au nom de l'athéisme qu'ils ont commis leurs crimes ?

Christopher Orlet a une explication convaincante :

> Sans aucun doute Staline, Mao et Pol Pot étaient des sceptiques, mais s'il existe un lien entre le fait que le manque de croyances au surnaturel indique un penchant à commettre des atrocités on aura du mal à en trouver la preuve en se basant sur les actions de ces dictateurs. Des pires massacres/génocides commis par des gouvernements au XXe siècle, quatre l'ont été par des états officiellement athées (La Chine communiste, l'URSS, le Vietnam du Nord et les Khmers rouges au Cambodge) et six par des états qui ne l'étaient pas (l'Allemagne nazie, les nationalistes chinois, la Turquie, le Japon impérial, la Pologne et le Pakistan). Ces régimes ont plusieurs similitudes. Un nationalisme radical, la nécessité perçue du besoin d'éliminer « l'ennemi », mais s'il y a une chose qu'ils n'avaient pas en commun c'est l'athéisme.
> [...] Sous Staline on estime à sept millions les morts durant la famine forcée de 1932-33 pour écraser le mouvement indépendantiste ukrainien. Encore là, qu'a à voir l'athéisme avec ces morts ? L'argument simpliste qui consiste à prétendre que Staline était un athée et qu'il a créé les conditions qui ont conduit à cette famine, donc que l'athéisme conduit forcément à la famine et au génocide ne tient pas la route.[102]

Des guerres au nom de l'athéisme ? Quand on s'y arrête une seconde, la proposition a quelque chose d'absurde.

---

102. Orlet Christopher, *Les leçons des dictatures athées.* (Association des humanites du Québec : assohum.org, 10 mars 2009)

> Je ne peux m'imaginer qu'une guerre a été menée au nom de l'athéisme. [...] Qui voudrait aller en guerre au nom d'une absence de croyance ?[103]

LES LOURDS ANTÉCÉDENTS DES RELIGIONS

S'il est périlleux d'imputer directement à l'athéisme des grandes tragédies, l'histoire est tapissée d'un bout à l'autre d'horreurs perpétrées au nom d'une religion.

> Il est incontestable que, dans l'histoire humaine, plus de gens ont été tués à cause de la religion qu'à cause de n'importe quelle raison liée à l'athéisme.
> Pendant 1500 ans, l'Église catholique a opéré des chambres de torture en Europe. La torture était la règle. Après la Bible, le livre le plus vénéré dans l'histoire chrétienne est le *Malleus Maleficarum* (*Marteau des Sorcières*) qui donnait le processus à suivre pour torturer les sorciers et sorcières. Des dizaines de milliers de personnes ont été torturées à mort annuellement. On a même torturé des enfants de deux ans. La seule restriction : il fallait que l'instrument de torture soit béni par un prêtre avant de servir.[104]

En 1990, l'auteur et journaliste James A. Haught a rédigé *Religions's Death Toll*[105], un texte disponible sur le net où il fait une synthèse des pires atrocités dont furent responsables les religions. Haught explique que

---

103. DAWKINS Richard, *ibid.*

104. MILLS David, *ibid.*

105. HAUGHT James A., *Religion's Death Toll* : www.theskepticalreview.com/jahpoliticsdeathtoll.html

l'expérience humaine nous montre que, quand une religion est forte, elle est source de cruauté. Et des croyances intenses engendrent une hostilité intense.

En vrac, quelques tristes épisodes recensés par l'auteur...

LA PREMIÈRE CROISADE : lancée en 1095 sous le slogan *Dieu le veut !* Le mandat : exterminer les infidèles qui occupent la Terre sainte. Les premiers croisés en Allemagne sont tombés sur les infidèles locaux, les Juifs dans la vallée du Rhin. Des milliers d'entre eux furent battus à mort ou brûlés vifs. Les légions religieuses franchirent alors les 3000 km qui les séparaient de la Ville sainte. À Jérusalem, ce fut un massacre en règle et les habitants furent presque tous éliminés. Un témoin écrivit : « Dans le temple de Salomon, on marchait et le sang des victimes arrivait à la hauteur de nos genoux. »

LES SACRIFICES MAYAS : entre le XIe et le XVIe siècle, les sacrifices humains faisaient partie des mœurs dans la théocratie maya en Amérique Centrale. Pour satisfaire un dieu représenté par un serpent à plumes, des vierges étaient noyées dans des puits sacrés tandis qu'on arrachait le cœur d'autres sacrifiés.

TROISIÈME CROISADE : Richard Cœur de Lion captura Acre en 1191. Il ordonna aux trois mille prisonniers (parmi lesquels des femmes et enfants) de sortir de la ville et les fit tous exécuter. La vie des infidèles n'avait aucune valeur.

LES ASSASSINS : le mot vient d'une secte de musulmans chiites. Ils devaient démontrer leur foi à l'islam en tuant des infidèles. Du XIe au XIIIe siècle, ils tuèrent un très grand nombre d'innocents.

LES JUIFS ET LE SANG DES ENFANTS : dès le XIIe siècle, des rumeurs étaient répandues dans toute l'Europe à l'effet que les Juifs enlevaient des enfants chrétiens, les sacrifiaient et utilisaient leur sang dans des rituels. En conséquence de ces folles inventions, on assista à des centaines de massacres de Juifs.

BÉZIERS : en 1209, le pape Innocent III lança une croisade armée contre les Albigeois dans le sud de la France. On assiégea la ville de Béziers qui, finalement, capitula. La légende veut que les soldats, en entrant dans la ville, aient demandé au délégué du pape comment ils allaient distinguer les infidèles des croyants. Le délégué aurait répondu : « Tuez-les tous. Dieu reconnaîtra les siens ». Et c'est ce qu'on fit. Près de vingt mille victimes, la plupart torturées avant d'être tuées.

LES INCAS : au XIIIe siècle, les Incas bâtirent un empire au Pérou, une société dominée par des prêtres qui offraient des humains en sacrifice pour contenter les dieux. Lors de cérémonies importantes, on pouvait ainsi brûler jusqu'à deux cents enfants tandis qu'on étranglait une quantité appréciable de jeunes filles vierges comptant parmi les *heureuses* élues.

L'INQUISITION : établie par le pape au XIIIe siècle pour éliminer les hérétiques et sorcières. Les Inquisiteurs torturèrent et tuèrent pendant plus de cinq cents ans. Des prêtres ont torturé des milliers de femmes dans le but de leur faire avouer qu'elles étaient des sorcières, qu'elles volaient dans le ciel et avaient des relations intimes avec le Diable. Des villages entiers furent exterminés.

LA PESTE DES JUIFS : quand la Peste noire frappa l'Europe en 1348-49, une rumeur se répandit voulant qu'elle eût été causée par des Juifs qui auraient empoisonné les puits. Des foules hystériques massacrèrent des milliers de Juifs.

LES AZTÈQUES : ils établirent une prospère théocratie au XIVe siècle et marquèrent l'âge d'or des sacrifices humains. Environ vingt mille personnes étaient tuées chaque année pour apaiser les dieux, en particulier le dieu du soleil qui avait besoin de sa ration quotidienne de sang. On arrachait le cœur des sacrifiés, on les mangeait parfois. D'autres victimes étaient décapitées, noyées, brûlées ou jetées d'une falaise. Dans un rituel pour le dieu de la pluie, on tuait des enfants en pleurs sur différents sites afin que leurs larmes provoquent de la pluie. Dans un autre rite pour une déesse, une vierge devait danser durant vingt-quatre heures, après quoi elle était tuée et écorchée : sa peau était alors portée par un prêtre qui faisait à son tour une danse. On raconte que, lors du couronnement du roi Ahuitzotl, quatre-vingt mille prisonniers furent massacrés pour faire plaisir à des dieux qui reposent aujourd'hui au cimetière des dieux déchus.

D'AUTRES SACRIFICES : Au Tibet, des shamans s'adonnaient à des meurtres rituels. À Bornéo, on construisait des maisons en prenant soin de glisser le corps d'une vierge sous les fondations afin d'apaiser la déesse de la terre. En Inde, des fidèles de Kali sacrifiaient un enfant mâle tous les vendredis.

L'HORREUR ISLAMIQUE

La religion a toujours tué. Elle tue plus que jamais. Les armes ont simplement changé de mains. Les inquisiteurs et croisés ont cédé le terrain aux djihadistes, aux fous d'Allah.

La prolifération relativement récente des attentats terroristes est telle que nous avons lentement fini par adopter, par rapport à ceux-ci, une attitude oscillant entre indifférence et insensibilité.

Pour la jeune génération, les nouvelles d'actes de terrorisme ne suscitent pas l'ombre d'une surprise. Ils ont acquis le sentiment que c'est dans l'ordre des choses. Pourtant, il n'en est rien et le phénomène est aussi nouveau qu'inquiétant.

Wikipédia propose une liste qui répertorie de façon exhaustive les attentats terroristes perpétrés depuis le début du XXe siècle.

Il est étonnant de constater que, pour la première moitié, on recense moins de quinze attentats. De 1950 à 1969, on en recense moins d'une douzaine.

À partir des années 1970, il y a recrudescence des actes terroristes et la page web offre un premier sous-menu « par année ». Ainsi, jusqu'en 1999, on observe une fluctuation du terrorisme (de cinq à vingt-cinq par année). Bien qu'on sente une fréquence à la hausse, les attentats demeurent sporadiques. En gros, jusqu'à la fin du siècle dernier, même d'une ampleur modeste, ça demeurait une grosse nouvelle.

À partir de 2000, on subdivise le répertoire des attentats avec des sous-menus mensuels. S'il est permis d'observer qu'au début de notre siècle, on jouit encore de brèves périodes d'accalmie, un examen des attentats des années 2012-2014 nous laisse pantois. La réalité, c'est qu'il ne se passe que rarement des périodes de trois jours consécutifs sans qu'il en soit perpétré un quelque part.

Et disons les choses telles qu'elles sont : la quasi-totalité est motivée par des raisons religieuses. Et la mouvance islamique détient pour ainsi dire le monopole de cette violence inouïe. Si vous en doutez, googlez : *list of designated terrorist organisations.* On y inscrit les organisations officiellement reconnues par les gouvernements. Pour ainsi dire, toutes associées à l'islam radical.

Prenons au hasard quelques attentats commis seulement en janvier 2013 :

- 3 janvier. À Musayyib, en Irak, une voiture piégée a causé la mort de vingt-huit pèlerins Chiites en plus d'en blesser sérieusement soixante autres. Le même jour, à Bagdad, une bombe artisanale explosait près d'un autobus, entraînant dans la mort quatre pèlerins et en blessant quinze autres ;
- 15 janvier. À Falloujah, en Irak, un attentat-suicide a causé la mort d'un parlementaire Sunnite et de six autres personnes. L'attentat est survenu deux jours après une tentative d'assassinat à l'endroit du ministre des Finances Rafi Hiyad al-Issawi ;
- 16-19 janvier. Des militants d'Al-Qaïda, sous le commandement de Mokhtar Belmokhtar, ont pris en otage plus de huit cents personnes près d'un complexe pétrolier en Algérie. Après quatre jours de siège, l'Armée algérienne a mis fin à la crise. Soixante-neuf personnes, dont quarante otages, ont trouvé la mort ;

- 21 janvier. À Al-Salamiyah, en Syrie, un kamikaze du mouvement islamique Front al-Nosra a fait exploser un camion rempli d'explosifs près d'un édifice gouvernemental. Au moins quarante-deux personnes sont mortes et des douzaines d'autres furent gravement blessées ;
- 23 janvier. À Tuz Khormato, en Irak, un attentat-suicide durant les funérailles d'un politicien irakien a provoqué la mort de quarante-deux personnes en plus d'en blesser soixante-quinze autres. D'autres attaques la même journée ont causé la mort de sept Irakiens.

Etc.

Le site Irak Body Count documente abondamment l'horreur vécue en Irak depuis l'invasion américaine de 2003. Par rapport à la période 2003-2010, on a dénombré 1003 attentats-suicides. Cela représente plus de cent-quarante par année, soit presque trois par semaine. Pour la même période, ils auraient provoqué la mort de 12 284 civils en plus de faire 42 928 blessés. Environ 11 % sont des femmes et 14 %, des enfants.

Il y a plus de 1,6 milliard de musulmans dans le monde. Dans la moitié des pays sur notre planète, l'islam est la religion prédominante. Il va sans dire que la très vaste majorité des musulmans sont des personnes de bien, qu'ils ont une conduite sociale irréprochable et n'envisagent pas un instant la violence pour imposer leur foi. Il n'en demeure pas moins que l'État Islamique compte de 100 000 à 125 000 membres, que Boko Haram pourrait bien en compter jusqu'à 30 000 et que les Talibans s'appuient sur des effectifs de combattants se chiffrant à environ 36 000, tout cela a de quoi inquiéter.

LES 10 COMMANDEMENTS ATHÉES

Les musulmans ont le Coran, les chrétiens la Bible, les juifs la Torah. Les athées n'ont pas un livre à eux. On serait bien en mal d'élaborer un tel livre et c'est parfait comme ça.

D'illustres athées proposent des règles de vie modernes et autrement plus efficaces pour remplacer les dix commandements bibliques. Des principes de moralité qui montrent bien que des normes de conduite sages et responsables n'ont nul besoin d'être soufflées à notre oreille par une quelconque entité divine…

Nous nous permettons de reproduire ici quelques exemples de « tables de loi athées »…

Les commandements de Penn Jillette

(Athée militant, auteur, humoriste, membre de l'extraordinaire duo de prestidigitateurs Penn and Teller)

1. Les plus grands idéaux humains sont l'intelligence, la créativité et l'amour. Respectez-les plus que tout ;
2. Ne placez jamais les choses ou les idées au-dessus des êtres humains ;
3. Que vos paroles soient en accord avec vos pensées et intentions ;
4. Prenez du temps pour vous reposer et réfléchir.
5. Soyez là pour votre famille. Aimez vos parents, vos collègues, vos enfants ;
6. Respectez et protégez toutes les vies humaines ;
7. Gardez vos promesses ;
8. Ne volez pas ;
9. Ne mentez pas ;

10. Ne gaspillez pas votre temps à vous faire de faux espoirs ou à être envieux.

Les commandements de Richard Dawkins
(Brillant scientifique athée, auteur du classique Pour en finir avec Dieu*)*

1. Ne faites pas aux autres ce que vous ne voudriez pas qu'ils vous fassent ;
2. En toutes choses, faites tout en votre pouvoir pour éviter de causer du mal à autrui ;
3. Traitez vos semblables et le monde en général avec amour, honnêteté, confiance et respect ;
4. Ne prenez pas à légère et ne pardonnez pas aveuglément les actions mauvaises, mais soyez prêts à pardonner des fautes librement avouées et honnêtement regrettées par leurs auteurs ;
5. Vivez avec des sentiments de joie et d'émerveillement ;
6. Tentez toujours d'apprendre quelque chose de nouveau ;
7. Testez tout ; confrontez vos idées aux faits, et soyez prêts à rejeter les idées que vous chérissez si elles ne se conforment pas aux faits ;
8. Ne vous empêchez jamais d'exprimer votre dissidence ; respectez toujours le droit des autres de ne pas être d'accord avec vous ;
9. Formez-vous des opinions indépendantes basées sur votre propre raisonnement et votre expérience ; ne vous laissez pas aveuglément mener par les autres ;
10. Questionnez tout.

Les commandements de Christopher Hitchens

(Journaliste, biographe, ardent polémiste athée disparu trop tôt, auteur du très populaire Dieu n'est pas grand*)*

1. Ne condamnez pas les gens en raison de leur ethnie ou de leur race ;
2. Ne songez pas un instant à utiliser les gens comme des propriétés privées ou comme des esclaves ;
3. Méprisez ceux qui utilisent ou menacent d'utiliser la violence lors de relations sexuelles ;
4. Si jamais vous blessez un enfant, cachez-vous le visage et pleurez ;
5. Ne condamnez personne en raison de ses inclinations innées (pourquoi Dieu créerait-il tant d'homosexuels si c'est pour les torturer et les détruire ?) ;
6. Soyez conscients d'être, vous aussi, un animal et de faire partie de la nature. Agissez et pensez en conséquence ;
7. Ne pensez pas échapper au jugement si, au lieu de voler les gens avec un couteau, vous le faites avec un programme ;
8. Éteignez ce putain de cellulaire : vous n'avez pas idée comme votre appel n'est pas important pour nous ;
9. Dénoncer tous les djihadistes pour ce qu'ils sont : des criminels psychopathes avec d'affreuses illusions… et de terribles répressions sexuelles ;
10. Soyez prêts à renoncer à tout dieu ou toute foi si un de leurs commandements contredit un des neuf précédents de cette liste.

***

S'il n'y avait eu de tout temps qu'une seule religion, si des preuves irréfutables de l'existence d'un être divin s'imposaient à nous, il nous faudrait être croyants.

Mais les preuves ne sont pas raisonnables.

Et toutes les religions se contredisent. Or, toutes ne peuvent pas avoir raison et détenir la vérité. Le chrétien ne croit pas au dieu des hindous pas plus que le musulman ne croit au dieu des juifs. Au bout du compte, tous les humains sont athées... à un dieu près !

Les nouvelles sont encourageantes pour le mouvement athée.

L'athéisme progresse et à vitesse grand V. Selon un sondage réalisé en 2012 par RedC, le nombre de personnes se déclarant athées a augmenté de 9 % dans le monde depuis la dernière mesure en 2005.

Le sondage de grande envergure, réalisé dans cinquante-sept pays auprès de 51 000 personnes, a posé la question « Que vous assistiez ou non à un office religieux, diriez-vous que vous êtes une personne religieuse, pas une personne religieuse ou un athée convaincu ? »

Il s'avère que, en moyenne, 59 % des personnes disent qu'elles se conçoivent comme religieuses, alors que 23 % se décrivent comme non-religieuses et 13 % comme des athées convaincus. Naturellement il y a d'énormes variantes d'un pays à l'autre.

Les pays avec le plus de personnes se décrivant comme athées sont la Chine (47 %), le Japon (31 %), la République tchèque (30 %), la France (29 %), la Corée du Sud (15 %), l'Allemagne (15 %), les Pays-Bas (14 %), l'Autriche (10 %), l'Islande (10 %), l'Australie (10 %) et l'Irlande (10 %).

Oui, l'avenir est prometteur pour la vaste confrérie des humanistes, sceptiques, agnostiques et athées.

On ne peut certes pas imaginer comme le chantait Lennon « un monde sans religion, sans enfer et avec seulement un ciel au-dessus de nous »...

Cependant, on peut rêver de vivre à une époque où il sera permis pour tout athée de sortir impunément du garde-robe et où un dialogue sous le signe du respect et de la raison pourra s'établir entre croyants et non-croyants.

Le mot de la fin à un autre de mes regrettés héros :

> La foi religieuse est indéracinable. Elle ne disparaîtra jamais, du moins tant que nous ne vaincrons pas notre peur de la mort et des ténèbres, de l'inconnu et des autres.[106]

106. Hitchens Christopher, *ibid.*

REMERCIEMENTS

Un merci gros comme ça à Marie-France pour sa compréhension et son indéfectible support tout au long de la préparation de ce livre...

Merci sincère à mes premiers lecteurs et critiques dont les encouragements m'ont poussé à avancer dans le projet :

Luc Déry, Éric « Le cœur sur la main » Blais, Claude « Tit-monstre » Rocheleau ainsi que Hélène et Caroline...

SOURCES BIBLIOGRAPHIQUES

LIVRES

BARKER Dan, *Godless: How an Evangelical Preacher Became One of America's Leading Atheists.* Ulysses Press, Berkeley, 2008, 392 p.

BOGHOSSIAN Peter, *A Manual for Creating Atheists.* Pitchstone Publishing, Charlottesville, 2013, 278 p.

BOUCHER Madeleine, *Parables of Jesus.* Michael Glazier, Wilmington, 1981, 159 p.

COMTE-SPONVILLE André, *L'esprit de l'athéisme (introduction à une spiritualité sans Dieu).* Albin Michel, Paris, 2006, 228 p.

DAWKINS Richard, *The God Delusion.* Houghton Mifflin Co., Boston, 2006, 374 p.

DAWKINS Richard, *Pour en finir avec Dieu,* traduit de l'anglais par DESJEUX-LEFORT Marie-France. Robert Laffont, Paris, 2008, 423 p.

DENNETT Daniel C., *Breaking the Spell: Religion as a Natural Phenomenon.* Viking Books, New York, 2006, 464 p.

DOANE Sébastien, *Lexique sympathique de la Bible.* Novalis, Montréal, 2013, 280 p.

EHRMAN Bart D., *Did Jesus Exist?,* Harper Collins, New York, 2012, 361 p.

EHRMAN Bart D., *Jesus, Interrupted : Revealing the Hidden Contradictions in the Bible (And Why We Don't Know About Them)*. Harper Collins, New York, 2009, 292 p.

EHRMAN Bart D., *Misquoting Jesus : The Story Behind Who Changed the Bible and Why*. Harper one, New York, 2007 [2005], 266 p.

EHRMAN Bart, *La construction de Jésus, aux sources de la religion chrétienne*, traduit de l'anglais par DASSAS Véronique & ST-HILAIRE Colette. H & O, Saint-Martin-de-Londres, 2010, 383 p.

EHRMAN Bart, *Lost Scriptures : Books that Did Not Make It into the New Testament*. Oxford University Press, Londres, 2003, 352 p.

FELDMAN Deborah, *Unorthodox : The Scandalous Rejection of my Hasidic Roots*. Simon and Shuster, Toronto, 2012, 272 p.

FINKELSTEIN Israel & SILBERMAN Neil Asher, *The Bible Unearthed*. Free Press, New York, 2001, 381 p.

FITZGERALD David, *Nailed : Ten Christian Myths That Show Jesus Never Existed at All*. Lulu.com, Raleigh, 2010, 248 p.

FOREST Jean, *La terreur à l'occidentale*. Triptyque, Montréal, 2005, 269 p.

FOX Robin Lane, *Truth and Fiction in the Bible*. Penguin, Londres, 2006 [1992], 480 p.

GRETA Christina, *Why Are You Atheists So Angry? (99 Things That Piss Off the Godless)*. Pitchstone publishing, Charlottesville, 2012, 184 p.

HARRIS Sam, *The End of Faith : Religion, Terror, and the Future of Reason*. W.W. Norton and Co, New York, 2004, 348 p.

HARRISON Guy P., *50 Reasons People Give for Believing in a God*. Prometheus books, New York, 2008, 354 p.

HAUGHT James A., *Holy Horrors : An Illustrated History of Religious Murder and Madness.* Prometheus books, Amherst, 2002, 237 p.

HELMS Randel, *Gospel Fictions.* Prometheus books, Amherst, 1989, 154 p.

HITCHENS Christopher, *God Is Not Great : How Religion Poisons Everything.* Twelve Books, New York, 2007, 307 p.

HITCHENS Christopher, *The Portable Atheist : Essential Readings for the Nonbeliever.* De Capo Press/Perseus Books, Boston, 2007, 525 p.

LANDAU Brent, *The Revelation of the Magi : The Lost Tale of the Wise Men's Journey to Bethleem.* Harper One, New York, 2010, 176 p.

LEVER Yves, *Petite critique de la déraison religieuse.* Éditions Liber, Montréal, 1998, 225 p.

LEY David J., *The Myth of Sex Addiction.* Rowman & Littlefield Publishers, Lanham, 2014, 270 p.

LEY David J., *Sex and God : How Religion Distorts Sexuality.* IPC Press, 2012, 300 p.

LOBDELL William, *Losing my Religion.* Collins publishers, New York, 2009, 291 p.

LONG Jason, *Biblical Nonsense : a Review of the Bible for Doubting Christians.* iUniverse, Lincoln, 2005, 216 p.

MACKIE J. L., *The Miracle of Theism : Arguments For and Against the Existence of God.* Oxford University Press, New York, 1982, 288 p.

McCORMICK Matthew S., *Atheism and the Case Against Christ.* Prometheus books, New York, 2012, 298 p.

McROBERTS Steve, *The Cure for Fundamentalism : Why the Bible Cannot be the Word of God.* Lulu Enterprises Incorporated, Raleigh, 2006, 490 p.

MENCKEN H. L., *Mencken on Religion.* Prometheus Books, Amherst, 2002, 318 p.

MESSADIÉ Gérald, *Contradictions et invraisemblances dans la Bible.* L'Archipel, Paris, 2013, 324 p.

MESSADIÉ Gérald, *L'homme qui devint Dieu.* Robert Laffont, Paris, 1988, 611 p.

MESSADIÉ Gérald, *L'homme qui devint Dieu : les sources.* Robert Laffont, Paris, 1989, 333 p.

MILLS David, *Atheist Universe : The Thinking Person's Answer to Christian Fundamentalism.* Ulysses Press, Berkeley, 2006 [2003], 272 p.

NAVABI Armin, *Why There Is No God : Simple Responses to 20 Common Arguments for the Existence of God.* CreateSpace Independent Publishing Platform, 2014, 128 p.

NELSON-PALLMEYER Jack, *Is Religion Killing Us? Violence in the Bible And the Quran.* Continuum, New York, 2003, 169 p.

ONFRAY Michel, *Traité d'athéologie.* Grasset, Paris, 2005, 282 p.

PORTER J.R., *Jésus-Christ.* Evergreen, 2007, 240 p.

PORTER J.R., *Origines et histoires de la Bible.* France Loisirs, Arras, 1996, 288 p.

PRATCHETT Terry, *The Last Hero, a Discworld Fable.* Transworld Publishers, Londres, 2001, 176 p.

PRICE Robert M., *The Case Against the Case for Christ.* American Atheist Press, Austin, 2010, 300 p.

PROBULOS I. M., *101 Lists for Atheists, Agnostics, and Secular Humanists.* I.M. Probulos, 2013, 212 p.

RAY Darrel, *The God Virus : How Religion Infects Our Lives and Culture.* IPC Press, 2009, 241 p.

ROMER John, *La Bible et l'histoire.* Éditions du Félin, Paris, 1994 [1988], 440 p.

RONCACE Mark, *Raw Revelation : The Bible They Never Tell You About.* CreateSpace Independent Publishing Platform, 2012, 242 p.

RUSSELL Bertrand, *Why I Am Not a Christian and Other Essays on Religion and Related Subjects.* Touchstone Books, New York, 1967 [1927], 266 p.

RUSSELL Bertrand, *An Outline of Intellectual Rubbish.* Haldeman-Julius, Girard, 1943.

SAINT-AUGUSTIN, *Confessions.* Éditions Gallimard, Paris, 1993, 599 p.

SMITH George H., *Atheism : The Case Against God.* Prometheus books, Amherst, 1979, 355 p.

SPONG John Shelby, *Re-Claiming the Bible for a Non-Religious World.* Harper Collins, New York, 2011, 414 p.

SPONG John Shelby, *Rescuing the Bible from Fundamentalism: A Bishop Rethinks the Meaning of Scripture.* Harper One, New York, 1991, 288 p.

STENGER Victor J., *God : The Failed Hypothesis : How Science Shows That God Does Not Exist.* Prometheus Books, Amherst, 2007, 287 p.

TABOR James, *La véritable histoire de Jésus.* Robert Laffont, Paris, 2007, 346 p.

TERHART Franjo & SHULZE Janina, *Religions du monde.* Parragon, Bath, 2007, 318 p.

TWAIN Mark, *Letters from the Earth : Uncensored Writings.* Harper Perennial Modern Classics, New York, 2004, 336 p.

VALLET Odon, *Femmes et religions : Déesses ou servantes de Dieu ?* Gallimard, Paris, 1994, 160 p.

WARRAQ Ibn, *Why I Am Not a Muslim.* Prometheus books, Amherst, 2003 [1995], 428 p.

WELLS Steve, *The Skeptics annotated Bible,* SAB Book, 2013, 1648 p.

WELLS Steve, *Drunk with Blood : God's killings in the Bible.* SAB Book, 2013, 300 p.

YALLOP David, *Beyond Belief.* Constable, Londres, 2010, 170 p.

ARTICLES

BECKER Jillian, *Tread on me : the making of Christian morality.* (The Atheist Conservative [theatheistconservative.com])

CLINE Austin, *Atheism and Divorce : Divorce Rates Atheists are Among the Lowest in America.* (About Religion [atheism.about.com/od/atheistfamiliesmarriage/a/AtheistsDivorce.htm])

DUBÉ Louis, *L'enseignement de Jésus: à la hauteur de sa réputation ?* (Québec sceptique, n° 65, printemps 2008, p. 5-9)

FREEDMAN David Noel, *How the Hebrew bible and the Christian Old Testament differ : an interview with David Noel Freedman. (*Bible Review magazine, décembre 1993, p. 34)

GUZDER Deena, *When Parents Call God Instead of the Doctors.* (Time, 5/02/2009)

HAUGHT James A., *Religion's Death Toll.* (The skeptical Review online [skepticalreview.com])

INGERSOLL Robert G., *Au sujet de la Bible* [atheism.com]

INGERSOLL Robert G., *About the Holy Bible,* 1894. [infidels.org/library/historical/robert_ingersoll/about_the_holy_bible.html]

LESSARD Roger, *La pédophilie dans l'Église catholique romaine à l'échelle mondiale.* (Association humaniste du Québec [assohum.org])

FESTRAËTS Marion, ANGEVIN Patrick, GHAZI Siavosh, LAGARDE Dominique, *Dieu est-il misogyne ?* (L'Express, 09/03/2000)

MURCIA Thierry, *Les miracles de Jésus ont-ils une réalité historique?* (Extrait de RFP Volume 1, numéro 3/4, 2000)

NICKELL Joe, *Examining Miracle Claims.* (Deolog, mars 1996)

ORLET Christopher, *Les leçons des dictatures athées.* (Association humaniste du Québec, 10 mars 2009 [assohum.org])

PARENT Ghyslain, *L'insoutenable légèreté de la soutane.* (Association humaniste du Québec [assohum.org])

QUENTIN Florence, *L'obsession de la virginité.* (Le monde des religions, 01/07/2009)

SCHWARZ Jennifer, *Une histoire du refoulement chrétien.* (Le monde des religions, 01/07/2009)

Les langues sont-elles nées à Babel? (La tour de Garde, septembre 2013 [jw.org/fr/publications/revues/wp20130901/langues-nees-a-babel/])

BIBLES

La Bible, Éditions Pauline

La Bible en français, version Louis Segond 1910 [www.info-bible.org]

INTERNET

Abuse Tracker. A blog by Kathy SHAW [christianspooksite.wordpress.com]

Answers in Genesis [answersingenesis.org]

Association Fabula [www.rationalisme.org]

Association humaniste du Québec [assohum.org]

Atheist Alliance International [www.atheistalliance.org]

Atheist Empire [atheistempire.com]

Bishop Accountability [www.bishop-accountability.org]

Campagne Québec-Vie [www.cqv.qc.ca]

Catholic Online [www.catholic.org/news/]

Constitution Apostolique *Ineffabilis Deus* [icrsp.org/Saints-Patrons/Christ-Roi-Immaculee-Conception/Ineffabilis_Deus_Pie_IX.htm]

Creation Museum [creationmuseum.org]

Dwindling In Unbelief [dwindlingunbelief.blogspot.org]

Eruption of hope [eruptionofhope.wordpress.com]

Freedom From Religion Foundation [ffrf.com]

Frontline (Série) : From Jesus to Christ (épisode) [www.pbs.org]

God is Imaginary – 50 Simple Proofs [godisimaginary.com]

Got Question ? org [www.gotquestion.org]

India has no reason to be grateful to Mother Teresa, EDAMARUKU Sanal. [https://mukto-mona.com/Articles/mother_teresa/sanal_ed.htm]

Info-Sectes [www.info-sectes.org]

Michigan Skeptics Association [www.miskeptics.org]

Noah's Ark Search [www.noahsarksearch.com]

The Road to Grace [www.roadtograce.net]

Silent lambs [www.silentlambs.org]

Snake handling [en.wikipedia.org/wiki/Snake_handling#Risks]

The Acts of Pete, The gnostic Society Library [gnosis.org/library/actpete.htm]

The Atheist Conservative [atheistconservative.com]

The God Murders [www.thegodmurders.com]

The Institute for Creation Research [www.icr.org]

The Secular Web [infidels.org]

The Skeptical Review Online [theskepticalreviewonline.com]

The Skeptics Society & Skeptic Magazine [www.skeptic.com]

The Thinking Atheist [www.thethinkingatheist.com]

The Trinity Foundation [www.trinityfoundation.org]

The World to Come with David C. Pack [www.worldtocome.org]

Trinite1-Free [trinite.1.free.fr]

Unexplainable.Net [www.unexplainable.net]